HORST STEIBLE

DIE NEUSUMERISCHEN BAU- UND WEIHINSCHRIFTEN
TEIL 2

FREIBURGER ALTORIENTALISCHE STUDIEN

HERAUSGEGEBEN VON
BURKHART KIENAST
UNTER MITWIRKUNG VON
MARK A. BRANDES UND HORST STEIBLE

BAND 9,2

FRANZ STEINER VERLAG STUTTGART
1991

HORST STEIBLE

DIE NEUSUMERISCHEN BAU- UND WEIHINSCHRIFTEN

TEIL 2

KOMMENTAR ZU DEN GUDEA-STATUEN
INSCHRIFTEN DER III. DYNASTIE VON UR
INSCHRIFTEN DER IV. UND „V." DYNASTIE VON URUK
VARIA

FRANZ STEINER VERLAG STUTTGART
1991

CIP-Titelaufnahme der Deutschen Bibliothek
Die **neusumerischen Bau- und Weihinschriften** / Horst Steible.
- Stuttgart : Steiner.
(Freiburger altorientalische Studien ; Bd. 9)
ISBN 3-515-04250-4
NE: Steible, Horst [Hrsg.]; GT
Teil 2. Kommentar zu den Gudea-Statuen; Inschriften der III. Dynastie von Ur; Inschriften der IV. und "V." Dynastie von Uruk; Varia. - 1991

 Gedruckt mit Unterstützung dert Deutschen Forschungsgemeinschaft.
Druck: Druckerei Peter Proff, Starnberg.
Printed in the Fed. Rep. of Germany

INHALTSVERZEICHNIS

Teil II: FAOS 9/II

Kommentar zu den Gudea-Statuen

Gudea Statue A

1) Beischrift: Die Statuen A, D, E, F, M, N, O und U tragen, deutlich getrennt vom eigentlichen Text, auf der rechten Schulter eine Beischrift, welche die jeweilige Statue mit Gudea identifiziert (s. A. Falkenstein, AnOr 30, 174). Ob Gudea Statue G eine derartige Beischrift hatte, ist nicht mehr zu klären, weil die rechte Schulter und der anschließende Oberarm stark zerstört sind; das gleiche gilt für die Gudea Statuen H, K, R, S, W, X, Y, Z und AA. Auch Kol. 1 der Gudea Statue C ist als Beischrift anzusehen, obwohl sie nicht von der übrigen Inschrift abgesetzt ist; der Beischriftcharakter wird hier dadurch zum Ausdruck gebracht, daß die Zeilen dieser Kolumne gegenüber den Zeilen der folgenden Kolumnen eingerückt sind.
Zum Beischriftcharakter von Kol. 1 der Statue B s.u. Anm. 1 zu Gudea Statue B.
Nachdem die Kollation ergeben hat, daß es sich bei Gudea 'Statue L' wohl kaum um eine Statue handelt, ist lediglich für die Gudea Statuen I, P und Q mit Sicherheit festzustellen, daß sie keine Beischrift getragen haben, wohingegen für Gudea Statue T aufgrund des derzeitigen Standes der Textveröffentlichung eine diesbezügliche eindeutige Angabe nicht möglich ist.

2) Kol. 1:2 = Gudea 70:4, so mit A. Falkenstein, AnOr 30, 104 mit Anm. 8. Vgl. dazu auch G.B. Gragg, TCS 3, 179f. zu 20.. Für die Verbindung von Ninḫursag und Nintu (s. unten Anm. 9) ist bedeutsam festzuhalten, daß das hier Ninḫursag zugeschriebene Epitheton **nin uru-da mu$_2$-a** "Herrin, die mit der Stadt zusammen gewachsen ist" leicht abgewandelt schon in aS Zeit in der Verbindung **^{d}nin-tu-ama-uru-da-mu$_2$-a** ("Nintu, Mutter, die mit der Stadt zusammen gewachsen ist") begegnet. Dieser Name findet sich in TSA 1,8:5-7 und DP 53,8:10-12 neben **^{d}nin-tu-za$_3$-ga** und **^{d}dumu-zi-gu$_2$-en(-na)**, und der Kontext läßt erkennen, daß es sich hierbei um Statuen(namen) handelt, die neben anderen während des Hauptfesttages der Nanše-Feste je 1 Sila Öl und Datteln empfingen; vgl. dazu abweichend A. Falkenstein, AnOr 30, 104 Anm. 9.

3) Kol. 1:8: In **e$_2$-uru-gir$_2$-su^{ki}-ka-ni** "ihren (= Ninḫursag's) Tempel der Stadt Girsu" ist **uru-gir$_2$-su^{ki}** "Stadt Girsu" in diesen Inschriften singulär; die nächstliegende Parallele, Gudea 70:9, bietet das geläufige **e$_2$-gir$_2$-su^{ki}-ka-ni**. Während A. Falkenstein, AnOr 28, 35; 89 **uru** als Prädeterminativ zu **gir$_2$-su^{ki}** auffaßt, wird hier **uru-gir$_2$-su^{ki}**"StadtGirsu" (so schon E. Bergmann, ZA 56 (NF 22) (1964) 9 (zu Z. 9) wie **ki-lagaš^{ki}** "GebietLagaš" verstanden (vgl. etwa A. Falkenstein, AnOr 29, 17); vgl. auch **uru-ur-su^{ki}** "StadtUrsu" in Gudea Stat. B 5:53.

Zum Hintergrund der Aussage, daß Gudea Ninḫursag "ihren Tempel von (/der Stadt) Girsu" (= **e$_2$-(uru-)gir$_2$-su^{ki}-ka-ni**) baut, s. A. Falkenstein, AnOr 30, 148f.. Beachte, daß in Kol. 2:5 dieses Textes der Tempel der Ninḫursag wie der Tempel der Baba (in Gudea Statue E 4:10) als **e$_2$-maḫ(-ni-a)** "erhabener/riesengroßerTempel" beschrieben wird. Zu den Kultstätten Ninḫursag's in Girsu (bzw. Lagaš) vgl. A. Falkenstein, AnOr 30, 105; 155.

4) Kol. 2:1-4(/5) hat eine inhaltliche Parallele in Gudea Statue E 4:3-11 (an Baba gerichtet) und Statue F 3:8-11 (an Gatumdu gerichtet).

5) Kol. 2:1: **DUB.ŠEN** (= REC 429), auch in Gudea Statue E 4:8 und Gudea Statue F 3:10, ist nach wie vor nicht sicher gedeutet. P. Steinkeller, der in OA XX (1981) 243-249 diesen Begriff ausführlich untersucht hat, vermutet, es sei "a type of chest, serving as a treasure-box, which formed part of temple furnishings" (S. 246); dazu jetzt auch noch ders., OA XXIII (1984) 39-41.

6) Kol. 2:3: So in Anlehnung an A. Falkenstein, AnOr 29, 56 (**^{giš}guza-maḫ-nam-ni=na$_3$-ka-ni** "ihren hohen königlichen Thron") unter Hinweis auf Gudea Statue E 4:3-4 und Gudea Statue F 3:8. Vgl. dazu auch A. Salonen, Möbel 75.

7) Kol. 3:1: Zum "Diorit", so die konventionelle Übersetzung für **^{na4}esi**, vgl. die differenzierende Diskussion von W. Heimpel, ZA 77 (1987) 49; 69f..

8) Kol. 3:2-4:4: In der für Gudea typischen Statuen-Weihformel **alan-na-ni(-še$_3$) mu-tu ... mu-še$_3$ mu-na-sa$_4$ *e$_2$-(...-)a mu-na-ni-ku$_4$** "eine Statue von sich hat er (= Gudea) geformt, hat ihr/ihm (= GN) '...' als Namen genannt (und) hat (sie) ihr/ihm (= GN) in den (...-) Tempel hineingebracht" (s. die Belegzusammenstellung bei H. Behrens, FAOS 10 s.v. **alan**) markiert **ku$_4$** einen deutlichen Wechsel gegenüber der aS Phraseologie, die an vergleichbaren Stellen **DU** bietet; vgl. etwa **alan-na-ni mu-tu ... mu mu-ni-sa$_4$ ^{d}en-lil$_2$-la e$_2$-a mu-na-ni-DU** "eine Statue von sich hat er (= Entemena) geschaffen, '...' hat er (als ihren) Namen genannt (und) hat (sie) dem Enlil im

Tempel aufgestellt" in Ent. 1,3:9-4:1 (dazu H. Steible, FAOS 5/I, 213; ferner H. Behrens, H. Steible, FAOS 6, 333 s.v. **tu** B)1.). Vgl. aber noch Gudea Statue T b 1':3'-5' **alan-na-ni mu-tu / nam-ti-la-ni-še$_3$ / e$_2$-⸢a⸣ [m]u-na-ni-DU** "die(se) Statue von sich hat er geformt (und) hat (sie) ihr (= Nisaba(?)) für sein Leben im Tempel aufgestellt" und Gudea Statue R 4:3-7 **⸢e$_2$?-MI$_2$-gi$_{16}$-sa-ka⸣ ... m[u-na]-ni-D[U] [a]lan-b[a] [g]u-de$_2$-a ma-[x] [m]u-bi** "(diese Statue) hat er [ihr (= Nin-MAR.KI)] <in> dem Tempel von MI$_2$-gisa, ..., aufge[stellt]. Von dies[er St]atue (ist) 'Gudea hat(?) mir (= Namḫani) ... !' der Name". Zum Problem eines möglicherweise zeitlich bedingten Wechsels von **DU** "aufstellen (von Statuen)" zu **ku$_4$** "hineinbringen (von Statuen)" s. Anm. 11 zu Gudea Statue R.

In **alan-na-ni** "seine Statue" i.S. von "eine Statue von sich (selbst)" wird mit **-na-** einerseits ein Lesehinweis auf den **-n-**Auslaut von **ALAM/N**, andererseits der Bindevokal **/a/** für ***-a-ni** realisiert. Eine Übersetzung "seine Steinstatue" halte ich wegen des unmittelbar vorausgehenden Kontextes (Kol. 2:6-3:1), in dem die Steinart ausdrücklich (**^{na4}esi** "Diorit", s. dazu oben Anm. 7) genannt wird, für ausgeschlossen (so noch H. Steible, FAOS 5/II 107 zu Anm. 8 zu Ent. 1,3:9 mit Verweis auf A. Falkenstein, AnOr 28, 58 mit Anm. 3).

Dementsprechend wird mit **-na-** in den Schreibungen **alan-na-e** (in Gudea Statue I = P 5:1) und **alan-na-še$_3$** (in Gudea Statue D 4:17; E 8:19; G 3:3 und Gudea Statue Z 1':4') lediglich der **-n-**Auslaut von **ALAM/N** realisiert. Angesichts dieser Erklärung bleibt die Schreibung **alan-e** (in Gudea Statue B 7:22; 7:49) auffällig.

9) Kol. 3:4-6: Beachte den Wechsel zwischen Ninḫursag, der diese Statue geweiht ist, und Nintu, die hier im Statuennamen als Herrin der Schicksalsentscheidung und "Mutter der Götter" (= **ama-dingir-re-ne**) vorgestellt wird. Das Epitheton **ama-dingir-re-ne** ist in diesen Inschriften sonst Ninḫursag vorbehalten (s. Urbaba 1,3:8; Lu'utu v. Umma 3:1-2; 4:1-2), die jedoch in dieser Statue als "Mutter aller Kinder" (= **ama-dumu-dumu-ne** in Kol. 1:3 und in Gudea 70:5) bezeichnet wird. Vgl. schließlich auch Gudea 70:1-3 **^{d}nin-ḫur-sag / ama-ki-ag$_2$- / ^{d}nin-gir$_2$-su-ka** "Ninḫursag, der geliebten Mutter des Ningirsu". - Zur Diskussion über die Identität von Ninḫursag und Nintu s. A. Falkenstein, AnOr 30, 104f., Å. Sjöberg, TCS 3, 8; 72f.; 74, Th. Jacobsen, OrNS 42 (1973) 274ff. (besonders S. 285ff. und S. 295ff.) und jetzt J.S. Cooper, AnOr 52, 104f. (zu 2.).

Gudea Statue B

1) Kol. 1:1-20: Kolumne 1 (auf dem Rücken der Statue) ist ca. 1 cm von der übrigen Inschrift (Kol. 2ff.) abgesetzt. Die Zeichen dieser Kolumne sind deutlich kleiner geschrieben als die des übrigen Textes. Der äußerlichen Differenzierung entspricht eine inhaltliche: In Z. 1-12 werden die "regelmäßigen Abgaben" (= **sa$_2$-du$_{11}$** in Z. 8-11) "für die Statue des Gudea" (= **alan-gu$_3$-de$_2$-a** in Z. 3) "aus dem Tempel des Ningirsu" (= **e$_2$-^{d}nin-gir$_2$-su(...-ta)** in Z. 1) festgelegt. In Z. 13-20 werden Sanktionen für den Fall der Nichterfüllung der "regelmäßigen Abgaben" angedroht. Eine vergleichbare Beischrift findet sich bereits auf der Statue des Entemena, wo die Kol. 5-6 als Schulterinschrift die Tempelpfründe des E'adda des Enlil beschreiben, s. dazu H. Steible, FAOS 5/II, 107 Anm. 10. Für einen anderen Typus von Beischriften vgl. Anm. 1 zu Gudea Statue A.

Kol. 1:1-12 wird hier mit A. Falkenstein, AnOr 29, 11f. als syntaktische Einheit verstanden, in der der Lokativ in **sa$_2$-du$_{11}$-ba** (<*- **...-bi-a**) (Z. 12) von dem folgenden **gal$_2$-la-am$_3$** abhängig ist (zu **gal$_2$** mit dem Lokativ bei Gudea s. A. Falkenstein, AnOr 29, 107), obwohl es wegen der Konstruktion in Kol. 1:17-19 **sa$_2$-du$_{11}$-na ... inim ḫe$_2$-eb$_2$-gi$_4$** "seine (= des genannten Stadtfürsten) regelmäßige Abgaben ... sollen widerrufen werden!" (der Lokativ bei **sa$_2$-du$_{11}$-na** (<* **...-(a-)-ni-a**) ist abhängig von **inim-gi$_4$(-gi$_4$)**) nahe läge, den Lokativ in **sa$_2$-du$_{11}$-ba** (<* **...-bi-a**) (Kol. 1:12) auch von **inim-gi$_4$(-gi$_4$)** in Kol. 1:14 abhängig zu machen; danach müßte **gal$_2$-la-am$_3$** in Kol. 1:12 als Einschub erklärt und Kol. 1:12 bereits als Teil der Androhung von Sanktionen bei Nichterfüllung der "regelmäßigen Abgaben" aufgefaßt werden (etwa: "Der Stadtfürst, der ihre (= der Statue) regelmäßige Abgaben - sie sind vorhanden - widerruft, ...").

2) Kol. 1:3-7: **alan-gu$_3$-de$_2$-a ... lu$_2$ e$_2$-ninnu in-du$_3$-a-ke$_4$** wird mit A. Falkenstein, AnOr 29, 29 zu f. als Lokativ-Terminativ der Sachklasse (<* **...-a** (= Nominalisierung) + **ak** (= Genitiv) **-e** (= Lokativ-Terminativ)) verstanden; anders M. Lambert - J.-R. Tournay, RA 45 (1951) 51 "(voici) la statue de Gudéa ...".

3) Kol. 1:10: Zu **zi$_3$-dub-dub**, auch in Gudea Statue K 3':7, s. CAD Z 107f. s.v. *zidubdubbû* (besonders S. 108 zu b.) (mit Verweis auf Ḫḫ XXIII Kol. 5:8f. bei A.L.

Oppenheim, in: JAOS Suppl. 10 (1950) 28f.) **[zi$_3$-dub-du]b-bu** = *qi$_2$-me ma-aq-qi$_2$-tum* "flour (used for sacrifice with) a libation"; = *qi$_2$-me si-ir-qi$_2$* "flour (used for sacrifice with) an incense offering" (s. dazu jetzt MSL XI 75, Kol. 5:8-9). **zi$_3$-dub-dub** ist besonders gut in den Ur-III-Texten bezeugt, s. dazu etwa UET III Index S. 192 s.v. **zi$_3$-dub-dub**, A.L. Oppenheim, AOS 32, 20 zu B 9; 111 zu M 4; 130 Anm. 123 und H. Sauren, WMAH I 148, Nr. 141; 149f., Nr. 143 und 275, Nr. 270,1. Zur Verwendung von **zi$_3$-dub-dub** in den aS Texten vgl. etwa J. Bauer, AWL 665 s.v. **zid$_2$-dub-dub**.

4) Kol. 1:11: **nig$_2$-ar$_3$-ra-ZIZ$_2$.AN** begegnet auch in Gudea Stat. K 3':8. Die genaue Bedeutung dieser Verbindung bleibt unklar. Zu **nig$_2$-ar$_3$-ra** (= *mundu(m)*; = *sim-du(m)*), etwa "Grütze", s. zuletzt G.J. Selz, FAOS 15/1, 360 zu (1:1); zu **ZIZ$_2$.AN** "enthülster(?) Emmer" ders., a.a.O. 500 zu (4:8) und [(4:8)] mit Verweis auf M. Powell, BOSA 1 (1984) 51ff..

5) Kol. 1:12+17: Anders als in Kol. 1:17-19, wo der Lokativ **sa$_2$-du$_{11}$-na** (<* **...-(a-)ni-a**) (Kol. 1:17) von **inim--gi$_4$** "widerrufen" in Kol. 1:19 abhängig ist (zur lokativischen Rektion von **inim--gi$_4$** s. H. Behrens - H. Steible, FAOS 6, 176), wird der Lokativ in **sa$_2$-du$_{11}$-ba** in Kol. 1:12 dem folgenden **gal$_2$-la-am$_3$** zugeordnet (s. oben Anm. 1). Die Aussage in Kol. 1:12 **sa$_2$-du$_{11}$-ba gal$_2$-la-am$_3$** "(die in Kol. 1:8-11 genannten Opfergaben) sind unter ihren (= der Statue) regelmäßigen Abgaben vorhanden" ist im Gesamtkontext von Kol. 1:1-12 m. E. so zu verstehen, daß die in Kol. 1:8-11 genannten Abgaben einen Teil der "regelmäßigen Abgaben" (= **sa$_2$-du$_{11}$**) bilden, der "aus dem Tempel des Ningirsu" (Kol. 1:1) an diese Statue des Gudea geliefert werden mußte; vgl. auch A. Falkenstein, AnOr 29, 107 mit der Übersetzung "ist in ihrem regelmäßigen Opfer gesetzt" und M. Lambert - J.-R. Tournay, RA 45 (1951) 51 mit der Wiedergabe "(et) voici (quelles) en sont les offrandes". Diese Statue war nach Aussage von Kol. 7:55 am **ki-a-nag** ("Libationsort") aufgestellt (s. unten Anm. 96). A. Falkenstein hat in AnOr 30, 45 auf der Grundlage der von N. Schneider, in OrNS 9 (1940) 20-23 gebotenen Ur-III-zeitlichen Textbelege festgestellt, daß "Gudea als vergöttlichte Gestalt noch in der Zeit der III. Dynastie von Ur Opfer" erhielt, und daß in diesen Texten (bei N. Schneider, a.a.O. 23) das **ki-a-nag-^{d}gu$_3$-de$_2$-a (ensi$_2$)** ("'Libationsort' des vergöttlichten Gudea, (des Stadtfürsten)") begegnet, an dem Gudea "Totenopfer am 1., (7.) und 15. jeden Monats dargebracht wurden", die "offensichtlich aus staatlichen Mitteln bestritten" wurden. Vgl. zu dieser Problematik auch die Ausführungen zum Totenkult für Gudea in Anm. 15 zu Gudea Statue I.

6) Kol. 1:13-14: Mit A. Falkenstein, AnOr 30, 139 ist die Aussage dieser Zeilen **ensi$_2$ inim bi$_2$-ib$_2$-gi$_4$-gi$_4$-a** "der Stadtfürst, der sie (= die regelmäßigen Abgaben (der Statue) (= **sa$_2$-du$_{11}$-ba** in Kol. 1:12)) widerruft" mit der inhaltlichen Parallele aus der Fluchformel dieser Statue in Kol. 8:19-20 zu vergleichen: **(lu$_2$ ...) nig$_2$-ba-ga$_2$ ba-a-gi$_4$-gi$_4$-da** "(der Mann, ...,) der meine (= Gudea's) Zuteilung anfechten möchte". Die sprachliche Differenzierung ist auffällig: Die allgemeine Bezeichnung **lu$_2$** "der Mann" (Kol. 8:6.10.12) ist hier in der Beischrift auf **ensi$_2$** "Stadtfürst" (Kol. 1:13) eingegrenzt; **sa$_2$-du$_{11}$(-ba)** "regelmäßige Abgaben" in der Beischrift (Kol. 1:12) entspricht **nig$_2$-ba(-ga$_2$)** "Zuteilung" (Kol. 8:19) (s. dazu unten Anm. 81 zu Kol. 7:17), und **inim bi$_2$-ib$_2$-gi$_4$-gi$_4$-a** "der widerruft" (der Lokativ dessen, was widerrufen wird (s. oben Anm. 5), ist hier im Verbal-Präfix des Lokativ-Terminativs faßbar) in der Beischrift (Kol. 1:14) steht **ba-a-gi$_4$-gi$_4$-da** "der anficht/anfechten möchte" in der Fluchformel (Kol. 8:20) gegenüber. Diese drei Aspekte legen in Verbindung mit der Beobachtung, daß Kol. 1 dieses Textes deutlich kleiner geschrieben und von den Kol. 2-9 abgesetzt ist, die Frage nahe, ob für Kol. 1 eine zeitlich spätere Anbringung als für Kol. 2-9 anzunehmen ist. Beachtung verdient auch die Verwendung der parallelen *marû*-Basen **inim--gi$_4$-gi$_4$** "widerrufen" (Kol. 1:14) bzw. **gi$_4$-gi$_4$** "anfechten" (Kol. 8:20) zum Ausdruck des transitiven Prekativs und der *ḫamṭu*-Basis **inim--gi$_4$** "widerrufen werden" (Kol. 1:19) zum Ausdruck des intransitiv-passiven Prekativs; s. dazu D.O. Edzard, ZA 61 (1971) 213f..

7) Kol. 1:20: Vgl. dazu die Übersetzungen von F. Thureau-Dangin, SAK 67 "seine Befehle sollen gebunden werden", von M. Lambert - J.-R. Tournay, RA 45 (1951) 51 "que ses ordres soient contredits" und von M.-L. Thomsen, SL 204 (535) "may his word become invalid(?)"; diese Übersetzungen weichen zwar im Verständnis von **KEŠ$_2$** stark ab, stimmen aber untereinander und mit der hier vorgelegten Auffassung darin überein, daß *** -a-ni** in **KA.KA-ni**, hier als **ka-ka-ni** < *** ka.k-a-ni** "sein Mund" verstanden, nur auf den in Kol. 1:13 genannten **ensi$_2$** zu beziehen ist (vgl. auch **sa$_2$-du$_{11}$-na** in Kol. 1:17) und nicht auf Gudea, der in dieser Kol. 1 nur in der Verbindung **alan-gu$_3$-de$_2$-a** "Statue des Gudea" (Kol. 1:3) begegnet. Deshalb dürfte das gut bezeugte zusammengesetzte Verbum **KA--keš$_2$** in der Bedeutung "verpflichten", "vertraglich binden"

(vgl. dazu etwa C. Wilcke, LE 195f. oder J. Bauer, AWL 60) hier nicht vorliegen.
keš$_2$ in **ka-ka-ni ḫe$_2$-keš$_2$** ist hier über aS **e$_2$-keš$_2$(d)-ra$_2$-a / mu-gal$_2$** "(diese Wertgegenstände) sind im verschlossenen Haus vorhanden" (BIN 8, 388, 2:4-3:1) i.S. von "verschließen" verstanden. Die Fluchandrohung "sein Mund sei verschlossen" ist – soweit ich sehe – bislang singulär. Zu **keš$_2$(-d)** "verschließen" (mit den Objekten "Haus" und "Tür") vgl. schon Å. Sjöberg, ZA 55 (NF 21) (1963) 264; A. Falkenstein, ZA 56 (NF 22) (1964) 116, Z. 33; ZA 57 (NF 23) (1965) 107 zu 170.; J. Krecher, ZA 58 (NF 24) (1967) 54 und Å. Sjöberg, JCS 24 (1972) 114 Anm. 16.
Zu **ka(-g/k)** "Mund", "Aussage" s. H. Steible, FAOS 5/II, 162 zu (24) mit Verweis auf G. Farber-Flügge, Studia Pohl 10, 84f. zu Z. 27 und J. Krecher, ZA 69 (1979) 3.

8) Kol. 2:2-3: Dem in diesen Texten durchgängig gebrauchten Ningirsu-Epitheton **ur-sag-kal-ga-^{d}en-lil$_2$-la$_2$** "mächtiger Held des Enlil" (s. A. Falkenstein, AnOr 30, 69 mit Anmerkung 11; 90; 93) entspricht in den aS Bau- und Weihinschriften durchweg **ur-sag-^{d}en-lil$_2$(-la$_2$)** "Held des Enlil" (s. H. Behrens, H. Steible, FAOS 6, 356 s.v. **ur-sag**).

9) Kol. 2:4-3:5: Zu dieser Epithetareihe vgl. A. Falkenstein, AnOr 29, 18f..

10) Kol. 2:5: So mit A. Falkenstein, ZA 58 (NF 24) (1967) 6 mit Verweis auf Gudea Statue C 2:5; Gudea Statue D 1:8.

11) Kol. 2:18-19: **nam-nir-gal$_2$-gidri-maḫ** in **nam-nir-gal$_2$-gidri-maḫ-sum-ma- / ^{d}ig-alim-ka-ke$_4$** "dem Ansehen (und) das erhabene Zepter verliehen (wurden) von Igalim" wird hier wie in Gudea Statue D 1:19-2:1 als asyndetische Verbindung verstanden (so schon A. Falkenstein, AnOr 30, 77); anders M. Lambert - J.-R. Tournay, RA 45 (1951) 51 "doté par ^{d}ikalim du sceptre suprême de la souveraineté".

12) Kol. 3:1-2 = Gudea Statue D 2:2-3: Zu **zi-ša$_3$-gal$_2$** "der (im) (Leibes)inneren vorhandene Lebenshauch", "Lebensodem" s. ausführlich A. Falkenstein, ZA 58 (NF 24) (1967) 10-15 (zu unseren Zeilen S. 11).
Zu **šu-dagal-(-)du$_{11}$** "reichlich verleihen/versehen" s. W.Ph. Römer, SKIZ 65 Anm. 207 (zu S. 24f., *24,24) mit Verweis auf AnOr 28, 125 mit Anm. 2; vgl. auch Å. Sjöberg, TCS 3, 134 (zu 450.), der **šu-dagal--du$_{11}$** "to supply(?)" mit **šu--tag** = *zu''unu* ver-

gleicht. **šu-dagal-(-)du$_{11}$** regiert in diesem Kontext wie **šu--tag**"schmücken"denLokativ (s. zu den aS Belegen H. Behrens, H. Steible, FAOS 6, 320f. s.v. **šu--tag**); vgl. auch J. Klein, Šulgi D, S. 67, Z. 37 **a-ba za-gim ša$_{3}$-ta geštu$_{2}$-ga šu-dagal mu-ni-in-du$_{11}$** "wer ist wie du (= Šulgi) von Geburt an so reichlich mit Verstand ausgestattet ?".

13) Kol. 3:3-5: Beachte die abweichende Übersetzung bei A. Falkenstein AnOr 30, 102 "der das Haupt erhebt, den Ningišzida, sein Gott, in der Ratsversammlung hat strahlend erscheinen lassen"; ähnlich M. Lambert - J.-R. Tournay, RA 45 (1951) 51 "presenté, tête haute, dans l'Assemblée par son dieu Ningišzidda". Beide Übersetzungen verstehen offensichtlich **sag-zi** i.S. von *šaqû ša rēši* (AHw 1180 s.v. *šaqû(m)* II) bzw. **SAG** *elâtu* und **SAG** *šaqâtu* (MSL XIII 236, 222-223), während in der hier vorgelegten Übersetzung **zi** in **sag-zi** als **zi(-d)** *(= kīnu)*"recht(mäßig)","wahr"(AHw481) aufgefaßt wird. Vgl. zu dieser Bedeutung auch **dingir-sag-zi** "erste, recht(mäßig)e (/wahrhafte) Gottheit" als Epitheton für Gatumdu in Gudea Zyl. A 2:29 (anders A. Falkenstein, AnOr 28, 63 "Göttin, die das Haupt erhebt").

14) Kol. 3:6-11: Will man - wie von A. Falkenstein, AnOr 28, 106f.; AnOr 29, 10 Anm. 1; 30 und M. Lambert - J.-R. Tournay, ibidem vorgeschlagen - **im-ši-bar-ra** (3:7) analog zu **ba-ni-pa$_{3}$-da-a** (3:9) und **ba-ta-an-dab$_{5}$-ba-a** (3:11) als Verbum eines Temporalsatzes verstehen, ist hier die Schreibung ***im-ši-bar-ra-a** (< * **...-a** (= Nominalisierung) **-a** (= Lokativ) zu fordern. Diese Forderung folgt den Beobachtungen zu den Temporalsätzen in den aS Bau- und Weihinschriften bei H. Steible, FAOS 5/II, 66 zu (10) zu Ean. 2,5:9-19; 84f. zu (2) zu En. I 2,2:4; 87f. zu (3) zu En. I 9, 2:8-3:1, in denen eine Abfolge **u$_{4}$ ...** finites Verbum **-a ...** finites Verbum **-a-a ...** finites Verbum **-a-a** nicht festzustellen ist. Deshalb wird hier **im-ši-bar-ra** als Verbum eines Relativsatzes aufgefaßt, der von **^{d}nin-gir$_{2}$-su-ke$_{4}$** (3:6) abhängig ist.
Zur inhaltlichen Aussage dieser Zeilen vgl. Ukg. 4,7:29-8:6 = 5,7:12-19 (bei H. Steible, FAOS 5/I, 298f.) **u$_{4}$ ^{d}nin-gir$_{2}$-su / ur-sag-^{d}en-lil$_{2}$-la$_{2}$-ke$_{4}$ / uru-inim-gi-na-ra / nam-lugal- / lagaš^{ki} / e-na-sum-ma-a / ša$_{3}$-lu$_{2}$-36000-ta / šu-ni e-ma-ta-dab$_{5}$-ba-a** "als Ningirsu, der Held des Enlil, dem Uru'inimgina das Königtum über Lagaš verliehen hatte (und) aus der Mitte von 36000 Menschen seine Hand gefaßt hatte" und Ent. 32,1:2"-8" (bei H. Steible, FAOS 5/I, 248) **[ša$_{3}$-l]u$_{2}$-36000-ta / [šu]-ni ba-ta-[dab$_{5}$]-ba-a / [gidri]-maḫ-nam-tar-ra / ^{d}en-lil$_{2}$-le /nibru^{ki}-ta / en-te-me-na-ra / mu-n[a]-**

a[n-sum] "(als) er (= Ningirsu(?)) (Entemena) aus [der Mitte] von 36000 [Men]schen an seiner [Hand] ge[faßt] hatte, hat Enlil von Nippur her dem Entemena das erhabene [Zepter] gemäß der Schicksalsentscheidung ver[liehen]."

15) Kol. 3:9: **-*a** in **ba-ni-pa$_3$-da-a** fehlt in der Kopie von M. Witzel, Gudea, Fol. 5, S. 1; s. aber das Photo bei de Sarzec, DC II Pl. 16.

16) Kol. 3:12-14: Vgl. dazu die ausführlichere Schilderung in Gudea Statue E 2:21-3:10 **uru mu-ku$_3$ / izi im-ma-ta-la$_2$ / pisan-^{giš}šub-ba-ka / giš ba-ḫur / zu$_2$-al-ka / ^{giš}uri$_3$ ba-mul / im-bi ki-dadag / im-mi-lu / sig$_4$-bi ki-sikil-a / im-mi-du$_8$ / sig$_4$ ^{giš}šub-ba i$_3$-gar / nig$_2$-du$_7$ pa bi$_2$-e$_3$** "Die Stadt hat er (= Gudea) gereinigt, hat (sie) mit Feuer geläutert. In den Rahmen der Ziegelform hat er die Zeichnung eingeschnitten (und) hat an/auf der Zinke der Hacke das Emblem erstrahlen lassen. Den Lehm dafür (= für die Ziegelform) hat er (an) einem (ge)rein(igt)en Ort 'vermischt' (und) hat den Ziegel daraus an einem reinen Ort gestrichen, hat den Ziegel in die Ziegelform gelegt (und) das Erforderliche sichtbar gemacht.". Vgl. weiter Gudea Statue C 2:20-3:5 und Statue F 2:12-19.

17) Kol. 3:12: Zu **uru mu-ku$_3$ izi im-ma-ta-la$_2$** (auch in Gudea Statue E 2:21-22; Gudea Zyl. A 13:12) vgl. **uš-bi mu-ku$_3$ / izi im-ta-la$_2$** "die Baugrube dafür (= für den Tempel/die Ziegel) hat er gereinigt, hat (sie) mit Feuer geläutert" (Gudea Statue C 3:6-7; E 3:11-12; F 3:1-2 (... **i$_3$-im-ta-la$_2$**)) und **saḫar-bi za-gim mu-zar-zar / ku$_3$-gim izi i$_3$-la$_2$** "die dabei (= bei der Anlage der Baugrube) (ausgehobene) Erde habe ich (= Urbaba) wie Edelsteine aufgehäuft, habe (sie) wie Edelmetall mit Feuer geläutert" in Urbaba 1, 2:7-8. In den hier und in Anm. 16 genannten Belegen beschreiben **ku$_3$** "reinigen" und **izi--la$_2$** "mit Feuer läutern" (so die konventionelle Übersetzung mit A. Falkenstein, AnOr 28, 127; auch eine wörtliche Übersetzung "Feuer ausbreiten (lassen)" ist möglich (so die Übersetzung bei C. Wilcke, ZA 78 (1988) 35, Anm. 120)) einen zusammenhängenden Vorgang, der einmal auf die "Stadt" (= **uru**) und einmal auf die "Baugrube" (= **uš**) bezogen ist.

18) Kol. 3:14: **maš-e pa$_3$** "am Opfertier bestimmen" i.S. "durch Eingeweideschau bestimmen" (auch in Urningirsu I 6,2':9', s. oben) ist schon in Urnanše 24, 3:3-6 belegt (mit der Schreibung **maš--pa$_3$**, s. dazu H. Steible, FAOS 5/I, 89); vgl. ferner A.

Falkenstein, CRRA 14 (1966) 47; 50 (mit der Schreibung **maš$_2$--pa$_3$**). Für diese Zeile ist besonders Gudea Zyl. A 13:16-17 interessant: **pisan-u$_3$-šub-ba-še$_3$ maš$_2$ ba-ši-NA$_2$ / sig$_4$ maš$_2$-e bi$_2$-pa$_3$** "An/für den Rahmen der Ziegelform ließ er (= Gudea) ein Opfertier (= Ziegenbock) lagern, den Ziegel bestimmte er durch Eingeweideschau.".

19) Kol. 3:15-4:4: Vgl. zu diesem Kontext Gudea Zyl. A 13:12-15 **ensi$_2$-ke$_4$ uru mu-ku$_3$ / izi im-ma-ta-la$_2$ / uzug$_x$(= SAGxU$_2$)-ga ni$_2$-gal$_2$ lu$_2$-GI.AN / uru-ta ba-ta-e$_3$** "Der Stadtfürst (= Gudea) hat die Stadt gereinigt, hat (sie) mit Feuer geläutert, hat die ..., die Schrecken verbreiten (und) die ... aus der Stadt entfernt", dazu H. Behrens, Stud. Pohl SM 8, 155-157.

20) Kol. 3:15: Über den schwierigen Begriff **uzug$_x$** in **lu$_2$-uzug$_x$(=KAxU$_2$)-ga** hat ausführlich H. Behrens, a.a.O. 150-159 gehandelt und dafür die Bedeutung "Unreiner" vorgeschlagen (S. 158). H. Behrens weist auf S. 154 Anm. 323 auf die Problematik hin, die die "von A. Falkenstein in AnOr 28, S. 32 unter **usi/ug** vorgeschlagene Gleichsetzung der Schreibungen **u$_2$-sig** in Statue B vii Z. 34 und **u$_2$-KAxUD** in Zyl. B xviii Z. 1 mit **uzug$_x$(= KAxU$_2$)** in Statue B iii 15 und **uzug$_x$(= SAGxU$_2$)** in Zyl. A xiii Z. 14" (die beiden letzten Zitate sind bei H. Behrens auszutauschen) mit sich bringt. Darüberhinaus ist nach den Ausführungen von H. Behrens zu fragen, ob **lu$_2$-uzug$_x$(= KAxU$_2$)-ga** in Statue B 3:15 (und wohl auch **uzug$_x$(= SAGxU$_2$)-ga** in Zyl. A 13:14) nicht vielleicht eine Genitivverbindung ist. Beachte hierbei auch die Wiedergabe bei M. Lambert - J.-R. Tournay, RA 45 (1951) 53 "les personnes redoutables par leur impureté", wo **uzug$_x$-ga** (M. Lambert - J.-R. Tournay: **uzug-ga**) als Lokativ verstanden ist.

21) Kol. 4:1: Während die Verbindung **lu$_2$-si-gi$_4$-a** bislang nicht weiter zu belegen ist und unklar bleibt, begegnet die Schreibung **si-gi$_4$ / ge$_4$** zweimal bei Gudea: Zyl. A 11:18 **u$_4$ temen-mu ma-si-ge$_4$-na** "wenn du (= Gudea) mir (= Ningirsu) meine Gründungsgaben niederlegen wirst" und Zyl. A 26:28 **e$_2$-a kak-^{giš}ur$_3$-ku$_3$ mu-na-si-ge$_4$-ne** "im Haus schlagen sie ihm den heiligen Dachnagel ein". - Für **lu$_2$-si-gi$_4$-a** bietet die Parallele in Gudea Zyl. A 13:14 **lu$_2$-GI.AN** (s.o. Anm. 19).

22) Kol. 4:2: Die Lesung **giš$_3$-bir$_2$** (**bir$_2$** fehlt in der Kopie von M. Witzel, Gudea, Fol. 5, S. 2) folgt H. Behrens, a.a.O. 155 mit Anm. 324 und Verweis auf Å. Sjöberg, JCS 25 (1973) 140 zu Z. 161).

23) Kol. 4:3: Die Übersetzung von **munus-kin-du$_{11}$-ga** “die Frauen, die (Bau-)Arbeit leisteten” ist im Kontext von Kol. 4:5 dieses Textes “den Tragkorb dafür (= für die Bauarbeiten) haben Frau(en) nicht (mehr) getragen” zu sehen und schließt sich an die Wiedergabe von M. Lambert - J.-R. Tournay, RA 45 (1951) 53 “les femmes en travail” an. Zur Verwendung von **kin** “(Bau-)Arbeit, Arbeit(sauftrag)”, das schon aS in **eš$_2$-bar-kin** “Entscheidung für die (Bau-)Arbeit” bei Urnanše 49,3:1 nachgewiesen ist (s. H. Steible, FAOS 5/I, 111), bei Gudea s. Gudea Zyl. B 3:16-17 **muš-da-ma lu$_2$-kin-AK-am$_3$ / e$_2$-ta ba-ta-e$_3$** “die Bauhandwerker, die die (Bau-)Arbeit (/Arbeit(sauftrag)) ausgeführt hatten, entfernte er aus dem Tempel”; vgl. ferner Gudea Zyl. A 11:24-25.

24) Kol. 4:5: Zu **dusu--il$_2$** “den Tragkorb tragen” vgl. Gudea Zyl. A 18:23 **dusu-ku$_3$ mu-il$_2$ u$_3$-šub-e im-ma-DU** “den reinen Tragkorb trug er (= Gudea) (und) trat an die Ziegelform”; vgl. schon aS Urnanše 49, 4:1-5:2 (bei H. Steible, ibidem): **^{d}šul-utul$_{12}$ / dingir-lugal / dusu-ku$_3$ / e-il$_2$ / ur-^{d}nanše / lugal- / lagaš / ... / eš$_3$-gir$_2$-su / mu-du$_3$** “Šulutul, der (Schutz)gott des Königs, hat den reinen Tragkorb getragen. Urnanše, der König von Lagaš, ..., hat das Heiligtum von Girsu gebaut.”.

25) Kol. 4:6: **sag-ur-sag** (= *assinnu*, s. AHw 75 und CAD A/II 341f.) bezeichnet ein bestimmtes Tempelpersonal, das vor allem im Inanna/Ištar-Kult belegt ist, s. dazu vor allem W.Ph. Römer, SKIZ 157f. zu Z. 45 (dazu auch D. Reisman, JCS 25 (1973) 194); Å. Sjöberg, ZA 65 (1975) 223 zu 81.und jetzt K. Volk, FAOS 18, 116 zu 51. G. Farber-Flügge, Studia Pohl 10, 248 möchte in diesem Kontext **sag-ur-sag(-e)** wegen der Opposition zu **munus(-e)** “Frau” in Kol. 4:5 lediglich als “Männer” verstehen. Für das Verständnis von Kol. 4:6 vgl. vor allem in dem aB Urnammu-Lied TCL XV 12, 84 (bei G. Castellino, ZA 53 (NF 19) (1959) 120) **sag-ur-sag-bi ^{giš}šudul-be$_2$ mu-zi** “seine(= Sumers) ... habe ich (= Urnammu) im Joch aufgeboten”.

26) Kol. 4:10-11: Vgl. dazu die inhaltliche Parallele in Gudea Zyl. A 13:1-2 **u$_3$-sa-an bar-us$_2$-sa eme i$_3$-du$_8$ / siki-udu-[gan]-na-kam šu-a mi-ni-gar-gar** “An Peitsche (und) ‘Stab’ löste er (= Gudea) die ‘Zunge’, Wolle von Mutterschafen legte er in alle Hände (der Aufseher)”; vgl. ferner Angim Z. 99 bei J.S. Cooper, AnOr 52, 72f.: **^{kuš}usan$_3$ bar-us$_2$ e$_2$-su-lum-ma-ka bi$_2$-in-sud** “He (Ninurta) put the whip and goad away in the rope-box”.

Für **^{kuš}a$_2$-si** haben A. Falkenstein, AnOr 29, 79 “Geißel” und M. Lambert - J.-R. Tournay,

RA 45 (1951) 53 "nerf du boeuf" vorgeschlagen. J. Krecher, SKLy 177 (zu III 49) hat **A$_2$.SI** im Kontext mit Türen behandelt (so auch bei M. Cohen, Balag 347, Z. 27) und für unsere Zeile unter Hinweis auf M. Çivil, Iraq 23 (1961) 162, Z. 88 die Bedeutung "Peitsche" angenommen.

27) Kol. 4:12: Zu **nig$_2$--ra** "schlagen", das den Lokativ der Sache und den Dativ bzw. Lokativ-Terminativ der Person, die geschlagen wird, regiert, s. die Belegsammlungen bei A. Falkenstein, ZA 57 (NF 23) (1965) 115, B. Alster, Dumuzi's Dream, 100 (zu 59) und B. Alster, Instructions of Suruppak, 102 (zu 158).

28) Kol. 4:13-19: Das syntaktische Verständnis dieser Zeilen folgt A. Falkenstein, AnOr 29, 16; 23; 46 und 52, wonach Kol. 4:13-17 einen vorausgestellten Genitiv umfaßt (**šagina ... gub-ba-ba** <***šagina ... gub-a** (= Nominalisierung) **- bi-ak**), der in ***-bi** bei **šu-ba** (<***šu-bi-a** (= Lokativ) (in Kol. 4:19) aufgenommen wird, "wobei die vier aufgezählten Funktionärsklassen als kollektiver Singular behandelt sind" (A. Falkenstein, a.a.O. 23).

29) Kol. 4:13-15: Zur Abfolge der Berufsbezeichnungen **šagina**, **nu-banda$_3$** und **ugula** s. zuletzt W.Ph. Römer, AOAT 209/1, 95f. (zu 102f.).

30) Kol. 4:16: Zu **lu$_2$-zi-ga** "'Mann des Aufgebots'" (A. Falkenstein, AnOr 28, 97 "Vorarbeiter") vgl. **ninda-lu$_2$-zi-ga-ka** "Brot(e) eines 'Mannes des Aufgebots'" in Ukg. 1,6:9'; Ukg. 4,10:20 = 5,9:21 (bei H. Behrens, H. Steible, FAOS 6, 265 s.v. **ninda** 2.g)).

31) Kol. 4:18: **^{giš}ZUMxLAGAB-aka** wird mit H. Waetzoldt, Textilindustrie 115f. als Schreibvariante für **^{giš}GA.ZUM-aka** bzw. **^{giš}ZUM-aka** angesehen und **siki-^{giš}ZUMxLAGAB-aka** wird wie **siki-^{giš}GA.ZUM-aka** (= *ḫilṣu*) als "ausgekämmte Wolle" bzw. (= *pušikku*) "gekämmte Wolle" (H. Waetzoldt, a.a.O. 116) verstanden.

32) Kol. 4:19: Das Verständnis von **nam-sig$_3$** folgt A. Falkenstein AnOr 28, 62 "das, womit man schlägt" = "Schlaginstrument". Nach den Ausführungen von B. Kienast, ZA 65 (1975) 21-23 wäre jedoch für **nam-sig$_3$** eine Bedeutung "das Schlagen" zu fordern und für Kol. 4:18-19 eine Übersetzung "die ausgekämmte Wolle war zum Schlagen in ihren (= der genannten Berufsgruppen) Händen vorhanden" zu erwarten. Diese Übersetzung ist jedoch problematisch, da man bei **nam-sig$_3$** i.S. von "zum Schlagen" ein dimensionales Suffix erwarten würde.

33) Kol. 5:1-3: Vgl. dazu J. Renger, ZA 59 (NF 25) (1969) 189.

34) Kol. 5:1-2: Vgl. zu diesem Kontext Ukg. 1,5:6' und Ukg. 4,6:4 = 5,5:24 (bei H. Steible, FAOS 5/I, 294f.) **adda$_2$ ki-maḫ-še$_3$** (Var. Ukg. 4: **KI**) **DU** "(um) einen Leichnam zum Friedhof zu bringen".
Zur Schreibung **adda$_x$**(= **LU$_2$**-*šeššig* **x BAD**) (Kol. 5:1) vgl. H. Steible, FAOS 5/II, 140f., Anm. 22 zu Ukg. 1,5:6', wo die Schreibungen **adda** = **LU$_2$xBAD** und **adda$_x$** = **LU$_2$xBAD+BAD+A** notiert sind.

35) Kol. 5:3-4: So mit J. Krecher, SKLy 37.

36) Kol. 5:7: **lu$_2$-di-tuku**, wörtlich: "ein Mann, der einen Prozeß hat(te)" i.S. von "ein Mann, der einen Prozeß führt(e)" (s. A. Falkenstein, NG I 59 Anm. 2), ist wohl kaum "homme de loi" (so M. Lambert - J.-R. Tournay, RA 45 (1951) 55), und auch nicht "(niemand,) der einen Streit hatte" (so R. Haase, Die keilschriftlichen Rechtssammlungen in deutscher Übersetzung, 2. Auflage (Wiesbaden 1979) 4), da "Streit haben" wohl mit **NE--tuku** (s. A. Falkenstein, NG I 59 Anm. 5) zu verbinden wäre.

37) Kol. 5:8: **ki-nam-erim$_2$(-še$_3$)** ist mit A. Falkenstein (unveröffentlichtes Gudea-Kommentar-MS) als Regens-Rektum-Verbindung "Ort des assertorischen Eides" verstanden; anders noch A. Falkenstein, AnOr 28, 63. Vgl. dazu die Ergänzung von A. Falkenstein, NG II 357, Nr. 209, Z. 71 **[ki-nam-e]rim$_2$-ka** "am ['Ort] des [assertorisch]en Eides'"; ferner ders., NG II 357, Nr. 209, Z. 56 **ki-nam-erim$_2$-še$_3$**. - Zum assertorischen Eid s. jetzt ausführlich D.O. Edzard AS 20, 75-77 und 88-94.

38) Kol. 5:10-11: Vgl. dazu die inhaltliche Parallele Gudea Statue R 2:4-8 **ku$_3$-babbar zabar / dusu-saḫar-ra / u$_3$ nig$_2$-en-na gal$_2$-la-aš / e$_2$-a-na lu$_2$ nu-ku$_4$-ku$_4$-de$_3$ / ama-ar-gi$_4$-bi mu-gar**$^{!?}$ "er (= Gudea) hat eine Befreiung dahingehend festgesetzt, daß niemand wegen Silber, Bronze, des (Dienstes mit dem) Tragkorb für Erd(arbeit)e(n) und des vorhandenen 'Herrenbesitzes' in sein (= Namḫani's) Haus eintrete". Vgl. auch **ur$_5$ mu-du$_8$** "die Schuldverpflichtung habe ich (= Gudea) gelöst" in Kol. 7:29 dieses Textes.

39) Kol. 5:10: Zu **lu$_2$-ur$_5$-ra** "'Schuldeneintreiber'" (wörtlich: "der Mann der Schuldverpflichtung(en)") s. A.L. Oppenheim, AOS 32, 142 zu TT 6 ("a collector of debts"). Zu **ur$_5$** (= *ḫubullu*) "(zinspflichtiges) Darlehen", "Zinsverpflichtung" s. auch H. Behrens, H. Steible, FAOS 6, 358 s.v. **ur$_5$**.

40) Kol. 5:14: Lesung **nig$_2$-du$_7$** mit A. Falkenstein, AnOr 29, 123 ("alles, was sich kultisch gehört").

In diesen Texten begegnet die Aussage **nig$_2$-du$_7$-e pa--e$_3$** gewöhnlich in der Abfolge **nig$_2$-du$_7$-e pa--e$_3$ ...** (= TN) **... du$_3$ (ki-be$_2$ ... gi$_4$)** "das Erforderliche sichtbar machen, ... (= TN) bauen (, wiederherstellen)", s. dazu H. Behrens, FAOS 10, s.v. **nig$_2$-du$_7$** 2. (der älteste Beleg findet sich in Urbaba 7,1:9-2:3). Vgl. dagegen Gudea Statue B 6:77-7:9 **e$_2$ ur$_5$-gim dim$_2$-ma / ... / na-mu-du$_3$ / mu mu-sar / nig$_2$-du$_7$ pa bi$_2$-e$_3$ / inim-du$_{11}$-ga- / ^{d}nin-gir$_2$-su-ka-ke$_4$ / šu-zi im-mi-gar** "den so (= wie oben beschriebenen) ausgestatteten Tempel, ..., hat er (= Gudea) fürwahr gebaut, hat die Inschrift geschrieben, hat das Erforderliche sichtbar gemacht. Den (an ihn) ergangenen Befehl des Ningirsu hat er recht ausgeführt" und Gudea Statue E 3:9-10 **sig$_4$ ^{giš}šub-ba i$_3$-gar / nig$_2$-du$_7$ pa bi$_2$-e$_3$** "den Ziegel hat er (= Gudea) in die Ziegelform gelegt (und) hat das Erforderliche sichtbar gemacht". Danach beschreibt die Wendung **nig$_2$-du$_7$(-e) pa--e$_3$** einen oder mehrere Vorgänge, die dem eigentlichen Bau des Tempels vorausgehen, mit Ausnahme von Gudea Statue B 6:77-7:9, wo **nig$_2$-du$_7$(-e) pa--e$_3$** auf die Baubeschreibung und die Erwähnung der Inschrift folgt; an dieser Stelle könnte **nig$_2$-du$_7$(-e) pa--e$_3$** allerdings auch mit der folgenden Aussage "den (an ihn) ergangenen Befehl des Ningirsu hat er (= Gudea) recht ausgeführt" verbunden werden.

Vgl. dazu die Aussagen in den Gudea-Zylindern:

A 1:3-4: **^{d}en-lil$_2$-e en ^{d}nin-gir-su-še$_3$ igi-zi mu-ši-bar / uru-me-a nig$_2$-du$_7$ pa nam-e$_3$** "Enlil schaute recht(mäßig) auf den Herrn Ningirsu (und sagte): 'In unserer Stadt ist das Erforderliche fürwahr sichtbar'".

B 17:12-14: **nig$_2$-du$_7$-uru-na-ke$_4$ pa bi$_2$-e$_3$ / gu$_3$-de$_2$-a e$_2$-ninnu mu-du$_3$ / me-bi šu bi$_2$-du$_7$** "Das Erforderliche seiner Stadt hat er (= Gudea) sichtbar gemacht. Gudea hat das Eninnu gebaut (und) seine (= des Eninnu) 'göttlichen Kräfte' vollendet".

A 18:24-26: **gu$_3$-de$_2$-a im u$_3$-šub-ba i$_3$-gar / nig$_2$-du$_7$ pa bi$_2$-e$_3$ / e$_2$-a sig$_4$-bi pa-e$_3$ mu-ni-ga$_2$-ga$_2$** "Gudea legte den Lehm in die Ziegelform, machte das Erforderliche sichtbar (und) läßt den Ziegel des Tempels sichtbar werden".

Auch hier beschreibt **nig$_2$-du$_7$(-e) pa--e$_3$** bestimmte Bauvorbereitungen, die die göttliche Sphäre tangieren (vgl. oben Gudea Zyl. A 1:3-4 und A 8:20-22 **ur-sag nig$_2$-du$_7$-e gu$_3$ ba-a-de$_2$ / ... / ša$_3$-bi nu-mu-u$_3$-da-zu** "Held (= Ningirsu), das Erforderliche hast du ausgerufen, ..., seinen Sinn habe ich (= Gudea) nicht bei (wörtlich: mit) dir erfahren."). Handelt es sich hier um bestimmte Riten, die zu den Bauvorbereitungen gehören ? Wenn ja, muß sicher diesen Riten auch die Herstellung des ersten Ziegels zugeschrieben werden (s. oben Gudea Statue E 3:9-10 und Gudea Zyl. A 18:24-26).

Im Kommentar zu En. I 35,5:1 bei H. Steible, FAOS 5/II, 104, Anm. 2 wird erwogen, ob zwischen **u$_4$-ul-pa-e$_3$(-a)** und **nig$_2$-UL pa--e$_3$** eine Verbindung besteht. Ferner vergleicht J.S. Cooper, AnOr 52, 139 zu 193. **nig$_2$-UL** auch mit **nig$_2$-ul-li$_2$-a(-k)**. Ein Bezug auf "das Althergebrachte (= **nig$_2$-ul-li$_2$-a(-k)**), das sich in Ean. 1,6:6-7 (bei H. Steible, FAOS 5/I, 124 **nig$_2$-ul-li$_2$-a-d[a] / gu$_3$ nam-mi-[de$_2$]** "(E'annatum) hat auf [Grund] der alten Überlieferung fürwahr ausgerufen") und Urnammu 26:11 (**nig$_2$-ul-li$_2$-a-ke$_4$ pa mu-na-e$_3$** "das Althergebrachte hat er (= Urnammu) ihm (= Nanna) (in voller Pracht) erstrahlen lassen") belegen läßt, ist in diesen Texten jedoch für **nig$_2$-UL** nicht eindeutig nachzuweisen.

41) Kol. 5:18: Zu **gi-gun$_4$** mit der Bedeutung "Hochterrasse" s. A. Falkenstein AnOr 30, 134-136; hier wird **gi-gun$_4$** durchweg als Ortsname wiedergegeben.

42) Kol. 5:19-20: Das Verständnis von **šim-eren-na ... du$_3$** "(das Gigun) mit wohlriechenden Zedern anlegen" folgt A. Falkenstein, AnOr 30, 135f., der deutlich macht, daß **šim-eren-na** "nicht als Lokativ des Materials, aus dem das gigunu (teilweise) gebaut war, zu verstehen, sondern auf eine künstliche Anpflanzung von Zedern zu beziehen" (S. 135f.) ist; diese Verbindung begegnet auch in Gudea Statue D 2:10 (**šim-^{giš}eren-na**); Gudea Statue U 2:3'-4' (**šim-eren-na**); Gudea 57:13-14 (**ši[m-$^{(giš)}$eren-na]**); Urningirsu II. 2,2:6-7 (**šim-eren-na**); Nammaḫni 8,2:4-5 (**šim-eren-na**).

du$_3$ regiert in dieser Verbindung den Lokativ dessen, womit das Gigun bepflanzt wird; diese Rektion findet sich auch in Gudea Zyl. A 16:25-28 (s. dazu A. Falkenstein AnOr 29, 114). **du$_3$** ist in der Bedeutung "(einen Garten) anlegen (wörtlich: bauen)" auch schon aS in **kiri$_6$-e$_2$-ša$_3$-ga mu-na-du$_3$** "den Garten des Eša hat er ihm (= Ningirsu) angelegt" in Ent. 16,2:5 bei H. Steible, FAOS 5/I, 219 nachzuweisen.

43) Kol. 5:21-6:69: Vgl. die Bearbeitung bei G. Pettinato, Mesopotamia VII (1972) 138-142.

44) Kol. 5:23-27: Vgl. dazu Lugalzagesi 1,2:3-11 (bei H. Steible, FAOS 5/II, 317) **u_4-ba / a-ab-ba- / sig-{ta -}ta / idigna- / buranun(= UD.KIB.NUN.KI)-bi / a-ab-ba- / igi-nim-ma-še$_3$ / giri$_3$-bi / si e-na-sa$_2$** "da hat er (= Lugalzagesi) vom Unteren Meer an Tigris und Euphrat bis zum Oberen Meer für ihn (= Enlil) ihren (= der Länder) Weg in Ordnung gebracht" und die Schilderung im 'Utuḫegal-Epos' Kol. 2:10-13 (= RA 9 (1912) 112: AO 6018, II 11-15 (= A) + RA 10 (1913) 99, Vs 2'-4' (= B)) **sig-še$_3$ ki-en-gi-ra$_2$** (Var. in B: **-⸢ra⸣**) **GANA$_2$** (B: **GANA$_2$!** (= **GIŠ**)) **bi$_2$-KEŠ$_2$ igi-nim-še$_3$ giri$_3$ i$_3$** (Var. in B: **i-in**)**-⸢KEŠ$_2$⸣ / kaskal-kalam-ma-ke$_4$** (B: **-ka**) **u$_2$-gid$_2$-da bi$_2$-in-mu$_2$** "unten hat er (= Tirigan) in Sumer die Felder (vom Wasser) abgeschnitten(?), oben hat er die (Handels)wege abgeschnitten(?), auf den Straßen des Landes hat er langes Gras wachsen lassen" (vgl. dazu die Bearbeitung von W.Ph. Römer, OrNS 54 (1985) 287ff.).

45) Kol. 5:27: Zu **giri$_3$-be$_2$ gal$_2$--tag$_4$** vgl. UET I 275,1:13-15 (+ Dupl., s. dazu jetzt I. J. Gelb, B. Kienast, FAOS 7, 255) *pa$_2$-da-an / ^{d}na-ra-am-^{d}EN.ZU / da-num$_2$ / ip-te-ma* "(Mit der Waffe(?) des Nergal) hat den einzigen Weg Narāmsîn, der Mächtige, geöffnet".

46) Kol. 5:28-36: Vgl. zu diesem Kontext A. Falkenstein, AnOr 30, 53f.. Die Aussage dieser Zeilen ist mit Gudea Zyl. A 15:27-35 zu vergleichen, wo u.a. der Transport der Zedern in Flößen aus dem "Zederngebirge" (= **ḫur-sag-^{giš}eren** in Kol. 15:27) berichtet wird. - Zu **ama-a-num$_2$** "Amanus" (Kol. 5:28) s. auch D.O. Edzard u.a., RGTC 1, 11 s.v. Amanum.

47) Kol. 5:35: Die Wiedergabe von **ad-še$_3$ AK-AK** (s. auch in Kol. 5:58) folgt M. Lambert - J.-R. Tournay, RA 45 (1951) 55 ("il fit assembler en forme de trains de bois") und A. Falkenstein, AnOr 30, 52 zu 5.. Schon bei F. Thureau-Dangin ZA 17 (1903) 194 mit Anm. 6 (Hinweis aus dem unveröffentlichten Gudea-Kommentar-MS von A. Falkenstein) ist **ad** i.S. von "Floß" verstanden ("trains de bois"). - Zum "Flößen" von Baumstämmen vgl. A. Salonen, Nautica, 106.

48) Kol. 5:37-38: Zu **šar$_2$-ur$_3$ a-ma-ru-me$_3$** vgl. die Parallele Gudea Zyl. B 8:2 ^{giš}**šar$_2$-ur$_3$ a-ma-ru-me$_3$ giš-gaz-ki-bal-a** "die Šarur(-Waffe), die 'Sturmflut der Schlacht', der Schlägel für das aufsäßige Land" und Gudea Zyl. A 15:23-24 **šar$_2$-ur$_3$ a$_2$-zi-da-lagaš^{ki}-a / tukul a-ma-ru-lugal-la-na-še$_3$** "für die Šarur(-Waffe), den 'rechten Arm von Lagaš', die Waffe, die 'Sturmflut' seines (= Gudea's) Herrn (= Ningirsu)". Diese Belege weisen **šar$_2$-ur$_3$** eindeutig als Waffe des Ningirsu aus (so auch in Gudea Zyl. A 9:24). In gleicher Weise wird auch hier **šar$_2$-ur$_3$** als Waffe verstanden.

du$_3$ dürfte in Verbindung mit der Šarur(-Waffe) wohl kaum "bauen" meinen, sondern das Aufrichten dieser Waffe beschreiben und wird deshalb mit "ein-, aufpflanzen" (= *zaqāpu*, s. AHw 1512 s.v.) wiedergegeben; parallel dazu ist **du$_3$** auch im Kontext von Kol. 5:39-40.41-42 und 43-44 verstanden (vgl. dazu auch den Jahresnamen bei A. Falkenstein, AnOr 30, 8 zu 6.: **mu giš-šar$_2$-ur$_3$-ra ba-du$_3$-a** "Jahr, in dem das Holz der Šarur(-Waffe) aufgepflanzt wurde"). Ein vergleichbarer Vorgang wird auch in Gudea Zyl. A 22:20-21 geschildert: ^{giš}**šar$_2$-ur$_3$-bi uri$_3$-gal-gim lagaš^{ki}-da im-da-si / šu-ga-lam ki-ḫuš-ba im-mi-ni-gar** "Seine (= des Eninnu) Šarur(-Waffen) hat er (= Gudea) wie riesige Standarten überall bei Lagaš eingetieft, (auch) im Šugalam, dem schrecklichen Ort, hat er (sie) aufgestellt"; dazu auch Gudea Fragm. 2,2':3'-5'. Vgl. ferner Kol. 6:49-50 dieses Textes (**mušen-šar$_2$-ur$_3$**).

49) Kol. 5:39-40: Zum Nebeneinander von **šar$_2$-ur$_{3/4}$** und **šar$_2$-gaz** s. zuletzt J. Cooper, AnOr 52, 122f. zu Angim Z. 129-130, wo **šar$_2$-ur$_{3/4}$** und **šar$_2$-gaz** als Waffen an der rechten und linken Seite Ninurta's bezeugt sind; s. auch unten Anm. 70. - **šar$_2$-gaz--du$_3$** wird parallel zu **šar$_2$-ur$_3$--du$_3$** (s.o. Anm. 48) verstanden.

50) Kol. 5:41-43: Die beiden in Z. 41 und 43 mit **ŠEN** umschriebenen Zeichen stimmen nicht völlig überein; bei M. Lambert - J.-R. Tournay, RA 45 (1951) 56 werden diese Zeichen **alal** gelesen, und bei D.O. Edzard u.a., AnOr 29A, 75* zu AnOr 28, 87 Anm. 3 findet sich dafür die Umschrift **PISAN$_3$**. Eine vergleichbare Zeichenform begegnet auch in Gudea Statue A 2:1 (und Parallelstellen) (s. dazu oben Anm. 5 zu Gudea Statue A).

Zur möglichen Lesung von **ŠEN** = **dur$_{10}$** = *paštu* (AHw 846 "Beil", "Axt") in ^{urudu}**KAK.ŠEN-al-LUL-ni** (Z. 43) bzw. $^{[ur]udu}$**KAK.ŠEN-da-ka-ni** (Z. 41) s. Å. Sjöberg, ZA 65 (1975) 217 zu 46 (das dort gegebene Gudea-Zitat meint unsere Textstelle: Gudea

Statue (nicht Cyl.) B v 43 **urud-gag-dur$_x$-al-LUL**) mit Verweis auf E. Salonen, Waffen 19f.. Vgl. auch die Übersetzung bei M. Lambert - J.-R. Tournay, RA 45 (1951) 57 "son instrument de cuivre du vase DA" bzw. "son instrument de cuivre du vase Scorpion". Zur Bedeutung **du$_3$** "ein-, aufpflanzen" in Verbindung mit den in Z. 41 und 43 genannten Objekten s.o. Anm. 48.

51) Kol. 5:48: Die vorliegende Übersetzung "mit Ornamenten(?) aus Edelmetall" greift zurück auf M. Lambert - J.-R. Tournay, a.a.O. 57 "d'ornements de métal" (**ul-ku$_3$-ga** <***ul$_3$-ku$_3$.g-a(k)**). Falls jedoch **ku$_3$(-g)** hier nicht als Genitiv-Attribut, sondern als attributives Adjektiv "rein" zu verstehen ist, dürfte **/a/** in **ul-ku$_3$-ga** von **DAR** nicht akkusativisch, sondern lokativisch (<***ul-ku$_3$.g-a**) abhängig sein. Eine Entscheidung darüber ist jedoch erst möglich, wenn die Lesung, Bedeutung und Rektion von **DAR** in diesem Kontext geklärt sind. Vgl. die Übersetzung dieser Zeile bei A. Falkenstein, AnOr 29, 113 "mit reinem Zierrat hat er sie geschmückt", die sich an F. Thureau-Dangin, SAK 69 ("mit strahlenden Zierraten ...") anlehnt.
Die Wiedergabe von **ul** "Ornament(e)(?)" nimmt Bezug auf die Grundbedeutung "les fleurs", "la floraison" bei J.v. Dijk, AcOr 28/1-2, 33 mit Verweis auf Th. Jacobsen, ZA 52 (NF 18) (1957) 101 Anm. 13 ("the bud"). Vgl. zu dieser Zeile Gudea Zyl. B 16:15 **^{giš}gigir-za-gin$_3$ ul-gur$_3$-a-na** "in seinen (= Ningirsu's) lapislazuli(farbenen) Wagen, der Ornamente(?) trägt" (vgl. dazu A. Falkenstein, ZA 56 (NF 22) (1956) 122 und J.S. Cooper, AnOr 52, 109 zu 51) und den aB Beleg SRT 11, Z. 26 **^{giš}ig-bi maḫ-am$_3$ ul-la mi-ni-in-⌜si⌝** "seine(= des Ekur) Tür(en),(die) riesig sind, hat er(= Urnammu) mit Ornamenten(?) eingelegt (wörtlich: eingetieft)". Vgl. schließlich auch A. Salonen, Türen, 71 s.v. **ul-ig-ga**; ders., Möbel, 101 mit Anm. 1.
Das letzte Zeichen dieser Zeile ist **DAR** (s. auch die Schreibung in **^{d}nin-DAR-a** in Kol. 8:53) (= REC 34; = RSP 411) und nicht **GUN$_3$** (= REC 48; = RSP 293) (so noch A. Falkenstein, AnOr 29, 113 mit Anm. 7). Die genaue Bedeutung von **DAR** bleibt hier unklar.

52) Kol. 5:51: Die Übersetzung von **ki-a-SIG-de$_2$-da-na** erfolgt in Anlehnung an A. Falkenstein, AnOr 30, 130 zu 27. ("Ort, an dem kaltes Wasser ausgegossen wird") (<***ki-a-SIG-de$_2$-e-d-a-ni(-a)** (= Lokativ)); beachte auch die freie Wiedergabe bei G. Pettinato, Mesopotamia VII (1972) 141 ("il suo luogo delle libazioni"). **a-SIG** steht hier wohl für **a-šed$_{12}$**(= **MUŠ$_3$**) in Gudea Zyl. A 2:8; 2:25 und 4:6 (**ninda giš bi$_2$-tag a-šed$_{12}$ i$_3$-de$_2$** "(= Gudea) opferte Brot(e), goß kühles Wasser aus"). **SIG** ist möglicherweise als (phonetische) Variante zu **še$_{23}$** (= **MUŠ$_3$**) mit R. Borger, AOAT 33, S. 204, Nr. 592 **ši$_3$** zu lesen. Zu **a-še$_{23}$** / **šed$_{12}$** (= **MUŠ$_3$**) "kühles Wasser" vgl. G. Farber-Flügge, Stud. Pohl 10, 214.

53) Kol. 5:53-58: Vgl. dazu A. Falkenstein, AnOr 30, 52.
uru-ur-su^{ki} "Stadt Ursu" ist parallel zu **uru-gir$_2$-su^{ki}** in Gudea Statue A 1:8 verstanden. Zur Lage von Ursu (in der Umgebung von Birecik) s. D.O. Edzard u.a., RGTC 1, 180 und D.O. Edzard, G. Farber, RGTC 2, 225 s.v. Uršu.

54) Kol. 6:3-12: Mit A. Falkenstein, AnOr 30, 51f. zu 1. (**ba$_{11}$-sal-la**) und 52 zu 2. (**u$_3$-ma-num$_2$**) werden sowohl **^{na4}na-gal** (Kol. 6:7) als auch **na-ru$_2$-a(-še$_3$)** (Kol. 6:9) kollektiv verstanden, da Steine aus verschiedenen Regionen wohl kaum zu einer Stele verarbeitet wurden; so auch das Textverständnis bei P. Michalowski, Royal Correspondence, 104f.. Vgl. aber die Schilderung in dem folgenden Abschnitt Kol. 6:13-20 mit der deutlichen Realisierung der 'freien Reduplikation' bei **mu-na-dim$_2$-dim$_2$** (Kol 6:18); auch in Gudea Zyl. A 22:24-24:7 ist ausdrücklich von mehreren "großen Na-Steinen" die Rede, die "in Blöcken" (= **na-gal-gal lagab-ba ...** in Kol. 22:24) transportiert, zu Stelen verarbeitet und im Bereich des Eninnu aufgestellt wurden (beachte die 'freie Reduplikation' **mu-dim$_2$-dim$_2$** und **mi-ni-šu$_4$-šu$_4$** in Kol. 23:6-7).
Die genaue Bedeutung von **^{na4}na** (Kol. 6:7) ist nach wie vor nicht geklärt; in den Listen begegnen **^{na4}na** = *nā'u* in Ḫḫ XVI RS Rezension Z. 242 (in MSL X 46; ferner in CAD N/Ii 134 s.v.) und **^{na4}na** = *abnu elû* in Nabnitu L Z. 170 (in MSL XVI 228; ferner in CAD A/I 54f. s.v. *abnu* A). Da jedoch die archäologische Dokumentation für das umfangreiche Stelenmaterial des Gudea ausschließlich Kalkstein aufweist (s. die letzte Materialzusammenstellung bei J. Börker-Klähn, Bildstelen, Text, S. 141-155 zu Nr. 35-92), wird vermutet, daß **^{na4}na** diese Steinart bezeichnet. In diesem Zusammenhang ist auch die Diskussion auf geologischer Grundlage bei M. Stol, On Trees, Mountains, and Millstones in Ancient Near East (Leiden 1979) 87f. heranzuziehen. Vgl. dazu auch den unklaren Begriff **^{na4}na-lu-a** in Kol. 6:60 dieses Textes.
Für den Kontext von Kol. 6:9-12 ist die Aussage von Gudea Zyl. A 23:8 interessant, wonach Gudea eine Stele "im Haupthof" (= **kisal-maḫ-a**) des Eninnu aufgestellt hat.

55) Kol. 6:13-18: Tidanum ist der Name (des Gebietes) eines (amurritischen) Nomadenstammes, s. dazu A. Falkenstein, AnOr 30, 52 zu 4., D.O. Edzard u.a., RGTC 1, 157 s.v. Tid(a)num; D.O. Edzard, G. Farber, RGTC 2, 30 s.v. Didnum und jetzt H. Steible, FAOS 5/II, 67 Anm. 12 zu Ean. 2, 5:13; s. ferner in Teil II dieser Arbeit Šusuen 9:20-23.

Die Beschaffung des Alabasters berichtet Gudea auch in Gudea 44, 2:2-3:4 **ḫur-sag-ur-in-gi$_4$-ri$_2$-az / a-ab-ba-igi-nim-ka / ^{na4}nu$_{11}$-gal-e / mu-ba-al / im-ta-e$_{11}$ / šita$_2$-ur-sag-3-še$_3$ / mu-na-dim$_2$** "im Gebirge Uringiriaz am Oberen Meer hat er (= Gudea) nach Alabaster gegraben, hat (ihn) von dort herabgebracht (und) (ihn) ihm (= Ningirsu) zu d(ies)er Šita(-Keule) mit drei Löwenköpfen verarbeitet" und Gudea Zyl. A 16:24 **kur-nu$_{11}$-ta nu$_{11}$ mu-na-ta-e$_{11}$-de$_3$** "aus dem Alabaster-Bergland bringt man ihm (= Gudea) Alabaster herab".

56) Kol. 6:15-16: Der Transport der Steine in Blockform (hier von Alabaster; in Kol. 6:29-30 von **nir$_3$**) ist auf einer zeitgenössischen Stele dargestellt; s. dazu bei J. Börker-Klähn, Bildstelen, Tafeln, Abb. 60.

57) Kol. 6:17-18: Die Bedeutung von **ur-pad-da** bleibt nach wie vor (s. A. Falkenstein, AnOr 29, 135) unklar; die Übersetzungen "(les façonna pour (Ningirsu)) en forme de lions destructeurs" bei M. Lambert - J.-R. Tournay, RA 45 (1951) 57 bzw. "(ne scolpì) dei leoni distruggitori" bei G. Pettinato, Mesopotamia VII (1972) 141 sind zwar lexikalisch über **pad** = *pussusu* "zerstören" (s. H. Steible, FAOS 5/II, 79 zu (10)) zu rechtfertigen, es bleibt jedoch unklar, was **ur-pad-da** wirklich meint. Vgl. dazu auch Ean. 62 IV 2:7' (bei H. Steible, FAOS 5/I, 174) **nam-ur za$_3$-be$_2$ pad-da** "wer die ... an seiner (= des Mörsers) Seite beschädigt(?)".

58) Kol. 6:19-20: Logisches erstes Objekt zu **si-si** "etwas eintiefen/einlassen" (s. H. Steible, FAOS 5/II, 85 Anm. 3 zu En. I 2,2:4) ist **ur-pad-da** (Kol. 6:17); mit dem Terminativ bei **sag-gul** wird der zweite Akkusativ bei **si-si** "(etwas) als etwas einlassen" vermieden.

sag-gul (Kol. 6:19) wird hier analog zu den Waffenbezeichnungen **šar$_2$-gaz** "Myriaden schlachtend" und **šar$_2$-ur$_3$** "Myriaden niederwälzend" (s. zu diesen Bildungen D.O. Edzard, ZA 62 (1972) 5) als Waffenbezeichnung ("hauptzerschmetternd", so mit D.O. Edzard, ibidem) aufgefaßt. Im Kontext mit **e$_2$-a si-si** "im Tempel einlassen" bezeichnet **sag-gul** eine bestimmte Keule/Waffe, die wohl mit Löwen ornamentiert war (Kol. 6:17-18). M. Lambert - J.-R. Tournay, RA 45 (1951) 57 haben **sag-gul** mit "comme fermeture" wiedergegeben (vgl. dazu etwa $^{(giš)}$**sag-kul** = *sikkūru* "Riegel", AHw. 1042f.); ähnlich die Deutung von **sag-gul** bei H. Limet, Le travail du métal, 161; 224; 249 ("verrou"). Beachte aber, daß Gudea Zyl. A 26:22 für "Riegel" (auch) **sag-kul** bietet. Für die Wiedergabe "come guardiani nel tempio" bei G. Pettinato, Mesopotamia VII (1972) 141 sehe ich keine lexikalische Grundlage.

59) Kol. 6:21-23: Vgl. zu diesem Kontext A. Falkenstein, AnOr 30, 50 zu 1. (mit Verweis auf Gudea Zyl. A 16:15-17); 51 zu 2.. Zur geographischen Bestimmung von **KA$_2$.GAL-*at***^{ki} ("Ort in Kimaš") und **ki-maš**^{ki} (im "Raum nördlich des Ǧabal Ḥamrīn bis zum Unteren Zab") s. auch D.O. Edzard u.a., RGTC 1, 89 s.v. Kimaš (mit dem Hinweis auf die Lesung **KA$_2$.GAL-*at*** = *Abullāt* (dazu RGTC 1, 2)); D.O. Edzard, F. Farber, RGTC 2, 1f. s.v. Abullāt; 100f. s.v. Kimaš.
Zur Lesung **KA$_2$.GAL** = **abul** s. B. Landsberger, MSL XIII 66, P. Steinkeller, RA 72 (1978) 73ff. und S. Liebermann, Loanwords 133ff..

60) Kol. 6:23: **urudu mu-ni-ba-al** wird analog zu ^{na4}**nu$_{11}$-gal-e / mu-ba-al** "nach Alabaster hat er (= Gudea) gegraben" (Gudea 44,2:4-3:1) verstanden; d.h. **urudu** ist als Lokativ-Terminativ aufzufassen, dessen Realisierung wegen des vokalischen Auslautes von **urudu** unterblieben ist. Zur Unterscheidung von **ba-al** mit Lokativ-Terminativ in der Bedeutung "nach etwas graben" und **ba-al** mit Akkusativ "(einen Kanal) graben" s. H. Behrens, FAOS 10 s.v. **ba-al** zu 1. und 2..

61) Kol. 6:24: So in Anlehnung an A. Falkenstein, AnOr 28, 156 ("zur Šita-Waffe, die die 'Zone' nicht erträgt"); vgl. dazu Gudea Zyl. B 13:21-22 **šita$_2$ sag-imin tukul-ḫuš-me$_3$ / tukul ub-min-e nu-il$_2$** "die siebenköpfige Šita(-Keule), die furchtbare Waffe des Kampfes, die Waffe, die die zwei ... nicht (er)tragen" (dazu J. Cooper, AnOr 52, 159f.). Die genaue Bedeutung von **ub** bleibt in beiden Kontexten unklar.
Lesung **šita$_2$** (= REC 318) konventionell; **šita$_2$** begegnet hier auch in Gudea Statue B 6:31; Gudea 44, 3:3 und Nammaḫni 4:11. Zu den verschiedenen Lesungen **ŠITA$_2$** = **šita$_2$**, **rig$_3$** oder **ud/tug$_2$** mit der Gleichung *kakku* s. Å. Sjöberg, TCS 3, 136 zu 461.

und CAD K 50.

IL_2 begegnet in der Bedeutung "(er)tragen" auch in Gudea Statue D 5:2-3 **lugal a_2-du= gud-da-ni / kur-e nu-IL_2-e** "der Herr, dessen schweren Arm das Fremdland nicht (er)trägt".

62) Kol. 6:26-30: Vgl. dazu A. Falkenstein, AnOr 30, 48f. zu 4.. - Meluḫḫa, das auch in Kol. 6:39, Gudea Statue D 4:8 und Ibbīsuen A 11:9 begegnet, ist im 3. und 2. Jahrtausend als "Nordküste des Persischen Golfes und Arabischen Meeres bis nach Indien" lokalisiert, s. dazu D.O. Edzard u.a., RGTC 1, 121; 132f. s.v. Meluḫḫa.

63) Kol. 6:31: Wie aus **$\check{s}ita_2$-ur-sag-3-a** (= Lokativ) / **mu-na-gar** "er (= Gudea) hat (das Gold) ihm (= Ningirsu) auf die Šita(-Keule) mit drei Löwenköpfen aufgelegt" (Kol. 6:36-37 dieses Textes) hervorgeht, ist **$\check{s}ita_2$-ur-sag-3(-$\check{s}e_3$)** keine Regens-Rektum-Verbindung; so auch noch in Gudea 44,3:3-4 **$\check{s}ita_2$-ur-sag-3-$\check{s}e_3$ / mu-na-dim_2** "er (= Gudea) hat (den Alabaster) ihm (= Ningirsu) zu d(ies)er Šita(-Keule) mit drei Löwenköpfen verarbeitet" und Gudea Zyl. B 13:23 **mi-tum tukul-nir_3-sag-pirig** "die Mitum(-Waffe), die Nir(-Stein-)Waffe (mit) dem Löwenkopf".

64) Kol. 6:33: Lesung **ku_3-sig_{17}(= GI)** mit M. Civil in: JCS 28 (1976) 183f. (mit Übersetzungsvorschlag "yellow precious metal") und OA XXII (1983) 4f. und zuletzt A. Cavigneaux, ASJ 9 (1987) 45 zu 1.

ku_3-sig_{17} saḫar-ba "goldhaltige Erde", auch in Kol. 6:38, wörtlich: "Gold in seiner Erde" (vgl. A. Falkenstein, AnOr 28, 109; 29, 105; H. Limet, Le travail du métal, 46). Vgl. auch Gudea Zyl. A 16:19-20 **$ensi_2$-ra ku_3-sig_{17} kur-bi-ta / saḫar-ba mu-na-tum_3** "dem Stadtfürsten wird Gold aus dem entsprechenden Bergland 'in seiner Erde' gebracht".

65) Kol. 6:34: Zu **ḫa-ḫu-um**, dessen genaue Lage bislang ungeklärt ist, s. zuletzt D.O. Edzard u.a., RGTC 1, 68 s.v. **Ḫaḫ(ḫ)um**.

66) Kol. 6:(36-)37: Zu **gar** mit dem Lokativ i.S. von "(etwas) auf etwas auflegen" vgl. **igi-ba šembi ba-ni-gar** "an deren (= der Tauben) Augen trug er (= E'annatum) Antimonschminke auf" in Ean. 1,16:44 (mit Parallelstellen) bei H. Behrens, H. Steible, FAOS 6, 132 s.v. **gar** 1.).

67) Kol. 6:41: Zu **e$_2$-mar-uru$_5$** (> **mar-uru$_5$** (in Gudea Zyl. A 6:20, s. A. Falkenstein, AnOr 28, 41 zu 4.b)) = *išpatu* (s. E. Salonen, Waffen, 77-79; ferner A. Falkenstein, SGL I 130 zu 11.) "Köcher" s. J.S. Cooper, AnOr 52, 125 zu 142. Diesselbe Lautform begegnet auch in Gudea Zyl. B 14:6-7 (mit J.S. Cooper, AnOr 52, 159f.) **e$_2$-mar-uru$_5$ ug-pirig muš-ḫuš-še$_3$ / eme-e$_3$-de$_2$-da-ni** "His quiver, lions whose tongues lash out at a terrifying serpent".

68) Kol. 6:43-44: Bei **AB$_2$.RI** handelt es sich kaum um eine Ortsangabe (so das Verständnis bei M. Lambert - J.-R. Tournay, RA 45 (1951) 59). **AB$_2$.RI** bezeichnet hier wohl eher ein Material, das aus Meluḫḫa importiert wurde; dafür spricht der parallele Aufbau in Kol. 6:26-30. 51-58 dieses Textes. Die Bedeutung von **AB$_2$.RI** bleibt unklar. Vermißt wird hier - wie auch in Kol. 6:57-58 - die sonst übliche Aussage, wozu das Material verarbeitet bzw. verwendet wurde.

69) Kol. 6:45-50: Vgl. zu diesem Kontext A. Falkenstein, AnOr 30, 47f..
Die verschiedenen Lokalisierungsvorschläge von **gu-bi-in^{ki}** (im Südosten der Arabischen Halbinsel, in der Baktriane oder nahe dem Persischen Golf) hat D.O. Edzard u.a., RGTC 1, 62 s.v. Gubi(n) zusammengestellt.

70) Kol. 6:49-50: **mušen** in **mušen-šar$_2$-ur$_3$** hat A. Falkenstein, AnOr 28, 35 Anm. 1; 29, 135; 30, 111 Anm. 4 als Prädeterminativ (= **^{mušen}šar$_2$-ur$_3$**) aufgefaßt; vgl. dazu das Nebeneinander von **mušen:gambi**(= RSP 158) / **mušen:kur-gi$_{16}$** innerhalb der Aufzählung der Brautgaben für den alten Tempel Baba's (Gudea Statue G 4:9-10) und **mušen:gambi**(= RSP 158) / **kur-gi$_{16}$^{mušen}** bei der Aufzählung der neuen Brautgaben für Baba (Gudea Statue G 6:3-4), ferner **mušen-šur$_2$-du$_3$-ki-bal-a** "Falke der aufständischen Länder" (Gudea Zyl. B 7:21) als Bezeichnung des **^{d}lugal-kur-dub$_2$**.
šar$_2$-ur$_3$ ist gut als Bezeichnung einer Götterwaffe (= **$^{\text{(giš)}}$šar$_2$-ur$_3$**, s. oben Anm. 48 zu Gudea Statue B 5:37-38; ferner schon A. Falkenstein, AnOr 30, 111 Anm. 4 und J.S. Cooper, AnOr 52, 111; 122; 159 Anm. 1) belegt; vgl. dazu auch die Wiedergabe dieser Zeilen bei M. Lambert - J.-R. Tournay, RA 45 (1951) 59 "(et) sculpta pour (^{d}Ningirsu) en forme d'oiseau pour l'(arme) **šar$_2$-ur$_3$**" und bei G. Pettinato, Mesopotamia VII (1972) 141 "(con cui) fabbricò l'uccello (per l'arma) Šarur".

71) Kol. 6:51-56: Vgl. zu diesem Kontext A. Falkenstein, AnOr 30, 51. Zur Lokalisierung von **ma-ad-ga^{ki}** (Kol. 6:51) in der Gegend von Kirkuk s. zuletzt D.O. Edzard u.a., RGTC 1, 113; D.O. Edzard, G. Farber, 2, 113 s.v. Madga.

72) Kol. 6:53: Während hier **esir$_2$-gu$_2$**-REC 214 "...-Bitumen" aus Madga beim Bau des 'Sockels' des Eninnu verwendet wird, liefert Madga nach Gudea Zyl. A 16:8 **esir$_2$-a-ba-al** und **esir$_2$-IGI.ESIR$_2$** (s. dazu J.-P. Grégoire, AAS 103 zu 12). Zur Herkunft und Verwendung des Bitumens und dessen verschiedenen Sorten s. A. Salonen, Wasserfahrzeuge, 146-148 und A.L. Oppenheim, AOS 32, 37 zu D 20.

73) Kol. 6:55-56: Vgl. dazu oben in Teil I Urbaba 1, 3:4-7: **ugu-bi-a ki-sa$_2$-a 10-kuš$_3$-am$_3$ bi$_2$-du$_3$ / ugu-ki-sa$_2$-a-ka / e$_2$-ninnu-anzu$_2^{\text{mušen}}$-babbar$_2$ 30-kuš$_3$-am$_3$ / mu-na-du$_3$** "Darauf (= auf der 'Baugruben-Einschüttung') habe ich den 'Sockel' 10 Ellen (hoch) gebaut (und) habe über dem 'Sockel' das Eninnu - Weißer Anzu - 30 Ellen (weit) für ihn (= Ningirsu) gebaut.".

74) Kol. 6:57.60: Zu **im-ḫa-um** (Z. 57) und **^{na4}na-lu-a** (Z. 60) verweisen M. Lambert - J.-R. Tournay, RA 45 (1951) 58f. auf die Parallele **ma$_2$-[ḫa-u$_3$]-na ma$_2$-na-lu-a** "Schiff(e) mit ... (und) Schiff(e) mit ... Na-Steinen" in Gudea Zyl. A 16:7.

75) Kol. 6:59-63: Vgl. zu diesem Kontext A. Falkenstein, AnOr 30, 51, der für **bar-me** (Kol. 6:59) "die nähere Umgebung des heutigen Kirkuk" annimmt; dazu jetzt auch D.O. Edzard u.a., RGTC 1, 26 s.v. Barme.

76) Kol. 6:60: **^{na4}na-lu-a** ist in Gudea Zyl. A 16:7 ohne Determinativ **na$_4$** bezeugt (**ma$_2$-na-lu-a**, s. dazu oben Anm. 74). Die genaue Bedeutung von **$^{(na4)}$na-lu-a** bleibt unklar. Ist damit eine bestimmte Steinart gemeint, oder kann diese Verbindung über **^{na4}na** "Kalkstein(?)" (s. Anm. 54 dieses Textes) und **lu** = *dešû* "zahlreich sein", = *duššû* "zahlreich machen" und die vergleichbare Aussage in Gudea Zyl. A 16:6, daß Gudea "große Na(-Steine) in Blöcken" (= **na-gal-gal lagab-ba**) transportiert hat, vielleicht als "Kalksteinquader" (wörtlich: "zahlreich gemachte Na(-Steine)"?) erklärt werden ? Die Aussage der folgenden Zeilen, daß diese Steinart bzw. Steinform zur Verstärkung des Fundamentes des Eninnu verbaut wurde (Kol. 6:63), spricht an sich für diese Vermutung. Vgl. in diesem Zusammenhang auch die Aussage über die Herkunft und Verarbeitung des ^{na4}**na-gal** in Kol. 6:3-12 dieses Textes.

77) Kol. 6:63: **ur**$_2$ (= *išdu*, s. AHw 393f., CAD I/J 235ff.) ist hier als Bauterminus i.S. von "Fundament" gebraucht, s. dazu H. Behrens, H. Steible, FAOS 6, 357 s.v. **ur**$_2$.
Bei **gur** ist hier mit den geläufigen Bedeutungen "zurückkehren" (= *târu*) "sichwenden" (= *saḫāru*) nicht auszukommen. F. Thureau-Dangin, SAK 71 übersetzt **mu-na-ni-gur** mit "er umzog", während M. Lambert - J.-R. Tournay, RA 45 (1951) 59 "il en scella" übersetzen; für beide Übersetzungen kenne ich keine lexikalische Grundlage. Bei A. Falkenstein, AnOr 28, 167; 29, 97 bleibt **gur** unübersetzt. **gur** ist hier vielleicht als Variante für **gur**$_4$ "dick machen" (= *kubburu*, AHw 415 s.v. *kabāru(m)* D.1; CAD K 5 s.v. *kabāru* 2.) i.S. von "dick verlegen" zu verstehen. Vgl. dazu den aB Beleg bei W.Ph. Römer, SKIZ 51, *12, Z. 244 ^{giš}**meš**$_3$**-⸢maḫ⸣ ur**$_2$**-gur-ra pa-mul-⸢dagal⸣-la-me-en** "ein hoher meš-Baum mit dicken(?) Wurzeln (und) weit ausgebreiteten Zweigen bin ich (= Išmedagān)" (vgl. J.v.Dijk, SGL II 67). Zum Wechsel **gur / gur**$_4$ s. etwa W. Heimpel, Stud. Pohl 2, 95; zu **gur**$_4$**(-gur**$_4$**)** (= *kubburu*) "dick machen" s. u.a. G. Farber-Flügge, Stud. Pohl 10, 227 s.v. **gur**$_4$**-gur**$_4$ und Å. Sjöberg, ZA 75 (1975) 208 zu 1.. Wenn dieser Bedeutungsansatz zutrifft, darf diese Zeile mit "auf(/in) dem Fundament des Eninnu hat er (die Kalksteinquader(?)) dick verlegt" wiedergegeben werden; diese Aussage könnte dann mit Ent. 28,5:12-13 = 29,5:35-36 (bei H. Steible, FAOS 5/I, 242) **nam-nun-da-ki-gar-ra / ur**$_2$**-bi na**$_4$**-a mu-na-ni-du**$_3$ "des Namnundakigarra Fundament hat er (= Entemena) für ihn (= Ningirsu) aus Steinen gebaut" verglichen werden.

78) Kol. 6:64-69: **uru-an-ša-an** "Stadt Anšan" (Kol. 6:64) wird parallel zu **uru-ur-šu** "Stadt Uršu" (in Gudea Statue B 5:53) und **uru-gir**$_2$**-su**^{ki} "Stadt Girsu" (in Gudea Statue A 1:8) aufgefaßt; so schon A. Falkenstein, in: AnOr 30, (42;) 49 und RlA 3, 678 ("mit der Waffe schlug er die Stadt Anšan, Elam"). Vgl. dagegen M. Lambert - J.-R. Tournay, a.a.O. 61 mit der Wiedergabe "les villes (des pays) d'Anzan et d'Élam".
Zu den verschiedenen Lokalisierungsvorschlägen für Anšan, das jetzt mit Tall-i-Malyan nördlich von Persepolis identifiziert wird, und zu Elam s. D.O. Edzard u.a., RGTC 1, 15 und (42-)46; D.O. Edzard, G. Farber, RGTC 2, (9-)11 und 45.

79) Kol. 6:76: Zu **gi_{16}-sa--AK** vgl. **gi_{16}-sa-aš--AK** in Urnammu 27,2:5-6 mit Variante **gi_{16}-sa--AK**, s. dazu unten Anm. 8 zu Urnammu 27. - Zu **gi_{16}-sa(-aš / $še_3$)--AK** s. A. Falkenstein, ZA 58 (NF 24) (1967) 8f..

80) Kol. 6:77-7:4: Lesung **ur_5-gim dim_2-ma** mit A. Falkenstein, AnOr 28, 142 (mit abweichender Übersetzung "(ein Haus,) das so gebaut war"); s. zu dieser Lesung AnOr 29A, 75* zu S. 72, Z. 8/7 v.u.; 76* zu S. 91, Z. 6/5 v.u.. Vgl. auch M. Lambert - J.-R. Tournay, RA 45 (1951) 60f. **e_2-ḫar-dim_2-dim_2-ma** "un temple à sculptures".

Zu **ur_5-gim** (= *kīam*) "so" vgl. auch unten **ur_5-ta** "deshalb" in Ibbīsuen 1:15.

Da **dim_2** gewöhnlich die Herstellung von Gegenständen bezeichnet (s. H. Behrens - H. Steible, FAOS 6, 53f.; H. Behrens, FAOS 10, s.v. **dim_2**; so schon M. Lambert - J. R. Tournay, a.a.O., 60 Anm. zu 6, 77) faßt die Wendung **ur_5-gim dim_2-ma** hier wohl alle Gegenstände zusammen, mit denen Gudea den Tempel des Ningirsu ausstattet: die von ihm selbst angefertigten Objekte im weitesten Sinne (**e_2 ur_5-gim dim_2-ma**, wörtlich "Tempel mit den auf diese Weise (/so) hergestellten (Gegenständen)"), die in Kol. 5:47-6:63 beschrieben werden (**dim_2** begegnet dort in Kol. 5:37; 6:10.18 (**dim_2-dim_2**).25. 32. 42. 50) wie auch die in Anšan und Elam "gemachte Beute" (= **nam-ra-AK**) (Kol. 6:64-76).

81) Kol. 7:17: Der Übersetzung "Leben (sei/ist) meine Zuteilung" liegt die Auffassung zugrunde, daß zwischen **nig_2-ba** in **nam-ti nig_2-ba-mu** in dieser Zeile und der Aussage der Fluchformel dieser Statue **nig_2-ba-ga_2 ba-a-gi_4-gi_4-da** "(der Mann,) der meine Zuteilung anfechten möchte" (Gudea Statue B 8:19-20) in dem Sinne eine Beziehung besteht, daß Gudea für die Anfertigung seiner Statue und die damit verbundenen Zuteilungen (= **nig_2-ba**), von denen der **sa-du_{11}**-Teil des Ningirsu-Tempels in Kol. 1:1-12 dieser Statue genannt ist, von der Gottheit als Gegenleistung "Leben" erwartet bzw. erbittet. Eine vergleichbare imperativische Aussage begegnet auch im Namen von Gudea Statue E 9:2 **nam-ti ⸢ba⸣** "teile (mir) Leben zu!" (s. dazu Anm. 28 zu Gudea Statue E). Vgl. dazu auch die inhaltlichen Parallelen in den Namen der Gudea Statuen H 3:1-5 und N 3:4-5 und den gut bezeugten aS PN **zi-nig_2-ba-mu** ("Lebensodem (sei/ist) meine Zuteilung") in VS 14,173, 5:12 bei J. Bauer, AWL 233.

82) Kol. 7:19-20: Der Standort dieser Statue B wird in Z. 55 dieser Kol. präzisiert: **ki-a-nag-e ḫa-ba-DU** "sie (= diese Statue) möge am Libationsort stehen/aufgestellt sein!". Vgl. dazu A. Falkenstein, AnOr 30, 139f..

83) Kol. 7:22-23: Zu **KA-sum** mit dem Lokativ-Terminativ, wörtlich "das Wort übergeben an" i.S. von "den Befehl/Auftrag übergeben an" s. die Wiedergabe "to give notice" bei A.L. Oppenheim, AOS 32, 133f. zu S 3 (mit der Lesung **inim--sum**); zur Lesung **inim--sum** s. auch E. Sollberger, TCS 1, 46 zu 161,8. - **KA** ist wohl bedeutungsgleich mit **KA** in **KA-še$_3$ im-ma-dab$_5$** in Kol. 7:48. Zur Rektion von **sum** mit dem Lokativ-Terminativ i.S. von "übergeben an" s. etwa 'Kodex Lipitеštar' Kol. 12:50-53: **tukum-bi / lu$_2$ lu$_2$-u$_3$ / kiri$_6$ giš gub-bu-de$_3$ / KI.GAL$_6$ in-na-an-sum** "Wenn ein Mann an einen (anderen) Mann Brachland (zur Pacht) übergeben hat, um einen Garten mit Bäumen anzupflanzen, ...". - Eine inhaltliche Parallele findet sich in dem aB Text auf der Statue des Nūradad, bei: J. van Dijk, JCS 19 (1965) 6 Z. 41-45: **šul-zi-de$_3$ / nun ^{d}sîn-i-din-nam / ⌈alan⌉-ra / ⌈inim⌉ mu-un-na-ab-be$_2$ / [in]im mu-un-na-ab-se$_3$-ge** "der rechte Jüngling, der Fürst Sîniddinam, spricht zu der Statue, richtet an sie das Wort".

84) Kol. 7:24-25: Die Anweisung des Gudea an die Statue beginnt mit einer Botenformel/Briefeinleitungsformel; vgl. dazu E. Sollberger, TCS 1, 2f. und jetzt P. Michalowski, Royal Correspondence, 9f..

85) Kol. 7:26-46: Die Verbalformen der Statuen-Anweisung des Gudea sind, soweit Gudea Subjekt ist, wegen **lugal-mu** "(zu) meinem Herrn" (Kol. 7:24) und **uru-ga$_2$** "in meiner Stadt" (Kol. 7:34) als 1.Pers. Sing. verstanden.

86) Kol. 7:29: Die Aussage **ur$_5$ mu-du$_8$ šu-šu mu-luḫ**, zu der die aus Kol. 5:10-11 dieser Statue zu stellen ist (s.o.), hat eine enge Parallele in Gudea Zyl. B 17:17 **ur$_5$ mu-⌈du$_8$⌉ šu-šu mu-gar** "die Schuldverpflichtung hat er (= Gudea) gelöst, hat ...". Vgl. zu diesen beiden Belegen M. Lambert, RA 49 (1955) 206f., der **ur$_5$ mu-du$_8$** mit "j'ai aboli des dettes" wiedergibt und **šu(-šu)--luḫ** und **šu(-šu)--gar** i.S. von "amnistier" verstehen möchte; beachte auch die Übersetzung von J. van Dijk, Symbolae de Liagre Böhl, 107f. "je remis des dettes, j'ai fait l'affranchissement". Eine vergleichbare Maßnahme ist schon in den "Reformtexten" des Uru'inimgina am Ende der aS Zeit nachzuweisen, Ukg. 4,12:13-22 = 5,11:20-29 (bei H. Steible, FAOS 5/I, 308ff.):

dumu-lagaš[ki] / **ur$_5$-ra ti-la** / **gur-gub-ba** / **še-si-ga** / **nig$_2$-zuḫ-a** / **sag-giš-ra-a** / **E$_2$.ŠE$_3$-bi** / **e-luḫ** / **ama-gi$_4$-bi** / **e-gar** "Die Bürger von Lagaš, die in Zinsverpflichtung lebten, - von ..., von der ...-Gerste, von Diebstahl (und) Totschlag, - von diesen ... hat er sie gereinigt. Eine Befreiung davon hat er verfügt.".

87) Kol. 7:30-46: Die Aussagen dieser Zeilen sind weitgehend parallel zu Gudea Zyl. B 17:19-18:9.

88) Kol. 7:30-33: Über die verkürzte Parallele in Gudea Zyl. B 17:19-21 **u$_4$-imin-ne$_2$-eš$_2$** / **geme$_2$ nin-a-ne$_2$ mu-da-sa$_2$-am$_3$** / **ir$_{11}$-de$_3$ lugal-e za$_3$ mu-da-DU-am$_3$** "Für sieben Tage wetteiferte die Sklavin mit ihrer Herrin, der Sklave stellte sich dem Herrn zur Seite" kann **nin-a-NI** (Kol. 7:31) und **lugal-NI** (Kol. 7:33) wohl am ehesten als Lokativ-Terminativ verstanden werden (**nin-a-ne$_2$** bzw. **lugal-ne$_2$** (<* **...(-a)-ni-e)**; anders A. Falkenstein, AnOr 28, 53f., der **lugal-e** in Gudea Zyl. B 17:21 als aus ***lugal-ani** entstanden erklärt.

89) Kol. 7:33: Zu **za$_3$ DU**(= *šitnunu*) "(sich) zur Seite stellen" s. Å. Sjöberg in TCS 3, 59 zu 44. und in ZA 65 (1975) 209 zu 3 (mit dem Lesungsvorschlag **za$_3$--ša$_4$**). Vgl. zu **za$_3$--DU** ferner W.Ph. Römer, SKIZ 161 zu 53 (mit der Lesung **za$_3$--gub**).

90) Kol. 7:34-35: Vgl. dazu die Parallele in Gud. Zyl. B 18:1 **uru-na u$_2$ si$_{19}$** (= **KAxUD**) **-ne$_2$ za$_3$-bi-a mu-da-a-NA$_2$-am$_3$**; **si$_{19}$** (= **KAxUD**) ist hier Variante zu **sig**(= **si$_{16}$**). A. Falkenstein, AnOr 28, 32 hat **u$_2$-sig-ni** bzw. **u$_2$-si$_{19}$-ni** als ein Wort verstanden; andererseits deutet bereits F. Thureau-Dangin, SAK 72f. **u$_2$** und **sig** als Opposita, läßt aber bei seiner Übersetzung "in meiner Stadt der Starke und der Schwache schliefen Seite an Seite" (S. 73) das Possessivsuffix **-ni** = **-ne$_2$** (<* **...(a.)ni-e)** unberücksichtigt. Die Richtigkeit des Ansatzes von F. Thureau-Dangin ergibt sich m.E. aus den analog konstruierten Oppositions-Paaren **geme$_2$ nin-a-ne$_2$** (Kol. 7:31) und **ir$_{11}$-de$_3$ lugal-ne$_2$** (Kol. 7:32-33) sowie aus den gleich gebildeten Verbalformen **mu-da-sa$_2$-am$_3$** (Kol. 7:31), **mu-da-DU-am$_3$** (Kol. 7:33) und **mu-da-NA$_2$-am$_3$** (Kol. 7:35). Die lexikalischen Ansätze für **u$_2$** = *uz-nu, le-e$_2$-u$_2$, ḫa-si-su* (s. CAD L 160 s.v. *lē'û*) und **sig** (= *enšu*) "schwach" ermöglichen jedoch keine befriedigende Deutung dieser Stelle.

91) Kol. 7:38-43: Vgl. dazu aS Ukg. 4,12:23-28 = 5,11:30-12:4 (bei H. Steible, FAOS 5/I, 310f.) **nu-siki nu-ma-su** (Var. in Ukg. 5 **nu-ma-{nu-}su**) / **lu$_2$-a$_2$-tuku / nu-na-ga$_2$-ga$_2$-a / ^{d}nin-gir$_2$-su-da / uru-inim-gi-na-ke$_4$ / inim-bi ka e-da-keš$_2$** "daßman die Waise (und) die Witwe dem Mächtigen nicht ausliefert, hat mit Ningirsu Uru'inimgina vertraglich vereinbart" und die spätere Aussage der Nanše-Hymne (bei W. Heimpel, JCS 33 (1981) 82f.) Z. 20-22 **nu-siki mu-un-zu nu-mu-un-su mu-un-zu / lu$_2$ lu$_2$-ra a$_2$ gal$_2$-la mu-un-zu / nu-siki-ka ama-a-ni / ^{d}nanše nu-mu-un-su-a sag-en$_3$-tar-ra-a-ni** "die Waise kennt sie (= Nanše), die Witwe kennt sie, den Mann, der einen anderen (seine) Macht spüren läßt, kennt sie, - (ist) der Waise eine Mutter, - Nanše, der Witwe ein Ratgeber".

92) Kol. 7:42-43: Diese Zeilen haben eine wörtliche Parallele in Gudea Zyl. B 18:6-7 (mit Var. **nu-ma-su** für **na-ma-su**). Zu dem literarischen Topos des Schutzes der Witwen und Waisen s. D.O. Edzard in: WGAV 145ff., besonders S. 149f., wo auch auf den Prolog des 'Kodex Urnammu(/Šulgi)' Z. 162-168 bei J. Finkelstein, JCS 22 (1968-69) 68 (dazu jetzt auch F. Yildiz, OrNS 50 (1981) 89, Z. 158-164) verwiesen ist.

93) Kol. 7:44-46: So in Anlehnung an C. Wilcke, ZA 78 (1988) 27 mit Belegmaterial für **ku$_4$** "zu etwas werden" (wörtlich: "in (eine Gruppe/einen Status) eintreten (lassen)".

i$_3$-bi$_2$-la (Kol. 7:45) wird als syllabische Schreibung für **ibila** (Kol. 7:44) verstanden, kann aber mit A. Falkenstein, NG I 111f. auch **i$_3$-bil$_2$-la** gelesen und i.S. von "Fettverbrennen" als Teil des Ahnenkultes erklärt werden (s. dazu A. Falkenstein, a.a.O. 111 Anm. 7, wo bereits auf die Parallele in Gudea Zyl. B 18:8-9 (mit) **[i$_3$]-udu-b[il-la-ba]** "[bei seinem (= des Hauses)] 'Schaf[fett]-Ver[brennen']" für **i$_3$-bil$_2$-la-ba** hingewiesen ist). S. dazu auch D.O. Edzard, BiOr 30 (1973) 195.

94) Kol. 7:47-48: Diese Zeilen sind wohl nicht mehr Bestandteil des Auftrags Gudea's an seine Statue (Kol. 7:24-46). Der Vorschlag A. Falkensteins in AnOr 29, 15; 44; 106 **alam-na ka-še$_3$ im-ma-dib$_2$** "er legte der Steinstatue in den Mund" bereitet syntaktische und lexikalische Schwierigkeiten (vgl. etwa **ka-a gub** "in den Mund legen" in Gud. Zyl. A Kol. 19:26); genauso unbefriedigend ist die Deutung bei M. Lambert - J.-R. Tournay, RA 45 (1951) 63 "Il alla vers la bouche de la statue (et dit)". Viel eher dürfte der Terminativ bei **KA-še$_3$** einen zweiten Akkusativ in einer doppelten Akkusativ-Konstruktion von **dab$_5$** "etwas als etwas übernehmen" vermeiden, während **alan-na** als Lokativ (<***alan-a**) zu deuten ist. Diese Zeilen markieren somit wohl den Abschluß der Rede Gudeas an die Statue. **KA** in **KA--sum** in der Rede-Einleitung (Kol. 7:23) und **KA** in **KA-še$_3$--dab$_5$** sind demnach wohl bedeutungsgleich.

95) Kol. 7:49-54: Die von A. Falkenstein, AnOr 28, 56 vorgeschlagene Übersetzung "die Statue da ist weder (aus) Edelmetall, noch (aus) Lapislazuli, weder (aus) Kupfer, noch (aus) Zinn, noch (aus) Bronze - niemand kann sie verwerten: sie ist (aus) Diorit" (ähnlich auch ders., a.a.O. 150) dürfte wohl kaum den Kern der Aussage dieser Zeilen treffen; denn hier geht es nicht um eine Materialbestimmung dieser Statue - diese ist bereits in Kol. 7:10-13 erfolgt - , sondern um die Ausschließlichkeit des Materials dieser Statue (= ^{na4}**esi** "Diorit") und darum, daß "an d(ies)er Statue" (= **alan-e** (=Lokativ-Terminativ) in Kol. 7:49) weder Lapislazuli noch die genannten Metalle ein- oder aufgelegt werden dürfen.

Zu **u$_3$ ...-nu ...-nu ga-am$_3$ u$_3$ ...-nu u$_3$ ...-nu ...-nu** "weder ..., und auch nicht ..., noch ..., noch ... (und) nicht ..." vgl. die Bildung **...-ḫe$_2$ ...-ḫe$_2$** "sei es ..., sei es ..." bei H. Behrens, H. Steible, FAOS 6, 161 s.v. **ḫe$_2$** 2.. Anders die Wiedergabe bei M. Lambert - J.-R. Tournay, RA 45 (1951) 63 "La statue n'est ni en métal, ni en lapis-lazuli, (et) personne ne l'a ouvrée avec du cuivre, du plomb ou du fer".

96) Kol. 7:55: **ki-a-nag** "Libationsort" schon bei M. Lambert, J.-R. Tournay, RA 45 (1951) 63 ("lieu des libations"); s. dazu auch A. Falkenstein, AnOr 30, 138f. (mit der Übersetzung "Ort, an dem Wasser getrunken wird") (dazu jetzt W.Ph. Römer, BiOr 26 (1969) 170, Anm. 124 zu 44 mit weiterführender Literatur) und T. Gomi, Orient 12 (1976) 1ff.; P. Michalowski, OrNS 46 (1977) 221 und schließlich J. van Dijk, Lugale I, S. 2.

Die prekativische Übersetzung von **ḫa-ba-DU** "sie (= die Statue) möge aufgestellt sein!" (ähnlich schon F. Thureau-Dangin SAK 73 und A. Falkenstein, AnOr 28, 110) orientiert sich am Kontext. Eine affirmative Wiedergabe "sie steht fürwahr" ist nicht auszuschließen.

97) Kol. 7:58-29: So mit C. Wilcke, JNES 27 (1968) 232, der auch den Inhalt dieser Aussage geklärt hat ("Dem Übeltäter soll es so ergehen, wie es ihm erginge, wenn er eine Statue Ningirsus aus dem Tempel entfernt hätte."); anders A. Falkenstein, AnOr 29, 57; 58 und M. Lambert - J.-R. Tournay, RA 45 (1951) 63.

98) Kol. 7:60-9:5 bilden einen einzigen Satz. Dabei sind in Kol. 7:60-8:43 mehrere Relativsätze (= **lu$_2$** ... finites Verbum – **a** (= Nominalisierung)) aneinandergereiht, die syntaktisch als vorausgestellte Genitive zu erklären sind (**lu$_2$** ... finites Verbum – **a** (= Nominalisierung) – **ak** (= Genitiv)), auf die in ***-ani** in **nam-tar-ra-ni** (Kol. 9:5), dem Akkusativ-Objekt des Hauptsatzes, Bezug genommen wird. Die Reihe der Nebensätze wird in Kol. 8:27-38 durch einen eingeschobenen Hauptsatz unterbrochen. Im einzelnen liegt folgende Konstruktion vor:

... lu$_2$ ... im-ta-ab-e$_3$-e$_3$-a	"des Mannes, der ... ... entfernt,
... šu ib$_2$-ta-ab-uru$_{12}$-a	(und) ... abreibt,
lu$_2$ ib$_2$-zi-re-a	des Mannes, der (die Statue) ausreißt,
... lu$_2$ ... (gu$_3$ u$_3$-na-de$_2$-a)	des Mannes, der (,(wenn) er (= Ningirsu) ... ihn ausgerufen hat,)
... šu i$_3$-ib$_2$-bal-e-a	sich ... hinwegsetzt,
... ba-a-gi$_4$-gi$_4$-da	der ... anfechten möchte,
... (u$_3$-ta-gar)	der, (wenn er ... abgesetzt hat,)
... ba-ga$_2$-ga$_2$	... einsetzt,
... bi$_2$-ib$_2$-TAG$_4$.TAG$_4$-a	... beseitigt (?),
igi-ni-še$_3$ nu-tuku-a	(und) sich nicht vor Augen gehalten hat:
... ensi$_2$-lagaš^{ki} ...	... ist (je)der Stadtfürst von Lagaš,
(u$_3$-na-du$_3$-a)	(wenn er ihm (= Ningirsu) gebaut hat,)
lu$_2$ ... pa-e$_3$-a-am$_3$	ein Mann, der ... sichtbar gemacht hat;
ka-ka-ni lu$_2$ nu-	seinen Ausspruch wird niemand ändern,
u$_3$-kur$_2$-e ... šu	... wird sich niemand
nu-bal-e	hinwegsetzen! - ,
gu$_2$-de$_2$-a ...	des Mannes, der des Gudea, ...,
lu$_2$ inim-ni ib$_2$-kuru$_2$(=KUR$_2$)-a	Abmachung ändert
... šu i$_3$-ib$_2$-bal-e-a	(und) sich ... hinwegsetzt,
... (Kol. 8:44-9:4)	entschiedenes Schicksal mögen sie
nam-tar-ra-ni ḫe$_2$-da$_5$-	(= die in Kol. 8:44-9:4 genannten
kuru$_2$(=KUR$_2$)-ne	Götter) ändern!"

Die vorliegende Übersetzung "der Mann, der ..., - sein entschiedenes Schicksal mögen sie (= die in Kol. 8:44-9:4 genannten Götter) ändern!" wird aus sprachlichen Gründen der wörtlichen Wiedergabe "des Mannes, der ..., entschiedenes Schicksal mögen sie abändern!" vorgezogen.

99) Kol. 7:60-8:10: Die Vorausstellung von **alan-gu$_3$-de$_2$-a ... in-du$_3$-a** "die Statue des Gudea, ..., der gebaut hat" (Kol. 7:60-8:5) als Kasus pendens ist dadurch zu erklären, daß dieser Satzteil dem ersten und dritten Relativsatz (Kol. 8:6-7 und Kol. 8:10) als Akkusativ, dem zweiten Relativsatz (Kol. 8:8-9) als Ablativ (**šu ib$_2$-ta-ab-uru$_{12}$-a < *šu i-b.ta-b-uru$_{12}$-e-a**) zugeordnet ist.

100) Kol. 8:11-16: Der temporale Lokativ in Kol. 8:11 ist dem Vergleich(ssatz) (Kol. 8:12) und dem Relativsatz (Kol. 8:(12/)13-16 (**lu$_2$...) dingir-ra-ni ... gu$_3$ u$_3$-na-de$_2$-a**) vorausgestellt, um eine Wiederholung der temporalen Angabe zu vermeiden.

101) Kol. 8:12-16 hat eine fast wörtliche Parallele in Gudea Statue I 3:11-4:1 = Gudea Statue P 3:12-4:2; vgl. dazu A. Falkenstein, AnOr 30, 100 mit Anm. 2.

102) Kol. 8:18: Zur Präfixkette **i$_3$-ib$_2$-** in **i$_3$-ib$_2$-bal-e-a** s. M. Yoshikawa, JCS 29 (1977) 223ff. und C. Wilcke, ZA 78 (1988) 9ff. zu a1).

103) Kol. 8:21-23: Vgl. dazu Å. Sjöberg, TCS 3, 150 zu Z. 543..

104) Kol. 8:24-25: A. Falkenstein, AnOr 29, 14f. hat **kisal-^{d}nin-ĝir$_2$-su-lugal-ga$_2$-ka** als vorausgestellten Genitiv, der in **-bi** bei **eš$_3$-gar-ra-bi/be$_2$** aufgenommen wird, verstanden und mit "auf die hingesetzten .... des Hofes meines Königs Ningirsu" wiedergegeben. Vgl. dazu auch M.A. Powell, ZA 68 (1978) 185 "whoever sets aside the festival which has been established for (lit: in) the forecourt of N., my lord". Beachte schon M. Lambert - J.-R. Tournay, RA 45 (1951) 63 "qui, sur le parvis de ^{d}Ningirsu mon roi, en délaissera les cérémonies".

Die Aussage dieser beiden Zeilen ist - auch inhaltlich - zu sehen in Verbindung mit der aus der Fluchformel von Ibbīsuen A 9-10:67-70 **du$_8$-maḫ unu$_2$-gal / u$_3$ ki-ezem-ma- / ^{d}nanna-ke$_4$ / bi$_2$-ib$_2$-TAG$_4$.TAG$_4$-a** "wer es (= das Goldgefäss) am erhabenen/riesigen Kultsockel, in dem Speisesaal und an dem 'Ort des Festes' des Nanna beseitigt".

105) Kol. 8:27-43: Der in Kol. 8:27-38 eingeschobene Hauptsatz besteht aus einem Nominalsatz (Kol. 8:27-35), der als vorausgestellter Genitiv erklärt werden kann, der in ***-a.ni** in **ka-ka-ni** (<***ka.k-a.ni**, Kol. 8:36) und in **di-ku$_5$-a-na** (<***di-ku$_5$-a.ni-a** (= Lokativ), Kol. 8:38) aufgenommen wird.
Der Kontext von Kol. 8:39-43 ist insoweit parallel zu Kol. 8:27-38 aufgebaut, als hier auch eine Konstruktion mit einem vorausgestellten Genitiv (Kol. 8:39-41) vorliegt, auf den in ***-a.ni** von **inim-ni** (Kol. 8:42) Bezug genommen wird.

106) Kol. 8:47: **du$_{11}$-g[a]-zi-da-k[e$_4$]** ist eine regenslose Genitivverbindung, so schon A. Falkenstein, AnOr 30, 68 mit Anm.10 und J. van Dijk, SGL II 32 zu 52., der auf aB **^{d}en-ki en-du$_{11}$-ga-zi-zi-da** "Enki, der Herr aller rechten Aussprüche" (CT 36,31:5) verweist.

107) Kol. 8:48: Übersetzung in Anlehnung an A. Falkenstein, AnOr 28, 172; 225; 29, 28; 30, 84.

108) Kol. 8: 52: Zu **in-dub-ba** "'abgegrenztes Gebiet'" in dem Nanše-Epitheton **nin-in-dub-ba** "Herrin des 'abgegrenzten Gebietes'" (auch in Gudea 29,1:3; 30:Vs 3; 31:3; 33:3; Šulgi 13:Vs 3 = 22:2) s. Å. Sjöberg, OrNS 39 (1970) 79-81; vgl. dazu auch aS **im-dub-ba** "'Aufschüttung'" bei H. Behrens, H. Steible, FAOS 6, 173f. s.v. **im-dub-ba**.

109) Kol. 8:54: Die Verbindung **lugal(-)ur-sag** (bei A. Falkenstein, AnOr 30, 88 mit "König, Held", bei M. Lambert - J.-R. Tournay, RA 45 (1951) 63 mit "le roi-guerrier" wiedergegeben) ist m.W. singulär. Sonst trägt Nin-DAR-a in diesen Texten durchgängig das Epitheton **lugal-uru$_{12}$** "gewaltiger Herr" (dazu H. Behrens, FAOS 10, Index der Götternamen s.v. **^{d}nin-DAR-a**).

110) Kol. 8:62: Zu dem Utu-Epitheton **lugal-ni-se$_3$-ga** "'Herr des Grüns'" s. ausführlich H. Steible, FAOS 5/II, 56f. zu Anm. 84 zu Ean. 1, Rs 1:4.

111) Kol. 9:5: Zur Unterscheidung von **nam-tar-ra(-ni)** "(sein) entschiedenes Schicksal" und **nam-tar(-ra-ni)** "(sein) Schicksal" s. H. Steible, FAOS 5/II, 152 Anm. 59 zu Ukg.4,8:7-8 = 5,7:20-21.

112) Kol. 9:6-9 (bzw. 16): So mit A. Falkenstein, AnOr 28, 55 (zu Kol. 9:7) und 107 bzw. 222 (zu Kol. 9:9); vgl. auch A. Falkenstein, ZA 57 (NF 23) (1965) 117 zu 240-241 und D.O. Edzard, ZA 61 (1971) 214 zu 1.5..

Für die pluralische Wiedergabe von **ḫe$_2$-gaz** (Kol. 9:7), **ḫe$_2$-dab$_5$** (Kol. 9:9) und **ḫe$_2$-em-ta-tuš** (Kol. 9:11) bei M. Lambert - J.R. Tournay, RA 45 (1951) 65, die die in Kol. 8:44-9:4 genannten Götter als logisches Subjekt annehmen, besteht ebensowenig ein zwingender Grund wie für ihr pluralisches Verständnis von **geštu$_2$ ḫe$_2$-em-ši-DU** "que (les hommes) fassent attention" (Kol. 9:14) und **ḫe$_2$-em-ta-gar** "que... ils enlèvent" (Kol. 9:16). - Auch die Übersetzung bei W. Heimpel, Studia Pohl 2, 114 "(Ningišzida) möge ihn (, den Übeltäter) ... niederschlagen, ... an seinen (d.i. des Übeltäters) 'schrecklichen' Armen packen!" ist problematisch, da man dafür **ḫe$_2$-gaz-e** bzw. **ḫe$_2$-dab$_5$-be$_2$** erwarten würde.

113) Kol. 9:10-11: **^{giš}dur$_2$-gar lu$_2$ mu-na-DU-a-ni** "sein Thron, den ihm ein Mensch(/jemand) errichtet hat" (so die Übersetzung von A. Falkenstein, in: AnOr 28, 166 bzw. 29, 27; 91) (oder ist **DU** hier i.S. von "(etwas zu jemandem) bringen" zu verstehen ?) ist wegen **ḫe$_2$-em-ta-tuš** < * **ḫe$_2$-i$_3$-m/b.ta-tuš** als virtueller Ablativ verstanden.

114) Kol. 9:12-14: Möglich erscheint auch eine Übersetzung, die **šu-tur-bi** und **mu-bi** gleichordnet: "Das ... darauf (und) den Namen darauf (zu tilgen, - darauf möge der Sinn gerichtet werden!)". Zur inhaltlichen Aussage dieser Zeilen vgl. Gudea Statue B 8:8-9 **mu-sar-ra-be$_2$ / šu ib$_2$-ta-ab-uru$_{12}$-a** "wer die Inschrift darauf (= auf der Statue) abreibt".

šu-tur, dessen genaue Bedeutung unklar bleibt, begegnet schon aS in Lugalzagesi 1,3:13, wo es bei H. Steible, FAOS 5/II, 319; 324 zu Anm. 20 unübersetzt ist, während J.S. Cooper, SARI I 94 diese Stelle mit "Please now,$^?$" wiedergibt. Diese Übersetzung ist jedoch genauso geraten wie die Wiedergabe "Inschrift" (s. dazu H. Steible, a.a.O. 324; ferner D.O. Edzard, HSAO 43, Anm. 23). Mit dem bei J.S. Copper, a.a.O. 95, Anm. 7 gebotenen Ansatz **ŠU.TUR** = **tukun$_x$**, der auf M. Yoshikawa, ASJ 6 (1984) 125 zurückgeht, dürfte in diesem Kontext nicht auszukommen sein.

Während **-bi** in **mu-bi** wohl auf das vorausgehende **šu-tur** bezogen werden kann, muß **-bi** in **šu-tur-bi** deiktisch verstanden werden, da ein Bezug auf die - zuletzt in

Kol. 7:60 ausdrücklich erwähnte - Statue zu weit hergeholt erscheint; vgl. dazu auch M. Lambert - J.-R. Tournay, ibidem "Que (les hommes) fassent attention à ces inscriptions (de l'usurpateur) pour en effacer les noms (ou: les lignes)".

115) Kol. 9:15-16: Vgl. dazu A. Falkenstein, AnOr 29, 150; D.O. Edzard, ZA 61 (1971), 213 zu 1.1. (dazu B. Kienast, ZA 70 (1980) 9). Die Aussage dieser Zeilen ist sicher vor dem Hintergrund des Totenkultes zu sehen, innerhalb dessen die Rationen für die Toten auf "Ton-Tafeln" (= **dub**) fixiert waren.

116) Kol. 9:17-18: In der Fügung **un-ga$_2$ (/ge$_{26}$) ra-a igi na-ši-bar-re** (wörtlich: "er (= der Gott) soll nicht ansehen das 'auf das Volk-Schlagen'") ist **ra-a** als Lokativ verstanden; vgl. jedoch **igi--bar** mit dem Terminativ bei A. Falkenstein, AnOr 29, S. 132f.. Der Lokativ bzw. Lokativ-Terminativ bei **un-ga$_2$(/ge$_{26}$)** ist dann wohl von **ra** "schlagen" abhängig; dazu s. A. Falkenstein, AnOr 29, 98.

117) Kol. 9:21-22: So in Anlehnung an D.O. Edzard, ZA 56 (NF 22) (1964) 277 mit Hinweis, daß hier **še-gar** für **ša$_3$-gar** steht; zu **ša$_3$-gar** "Hunger(snot)" s. H. Steible, FAOS 1, 100f.; D.O. Edzard - C. Wilcke, AOAT 25, 171.
Beachte das Wortspiel zwischen **nu-gal$_2$** "(etwas, das) nicht vorhanden ist", "Mangel" in **mu-nu-gal$_2$-la** (Kol. 9:21) und **ḫe$_2$-gal$_2$**, hier (Kol. 9:22) zwar verbal gebraucht (" es möge vorhanden sein" bzw. "es ist wirklich vorhanden"); als Nomen ist **ḫe$_2$-gal$_2$** "Reichtum", "Überfluß" (s. dazu J. Krecher, OrNS 47 (1978) 403) das Oppositum zu **nu-gal$_2$** "Mangel". - Zu **mu-nu-gal$_2$-la** "Jahr(e) des Mangels" und dem Oppositum **mu-ḫe$_2$-gal$_2$-la** "Jahr(e) des Überflusses" vgl. D.O. Edzard, SR S. 104 zu Nr. 54, Z. 15 und 18 und S. 144.

118) Kol. 9:27-29: Die vorausgestellten Genitive in Kol. 9:27-28 sind in **-a-ni** bei **nam-maḫ-a-ni** aufgenommen; anders noch das syntaktische Verständnis bei A. Falkenstein, AnOr 29, 12: "In der *Niederwerfung* durch die Götter soll das Land Sumer die Größe des Herrn Ningirsu erkennen!".

119) Kol. 9:27: Zu **gaba-gal$_2$** (= *ra-ab-š[a]* <*ir-tim*>; = *ra-a-ši* <*ir-tim*>; = *be-el* <*ir-tim*>, s. MSL XIII 55, 525-527) vgl. A. Falkenstein in ZA 56 (NF 22) (1964) 49 zu 9 ("einer, dem eine (starke) Brust vorhanden ist") (mit Literatur) und in AnOr 30, 94.

gaba-gal$_2$ bezeichnet auch die "Brustwehr (eines Streitwagens)" (= *gabagallu*), s. dazu M. Civil, AOS 53, 10; C. Wilcke ZA 68 (1978) 227 zu B. Alster, Instructions of Suruppak, 46, Z. 209; J.S. Cooper, AnOr 52, 64, Z. 61; J.-M. Durand, RA 73 (1979) 167 Anm. 50.

120) Kol. 9:28: Der Titel **en** "Herr" ist in diesen Inschriften des Gudea für Ningirsu nur hier bezeugt, während er in Gudea Zyl. A und B geläufig ist.

121) Kol. 9:30: Zu **zu-zu** *marû* s. D.O. Edzard, ZA 62 (1962) 6 mit Anm. 98 (mit unserer Stelle); vgl. außerdem MSL XVI 67,291-292: **igi-zu** = *ud-du-u$_2$ ḫa-am-ṭu*; **igi-zu-zu** = **MIN** *mar-ru-u$_2$*. S. ferner M. Yoshikawa, ASJ 6 (1984) 124 mit Verweis auf MSL XVI 67, 279 **zu** = *e-du-u* "to know"; bzw. MSL XVI 68, 297 **zu-zu** = *šu-du-u$_2$* "to make public".

Gudea Statue C

1) Kol. 1: Zur Charakterisierung dieser Kol. 1 als Beischrift s. Anm. 1 zu Gudea Statue A.

2) Kol. 1:1-6: Vgl. dazu A. Falkenstein, AnOr 29, 2 Anm. 3.

3) Kol. 2:1-4:4: Die eigentliche Inschrift (ohne Fluchformel, Kol. 4:5-17) besteht aus einem Temporalsatz (Kol. 2:11-13) und mehreren Hauptsätzen (Kol. 2:20ff.). Zwischen dem Temporalsatz und dem ersten Hauptsatz sind zwei Nominalsätze eingefügt (Kol. 2:14-17.18-19) (s.u. Anm. 5).
Die Inschrift beginnt mit zwei vorausgestellten Kasus pendentes in Kol. 2:1-3 (**^{d}inanna ... nin-a-ni** "Inanna, ..., seine Herrin") und Kol. 2:4-10 (**gu$_3$-de$_2$-a ... lu$_2$ ... in-du$_3$-a** "Gudea, ..., der Mann, der ... gebaut hat"). Der erste Kasus pendens (Kol. 2:1-3) findet seine Erklärung darin, daß er zunächst im Temporalsatz (Kol. 2:11-13) als Agentiv in verkürzter Form (Kol. 2:11: **^{d}inanna-ke$_4$**) aufgenommen wird, während er im weiteren Verlauf der Inschrift in drei Hauptsätzen wegen des Infixes **-na-** (<***-n-a-**) bei den

entsprechenden Verbalformen als Dativ zu erklären ist: ... **mu-na-ni-du$_3$** (Kol. 3:13) ... **mu-še$_3$ mu-na-sa$_4$** (Kol. 4:2) ... **mu-na-ni-ku$_4$** (Kol. 4:4) "(Inanna, ..., seine(r) Herrin,) hat (Gudea, ...,)... gebaut. ..., hat er ihr '...' als Namen genannt (und) hat (sie (= die Statue)) ihr ... hineingebracht". Vgl. dazu A. Falkenstein, AnOr 29, 95, wo der dativische Bezug dargestellt ist.

Der zweite Kasus pendens (Kol. 2:4-10) stellt einerseits das gemeinsame Subjekt aller Hauptsätze der eigentlichen Inschrift dar (bis Kol. 4:4), wird aber im Temporalsatz (Kol. 2:11-13) andererseits als (logisches) Objekt begriffen.

Ein vergleichbarer Aufbau ist auch in Gudea Statue E nachzuweisen, s. dazu Anm. 2 dieser Statue.

4) Kol. 2:5: S. dazu Anm. 10 zu Gudea Statue B.

5) Kol. 2:14-19: Wörtlich: "Gudea, der Stadtfürst von Lagaš, ist weiten Sinnes, ist ein Diener, der seine Herrin liebt".

Die beiden Nominalsätze (Kol. 2:14-17.18-19) stellen nicht eine übliche Erweiterung der Epitheta-Kette für Gudea (im Nominativ, so das Verständnis bei A. Falkenstein, AnOr 29, 32f.) dar, sondern markieren einen Einschub, der mit diesem Stilmittel den vorausgehenden Temporalsatz (Kol. 2:11-13) und die folgenden Hauptsätze (Kol. 2:20ff.) inhaltlich verbindet. Diese beiden Nominalsätze sind eine Art 'nachgeschobener Begründung' und werden deshalb in der Übersetzung kausal verstanden.

Ein paralleler Aufbau liegt auch in Gudea Statue E vor, wo der eingeschobene Nominalsatz in Kol. 2:1-2 die gleiche verbindende Funktion zwischen dem vorausgehenden Temporalsatz (Kol. 1:18-20) und den nachfolgenden Hauptsätzen (Kol. 2:3ff.) hat. Vgl. dazu auch Gudea Statue F 2:6-11, wo zwei Nominalsätze (Kol. 2:6-9 = Gudea Statue C 2:14-17 (mit Var. **geštu$_2$-dagal-a-kam**) und Kol. 2:10-11 = Gudea Statue E 2:1-2) zwei Hauptsätze (Kol. 1:1-2:5 und Kol. 2:12ff.) inhaltlich verknüpfen.

6) Kol. 2:17: Zur regenslosen Genitiv-Verbindung **geštu$_2$-dagal-a-kam** (A. Falkenstein, AnOr 28, 85 "er ist weiten Sinnes") vgl. auch Gudea Statue F 2:9 (**geštu$_2$-dagal-kam**) und Ibbīsuen A 9-10:51 (**geštu$_2$-dagal-la-ke$_4$**).

7) Kol. 2:18-19: A. Falkenstein hat in AnOr 29,54f. **ir$_{11}$ nin-a-ne$_2$ ki-ag$_2$(-am$_3$)** als Mesannepada-Konstruktion verstanden und mit "der Knecht, den seine Herrin liebt" wiedergegeben. Dagegen ist über **nin sag-e ki-ag$_2$** in Gudea Statue E 1:8 der Nachweis zu führen, daß in den Texten der Gudea-Statuen **ki--ag$_2$** "lieben" auch den Lokativ-Terminativ regieren kann (s. dazu Anm. 4 zu Gudea Statue E). Daher bestehen zwei Deutungsmöglichkeiten: **nin-a-ne$_2$** ist entweder als Subjekt einer Mesannepada-Konstruktion oder als Lokativ-Terminativ, abhängig von **ki--ag$_2$**, zu verstehen. Angesichts dieser morphologischen Übereinstimmung von **nin-a-ne$_2$** kann sich die Lösung dieser Frage nur am Kontext orientieren. Da Kol. 2:18-19 und Kol. 2:14-17 zwei gleichgeordnete Nominalsätze bilden, die einen logischen Zusammenhang zwischen den Aussagen des Temporalsatzes (Kol. 2:11-13) und denen der folgenden Hauptsätze (Kol. 2:20ff.) herstellen, scheint eine Übersetzung "er ist ein Diener, der seine Herrin liebt" dem Kontext eher gerecht zu werden: Gudea nimmt die in den Hauptsätzen geschilderten Bauarbeiten in Angriff, nachdem "Inanna (ihn) (zuvor) mit ihrem leben(spendenen) Blick angeschaut hatte" (Kol. 2:11-13), "weil er (ein Mann) weiten Sinnes" (Kol. 2:17) und "ein Diener ist, der seine Herrin liebt" (Kol. 2:18-19). Akzeptiert man diese Deutung, ist es naheliegend, parallele Bildungen wie **lu$_2$-si-sa$_2$ dingir-ra-ne$_2$ / uru-ne$_2$ ki-ag$_2$(-e)** (in Gudea Statue I 2:6-8 = Gudea Statue P 2:7-9; Gudea D 2:4-5; dazu gehört auch **[x] lugal-ne$_2$ ki-ag$_2$(-me)** in Gudea Statue K 2':6'-7'), die A. Falkenstein, AnOr 29,55 auch als Mesannepada-Konstruktionen aufgefaßt hat ("der Gerechte, den sein Gott/seine Stadt liebt"), in gleicher Weise zu verstehen: "der gerechte Mann, der seinen Gott/seine Stadt liebt" (bzw. Gudea Statue K 2':6'-7' "Mir, [dem ...,] der seinen Herrn liebt.").

8) Kol. 2:20-3:10: Diese Zeilen schildern die Vorbereitungen zum eigentlichen Bau des Tempels. Die Ziegelform und die Hacke werden geschmückt, der Lehm zur Verarbeitung (= Ziegel-Streichen) präpariert (= **lu** "'mischen'") und der Ziegel gestrichen; schließlich wird das Fundament des Tempels kultisch gereinigt. Vgl. dazu die fast wörtlichen Parallelen in Gudea Statue E 3:1-15 und Gudea Statue F 2:12-3:5.

9) Kol. 2:20-21: So in Anlehnung an A. Falkenstein, AnOr 29, 108. - Statt **u$_3$-šub** "Ziegelform" bieten die Parallelen Gudea Statue E 3:1 **^{giš}šub** und Gudea Statue F 2:12 **^{giš}u$_3$-šub** (und in Z. 13 **ba-an-ḫur** für **ba-ḫur**). Vgl. auch Gudea Zyl. A 13:20.

10) Kol. 2:22-23: Vgl. dazu die wörtlichen Parallelen in Gudea Statue E 3:3-4 (mit der Schreibung **^{giš}uri$_3$** für **uri$_3$**) und Gudea Statue F 2:14-15.

Die Wiedergabe von **KA.AL-ka** = **zu$_2$-al-ka** "auf/an der Zinke der Hacke" folgt dem Vorschlag von A. Falkenstein, AnOr 28, 13; AnOr 29, 108 (**zu$_2$-al-ka** "auf/an die Spitze der Hacke"); so auch W. von Soden, ZA 61 (1971) 197 ("Zahn des Dechsels"), der auf die aB Entsprechung *šinni allim* (in CAD A/I 357 a) hinweist; ferner B. Hruška, Mythenadler, 59-61 ("Zahn/Spitze der Hacke"). Vgl. auch die Bildung ^{giš}**al-zu$_2$** bei A. Salonen, HAM I 44. Von diesem Ansatz ist A. Falkenstein, in: SAHG 150; 151 und AnOr 30, 119 zugunsten der Wiedergabe **KA.AL** "Ziegelstempel" abgewichen, nachdem M. Lambert - J.-R. Tournay, RB 55 (1943) 414 (zu Gudea Zyl. A 13; 18); 432 Anm. 68 **ka-al** mit "empreinte, estampille" wiedergegeben hatten (so auch in RA 46 (1952) 81 (zu Gudea Statue E 3:3)). Vgl. jetzt auch noch den Übersetzungsvorschlag "Lehmgrube" bei W. Heimpel, JNES 46 (1987) 207f..

Unter den Belegen für **KA.AL** = **zu$_2$-al** in den Gudea-Zylindern (A 13:18.21; 18:19; 19:4) ist für diesen Kontext besonders Zyl. A 13:21-23 interessant: **zu$_2$-al nam-nun-na mu-ni-gar-ra-ni / anzu$_2^{mušen}$ šu-nir-lugal-la-na-kam / uri$_3$-še$_3$ bi$_2$-mul** "seine (= Gudea's) Zinke (der) Hacke, die er in Fürstlichkeit 'gesetzt' hatte, ließ er (= Gudea) mit (einer Darstellung) des Anzu, des Emblems seines Herrn (= Ningirsu) (wörtlich: "der Anzu ist das Emblem seines Herrn"), erstrahlen".

Dieser Beleg legt die Vermutung nahe, daß Gudea die Zinke der Hacke mit einer Abbildung des Anzu-Emblems verziert hat. In gleicher Weise ist davon auszugehen, daß in unserem Kontext von Kol. 2:22-23 zum Ausdruck gebracht wird, daß Gudea eine Verzierung mit dem Emblem der Inanna angebracht hat.

11) Kol. 3:1-5: Vgl. dazu die wörtlichen Parallelen in Gudea Statue E 3:5-8 (E 3:5 hat **ki-dadag** für **ki-dadag-ga-a** (<***...-a** (= Nominalisierung) **-a** (= Lokativ)) und Gudea Statue F 2:16-19 (**ki-ku$_3$-ga** (2:16) für **ki-dadag-ga-a**).

Die hier vorgeschlagene Übersetzung geht zurück auf **lu** = *balālu* "(ver)mischen", s. dazu AHw 97f.; CAD B 39ff., bes. 1.2'; anders noch A. Falkenstein, AnOr 28, 164 (**im-mi-dib** "er entnahm dort") und AnOr 29, 84 (**LU** = **dib** "entnehmen"); ähnlich auch M. Lambert - J.-R. Tournay, RA 46 (1952) 81. Mit "vermischen" wird hier der bei der Ziegel-Produktion wichtige Vorgang des Schlämmens des Lehms beschrieben.

Welche inhaltliche Differenzierung hinter **ki-dadag(-ga-a)**, **ki-sikil(-a)** und **ki-ku$_3$(-ga)** steht, ist nur schwer zu entscheiden.

12) Kol. 3:6-10: So jetzt in Anlehnung an S. Dunham, RA 80 (1986) 54; vgl. dazu schon A. Falkenstein, OrNS 35 (1966) 232. Die wörtliche Parallele in Gudea Statue E 3:11-15 fügt unmittelbar vor dieser Phrase **sig$_4$ ^{giš}šub-ba i$_3$-gar nig$_2$-du$_7$ pa bi$_2$-e$_3$** "den Ziegel hat er in die Ziegelform gelegt (und) hat das Erforderliche sichtbar gemacht" (Gudea Statue E 3:9-10) ein. - Die Parallele Gudea Statue F 3:1-5 bietet **i$_3$-im-ta-la$_2$** (Kol. 3:2) für **im-ta-la$_2$** (Kol. 3:7).

13) Kol. 3:6-7: Vgl. dazu **uru mu-ku$_3$ izi im-ma-ta-la$_2$** "er (= Gudea) hat die Stadt gereinigt, hat (sie) mit Feuer geläutert" (Gudea Statue B 3:12; Gudea Statue E 2:21-22).

Zu **uš--ku$_3$** vgl. auch **uš-ku$_3$- / ^{d}en-lil$_2$-la$_2$ / ... / mu-na-an-DU** "die reine Baugrube des Enlil hat er (= Amarsuen) ... ihm (= Enlil) angelegt" in Amarsuen 9,2:2-6; s. zu diesem Kontext Anm. 4 zu Urbaba 1.

14) Kol. 3:18-4:1: Der Statuenname hat eine wörtliche Parallele in Gudea Statue P 5:3-6.

15) Kol. 3:19: Zur Regens-Rektum-Verbindung **lu$_2$-e$_2$-du$_3$-a(-k)** "der Mann des Tempel-Bau(en)s" s. die Zusammenstellung bei H. Behrens FAOS 10 s.v. **lu$_2$** 4.b); s. zur Bildung schon A. Falkenstein, AnOr 28, 138 ("Mann des Hausbauens"); vgl. ferner **ma$_2$-giš-du$_3$-a** "Schiffe mit Bauholz" (Gudea Statue D 4:12).

16) Kol. 4:5-8: Vgl. dazu die ausführlichere Schilderung in Gudea Statue B 7:58-8:10.

17) Kol. 4:12: Zur Differenzierung von *ḫamṭu* und *marû* bei **nam--KU$_5$** s. D.O. Edzard, AS 20, 78f. zu 7..

18) Kol. 4:14-15: So mit D.O. Edzard, ZA 61 (1971) 222 zu 5.5..

Gudea Statue D

1) Kol. 2:4-5: Zur Übersetzung dieser Zeilen s. Anm. 7 zu Gudea Statue C.

2) Kol. 2:11: Übersetzung "Haus/Tempel (mit) sieben Zonen" nach A. Falkenstein, AnOr 30, 172 Anm. 4. Zur Lage und Funktion dieses Tempels s. A. Falkenstein, AnOr 30, 131-133.

3) Kol. 2:13(-3:2): Zu **nig$_2$-MI$_2$-us$_2$-sa$_2$** "Brautgaben" s. A. Falkenstein, NG I 103ff.; III 148f. s.v. **nig$_2$-mi$_2$-us$_2$-sa$_2$** ("die consumptubilia für das Hochzeitsmahl"). Die Abfolge der Belege bei H. Behrens, FAOS 10, s.v. **nig$_2$-MI$_2$-us$_2$-sa$_2$** läßt erkennen,daß die **nig$_2$-MI$_2$-us$_2$-sa$_2$** für Baba am Neujahrstag geleistet(= **AK**) (Gudea Statue E 5:1-3; Gudea Statue G 3:5-7), im **E$_2$-PA** bereitet (= **si--sa$_2$**) (Gudea Statue D 2:13-3:2) und von dort ausgegeben wurden (Gudea Statue G 2:1-7). Der Umfang der "Brautgaben" wird von Gudea neu festgesetzt: vgl. die Brautgaben für Baba im alten Tempel (Gudea Statue E 5:4-6:4 und Gudea Statue G 3:8-24) gegenüber der Neufestsetzung durch Gudea in Gudea Statue E 6:19-7:16 und Gudea Statue G 5:13-6:14.

4) Kol. 3:3-7: Zu den Ortsangaben vgl. A. Falkenstein, AnOr 30, 137f.
Zu **kar-za-gin$_3$-ka$_2$-sur-ra-ke$_4$** (Kol. 3:6) vgl. Gudea 56:10-12 **KA$_2$.GAL ka$_2$-sur-ra / igi-u$_6$-di / ḫe$_2$-gal$_2$-IL$_2$** "das Stadttor, das Kasurra, die staunenswerte Front, (die) Überfluß trägt" (s. dazu auch die enge Parallele Gudea 94,2:2-4) und Gudea Statue L Vs. 4':3" **kar-ka$_2$-sur-ra-ka** "am Kai des Kasurra".

5) Kol. 4:2-14: Vgl. dazu A. Falkenstein, AnOr 30, 47 mit Anm. 3.

6) Kol. 4:11: Zu **gu$_2$-giš--gal$_2$** vgl. aS **ma$_2$-dilmun (kur-ta) gu$_2$-giš mu-gal$_2$** "Dilmun-Schiffe hat er (= Urnanše) (aus dem Fremdland) Holzlasten bringen lassen" bei H. Behrens, H. Steible, FAOS 6, 228 s.v. **ma$_2$** 2..
Zum syntaktischen Verständnis von **gu$_2$-giš mu-na-gal$_2$-la-am$_3$** "(...(= die genannten Länder,) die für ihn (= Gudea) Holzlieferungen zur Verfügung stellten (wörtlich: vorhanden sein ließen)" (<***...-gal$_2$-a** (= Nominalisierung) **-am$_3$**) vgl. schon M. Lambert-J.-R. Tournay, RA 46 (1952) 79 ("(le pays de) ..., qui avaient rassemblé ..."); anders A. Falkenstein, AnOr 29, 11 zu i.; 77; 97.

7) Kol. 4:12: Zur Bildung von **ma$_2$-giš-du$_3$-a** "Schiff(e) mit Bauholz" s. Anm. 15 zu Gudea Statue C. A. Falkenstein, AnOr 30, 47 hat **giš-du$_3$-a-bi** offensichtlich von **ma$_2$** abgetrennt und mit "Hölzer aller Art" wiedergegeben. Dagegen hatten M. Lambert -

J.-R. Tournay, RA 46 (1952) 79 in **ma_2-giš-du_3-a** ("barque faite de bois", "bateaux trains de bois") noch eine Entsprechung zu **ad** "Floß" (Gudea Statue B 5:35, s. Anm. 47 zu Gudea Statue B) vermutet.

8) Kol. 4:15: Die Verbindung **ḫur-sag-ma_2-gan^{ki}** "Gebirge Magan" ist m.W. in diesen Texten singulär; sonst begegnet bei Gudea nur die Verbindung **kur-ma_2-gan^{ki}**"Bergland Magan", s. H. Behrens, FAOS 10, Index der Ortsnamen s.v. **ma_2-$gan^{(ki)}$**; ferner D.O. Edzard u.a., RGTC 1, 113.

9) Kol. 5:2-3: So mit A. Falkenstein, AnOr 28, 82; 29, 28; 30, 93 mit Anm. 13. Vgl. zu diesen Zeilen auch **$šita_2$-ub-e-nu-IL_2(-$še_3$)** "(Kupfer aus Kimaš) (hat er (= Gudea)) (zu) eine(r) Šita(-Keule), die ... nicht erträgt(, verarbeitet)" in Gudea Statue B 6:24(-25).

Gudea Statue E

1) Kol. 1-9: Kol. 1-4 dieser Inschrift sind von Kol. 5-9 deutlich abgesetzt: Kol. 1-4 befinden sich auf dem Rücken der Statue, Kol. 5-9 auf dem rückseitigen Gewand des Unterkörpers der Statue. Kol. 5:1 ist gegenüber Kol. 6ff.:1 um 4 Zeilen (mit normalem Umfang) eingerückt, wobei die Vorritzung noch zu erkennen ist. Festzuhalten ist hier auch, daß sich unmittelbar vor der Aufzählung der "Brautgaben für Baba (im) neuen Tempel" (Kol. 6:19-7:14) eine Leerzeile in Kol. 6:18 findet.

2) Kol. 1:1ff.: Die Inschrift weist am Anfang einige syntaktische Parallelen zu Gudea Statue C auf (s. dazu Anm. 3 dieser Statue): Wie in Statue C ist zwischen dem Temporalsatz in Kol. 1:18-20 und den Hauptsätzen in Kol. 2:3ff. ein Nominalsatz eingeschoben, der die Aussagen dieser beiden Sätze inhaltlich verbindet und deshalb hier, wie die beiden eingeschobenen Nominalsätze in Gudea Statue C 2:14-19, kausal verstanden wird (s. dazu Anm. 5 zu Gudea Statue C).
Kol. 1:1-10 ist als Kasus pendens der Inschrift vorausgestellt, der dann im Temporalsatz als Agentiv (Kol. 1:18-19) und später erstmals im Hauptsatz in Kol. 3:16-17 als

Dativ, jeweils in verkürzter Form, aufgenommen wird.

Desgleichen ist auch Kol. 1:11-17 als Kasus pendens konstruiert, der einerseits das gemeinsame Subjekt aller Hauptsätze (Kol. 2:3ff.) darstellt, andererseits logisches Objekt des Temporalsatzes in Kol. 1:18-20 ist.

3) Kol. 1:6: Vgl. dazu **nin an-ki-a nam-tar-re-de**$_3$ "die Herrin (= Nintu), die in Himmel (und) Erde das Schicksal entscheidet" (Gudea Statue A 3:4). Zu **nam-tar-re** vgl. D.O. Edzard, in: HSAO 53 zu 7.7. und AS 20, 71.

4) Kol. 1:8: Das Epitheton für Baba **nin sag-e ki-ag**$_2$ ist zu vergleichen mit dem Ningirsu-Epitheton **ur-sag nig**$_2$**-ba-e ki-ag**$_2$ "Held, der die Zuteilung liebt" in Gudea Zyl. A 6:26 = Zyl. A 7:26. Dabei wird nicht nur die Rektion von **ki-ag**$_2$ "lieben" mit dem Lokativ-Terminativ deutlich (s. A. Falkenstein, AnOr 29,122), sondern es ergibt sich m.E. über die syntaktische Parallele von **nig**$_2$**-ba** und **sag** hinaus auch eine inhaltliche Verbindung, so daß angesichts der hier vorliegenden Bedeutung von **nig**$_2$**-ba** "Zuteilung" (vgl. dazu auch Gudea Statue B 7:17; 8:19) für **sag** eine Übersetzung "das Erste/Beste" (= **rēštû(m)**, AHw 973) als wahrscheinlich gelten darf. Vgl. noch die Wiedergabe dieser Zeile bei A. Falkenstein, AnOr 28; 77; 29, 122; 30, 65 mit Anm. 5; 94 Anm. 13 "die Herrin, die Geschenke liebt", wo **nig**$_2$**-ba** und **sag** bedeutungsgleich verstanden sind; so auch noch J. Krecher, OLZ 67 (1972) Sp. 140; 142. In den aS wie auch den zeitgenössischen Texten kann ich diese Bedeutung von **sag** bislang nicht weiter nachweisen, wohl dagegen später in aB Zeit, wo es in UET VI 103:47 heißt: **sa[g-nig**$_2$**-š]a**$_6$**-ga-zu ḫe**$_2$**-ab-du**$_{12}$**-du**$_{12}$**-ne** "das Bes[te] vom [Gut]en für dich (= Rīm-sîn) mögen sie (= die (Schutz)gottheiten) (dich) haben lassen!" (vgl. dazu C.J. Gadd, Iraq 22 (1960) 161f.).

5) Kol. 1:9: So mit A. Falkenstein, AnOr 30, 65 mit Anm. 6. **nig**$_2$**-u**$_2$**-gu**$_3$**-de**$_2$**-a** steht wohl für **nig**$_2$**-u**$_2$**-gu-de**$_2$**-a**; zu **nig**$_2$**-u**$_2$**-gu-de**$_2$**-a** (= *ḫalqu*) s. A. Falkenstein, NG III 150 mit Verweis auf A.L. Oppenheim, AOS 32, 73 Anm. 93. Zum Wechsel von **gu/gu**$_3$ in **u**$_2$**-gu**$_{(3)}$**-de**$_2$ s. zuletzt J. Renger, CRRA 18 (1972) 176 Anm. 30.

6) Kol. 1:11-17: Vgl. die Parallele Gudea 6 Vs 7-Rs 4..

7) Kol. 2:3-4: **zu-zu** kann in diesem Kontext kaum *marû*-Basis sein, sondern ist wohl in freier Reduplikation gebraucht; diese beiden Möglichkeiten sind schon bei D.O. Edzard, ZA 62 (1972) 6 Anm. 98 angenommen.
Die Aussage dieser Zeilen hat eine Parallele mit prekativer Ausdrucksweise am Ende der (Fluch- und) Segensformel von Gudea Statue B 9:29-30 **nam-maḫ-a-ni / kalam-e ḫe$_2$-zu-zu** "Seine (= Ningirsu's) Erhabenheit möge das Land (Sumer) bekanntmachen!"; s. dazu Anm. 121 zu Gudea Statue B.

8) Kol. 2:5-8: So in Anlehnung an A. Falkenstein, AnOr 30, 66 mit Anm. 13. Vgl. dazu auch G. Farber, Stud. Pohl 10, 179.

9) Kol. 2:9-4:2: Hier kommt zum Ausdruck, daß beim Bau des Baba-Tempels "dieselbe Sorgfalt obwaltete wie beim Eninnu Ningirsus" (A. Falkenstein, AnOr 30, 176 mit Anm. 13). Zu Kol. 2:9-22 vgl.W. Heimpel, Stud. Pohl 2, 50. Zu dem Vergleichssatz in Kol. 2:9-13 (**nig$_2$-...**-finites Verbum **-a** (= Nominalisierung) **-gim** (= Vergleichskasus)) s. A. Falkenstein, AnOr 29, 29.

10) Kol. 2:14-20: Dieser Temporalsatz ist wohl kaum nachzeitig zu verstehen; vgl. dazu auch A. Falkenstein, AnOr 29, 28f..

11) Kol. 3:1-15: S. Anm. 8-12 zu Gudea Statue C.

12) Kol. 3:18-19: Der mit Hilfe der enklitischen Kopula **-am$_3$** gebildete Nominalsatz bringt die logische Verbindung zwischen dem Bau des Baba-Tempels durch Gudea einerseits und seinem Standort in Uruku andererseits zum Ausdruck und wird deshalb hier (wie der Nominalsatz oben in Kol.2:1-2, s. dazu Anm. 2) mit kausaler Nuancierung wiedergegeben. Die Übersetzung bei A. Falkenstein, AnOr 29, 124 "die Herrin, die die Heilige Stadt mit Schrecken erfüllt" trägt der Kopula **-am$_3$** nicht Rechnung; der Ansatz **nin(-)uru-ku$_3$-ge** "dame de la cité sainte" (Kol. 3:18) von M. Lambert - J.-R. Tournay, RA 46 (1952) 81 ist auszuschließen, da hier keine Regens-Rektum-Verbindung vorliegt.

13) Kol. 4:3-11: S. Anm. 4 zu Gudea Statue A.

14) Kol. 4:6: Zu **ki-di-ku$_5$-na** beachte die Schreibungen **ki-di-ku$_5$-a-ni** (Gudea 47:11) und **ki-di-ku$_6$-da-ni** (Amarsuen 12:21). Zu **ki-di-ku$_5$** "Gerichtsstätte" s. A. Falkenstein, AnOr 28, 65; 78 Anm. 2; 138; 146; ders., NG III 99 zu **ki-ku$_5$** 3. und Å. Sjöberg, TCS 3, 60 zu 53..

15) Kol. 4:8-11: S. Gudea Statue A 2:1-2.5 und Gudea Statue F 3:10-11. Für **e$_2$** in **e$_2$-maḫ-a-e** (Kol. 4:10) lesen M. Lambert - J.-R. Tournay, RA 46 (1952) 80 **kisal**, doch auf dem Photo in DC II Pl. 13,2 sind **E$_2$** (Kol. 4:10) und **KISAL** (Kol. 4:14) zu unterscheiden (schon bei F. Thureau-Dangin, SAK 80 unterschieden); die Parallele in Gudea Statue A 2:5 bietet **e$_2$-maḫ-ni-a**. Nach A. Falkenstein, AnOr 28, 55 geht die Form **e$_2$-maḫ-a-e** "wahrscheinlich auf **e$_2$-maḫ-a-na** zurück und ist daraus durch Schwund des **-n-** zwischen zwei Vokalen und anschließende Dissimilierung des dadurch bedingten auslautenden **-a-a** entstanden.". Eine einfachere Lösung legt wohl die Emendation **e$_2$-maḫ-a-<ni->e** "in <ihren> erhabenen Tempel" nahe; zur Schreibung **-(a)-ni-e** s. etwa **lugal-ki-ag$_2$-ni-e** (Gudea Statue B 5:24) oder auch **mu-bi-e** (Gudea Zyl. A 9:18). Beachte hierbei, daß dieser Text auch ^{giš}**šub** (Kol. 3:1) für ^{giš}**u$_3$-šub** "Ziegelform" und **ki-dadag** (Kol. 3:5) bietet, die Parallele in Gudea Statue C 3:1 weist dagegen **ki-dadag-ga-a** auf; vgl. schließlich auch fehlerhaftes **e$_2$-uru-ku$_3$-ga-na** (Kol. 8:14) für **e$_2$-uru-ku$_3$-ga-ka-na** (vgl. dazu Gudea Statue D 3:17; H 3:7; Gudea 7:8; 8:9), ferner die schwierige Form **nam-ti ⸢ba⸣** "teile (mir) Leben zu !" (Kol. 8:2) und **u$_4$-du$_{11}$$^!$(=SAG)-gaba** als ungewöhnliche Schreibung für **u$_4$-du$_{11}$-ga-ba** (s. u. Anm. 28 und 29).

Dieser Lösungsvorschlag hat jedoch die Schwierigkeit, daß **ku$_4$** "hineinbringen" hier nicht wie sonst den Lokativ regiert, sondern den Lokativ-Terminativ; vgl. dazu schon A. Falkenstein, AnOr 28, 55 Anm. 1. Zu **ku$_4$** mit Lokativ-Terminativ s. auch Urningirsu II. 6,2:7.

16) Kol. 4:12: Die Lesung **gal-di$^!$(= KI)** "berühmt" folgt M. Lambert - J.-R. Tournay, RA 46 (1952) 82f.. - Übersetzung des Harfennamens mit A. Falkenstein, AnOr 30, (59 Anm. 6,) 148 mit Anm. 10.

17) Kol. 5:1-6:4 = Gudea Statue G 3:5-4:20: Die Beschreibung der "Brautgaben für Baba (im) alten Tempel von früher" (Kol. 6:2-4 = G 4:18-20) erfolgt in Form eines mit ***-am$_3$** gebildeten Nominalsatzes (Kol. 5:4-6:1: **1 gu$_4$-niga ... nig$_2$-MI$_2$-us$_2$-sa$_2$-...-u$_4$-**

bi-ta-kam "1 Mastrind, ..., waren die Brautgaben ... von früher" (< ***...-ak-am$_3$**)). Vorausgestellt ist diesem Nominalsatz eine zeitliche Bestimmung im Lokativ (Kol. 5:1-3 = G 3:5-7), der aber wohl kaum - wie bei A. Falkenstein, AnOr 29, 75; 83; vgl. auch D.O. Edzard, HSAO 56f. zu 10.2. - temporal verstanden werden darf, da kein finites Verbum vorhanden ist; vgl. dazu etwa die beiden Temporalsätze in Kol. 6:5-17 = G 4:21-5:12; zum Problem der Temporalsatz-Bildung s. Anm. 14 zu Gudea Statue B 3:6-11.

S. auch die Übersetzung dieses Abschnitts bei M. Lambert - J.-R. Tournay, RA 46 (1952) 83 "Au jour du nouvel an, à la fête de Bau, pour faire les cadeaux de noces: ... (tels) étaient autrefois les cadeaux de noces de Bau de (ou: dans) l'ancien temple".

A. Falkenstein, AnOr 30, 120 hat gezeigt, daß der "Alte Tempel" "nur der Bau Urbabas sein" kann. Man wird deshalb wohl davon ausgehen können, daß auch die "Brautgaben für Baba (im) alten Tempel von früher" von Urbaba festgelegt worden sind. A. Falkenstein hatte bereits in NG I 104 Anm. 2 darauf aufmerksam gemacht, daß sich eine vergleichbare Aufzählung von Brautgaben Babas "mit allen wesentlichen Einzelposten schon auf der Tafel ITT I 1225 aus der Zeit des Stadtfürsten Lugalušumgal von Lagaš, des Zeitgenossen Narāmsîns und Šarkalīšarrīs" findet.

Für die lexikalischen Hinweise zu den genannten Brautgaben im einzelnen s. unter den entsprechenden Lemmata im Glossar bei H. Behrens, FAOS 10, s.v..

18) Kol. 5:15-16: Für **7 gambi** (= RSP 158) ^{mušen} **/ 15 kur-gi$_{16}$** ^{mušen} schreibt die Parallele in Gudea Statue G 4:9-10 **7 mušen:gambi** (= RSP 158) / **15 mušen:kur-gi$_{16}$**; s. dazu auch Anm. 22 dieses Textes.

19) Kol. 5:19 = Kol. 7:10: Für **TUN$_3$-ku$_6$-suḫur-a** steht in Gudea Statue G 4:13 und 6:8 die Schreibung **ku$_6$:suḫur:TUN$_3$**.

20) Kol. 5:21: Die Parallele Gudea Statue G 4:15 bietet nur **30 gu$_2$ LU.SAR**. Gudea Statue E 7:12 und Gudea Statue G 6:10 stimmen in **40 gu$_2$ LU.SAR** überein.

21) Kol. 6:5-7:21 = Gudea Statue G 4:21-6:19: Auch die Beschreibung der "Brautgaben für Baba des (/im) neuen Tempel(s)" (Kol. 7:15-16 = G 6:13-14) erfolgt in Form eines mit ***-am$_3$** gebildeten Nominalsatzes (Kol. 6:19-7:21 = G Kol. 5:13-6:19: **2 gu$_4$-niga / ... / nig$_2$-MI$_2$-us$_2$-sa$_2$- ... (gu$_3$-de$_2$-a / ... -a-ke$_4$ ba-an-daḫ-ḫa)-am$_3$**"2

Mastrinder, ..., waren die Brautgaben(, die Gudea, ..., hinzugefügt hat)" **(<*...-a** (= Nominalisierung) **+am$_3$**). Diesem Nominalsatz sind zwei gleichgeordnete Temporalsätze vorausgestellt (Kol. 6:8-17 = G 5:3-12), denen wiederum der gemeinsame Agentiv vorangestellt ist (Kol. 6:5-7 = G 4:21-5:2).
Der Relativsatz in Kol. 7:17-21 = G 6:15-19) ist abhängig von **nig$_2$-MI$_2$-us$_2$-sa$_2$-... (-)e$_2$-gibil** "die Brautgaben ... (des/im) neuen Tempel(s)" (Kol. 7:15-16 = G 6:13-14). Vgl. dazu H. Sauren, ZDMG Suppl. I/1, 121 mit Anm. 17.

22) Kol. 7:5-6: Die Parallele Gudea Statue G 6:3-4 bietet **7 mušen:gambi** (= RSP 158) / **10 kur-gi$_{16}$^{mušen}**; s. dazu auch oben Anm. 18.

23) Kol. 7:10: S. oben Anm. 19.

24) Kol. 7:12: S. oben Anm. 20.

25) Kol. 7:22-8:15: Der Abschnitt Kol. 7:22-8:10 umfaßt fünf gleichgeordnete Satzteile, an deren Ende jeweils eine Verbalform steht (**gi$_4$-a-da** (7:23), **pa-e$_3$ AK-da** (8:1), **gi-na-da** (8:3), **gal$_2$-la-da** (8:8), **su$_3$-a-da** (8:10), die mit D.O. Edzard, ZA 62 (1972) 25-29 dem Typus **LAL-ada** (= *ḫamṭu*) zugeordnet werden können (D.O. Edzard rechnet allerdings **pa-e$_3$ AK-da** (8:1) dem Typus **LAL-eda** (= *marû*) zu.
Subjekt von Kol. 7:22-8:15 kann wegen der Aussagen von Kol. 8:4-10 nicht Gudea sein (so etwa M. Lambert - J.-R. Tournay, RA 46 (1952) 85 "il introduisit à cet effet son dieu Ningišzidda"), sondern nur Ningišzida (Kol. 8:(11-)12 (so schon A. Falkenstein, AnOr 29, 75 Anm. 1)). Für den virtuellen Dativ bei Baba (Kol. 8:13) beachte das Dativinfix **-na-** in **mu-na-da-ku$_4$-ku$_4$** (Kol. 8:15).
Unsicher bleibt der Bezug des Komitativinfixes dieser Verbalform. Möglich erscheint ein Bezug auf die in Kol. 6:5-7:21 genannten Brautgaben (so A. Falkenstein, AnOr 30, 102) oder auf Gudea (Einführungsszene, vgl. etwa die Darstellung auf der Gudea-Stele aus Berlin bei A. Moortgat, KAM Abb. 189).
Zu **ku$_4$-ku$_4$** (= *marû*) / **ku$_4$(-r)** (= *ḫamṭu*) "eintreten" s. M. Yoshikawa, OrNS 37 (1968) 404 (4); D.O. Edzard, ZA 61 (1971) 214 Anm. 12a; 225 zu 9.2.; 227; ZA 62 (1972) 16f.; ZA 66 (1976) 58; 60; ferner schon G. Farber-Flügge, Stud. Pohl 10, 232.

26) Kol. 8:14: Zur Emendation in **e$_2$-uru-ku$_3$-ga-<ka->na** s. oben Anm. 15.

27) Kol. 9:1: Das Nebeneinander von **zi(-g)** (= *ḫamṭu* / **zi-zi** (= *marû* (zur Verteilung dieser Verbalbasen s. D.O. Edzard, ZA 62 (1972) 6 und M. Yoshikawa, OrNS 37 (1968) 404f. zu (5)) "(sich) erheben", "ein Aufgebot machen" ist in diesen Texten bislang nur innerhalb von Satznamen auf verschiedenen Gegenständen (vor allem in den Namen von Keulenköpfen) zu beobachten.

nin-mu ba-zi-ge (mit einer wörtlichen Parallele in 'Lagaš' 46:4') wird hier wegen des folgenden Imperativs **nam-ti ⸢ba⸣** "Teile (mir) Leben zu !" (Kol. 9:2) i.S. von "Meine Herrin ! - Du hast mich erhoben !" verstanden; beachte auch die Wiedergabe bei A. Falkenstein, AnOr 28, 174 "Meine Herrin, du hast dich erhoben" und bei M. Lambert - J.-R. Tournay, RA 46 (1952) 85 "Ma dame s'est levée". Vgl. dazu den Namen auf dem Gefäßausguß, Gudea 89:3'-4' **dingir-arḫuš-su$_3$-mu ki-ša-ra ba-an-zi-ge** "Die (Schutz)göttin, die sich meiner erbarmt, hat mich am Horizont erhoben." (**ba-an-zi-ge** hat eine Parallele in 'Lagaš' 69:1') und die Namen zweier Keulenköpfe: **lugal-mu ba-zi-ge ḫe$_2$-ma-da-zi-zi** "Mein Herr (= Kindazi)! - Du hast mich erhoben. Mögest du dich mit mir erheben!" (oder: "Mein Herr hat mich erhoben! Möge er sich mit mir erheben!" (in Nammaḫni 4:12-13) und **lugal-mu ba-zi-zi** "Mein Herr wird sich erheben!" (in Nammaḫni 16:4'). Schließlich findet sich in dem Namen einer menschenköpfigen Stierfigur **nin-mu ḫe$_2$-ma-zi-zi** "Meine Herrin (= Baba)! - Mögest du dich für mich erheben!" (oder: "Meine Herrin möge sich für mich erheben!") (in Urningirsu I. 2:13). Zu weiteren parallelen Bildungen vgl. M. Lambert, J.-R. Tournay, a.a.O. 84 zu 9.1 und D.O. Edzard, BiOr 28 (1971) 164 zu H. Limet, Anthroponymie, 84 und 130.

28) Kol. 9:2: Die Aussage **nam-ti ba** "teile (mir) Leben zu!" ist auch als Teil des Namens dieser Statue zu vergleichen mit dem Ende des Namens von Gudea Statue B 7:17 **nam-ti nig$_2$-ba-mu** "Leben (sei/ist) meine Zuteilung!" (s. dazu Anm. 81 zu Gudea Statue B). **ba** kann deshalb hier kaum "schenken" bedeuten, sondern ist vielmehr als terminus technicus den Rationenlisten i.S. von "zuteilen" (s. PSD B 2f. s.v. **ba** D1.) entlehnt. Die unerweiterte Wurzel **ba** zum Ausdruck des Imperativs ist zumindest in dieser Zeit, soweit ich sehe, singulär, kann jedoch den unregelmäßigen und verkürzten Schreibungen dieser Statue zugerechnet werden; s. dazu oben Anm. 15. Zum Imperativ in den späteren Texten s. H. Steible, FAOS 1, 50 Anm. 107 mit Verweis auf D.O. Edzard, ZA 61 (1971) 225 zu 9.

29) Kol. 9:3: Lesung **u$_4$-du$_{11}^{!}$(= SAG)-gaba** im Anschluß an A. Falkenstein, AnOr 28, 15 Anm. 2, der mit Vorbehalt den Hinweis von A. Poebel, GSG § 161 mit Anm. 3 auf die weibliche Statuette (= Gudea 81) Kol. 2:9 **u$_4$-du$_{11}$-ga-ba i$_3$-du$_3$** "An dem dafür (= für den Tempelbau) genannten Tag habe ich (= Gudea) gebaut." aufgreift. Vgl. auch die Deutung von M. Lambert - J.-R. Tournay, RA 46 (1952) 84f. zu 9,3 "((et) de la vie) a établi(?) le jour capital", die hier "jour capital" als "premier jour de l'année" verstehen.

30) Kol. 9:11-12: Vgl. dazu Gudea Statue K 3':9-10 und Gudea Statue B 1:13-19.

Gudea Statue F

1) Beischrift Z.4 = Kol. 1:6: Das Epitheton **ur-^{d}ga$_2$-tum$_3$-du$_{10}$** "Knecht(?) der Gatumdu" (so nach A. Falkenstein, AnOr 28, 89, d); vgl. auch ders., AnOr 30, 72 ("Mann" (**ur**)) begegnet auch in Gudea 15 = 23 = 25:7; Gudea 67:6. Die Bildung **ur-^{d}**GN ist für Personennamen von der altsumerischen Zeit an gut bezeugt. Zur Lesung und Bedeutung von **ur-^{d}** GN s. D.O. Edzard, BiOr 28 (1971) 165f. und jetzt W.G. Lambert, RA 75 (1981) 61f. ("Dog of (divine name)").

2) Kol. 1:3-2:5: Angesichts der engen Parallelen, die zwischen Gudea Statue C und dieser Statue bestehen - beachte besonders Gudea Statue C 2:14-19 und F 2:6-11; ferner C 2:20-3:10 und F 2:12-3:5, s. dazu jetzt auch H. Steible, in: DUMU-E$_2$-DUB-BA-A, 507ff. - wird Kol. 1:12-2:1 syntaktisch parallel zu Gudea Statue C 2:11-13 als Temporalsatz verstanden (**mu-ni-tu-da-a** in Kol. 2:1 <* **...-tu.d-a** (= Nominalisierung) **-a** (= Lokativ), so schon A. Falkenstein, AnOr 28, 22 zu b); 169 (**u$_4$** ist bei dem Hinweis auf Gudea "Stat. F II 1" zu streichen), obwohl hier das temporale Regens (= **u$_4$** in Gudea Statue C 2:11) fehlt; zur Bildung von Temporalsätzen s. Anm. 14 zu Gudea Statue B. - Auf der anderen Seite könnte **mu-ni-tu-da-a** durchaus auch parallel zu den Verbalformen **pa bi$_2$-e$_3$-a** (Kol. 1:8) und **mu-du$_3$-a** (Kol. 1:11) erklärt werden, wobei **-a** in **mu-ni-tu-da-a** den am Ende der Appositionsreihe zu erwartenden Agentiv realisieren würde (Vokalharmonie; <* **...-tu.d-a** (= Nominalisierung) **-e** (=

Agentiv)); s. zu dieser Bildung A. Falkenstein, AnOr 28, 82 zu 1.a); 206 zu ß'.; AnOr 29, 30; ders., OrNS 35 (1966) 241.

3) Kol. 1:7: Statt **ir$_{11}$-ki-ag$_2$-zu** "dein geliebter Diener" erwartet man, da Gatumdu in dieser Inschrift durchgängig in der dritten Person angesprochen wird, **ir$_{11}$-ki-ag$_2$-ni** "ihr (= Gatumdu's) geliebter Diener"; **-zu** ist deshalb am ehesten als Schreiberversehen für **-ni** anzusehen, s. etwa die Belege bei H.Behrens,FAOS 10, s.v. **ir$_{11}$**2.b). Vgl. auch **ir$_{11}$-ni$_2$-tuku-nin-a-na-kam** "(da) er ein ehrfürchtiger Diener seiner Herrin ist" in Kol. 2:10-11 dieses Textes (auch in Gudea Statue E 2:1-2).

4) Kol. 2:2-5: Vgl. auch Gudea Zyl. A 6:11 **e$_2$ du$_3$-de$_3$ igi-zu u$_3$-du$_{10}$-ga nu-ši-ku$_4$-ku$_4$** "um den Tempel zu bauen, wird in deine (= Gudea's) Augen kein süßer Schlaf eintreten". Hier wie in Kol. 2:4 dieses Textes ist **du$_3$-de$_3$** mit D.O. Edzard, ZA 62 (1972) 25ff. dem Typus **LAL-ede** zuzurechnen; vgl. jetzt dazu auch M. Yoshikawa, ZA 69 (1979) 161-164, 175. Inhaltlich ist unsere Textstelle zu vergleichen mit Gudea Zyl. A 19:21-23 **^{d}nisaba ša$_3$-šita$_5$ zu-am$_3$ / lu$_2$-tur gibil-bi e$_2$ du$_3$-gim / igi-ne$_2$ u$_3$-du$_{10}$-ga nu-ši-ku$_4$-ku$_4$** "Nisaba, die den Sinn der Zahlen kennt, läßt wie einem jungen/kleinen Mann, der ein Haus (neu) baut, in seine (= Gudea's) Augen keinen süßen Schlaf eintreten.".

5) Kol. 2:12-3:5: S. Anm. 8 zu Gudea Statue C 2:20-3:10.

6) Kol. 2:16-19: S. dazu Anm. 11 zu Gudea Statue C.

7) Kol. 3:1-5: S. dazu Anm. 12 zu Gudea Statue C.

8) Kol. 3:6-7: Der Bau des Gatumdu-Tempels in Uruku ("Heilige Stadt") wird auch in Gudea 13:7-8 = 15:8-9 mit den Worten **e$_2$-uru-ku$_3$-ga-ka-ni / mu-na-du$_3$** "(Gatumdu, der Mutter von Lagaš, ...) hat (Gudea, ...,) ihren Tempel von Uruku gebaut" beschrieben. Andererseits erwähnt Gudea 14: Vs1-Rs3' einen Gatumdu-Tempel in Girsu.
J. Bauer, AWL 153f. hat anhand des in Ukg. 16 geschilderten Feldzuges Lugalzagesi's (s. H. Steible, FAOS 5/I, 333ff.) und der Auswertung der Opferlisten RTC 47, DP 43 und VS 14,5 (= J. Bauer, AWL 414ff., Nr. 153) überzeugend gezeigt, daß Uruku bereits "in aS Zeit Beiname von Girsu oder Name eines Stadtteils von Girsu" (S. 153) war. Diese Aussage kann durch Ean. 2,3:4-8 = Ean. 3,3:3-7 (**^{d}nin-gir$_2$-su-ra gir$_2$-su^{ki}**

ki-be$_2$ mu-na-gi$_{(4)}$ bad$_3$-uru-ku$_3$-ga mu-na-du$_3$ “(E’annatum, ...,) hat dem Ningirsu Girsu wiederhergestellt, hat ihm die Mauer von Uruku gebaut”, s. H. Steible, a.a.O. 147 und 153) nicht nur untermauert werden, vielmehr erscheint nach dieser Aussage sogar der Schluß möglich, daß Uruku ("Heilige Stadt") die übergeordnete Bezeichnung für Girsu war. Anders noch A. Falkenstein, AnOr 30, 144 ("Der ursprünglich am heiligen Bezirk von Lagaš hängende Name Heilige Stadt ist wohl erstmals von Urbaba nach Girsu übertragen worden."). Aufgrund dieses Nachweises ist wohl davon auszugehen, daß die in Gudea Statue F 3:6-7 und in den Inschriften Gudea 13-15 genannten Gatumdu-Tempel jeweils denselben Tempel meinen.

9) Kol. 3:8-4:13: Dieser Abschnitt beschreibt Ausstattung (3:8-11) und Versorgung des Gatumdu-Tempels mit Vieh und dem entsprechenden Personal (3:12-4:13) und hat eine inhaltliche Parallele in Gudea Zyl. B 15:5-14, die mit **tur$_3$ du$_3$-a-da a-maš du$_3$-a-da** “daß die Hürden (wohl)bestallt sind, daß die Pferche (wohl)bestallt sind” (wörtlich: “... gebaut sind”) eingeleitet wird. Vgl. dazu auch Gudea Statue L Vs 2’:6’ff..

10) Kol. 3:8-11 stimmt bei umgekehrter Abfolge der genannten Gegenstände mit Gudea Statue A 2:1-4 überein (s. Anm. 4 zu Gudea Statue A). Während Gudea Statue A in der folgenden Zeile (Kol. 2:5) den Aufstellungsort des Sessels bzw. der beiden Gegenstände nennt, fehlt eine solche Angabe auf dieser Statue. Ein Vergleich dieser beiden Statuen führt zu der grundsätzlichen Feststellung, daß Gudea Statue F als einzige beschriftete Gudea Statue mit Sicherheit ohne Weihformel (mit Vermerk über die Anfertigung der Statue, mit Nennung des Namens der Statue und des Ortes ihrer Aufstellung) überliefert ist.

Bezieht man in diese Beobachtungen auch die parallele, an Inanna gerichtete Statue C des Gudea ein (s. dazu oben Anm. 2), wird deutlich, daß Statue F an der Stelle, wo Statue C das vollständige Weihformular mit dem Statuennamen, der bei Gudea immer den Zweck der Schaffung der Statue erkennen läßt, bietet (Statue C 3:14-4:4), die Ausstattung und Versorgung des Gatumdu-Tempels ausführt (Statue F 3:8-4:13); s. dazu H. Steible, in: DUMU-E$_2$-DUB-BA-BA, 509. Dieser Vergleich zeigt, daß auf dieser Statue primär der Bau des Tempels der Gatumdu in Uruku (Kol. 2:6-3:7) und dessen Ausstattung fixiert werden sollten: Der Bau des Gatumdu-Tempels in Uruku und dessen Versorgung bilden somit den Anlaß für die Schaffung dieser Statue. Daß Gudea

darüberhinaus damit auch andere, persönliche Ziele verfolgt hat - etwa den Wunsch nach langem Leben, wie er im Namen von Statue C (3:18-4:1 **gu$_3$-de$_2$-a / lu$_2$-e$_2$-du$_3$-a-ka / nam-ti-la-ni ḫe$_2$-su$_3$** “Gudea's, des Mannes des Tempel-Bau(en)s Leben möge lang sein!”) zum Ausdruck kommt - , dürfte eine logische Implikation der hier erklärten Tempelstiftung für Gatumdu sein, ist doch die Bitte nach langem Leben ein Topos der Statueninschriften des Gudea und seines Sohnes, Urningirsu II., s. die Belegzusammenstellung bei H. Behrens, FAOS 10, s.v. **nam-ti** 2.(e) und) f). - Ein vergleichbarer Befund ist auch für Gudea Statue G festzustellen, die mit der detaillierten Auflistung der “Brautgaben für Baba (im neuen Tempel), die Gudea, ..., hinzugefügt hat” (Kol. 6:13-19) endet, ohne daß der Name der Statue und der Ort ihrer Aufstellung erwähnt werden; s. dazu Anm. 14 zu Gudea Statue G.
Zu den Weihformeln der Gudea-Statuen und deren Variationsformen s. auch Anm. 8 zu Gudea Statue A und Anm. 17 zu Gudea Statue I.

11) Kol. 3:12-4:13: Vgl. jetzt die leicht abweichende Übersetzung bei C. Wilcke, ZA 78 (1988) 45, Anm. 144.

12) Kol. 3:12-15: Vgl. die enge phraseologische Parallele in Gudea Zyl. B 15:10-11: **gu$_4$-e šu$_4$-dul-la si-sa$_2$-a-da / engar-gu$_4$-ra-bi za$_3$-ba gub-ba-da** “daß die Rinder ordnungsgemäß unter das Joch gebracht sind, daß ihre ‘Bauern’ (und) Rindertreiber an ihrer Seite gestanden sind”.

13) Kol. 3:14: Die Verbindung **engar-gu$_4$-ra** begegnet wörtlich auch in Gudea Statue L Vs 2':7' und in Gudea Zyl. B 15:11. - **ra** “schlagen” > “treiben (von Tieren)” ist gut bezeugt, s. etwa in den aS Urkunden bei G.J. Selz, FAOS 15/I, 404 (zu Nik. 178,2:1;3:2); 408 (zu Nik. 182,2:1) 412 (zu Nik. 185,4:2). Vgl. dazu auch das Nebeneinander von **engar** und **gu$_4$-la$_2$** (wörtlich: “die Rinder einspannen”) bzw. **gu$_4$-du$_8$-a** (**gu$_4$-du$_8$**, wörtlich: “Rinder ausspannen”) bei A.L. Oppenheim, AOS 32, 71 zu G 19 und A. Salonen, Agricultura 346.
Schon J. Bauer, AWL 112 zu Nr. 7 IV 4 hat für die aS Zeit gezeigt, daß die **engar** “unter die **ugula** ‘Aufseher, Obmänner’ gerechnet” wurden, also “nicht einfache ‘Pflüger’ - die Feldarbeiten besorgten ja die **sag-apin** -, sondern für einen großen Felderkomplex verantwortlich” waren. Vergleichbare Aussagen lassen sich in dem umfangreichen Textmaterial der Ur-III-zeitlichen Wirtschafts- und Verwaltungstexte vielfach

belegen, etwa bei G. Pettinato, UNL I 36; ders., AnOr 45, 20; 23-24 (mit der Annahme, daß ein **engar** als **ugula** fungierte); 40 und 44; J.-P. Grégoire, AAS 217 zu A) 13) (mit Verweis auf A. Salonen, Agricultura 310ff.; 343ff.) und H. Waetzoldt, WO 9 (1977-78) 204 Anm. 16. Schließlich hat I.J. Gelb, OLA 5 (1979) 18-20 **engar** für die Ur-III-Zeit als "chiefs of plow teams" (S. 18) nachgewiesen und gezeigt, daß ein Pflug-Team aus 4 Personen bestand: 1 **engar** als Vorsteher bzw. Obmann und 3 **gu$_4$-da-ri-a** "ox-drivers"; zu **gu$_4$-da-ri-a** vgl. auch die abweichende Übersetzung bei J.-P. Grégoire, AAS 218 (zu B) 21) "(surveillant) des boeufs de réserve"). Aufgrund der Feststellungen I.J. Gelbs für **engar** und **gu$_4$-da-ri-a** ist nunmehr zu fragen, ob **gu$_4$-ra** in der - soweit ich sehe - auf Gudea beschränkten Verbindung **engar-gu$_4$-ra** die Stelle des späteren **gu$_4$-da-ri-a** einnimmt. Für diesen Fall kann **engar-gu$_4$-ra** als asyndetische Verbindung i.S. von "der 'Bauer' (und) die Rindertreiber" verstanden werden (so jetzt auch die Übersetzung bei C. Wilcke, ZA 78 (1988) 45, Anm. 144). Vgl. schließlich auch A. Westenholz, ECTJ 16 zu vi 9', der unter Hinweis auf **gu$_4$-engar** die Wiedergabe **ENGAR.GUD-ra** in der Parallele Gudea Statue L Vs 2':7' vorgeschlagen hat.

14) Kol. 3:16-4:13: Vgl. zu diesen Zeilen auch J.S. Cooper, Curse of Agade, 149f..

15) Kol. 3:16-17; 4:1-2; 4:5-6: So in Anlehnung an A. Falkenstein, AnOr 29, 110.

16) Kol. 3:16-17: Beachte die Parallele in Gudea Zyl. B 15:8-9 **ab$_2$-zi-da amar gub-gub-ba-da / ša$_3$-ba gu$_4$-ninda$_2$ gu$_3$-nun di-da** "daß bei den rechten Kühen Kälber standen, daß unter ihnen der Bulle laut brüllt".

17) Kol. 3:18; 4:3.7.12: Zur Unterscheidung der Hirtenbezeichnung **unu$_3$** (für Großtierherden (3:18)), **sipa** (hier für Kleintierherden (4:3.7)) und **na-gada** (für Esel (4:12)) s. H. Waetzoldt, RlA 4, 421f. s.v. Hirt.

18) Kol. 4:1-2: Die Parallele in Gudea Zyl. B 15:7 bietet **u$_8$-zi-da sila$_4$ ⸢du$_3$-du$_3$-a⸣-da udu-nita$_2$ u$_8$-zi-bi šu-ba-ba-ra-da** "daß den rechten Mutterschafen die Lämmer zugesellt sind, daß die Widder zu ihren rechten Mutterschafen (zur Paarung) freigelassen sind".

19) Kol. 4:9-11: Vgl. dazu C. Wilcke, LE 51, Anm. 166. Diese Zeilen haben eine aS Parallele in En.I. 23,3':4'-5' (bei H. Steible, FAOS 5/I, 193) **[SAL].AN[ŠE]-ama-ša-**

gan(= **gan:ša**) / **dur$_9$**(= **DUN**)**-DU-bi** / [....] "(Den(?)) geschlechtsreifen(?) [Es]elin[nen] [hat er (= Enannatum I.)] ihre spring(fähig)en Eselhengste [....]". Auffällig ist der Wechsel in der Schreibung zwischen **KAS$_4$**(= **DU**-*šeššig*) und **DU** in **dur$_3$$^!$**(= **ANŠE.IR$_{11}$**)**-KAS$_4$-bi** (bei Gudea) und **dur$_9$**(= **DUN**)**-DU-bi** bei Enannatum I.; zu **dur$_3$-KAS$_4$** s. MSL VIII/1, 52, 380-381 und W. Heimpel, Stud. Pohl 2, 261. **KAS$_4$** / **DU** wird hier als Terminus technicus für "(be)springen" verstanden.
Während in Kol. 3:16-4:8 dieses Textes in 3 Abschnitten jeweils von Mutter- und Jungtieren die Rede ist, wird in Kol. 4:9-11 die geschlechtliche Reife der Tiere angesprochen. **šu--ba** meint deshalb wohl "(zur Paarung) loslassen / freilassen", so schon B. Landsberger, MSL II 103 Anm. 1, der auch auf Gudea Zyl. B 15:7 (s. zu diesem Beleg oben Anm. 18) verweist.

Gudea Statue G

1) Kol. 1:13-15: Vgl. dazu A. Falkenstein, AnOr 30, 131-133, der an seiner Lesung **e$_2$-PA** = **e$_2$-gidri(-k)** festhält, die sich auf diesen Kontext stützt ("das **e$_2$-PA**, das Haus, das 'sieben Zonen' (besitzt), das Haus, dessen Szepter alles überragt" (S. 131f. Anm. 9)). Dagegen haben M. Lambert - J.-R. Tournay, RA 46 (1952) 79 zu 1,13 für **e$_2$-pa** die Übersetzung "maison des ailes" vorgeschlagen, wobei sie **PA** mit **pa** in **pa--e$_3$** in Verbindung brachten.
Das **e$_2$-PA** ist bislang ausdrücklich nur in Verbindung mit Ningirsu nachzuweisen (s. A. Falkenstein, AnOr 30 133; für die Belege in den aS Bau- und Weihinschriften s. H. Behrens, H. Steible, FAOS 6, 412; vgl. ferner J. Bauer, AWL 354 zu IX 3).

2) Kol. 1:15: Zur Übersetzung von **sag-bi-še$_3$ e$_3$-a** "dessen ... (alles) überragt" s. A. Falkenstein, AnOr 28, 30. Das Belegmaterial außerhalb der Gudea-Texte ist vor allem bei W.Ph. Römer, SKIZ 272 zu 19. und G.R. Castellino, Stud. Sem. 42, 73f. zu 5. zusammengetragen.

3) Kol. 2:1-16: Vgl. die Übersetzung dieser Zeilen bei Th. Jacobsen, in: Unity and Diversity, 79.

4) Kol. 2:1-7: Nach Aussage dieser Zeilen stellt Ningirsu die **nig$_2$-MI$_2$-us$_2$-sa$_2$** für Baba aus dem **E$_2$-PA** zur Verfügung (= **mu-na-ta-AK-ke$_4$**) (Kol. 2:7), s. dazu auch Anm. 3 zu Gudea Statue D.

5) Kol. 2:8-10: **-bi** in **eger-be$_2$ (<*...-bi-e)** (Kol. 2:10) kann sich nicht auf Gudea beziehen (so M. Lambert - J.-R. Tournay, RA 46 (1952) 81 ("derrière lui"); vgl. etwa Gudea Zyl. B 2:10 **^{d}lamma-ša$_6$-ga-ni eger-ne$_2$ im-us$_2$** "seine (= Gudea's) gute Schutzgottheit folgt hinter ihm"), sondern nur auf die Brautgaben (so A. Falkenstein, AnOr 29, 93 Anm. 1; AnOr 30, 102 mit Anm. 8).

6) Kol. 2:16: Zur Grußformel **silim-ma** (auch in Gudea Zyl. B 8:14) s. H. Steible, FAOS 1, 53.

7) Kol. 3:5-6:19: Vgl. die (fast wörtliche) Parallele Gudea Statue E 5:1-7:21 mit Anm. 17-24. - Auf Gudea Statue G fehlt eine Gudea Statue E 6:18 vergleichbare Leerzeile (s. dazu Anm. 1 zu Gudea Statue E).

8) Kol. 4:9-10: S. Anm. 18 zu Gudea Statue E.

9) Kol. 4:13 und Kol. 6:8: S. Anm. 19 zu Gudea Statue E.

10) Kol. 4:15: S. Anm. 20 zu Gudea Statue E.

11) Kol. 4:21-6:19: S. Anm. 21 zu Gudea Statue E.

12) Kol. 6:3-4: S. Anm. 22 zu Gudea Statue E.

13) Kol. 6:10: S. Anm. 20 zu Gudea Statue E.

14) Kol. 6:19: Während die Kolumnen 1-5 dieser Statue G in ihrem äußeren Umfang jeweils mehr oder weniger übereinstimmen, ist Kol. 6 deutlich kürzer. Der ausgesparte Raum umfaßt 3 Normalzeilen und läßt - nach Kollation - eine rechte und untere Rahmenvorritzung erkennen (vgl. auch das Photo in E. de Sarzec, DC II Pl. 13,3).

Auffällig bleibt, daß diese Statue zwar den üblichen Vermerk über die Schaffung der Statue durch Gudea in Kol. 2:17-3:4 vor der Auflistung der 'Brautgaben' (Kol. 3:5ff.) bietet, der wörtlich mit Gudea Statue E 8:16-20 übereinstimmt, aber weder den Statuennamen nennt, noch den Aufstellungsort, die in Gudea Statue E folgen (Statue E 9:1-5). Auf dieser Statue G fehlt somit der eigentliche Weihvermerk.

Diese Auffälligkeit ist wohl damit zu erklären, daß die Gudea Statuen E und G zwar an zwei verschiedene Gottheiten gerichtet waren (E: an Baba; G: an Ningirsu), beide aber in ihrem fast wörtlich parallelen Kernstück die Neufestsetzung der Brautgaben für Baba durch Gudea auf der Grundlage einer früheren Festlegung im "alten Tempel" bieten (E 5:1-7:21 und G 3:5-6:19); s. dazu Anm. 17 und 21 zu Gudea Statue E.

Während sich auf der Baba geweihten Statue E das bei Gudea übliche, vollständige Weihformular (mit Herkunft des Steines, Steinart, Statuennamen und Aufstellungsort) am Ende der Inschrift findet, und zwar nach der Festsetzung der Brautgaben, bilden die durch Gudea neu festgesetzten Brautgaben für Baba das Ende der an Ningirsu adressierten Statue G. Die Neufestsetzung der Brautgaben für Baba ist somit der gemeinsame Anlaß für die Schaffung der Statuen E und G. Im Unterschied zu Statue E fehlt auf Statue G das übliche Weihformular, weil hier Ningirsu nichts geweiht wird, vielmehr nur festgelegt wird, daß das E-PA, ein Ningirsu-Tempel, diese Brautgaben aufzubringen hatte (G 2:1-7), deren Empfänger der Baba-Tempel E-TAR-sirsir war (vgl. E 6:13-17).

Gudea Statue H

1) Kol. 1:1-3:8: Die Inschrift besteht aus einem Temporalsatz (Kol. 2:1-4) und mehreren Hauptsätzen (Kol. 2:5ff.). Sie beginnt mit einem Kasus pendens (Kol. 1:1-6), der zum Temporalsatz gehört und dort im Verbalinfix **-na-** in **mu-na-du$_3$-a** als Dativ aufgenommen wird. Das gemeinsame Subjekt des Temporalsatzes und der Hauptsätze ist dem Temporalsatz als Agentiv vorangestellt (Kol. 1:7-9).

2) Kol. 3:1-5: Zum Statuennamen vgl. Gudea Statue I 5:3-6; Gudea Statue N 3:4-5. Ferner sind zu vergleichen die Ausführungen zu **^{d}lamma-TAR-sir$_2$-sir$_2$-ra** in Anm. 1 zu Urbaba 5.

Gudea Statue I

1) Die Inschrift dieser Statue ist bis auf den Statuennamen (Kol. 5:3-6) mit der Inschrift auf Gudea Statue P identisch.
Zur Frage der Echtheit dieser Statuen ist festzuhalten, daß Statue I aufgrund der Fundumstände (s. F. Johansen, Mesopotamia 6, S. 11f.) echt zu sein scheint, während B. Alster bei F. Johansen, a.a.O. S. 57f. in Übereinstimmung mit F. Johansen die aus dem Kunsthandel stammende Statue P für eine Fälschung hält. In diesem Zusammenhang verdient Beachtung, daß neben Gudea Statue Q nur diese beiden Gudea Statuen, I und P, mit Sicherheit keine Beischrift(en) getragen haben, wie wir dies von den übrigen Gudea Statuen kennen; zum Befund der Beischriften auf den Gudea Statuen s. oben Anm. 1 zu Gudea Statue A.
Unbeschadet dieser Auffassung sei hier auf die orthographischen (in Kol. 1:8 = 2:2), epigraphischen (in Kol. 4:3) und sprachlichen Schwierigkeiten (s. unten Anm. 2, 4, 17 und 18) und phraseologischen Eigenheiten (in Kol. 4:5; 4:7; 5:1-2) dieses Textes hingewiesen.
Zur materiellen Differenzierung dieser beiden Statuen I und P s. F. Johansen, a.a.O. S. 24f..
Die Aufnahme beider Statuen in dieses Textkorpus erfolgt aus Gründen der Konvention und bedeutet keine Festlegung hinsichtlich der Echtheit dieser Statuen.

2) Kol. 1:1-2:13 = Gudea Statue P 1:1-2:14: Formal ist der Anfang dieser Inschriften ungewöhnlich, da der Text mit einer Aneinanderreihung von (zwei bzw.) drei Temporalsätzen (Kol. 1:1-8 = P 1:1-2:1; 2:1-2 = P 2:2-3 (und 2:3-13 = P 2:4-14)) beginnt. Ein solcher Anfang ist bei Gudea-Statuen singulär.
Die drei Temporalsätze, denen ein temporales Regens (= **u$_4$** in Kol. 1:1) gemeinsam

ist, haben zwei verschiedene Subjekte: In den beiden ersten Temporalsätzen (Kol. 1:1-2:2) ist Ningirsu (Kol. 1:1-3) Subjekt, im dritten (Kol. 2:3-13) Gudea (Kol. 2:3-8). Nach diesem syntaktischen Verständnis (so auch bei A. Falkenstein AnOr 29, 31; 117) ist dann das Subjekt der anschließenden Hauptsätze in Kol. 2:14-3:10 nicht expressis verbis genannt; logisches Subjekt dieser Hauptsätze kann nur der im unmittelbar vorausgehenden dritten Temporalsatz als Subjekt ausgewiesene Gudea sein.

Andererseits ist angesichts dieses Befundes zu fragen, ob nicht vielleicht Kol. 2:3-13 das Subjekt zu den folgenden Hauptsätzen bildet (so das Verständnis bei A. Falkenstein, AnOr 29, 9f.; AnOr 30, 96 mit Anm. 7; 101f.), so daß **mu-na-du$_3^!$(= NI)-a** in Kol. 2:13 nicht das Verbum eines Temporalsatzes (<***...-du$_3$-a** (= Nominalisierung) **-a** (= Lokativ) bildet, sondern als nominalisiertes Verbum mit Agentivzeichen (<***...-a-e**) zu verstehen ist. Kol. 2:3-3:10 würde dann lauten: "(Als ... hatte,) (= Kol. 1:1-2:2) hat Gudea, der Stadtfürst von Lagaš, der rechtschaffene Mann, der seinen (Schutz)gott liebt, (der Mann,) der Ningirsu, sein(em) Herrn, sein Eninnu ... gebaut hat, Nanše, der gewaltigen Herrin, seine(r) Herrin, das Esirara, ..., gebaut, ...". Nach diesem Verständnis würde man in Kol. 2:9 zu Beginn des zweiten Relativsatzes in Kol. 2:9-13 etwa **lu$_2$** als Leitwort dieses Nebensatzes erwarten; diese Annahme ist jedoch nicht zwingend, da die beiden Relativsätze (Kol. 2:6-8 und Kol. 2:9-13) dasselbe Leitwort haben können (= **lu$_2$-si-sa$_2$** in Kol. 2:6).

3) Kol. 1:1-2:2 = Gudea Statue P 1:1-2:3: Übersetzung in Anlehnung an A. Falkenstein, AnOr 30, 96 (mit Anm. 7); 101f., wo Kol. 2:1 mit "**gana$_2$-ga**-Felder (und) Felder an Kanälen" wiedergegeben ist. A. Falkenstein hat überzeugend gezeigt, daß in diesen Zeilen die Aufnahme des Ningišzida, ursprünglich "ein Fremdling in Girsu" (S. 101), in das Pantheon von Lagaš-Girsu beschrieben wird (S. 102): Dies geschieht hier zunächst mittels der Zuweisung eines "Wohnplatzes" (= **ki-ur$_3$**) und von Ländereien durch Ningirsu, "den Herrn des Stadtstaates" (S. 102), und schließlich in Kol. 3:7-10 dieses Textes durch den Bau des Ningišzida-Tempels durch Gudea. In Anm. 2 zu Gudea Statue M (s.u.) wird nachzuweisen versucht, daß Gudea die Einbindung des Ningišzida in das lokale Pantheon von Lagaš-Girsu über die Verbindung mit der in Lagaš schon aS gut bezeugten Göttin Geštinanna vorgenommen hat; vgl. zu diesem Problem und dem Versuch einer faktischen Lösung auch Anm. 17 zu Gudea Statue I.

4) Kol. 1:(4-)6 = Gudea Statue P 1:(4-)6: Auffällig ist hier die Schreibung des Dativ-Suffixes in Kol. 1:6 (**ki-ag$_2$-dingir-re-ne-ra**), die in diesem Text sonst üblicherweise fehlt (vgl. Kol. 2:9-10; Kol. 2:14-16; Kol. 3:4; Kol. 3:7-8); vgl. dazu A. Falkenstein, AnOr 29, 89 § 104a und 95f. (zur (Nicht-)Realisierung des Dativs bei **du$_3$**"bauen"(S. 95) und **gar**"setzen"(S.96)).

5) Kol. 1:7-2:2 = Gudea Statue P 1:7-2:3: Vgl. dazu die Wiedergabe bei M.A. Powell, JCS 25 (1973) 180 Anm. 9 "(When Ningirsu, ..., for Ningišzida) ... in the city (= Girsu) had established for him there a dwelling, had established for him there in the field (= **aša$_x$(=GANA$_2$)-ga**) *lands* and *canals* (= **GANA$_2$.I$_7$**)".
Zum Verständnis einer Differenzierung zwischen **GANA$_2$** = **aša$_x$** "field, area of land" (s. zu diesem Lesungsvorschlag auch M. Civil, JCS 25 (1973) 171f.) und **GANA$_2$** = **gana$_2$** "land, ground, soil" s. M.A. Powell, a.a.O. 178ff.; besonders 183f.. Ergänzend zu den Beobachtungen von M.A. Powell ist festzuhalten, daß sich **GANA$_2$**, außer in der parallelen Statue P 2:2, in diesen Texten nur noch in Gudea Statue R 2:9 findet, während Urnammu 27,1:11-12 **a-ša$_3$-bi / 1,0,0 GANA$_2$-am$_3$** bietet.

6) Kol. 1:7 = Gudea Statue P 1:7: Zu **ki-ur$_3$** (= *duruššu*) s. J. van Dijk, AcOr 28/1-2 (1964) 47ff.; Å. Sjöberg, TCS 3, 59 und J. Klein, Šulgi D 112; 178.

7) Kol. 1:8 = Kol. 2:2 = Gudea Statue P 2:1 = Kol. 2:3: Nach den Beobachtungen zu den Temporalsätzen bei H. Steible, FAOS 5/II, 66 zu (10); 84f. zu (2); 87f. zu (3) (s. auch oben Anm. 14 zu Gudea Statue B 3:6-11) wird bei einer vollständigen Verbalform des Temporalsatzes das finite Verbum durch **/a/** der Nominalisierung und **/a/** des Lokativs suffigiert, wobei folgende orthographische Regeln gelten:

1.) (K$_1$)VK$_2$-K$_2$.**a-a**

Präfixkette - verbale Basis des Typs-

2.) (K)V-**a**.

Nach dieser Regel steht hier **mu-na-ni-gar-a** (orthographisch bzw. morphologisch) fehlerhaft für **mu-na-ni-gar-ra-a**.

8) Kol. 2:6-8 = Gudea Statue P 2:7-9: S. dazu Anm. 7 zu Gudea Statue C.

9) Kol. 3:1-2 = Gudea Statue P 3:2-3: A. Falkenstein, AnOr 28, 25 hat die Bezeichnung **kur E$_2$-ta il$_2$-la** für das **e$_2$-sirara$_6$** über **kur a-ta il$_2$-la**, das in Gudea Zyl. A. 3:19

NINA^{ki} beschreibt, als "Berg, der sich aus dem Wasser erhebt" verstanden, wobei er für **E**$_2$ den Lautwert **'a**$_3$ angenommen hat. Diese Gleichsetzung hat A. Falkenstein in AnOr 30, 86 mit Anm. 15; 163 mit Anm. 10 wiederholt, obwohl M. Lambert, RA 44 (1950) 149f. erhebliche Bedenken gegenüber der Gleichsetzung "**e**$_2$ = **a** "eau"" geäußert hatte. A. Falkenstein, a.a.O. 163 Anm. 10 verweist für die Deutung **E**$_2$**-ta** = **'a**$_3$**-ta** auf die Gleichsetzung **a**$_2$**-mi** = **e**$_2$**-mi**$_2$ (a.a.O. 144f. mit Anm. 9); zu **E**$_2$ = **'a**$_3$ s. auch E. Sollberger, AfO 17 (1954-56) 11 Anm. 4 (mit Verweis auf I.J. Gelb, MAD 2^2 88f. Nr. 174). Für eine Lösung dieses Problems scheint mir die Beobachtung von Bedeutung, daß bei der Beschreibung des Tempels **e**$_2$**-sirara**$_6$ (s. dazu A. Falkenstein, AnOr 30, 163f.) ausschließlich die Wendung **kur E**$_2$**-ta il**$_2$**-la** steht, während **kur a-ta il**$_2$**-la** die Stadt **NINA**^{ki} **(= sirara**$_x$(?)^{ki}; zur Lesung **NINA**^{ki} = **sirara**$_x^{ki}$ s. etwa D.O. Edzard u.a., RGTC 1, 131-133 s.v. Nina (Sirara)) bezeichnet; vgl. dazu auch die Ḫendursaga-Hymne Z. 102 (bei D.O. Edzard - C. Wilcke, AOAT 25, 150f.) **NINA**^{ki} **kur a-ta il**$_2$**-la-da** "daß sich NINA, der Berg, aus dem Wasser erhoben hat" und die Abfolge **NINA**^{ki}, **uru**^{ki}**-ku**$_3$**-ga**, **kur a-ta il**$_2$**-la** in der Nanše-Hymne Z. 2-4 bei W. Heimpel, JCS 33 (1981) 82. Die variantenlose Schreibung **kur E**$_2$**-ta il**$_2$**-la** in Gudea Statue I 3:2 = Gudea Statue P 3:3; Gudea 29,2:4; Gudea 30:Rs 3; Gudea 31:11 gegenüber **kur a-ta il**$_2$**-la** in Gudea Zyl. A 3:19 spricht m.E. für eine bewußte graphische und lexikalische Differenzierung. Gegenüber dem Bild von **NINA**^{ki} als dem "Berg, der aus dem Wasser aufragt" beschreibt **kur e**$_2$**-ta il**$_2$**-la** bildhaft die überragende Größe des Esirara innerhalb der Stadt Sirara und ist deshalb wohl als "Berg, der über die Häuser aufragt" i.S. von "der Berg, der sich über die Häuser erhebt" zu verstehen (**kur** kann hier sicher nicht mit einer Hochterrasse verbunden werden wie bei M. Lambert - J.-R. Tournay, RB 55 (1943) 426 zu 17); vgl. hierzu schon die Übersetzung von E. Sollberger, in: Syria 52 (1975) 178 zu der wörtlichen Parallele Gudea 30:Rs 2-3 "her É-Sirara, a mountain soaring above temples". Beachte auch, daß bereits Uru'inimgina an der "Mündung" (= **kun**) des "Kanals, der nach NINA führt" ein **e**$_2$**-sirara**$_6$ gebaut hat (s. Ukg. 1,3:4'-7'.10'-11'; Ukg. 14,1':1'-2'. 6'-8' (s. H. Steible, FAOS 5/I, 280f.; 332)).

10) Kol. 3:4-10 = Gudea Statue P 3:5-11: S. dazu A. Falkenstein, AnOr 30, 102.

11) Kol. 3:4 = Gudea Statue P 3:5: **dingir-gal-gal-lagaš**^{ki}**-ke**$_4$**-ne** begegnet nur noch in Gudea Zyl. A 10:28 (**dingir-gal-gal-lagaš**^{ki}**-a-ke**$_4$**-ne**).

12) Kol. 3:11-4:7 = Gudea Statue P 3:12-4:8: Vgl. dazu C. Wilcke, ZA 59 (NF 25) (1969) 68 zu 6.1.2.; ferner schon A. Falkenstein, AnOr 29, 214 (zu Kol. 3:11-4:4) mit Verweis auf die ausführlichere Schilderung in Gudea Statue B 8:12ff..

13) Kol. 3:11-4:1 = Gudea Statue P 3:12-4:2: Diese Zeilen sind fast wörtlich parallel zu Gudea Statue B 8:12-16 (**lu_2 dingir-mu-gim / dingir-ra-ni / ^{d}nin-gir_2-su / lugal-mu / un-ga_2 u_3-na-de_2-a**).

14) Kol. 4:3-4 = Gudea Statue P 4:4-5: A. Falkenstein, AnOr 28, 11 Anm. 6 hatte für **x** in **igi-x-la**, dessen Zeichenform bislang in keiner Zeichenliste belegt ist, die aB Entsprechung **sa_{11}** in **igi-sa_{11}** in UET I 299, 3:2 (Lesung nach E. Sollberger, UET VIII S. 34 zu 38 III 2 und jetzt I. Kärki, StOr 49, 119 zu Waradsîn 26,3:2) vermutet. Diese Entsprechung der beiden Zeichen kann auch nach der Kollation bei E. Sollberger, ibidem kaum zutreffen, selbst wenn inhaltliche Berührungspunkte (Waradsîn 26,3:2 bei I. Kärki, ibidem: **igi-sa_{11} u_3-mu-ni-in-AK-eš** "haben sie (= die in der Fluchformel genannten Götter) ihn (= einen königlichen Nachfolger) (in ihrem Zorn) unfreundlich angeschaut" (Übersetzung von I. Kärki abweichend)) nicht zu übersehen sind.
Für Kol. 4:3-4 hat nunmehr D.A. Foxvog, OrNS 45 (1976) 373 die Lesung **igi-$tum_3^{!?}$-la na-ab-ak-ke_4** vorgeschlagen und mit "Let him (my successor) not be envious (of the house of my god)" wiedergegeben. D.A. Foxvog brachte damit als erster den Begriff **IGI-X-LA ... AK** unseres Textes mit der gut bezeugten, aber schwierigen Wendung **IGI.TUM_{2-4}.LA_2 AK**in Verbindung. Diesem Ansatz folgt jetzt auch M. Yoshikawa, ASJ 6 (1984) 141f., der unter Hinweis auf C. Wilckes Übersetzung (in: ZA 59 (NF 25) (1969) 68(!) (s. oben Anm. 12), nicht "ZA 68/II (1978), p. 68") "soll das Haus meines Gottes nicht scheel$^{?}$ ansehen" unsere Zeilen **e_2-dingir-ga_2-ke_4 / igi-tum_x-la / na-ab-ak-ke_4** gelesen und mit "Do not watch *maliciously* the house of my god" übersetzt hat. M. Yoshikawa verweist am Ende seiner Ausführungen u.a. auf C. Wilcke, ZA 68 (1978) 220-222, wo das Quellenmaterial für diese Wendung mit dem Ergebnis zusammengestellt ist, daß dieser Begriff "ein verpöntes Verhalten" bezeichnet" (S. 221); eine Verbindung zu unseren Zeilen wird jedoch an dieser Stelle ausdrücklich abgelehnt. In der Tat zeigen die Belege bei C. Wilcke ausnahmslos die Schreibung **LA_2** in **IGI.$TUM_{3/4}$.LA_2**; hinzuzustellen ist mit M. Yoshikawa, ibidem **IGI.TUM_2.LA_2** in MSL XII 15, Early dynastic **lu_2**-list C, Z. 72. Kol. 4:3 dieses Textes bietet jedoch **LA** in **IGI.X.LA**.

Zwar ist die Annahme von M. Yoshikawa "It is possible that **igi-tum$_x$-la** is simply a scribal error for **igi-tum$_3$-la$_2$**" (S. 142) nicht auszuschließen, da Gudea Statue I (und P) eine Reihe ungewöhnlicher Schreibungen aufweist: **ki-ag$_2$-dingir-re-ne-ra** (Kol. 1:6), **mu-na-ni-gar-a** (Kol. 1:8 und Kol. 2:2) und **nam-ti-il**$^{!}$ (Kol. 5:5). Angesichts der epigraphischen Unsicherheit des zweiten Zeichens von Kol. 4:3 und der Schreibung **LA** anstelle des bei **IGI.TUM$_{2-4}$.LA$_2$** zu erwartenden **LA$_2$** scheint eine Festlegung hier zu gewagt.

na-ab-AK-ke$_4$ wird als Prohibitiv der 3. Pers. Sing. verstanden; so schon F. Thureau-Dangin, SAK 87 und A. Falkenstein, AnOr 29, 214. Zu "*ḫamṭu* und *marû* beim Prohibitiv mit **NA-**" s. D.O. Edzard, ZA 61 (1971) 219f.; dazu auch B. Kienast, ZA 70 (1980) 3. Zur Verteilung von *ḫamṭu* und *marû* bei **AK** s. D.O. Edzard, ZA 66 (1976) 55f. ("**ak** dürfte die finite *marû*-Form darstellen" (S. 56)) und A. Cavigneaux, SAZ 45ff.. Vgl. dazu auch **mu-na-ta-AK-ke$_4$** in Gudea Statue G 2:7.

15) Kol. 4:5 und 4:7 = Gudea Statue P 4:6 und 4:8: Die Aussagen **mu-bi ḫe$_2$-pa$_3$-de$_3$** "Seinen (= des Tempels) Namen möge er (der in Kol. 3:11-4:1 beschriebene Mann) anrufen !" in Kol. 4:5 und **mu-mu ḫe$_2$-pa$_3$-de$_3$** "meinen (= Gudea's) Namen möge er anrufen !" in Kol. 4:7 sind bislang in den Texten des Gudea nicht weiter nachzuweisen. Die zweite Aussage ist sicher mit der Durchführung des Totenkultes für Gudea zu verbinden, in dem Ningišzida eine wichtige Rolle zukommt, s. dazu A. Falkenstein, AnOr 30, 74; 103f.. Diese zweite Aussage verdeutlicht in besonderer Weise die Verwendung des nominalen **mu-pa$_3$-da** "Namensanrufung" (vgl. späteres *zikir šūmim* bei F.R. Kraus, RA 65 (1971) 110) in der Wendung **a-mu-pa$_3$-da** "'Wasser der Namensanrufung'" in Z. 71 der aB Ninegalla-Hymne; dort heißt es in erweitertem Kontext in Z. 69-71 (nach MS von H. Behrens):

> **^{d}inanna šu mu-gi$_4$-a er$_2$-ra nisag ša-mu-ra-ab-tum$_3$**
> **a-pa$_4$-kur-ra-ke$_4$ gal$_2$ ša-mu-ra-ab-tag$_4$-⌈ge$^{?}$⌉**
> **a-mu-pa$_3$-da ša-mu-ri-dub**
> "Dir, Inanna, bringt man fürwahr ... unter Tränen (als) Erstlingsgaben,
> öffnet für dich die Rinnen zur Unterwelt
> (und) schüttet 'Wasser der Namensanrufung' für dich hinein".

16) Kol. 4:6 = Gudea Statue P 4:7: Vgl. En.I. 35:1-3 (bei H. Steible, FAOS 5/I, 209) **u$_4$-ul-pa-e$_3$-a / ensi$_2$-bi/ ku-li-mu-ḫe$_2$** "Derjenige, der das 'Immer (zu Diensten)!'(?) sichtbar macht, - dieser Stadtfürst sei mein Freund !".

17) Kol. 5:1-2 = Gudea Statue P 5:1-2: Die endgültige Deutung des Sufixes **-e** in **alan-na-e mu-tu** muß offenbleiben. Zwar liegt es nahe, daß hier **alan-na-e mu-tu** verkürzt die in der Weihformel der Gudea Statuen geläufige Wendung **kur(/ḫur-sag)-ma$_2$-gan^{ki}-ta ^{na4}esi im-ta-e$_{11}$ alan-na-(ni-)še$_3$ mu-tu ...** "er (= Gudea) hat aus dem Bergland (/Gebirge) Magan Diorit herabgebracht (und) hat (ihn) zu einer Statue (von sich) geformt ..." wiedergibt (s. die Belegzusammenstellung bei H. Behrens, FAOS 10 s.v. **alan** 2.b)), so daß das Suffix **-e** in **alan-na-e** als Lokativ-Terminativ erklärt werden könnte, der für den Terminativ in **alan-na-(-ni-)še$_3$** steht. Eine derartige Gleichbewertung von Lokativ-Terminativ (= **-e**) und Terminativ (= **-še$_3$**) würde jedoch bedeuten, daß mit dem Lokativ-Terminativ, wie mit dem Terminativ, ein zweiter Akkusativ vermieden werden sollte. Dies ist jedoch in Gudea Statue I und P nicht möglich, da ein erster Akkusativ (in der geläufigen Weihformel ist dies **^{na4}esi**) in Kol. 5:1-2 nicht genannt ist.

Aus diesem Grunde hat wohl auch A. Falkenstein für **alan-na-e** eine Deutung als Lokativ-Terminativ ausdrücklich ausgeschlossen (AnOr 28, 111 Anm. 2) und hat **-e** als Demonstrativsuffix und **alan-na-e** syntaktisch als Akkusativ erklärt (AnOr 28, 56; 29, 80). Angesichts dieser Schreibung bleibt **alan-e** in Gudea Statue B 7:22.49 auffällig, wo **-e** jeweils als Lokativ-Terminativ erklärt werden muß (s. dazu Anm. 83 und 95 zu Gudea Statue B).

Die Aussage **alan-na-e mu-tu** "diese Statue hat er (= Gudea) geformt", die gleichzeitig einen Subjektswechsel gegenüber dem Kontext von Kol. 3:11-4:7 impliziert, ist bislang jedoch nur zu vergleichen mit **alan-na-ni mu-tu** "die(se) Statue von sich hat er geformt" auf Gudea Statue Q 2:2-3, den Gudea Statuen M (2:7-3:1), N (3:2-3), O (2:6-3:1) und der in der Zuordnung unsicheren Gudea Statue T b) Kol. 1':3'.

Wenn wir von der in der Zuordnung zu Gudea unsicheren Statue T absehen, ist allen diesen Gudea-Statuen gemeinsam, daß sie entweder an Geštinanna (Statuen M, N und O) oder Ningišzida (Statue I, P und Q) gerichtet sind, also an jene beiden Gottheiten, die Gudea als Götterpaar im Pantheon von Lagaš-Girsu heimisch gemacht hat (s. Anm. 2 zu Gudea Statue M). Bezieht man hier auch die Beobachtung

mit ein, daß alle an Geštinanna gerichteten Statuen noch nicht aus dem für die Gudea-Statuen so typischen Diorit gefertigt sind (beachte jedoch die Angabe von E. Strommenger, RlA 3, 682 §2 I b)6. für Statue P: Dolerit), während die für Ningišzida errichteten Statuen I, P und Q zwar bereits aus Diorit bestehen, ohne daß jedoch wie in den übrigen Diorit-Statuen die Steinart (= Diorit) und die Herkunft des Diorits (= Magan) genannt werden, wie auch die Statuen I, P und Q mit Sicherheit keine identifizierende Beischrift tragen, ist ein Datierungsansatz dahingehend wahrscheinlich zu machen, daß diese 6 Statuen - Statue P ist vielleicht eine Fälschung (s. Anm. 1 zu Gudea Statue I) - zeitlich in jedem Falle vor die übrigen Statuen zu stellen sind. Während diese Statuen sowohl in ihrem Material übereinstimmen als auch hinsichtlich des Weihformulars sich weitgehend decken, sind zwar die an Ningišzida errichteten Statuen bereits fast aus dem gleichen Material (= Diorit) wie diese 20 genannten Statuen, weichen jedoch im Weihformular ab; die an Geštinanna adressierten Statuen divergieren darüberhinaus sowohl im Material als auch im Weihformular von den übrigen Statuen. Bedenkt man schließlich, daß bereits Urbaba, der Schwiegervater des Gudea, den Tempel der Geštinanna gebaut hat (s. oben unter Urbaba 1, 6:5-8), ist nach den oben dargelegten Kriterien zumindest eine grobe zeitliche Einordnung wahrscheinlich zu machen: Die Geštinanna-Statuen, die nicht aus Diorit gefertigt sind, gehören an den Anfang der Gudea-Zeit, gefolgt von den an Ningišzida gerichteten Statuen (bereits aus Diorit); in beiden Statuen-Gruppen hat Gudea sein späteres, charakteristisches Weihformular noch nicht gefunden.
Nicht weiter verfolgt wird hier die Frage, inwieweit die Größe der Statuen in diesem Zusammenhang eine Rolle spielt, wie auch nicht, ob die Wahl des Statuen-Materials der Stellung der bespendeten Gottheit Rechnung trägt.

18) Kol. 5:3-6: Der Name der Statue ist zu vergleichen mit dem Namen der Gudea-Statuen H 3:1-5 **nin ...-*e ama ^{d}ba-ba$_{6}$ ... gu$_{3}$-de$_{2}$-a nam-ti mu-na-sum** "die Herrin, ..., die Mutter Baba, hat ... dem Gudea Leben gegeben" und N 3:4-5 **^{d}geštin-an-na-ke$_{4}$ nam-ti mu-na-sum** "Geštinanna hat ihm (= Gudea) Leben gegeben". Der Vergleich mit Statue H zeigt, daß hier **-ka** in **gu$_{3}$-de$_{2}$-a lu$_{2}$ e$_{2}$-du$_{3}$-a-ka** Fehler ist für **-ra**; dies wird auch durch das Dativ-Infix in **mu-na-sum** nahegelegt. Man würde sonst in Kol. 5:5-6 mit Gudea Statue A (3:7-)4:2 **nam-ti-la-ni mu-su$_{3}$** erwarten bzw. nach Gudea Statue C (3:18-)4:1 = Gudea Statue P 5(:3-)6 **nam-ti-la-ni ḫe$_{2}$-su$_{3}$**; vgl. dazu

schon A. Falkenstein, AnOr 29, 94 mit Anm. 3. - Andererseits fällt gegenüber den beiden anderen Statuennamen auf, daß hier der Name der lebensspendenden Gottheit als Subjekt zu **mu-na-sum** expressis verbis nicht genannt ist.
Schließlich ist darauf hinzuweisen, daß die Schreibung **nam-ti-il$^!$** für "Leben" nicht nur von Gudea-Statue H und N (mit der Wiedergabe **nam-ti**) abweicht, sondern bei Gudea insgesamt singulär ist.

Gudea Statue K

1) Kol. 2':1'ff.: Da Kol. 2':2'-10' die für die Gudea-Diorit-Statuen vollständige Weihformel enthält (s. Gudea Statue A 2:6-4:4; Statue B 7:10-20; Statue C 3:14-4:4; Statue D 4:15-5:10; Statue E 8:16-9:5; Statue H 2:5-3:8), dürfte Kol. 2':1' - wie aus dem Kontext der genannten Statuen hervorgeht - das Ende des Tempelbaues bzw. der Tempelausstattung des in Kol. 2':10' erwähnten Eninnu markieren.

2) Kol. 2':6'-7': **lugal-ne$_2$** wird hier als Lokativ-Terminativ verstanden, der von **ki--ag$_2$** "lieben" abhängig ist; s. dazu ausführlich Anm. 7 zu Gudea-Statue C.
F. Thureau-Dangin, SAK 86 ergänzt im Bruch am Anfang von Kol. 2':6' **sipa**, einen Titel, den A. Falkenstein, AnOr 29, 55 übernommen hat (**[sipa] lugal-ne$_2$ [ki]-ag$_2$-me** "mir, dem [Hirten], den sein Herr [li]ebt"); diese Ergänzung kann gestützt werden durch das Epitheton für Gudea **sipa-ša$_3$-ge-pa$_3$-da- / ^{d}nin-gir$_2$-su-ka-ke$_4$** "der Hirte, der im Herzen erwählt (wurde) von Ningirsu" (Gudea Statue B 2:8-9; Gudea Statue D 1:11-12) oder durch **u$_4$ ^{d}nin-gir$_2$-su-ke$_4$ / ... / gu$_3$-de$_2$-a / sipa-zi-še$_3$ kalam-ma ba-ni-pa$_3$-da-a** "als Ningirsu, ..., Gudea zum recht(mäßig)en Hirten im Lande (Sumer) erwählt hatte" (Gudea Statue B 3:6-9). Doch über **ir$_{11}$ nin-a-ne$_2$ / ki-ag$_2$-am$_3$** "er ist ein Diener, der seine Herrin liebt" (Gudea Statue C 2:18-19) könnte man dafür in Kol. 2':6' auch an eine Ergänzung **ir$_{11}$** denken. Schließlich hat wegen der Parallelität dieses Statuennamens zu Urningirsu II. 6,2:4-5 B. Alster, bei: F. Johansen, Mesopotamia 6, S. 58 (**lu$_2$ dingir-ra-ne$_2$ ki-ag$_2$-me / nam-ti-mu ḫe$_2$-su$_3$** "Ich bin der Mann, der seinen

(Schutz)gott liebt; mein Leben möge lange dauern !") **lu_2** als Ergänzung an Steile von **sipa** vorgeschlagen.

Da im Statuennamen immer das Verhältnis zwischen der beweihten Gottheit und dem Spender zum Ausdruck kommt, macht **lugal** in **lugal-ne_2** "sein (= Gudea's) Herr" in Kol. 2':6' als Bezeichnung der Gottheit deutlich, daß diese Statue für eine männliche Gottheit geschaffen wurde. Nach den hier vorgelegten Gudea-Texten kommen dafür Enki, Ḫendursag, Igalim, Meslamta'ea, Nin-DAR-a, Nindub, Ningirsu und Šulšagana in Betracht, s. dazu die Zusammenstellung bei H. Behrens, FAOS 10, s.v. **lugal** I B) 1.a) 2'.

Bezieht man in diese Überlegungen auch die Wendung **e_2-ninnu-a mu-na-ni-ku_4** "er hat (die Statue) ihm ins Eninnu hineingebracht" in Kol. 2':10' dieses Textes ein, die in den Gudea-Texten nur noch in den Ningirsu geweihten Gudea-Statuen B (7:19-20) und D (5:9-10) begegnet, darf es - auch wegen weiterer phraseologischer Berührungspunkte zu Gudea Statue B (s. unten Anm. (4, 5,) 6, 7 und 8 dieses Textes) - als sehr wahrscheinlich gelten, daß diese Statue an Ningirsu gerichtet war. Diese Vermutung kann schließlich durch die Tatsache gestützt werden, daß Ningirsu den Anfang der Gottheiten der Fluchformel dieses Textes bildet (Kol. 3':11ff.).

3) Kol. 3':1-19: Die Relativsätze in Kol. 3':1-10 sind syntaktisch als vorausgestellte Genitive zu erklären (<***lu_2** ... finites Verbum **-a** (= Nominalisierung) **-ak** (= Genitiv)), auf die in **-a-ni** in **suḫuš-a-ni** (Kol. 3':19), dem Objekt des Hauptsatzes, Bezug genommen wird. Vgl. dazu die Syntax von Gudea Statue B 7:60-9:5; s. dazu Anm. 98 zu Gudea Statue B.

4) Kol. 3':1-2: Ergänzung in Anlehnung an Gudea Statue B 8:8-9; auffällig bleibt die verkürzte Schreibung **mu-sar-be_2** gegenüber **mu-sar-ra-be_2** in Gudea Statue B 8:8.

5) Kol. 3':6: Ergänzung in Anlehnung an Gudea Statue B 8:10 und Gudea Statue C 4:7, die beide **ib_2-zi-re-a** "wer sie (= die Statue) ausreißt" bieten; angesichts weiterer verkürzter Schreibweisen dieses Textes in Kol. 3':1 (**mu-sar-be_2** statt **mu-sar-ra-be_2**, s. Anm. 4) und in Kol. 3':20 (**ḫe_2-til-ne** statt **ḫe_2-til-le-ne**, s. Anm. 9) wird auf eine Emendation in dieser Zeile (= **[ib_2?]-zi-<re->a**) bewußt verzichtet. Beachte auch

zi-zi (= *marû*) in **lu$_2$ nu-zi-zi** "niemand wird (die Statue) ausreißen!" in Gudea Statue E 9:10.

6) Kol. 3':7-10: Vgl. dazu Gudea Statue B 1:8-16; ferner Gudea Statue E 9:11-12.

7) Kol. 3': 11-18: Vgl. dazu die Abfolge der Götter in Gudea Statue B 8:49-66.

8) Kol. 3':11-12 ist wörtlich parallel zu Gudea Statue B 8:49-50.

9) Kol. 3':20: **numun-a-ni ḫe$_2$-til-ne** hat eine fast wörtliche Parallele in Gudea Statue S 3':6-7 (mit Variante **numun-na-ni / ḫe$_2$-eb$_2$-...**) und Amarsuen 3,2:10-11(**numun-na-ni / ḫe$_2$-eb-til-le-ne**). Wegen der verkürzten Schreibungen in Kol.3':1 und Kol. 3':6 (s.o. Anm. 4 und 5) wurde keine Emendation in dieser Zeile analog zu Amarsuen 3,2:11 vorgenommen. Vgl. auch **numun-a-ni ⸢ḫe$_2$-til⸣** "sein Same soll zu Ende sein!" in Gudea Statue C 4:16.

Gudea 'Statue L'

1) Bei der hier konventionell "Gudea 'Statue L'" (nach F. Thureau-Dangin, SAK 88f., l) genannten monumentalen Plastik handelt es sich nach Kollation schwerlich um eine Statue des Gudea. Auch der Inhalt der Inschrift weicht von dem der übrigen Gudea-Statuen ab. Gleichwohl wird der Text der Vollständigkeit wegen hier aufgenommen.

2) Vs 1':5'-6': Ergänzung **[ka$_2$]-me$_3$- / [^{d}n]in-gir$_2$-su-ka** nach Gudea Zyl. A 25:24 **ka$_2$-me$_3$-ba** und Gudea Zyl. B 7:13 **ka$_2$-me$_3$-ka**.

3) Vs 2':1'-3': Ergänzung mit F. Thureau-Dangin, SAK 88, l).

4) Vs 2':6'-11': Zur Übersetzung s. jetzt auch C. Wilcke, ZA 78 (1988) 10, a1.07. - Dieser Abschnitt beschreibt die Versorgung des Ningirsu-Tempels mit Vieh und dem notwendigen Personal und hat eine Parallele in Gudea Statue F 3:12-4:13, wo die Versorgung des Gatumdu-Tempels fixiert ist.

Zu der Aufzählung **gu$_4$-apin-ka-keš$_2$-DU / engar-gu$_4$-ra** in Vs. 2':6'-7' vgl. die Parallele Gudea Statue F 3:12-15 **gu$_4$ šu$_4$-dul$_4$-la / si ba-ni-sa$_2$-sa$_2$ / engar-gu$_4$-ra-bi / im-mi-us$_2$** "die Rinder hat er ordnungsgemäß unter das Joch gebracht (und) hat ihnen 'Bauern' und Rindertreiber folgen lassen"; s. dazu Anm. 12-13 zu Gudea Statue F.

5) Vs 2':8: S. dazu Gudea Zyl. B 15:13: **a$_2$-ḪUN-še-si-bi eger-be$_2$ us$_2$-sa$_2$-⌜da⌝** "daß ihre (= der Esel) Mietlinge(?), die Gerste einschütten, hinter ihnen (= den Eseln) gefolgt sind"; ferner Gudea Zyl. B 15:2.

6) Vs 2':9-11': Zur Präfixkette **i$_3$-ib$_2$-** (Vs 2':11') s. M. Yoshikawa, JCS 29 (1977) 223ff. (s. zu diesem Kontext 226 zu 3) v)) und C. Wilcke, ZA 78 (1988) 9ff..
udu-ḫi-a "verschiedene Schaf(art)e(n)" in Vs 2':9' mit A. Falkenstein, AnOr 28, 74 zu § 21 b)7) und jetzt M.-L. Thomsen, SL 62f. § 75.

7) Vs 2':12'ff.: Dieser Abschnitt ist wohl parallel zu Vs 2':4'-11' aufgebaut; deshalb wohl: **⌜^{d}ba-ba$_6$⌝ / [nin-a-ni] / [....]** "zu Baba, [seine(r) Herrin, ...]".

8) Vs 3':2'-3'. 7'-8': So mit A. Falkenstein, AnOr 29, 151.

9) Vs 3':5': In dem unklaren **gada-ZI.ZI.A.TAR-gu-limmu$_5$(= ZA)** meint **gu-limmu$_5$** wohl einen "vierfachen Faden" (schon F. Thureau-Dangin, SAK 89 und A.L. Oppenheim, AOS 32, 14 Anm. 32 (vgl. auch 67 zu G 1)); vgl. **gu-tab-ba** "gedoppelter Faden" in Vs. 3':9'.

10) Vs 3':6': H. Waetzoldt, Textilindustrie 138 sieht in **ama-tag-a** eine Bezeichnung für "Weberin" (**ama-tag(a)**, wörtlich: "Mutter des Webens"), die als "eine Art 'Vorarbeiterin'" "einer Gruppe von Weberinnen (**geme$_2$-uš-bar**)" vorsteht und die Rationen für diese in Empfang nimmt; vgl. dazu den folgenden Abschnitt Vs 3':9'-10' dieses Textes.

11) Vs 3':9'-10': So mit H. Waetzoldt, Textilindustrie 144 zu D). Die Lesung **nita-me** in Vs 3':10' bei A. Falkenstein, AnOr 28, 74 (s. AnOr 29A, 75* zu 74 Z. 10) ist mit H. Waetzoldt zu **uš-bar**! zu korrigieren.

12) Vs 4':1": Ist **MI$_2$** hier vielleicht unter Bezug auf Vs 4':9" (s. unten Anm. 16) zu **mi$_2$ ⸢i$_3$⸣-[e]** zu verbinden? Wenn ja, könnte diese Verbform das Ende eines Passus darstellen, der parallel zu Vs 4':2"-9" aufgebaut war.

13) Vs 4':2"-12": Vgl. dazu Th. Jacobsen, ZA 52 (NF 18) (1957) 135, Anm. 100 mit der Übersetzung "When the exalted cabin (of the boat) was to be lowered into the water in the river at the Kasurra-quay, a Lyre-singer walked in front, he offered up to it 1 ox, 4 sheeps, and 1 kid and sang the praise-hymn. This *burgû*-offering, 1 ox, 4 sheeps, and 1 kid, the ... .".
Th. Jacobsen's Wiedergabe von **e$_2$-maḫ** (Vs 4':2") mit "the exalted cabin" erscheint problematisch, da **e$_2$-maḫ** in den hier vorliegenden Gudea-Texten nur als Bezeichnung für einen Tempel bezeugt ist (s. Statue B 5:51 **e$_2$-maḫ ki-a-SIG(= ši$_3^?$)-de$_2$-da-na** "in seinem Emaḫ, dem Ort, an dem kühles(?) Wasser ausgegossen werden soll" (**e$_2$-maḫ** als Teil des Eninnu) und Statue A 2:5 **e$_2$-maḫ-ni-a** "in ihren (= Ninḫursag's) erhabenen Tempel"; s. auch A. Falkenstein, AnOr 30, 129f.. Da auch der Bezug von **-bi** in **e$_2$-maḫ-bi** nicht eindeutig zu klären ist (**-bi** ist vielleicht auf einen übergeordneten Tempel (= das Eninnu(?)) zu beziehen), bleibt die genaue Bedeutung von **e$_2$-maḫ** hier unklar. Denkbar ist auch, daß hier **e$_2$-maḫ** vielleicht als Tempel der Nanše zu verstehen ist (s. A. Falkenstein, ibidem, J. Bauer, AWL 450 zu V 15 und Eannatum 62 IV 1:1'-3' bei H. Steible, FAOS 5/I, 174), die zwar in diesem Text erst in Rs 2':5' genannt ist, während ihr Gemahl Nin-DAR-a bereits in Vs 1':3' begegnet.

14) Vs 4':3": Zu **kar-ka$_2$-sur-ra** s. A. Falkenstein, AnOr 30, 137f..

15) Vs 4':4"-5": Verständnis von **i$_7$-da / a-a-su-su-da-be$_2$** mit A. Falkenstein, AnOr 29, 14; 64 (zu **su-su** = *ṭubbû* s. AHw 1383 s.v. *ṭebû* D "untertauchen", "versenken", "in die Tiefe gehen", s. auch Å. Sjöberg, JCS 21 (1967) 277 mit Anm. 11.).

16) Vs 4':9": Auffällig ist im Kontext dieser Statue die unmittelbare Abfolge zweier Verbalformen in einer Zeile. Es besteht offensichtlich eine enge innere Verbindung zwischen den Aussagen der beiden Verbalformen, wobei mit den geläufigen Bedeutungen für **ša$_6$** "gut sein/machen" und **mi$_2$--du$_{11}$(-g)/e** "hegen", "pflegen", "freundlich" sprechen" (so A. Falkenstein, AnOr 28, 128; s. jetzt K. Volk, FAOS 18, 170 zu 43) nur teilweise auszukommen ist. **ša$_6$** wird hier als Terminus technicus der Verwaltungsurkunden i.S. von "schlachten" verstanden, s. dazu zuletzt G.J. Selz, FAOS 15/1, 370 zu Nik. 149,1:4 (mit Verweis auf J. Bauer, AWL 459 zu I 1). Aufgrund dieses Ansatzes drängt sich in diesem Kontext für **mi$_2$--du$_{11}$(-g) / e** die Bedeutung "pfleglich behandeln/herrichten", "peinlich achtgeben" auf. Die vorliegende Übersetzung, die einem Vorschlag von D.O. Edzard folgt, versucht der Tempus-Folge dieser Zeile (**ša$_6$** (= *ḫamṭu*) in Verbindung mit der 'Normalform' (**ba-ša$_6$** <* **b.a-ša$_6$-0**) und **e** (= *marû*) mit dem Konjugationsmuster des Präsens-Futur (**i$_3$-e** <* **i$_3$-e-e**)) Rechnung zu tragen. Vgl. dazu auch den Übersetzungsvorschlag von Th. Jacobsen, ibidem (s. oben Anm. 13).

17) Vs 4':10": Zu **bur-gi$_4$-a** s. H. Behrens, H. Steible, FAOS 6, 41 s.v. **bur--gi$_4$** ("das Burgû(-Opfer) darbringen".

18) Vs 4':12": Zu der Berufsbezeichnung **ma$_2$-GIN$_2$/TUN$_3$** s. J. Bauer, AWL 101 zu III 5 a) = "Schiffer"; b) = "Asphalteur") und zuletzt G.J. Selz, FAOS 15/1, 109 zu (1:1); ferner schon A. Salonen, Nautica 18 und CAD M 149 s.v. *malaḫu*. Wegen des Kontextes mit **esir$_2$$^?$** "Bitumen(?)" in Vs 5':3' dieses Textes wurde in der Übersetzung der Bedeutung "Oberschiffverpicher" (nach G.J. Selz) für **ma$_2$-GIN$_2$-gal** der Vorzug gegeben.

19) Vs 5':1': Ist diese Zeile vielleicht zu **ma$_2$-g[i-lum]** zu ergänzen ? Beachte aber die Schreibung **ma$_2$-gi$_4$-lum** in Gudea Zyl. A 26:13. Zu **ma$_2$-gi$_{(4)}$-lum** vgl. A. Salonen, Wasserfahrzeuge 66; Å. Sjöberg, MNS I 21; 33 Anm. 14; A. Falkenstein, ZANF 22 (1964) 67 und J.S. Cooper, AnOr 52, 60, Z. 34; 64, Z. 56; 148.

20) Rs 2':2'ff.: Diese Zeilen stellen eine Liste mit Götteropfern dar; die Abfolge der Götter weicht von der in Vs 2':4'ff. ab.

21) Rs 3':4': Zu **lu$_2$-dub-k[a$^?$]** (<* **...-ak-ak**) s. zuletzt G.J. Selz, FAOS 15/1, 401 zu Nik. 175,4:2-3.

Gudea Statue M

1) Die Inschrift stimmt bis auf den Statuennamen in Kol. 3:2 mit den Inschriften von Gudea Statue N und O überein. Zur Frage der Echtheit dieser Statuen s. jetzt B. Alster, bei: F. Johansen, Mesopotamia 6, S. 49ff., der S. 57 zwar keinen endgültigen Standpunkt in dieser Diskussion einnimmt, aber feststellt: "We may conclude that it would probably not have been entirely impossible to construct the inscriptions of Statues N and O in modern times. The grammatical constructions involved are far less complicated than that of Statue M. Nevertheless, it is remarkable that the inscriptions do not contain such grammatical errors as might very easily have come into being when seen on the background of the 1925 standards of Sumerology.".
Zur Echtheit von Statue O hat sich jetzt zuletzt E. Møller, in: Assyriological Miscellanies 1 (Copenhagen 1980) 51ff. unter Würdigung des archäologischen Befundes mit folgendem Ergebnis geäußert: "there is no reason to believe that our Gudea is a fake, he fits in perfectly in the sculptural traditions of Girsu, ..., he is genuine" (S. 55).
Wie im Falle der Gudea Statuen I und P (s. Anm. 1 zu Gudea Statue I) erfolgt die Aufnahme der Statuen M, N und O in dieses Textkorpus aus konventionellen Gründen und bedeutet keine Festlegung in der Echtheitsfrage.

2) Kol. 1:1-4 = N 1:1-4 = O 1:1-4: Zur Diskussion dieser Zeilen s. B. Alster, bei: F. Johansen, a.a.O., S. 51ff.. Das hier vorliegende Textverständnis geht zurück auf B. Alster, der über V. Scheil RA 22 (1925) 42 und M. Lambert, RA 45 (1951) 92 zu der Auffassung kommt, daß für **A.NE mu$_2$-a** die Lesung **a-izi mu$_2$-a** anzunehmen ist, und **nin-a-izi-mu$_2$-a** als Wortspiel für **^{d}nin-a-zi-mu$_2$-a** zu verstehen ist, der sonst bezeugten Gemahlin des Ningišzida (S. 52f.); vgl. dazu die Abfolge in den aB Götterlisten: TCL 15,10 (AO 5376): 303-304 **^{d}nin-giš-zi-da / ^{d}a-zi-mu-a**; SLT 122 Vs 3:4-6 = SLT 124 Vs 3:26-28 **^{d}nin-giš-zi-da / ^{d}giš-ban$_3$-da / ^{d}a-zi-mu$_2$-a** (Var. **^{d}a-zi-da** in SLT 124); vgl. auch An = Anum V 250-254:

^{d}nin-giš-zi-da	= **ŠU**
^{d}SAG x UR$^{(gu-ud)}$-me-lam$_2$	= "
^{d}a$_2$-zi-da-mu$_2$-a	= **⌜ŠU⌝**
^{d}e$_2$-kur-ri-tum	= **ŠU**
2 dam	= **^{d}nin-giš-zi-da-<ke$_4$>.**

In dem Epitheton **nin a-izi-mu$_2$-a** für Geštinanna sieht B. Alster den Versuch Gudeas "exactly to identify Geštinanna with Ningišzida's wife, **^{d}nin-a-zi-mu$_2$-a**" (S. 54). In der Tat ist diese Gleichsetzung - soweit ich sehe - weder früher noch anderweitig nachzuweisen. Angesichts dieser Erklärung ist mit B. Alster die Deutung von A. Falkenstein in AnOr 28, 23; 114 (s. dazu bereits ablehnend M. Lambert, RA 44 (1950) 149f.); AnOr 30, 73; 74 mit Anm. 1 **(nin a-de$_3$ mu$_2$-a** "Herrin, die mit dem Haus zusammen gewachsen ist") abzulehnen. Vgl. dazu schon B.R. Foster, K. Polinger Foster, Iraq 40 (1978) 65 mit Anm. 6, die A. Falkensteins Erklärung in Frage gestellt und "an etymological relationship between this epithet (**nin-a-izi-mu$_2$-a**) and **Nin-^{d}A-zi-mu$_2$-a**" vermutet haben. **nin-a-izi(=NE)-mu$_2$-a** wird deshalb hier als Beiname Geštinannas verstanden. Eine weitere Variante dieses Namens tritt uns offensichtlich in **⌈^{d}nin⌉-izi(= NE)-mu$_2$-a** in der Inschrift Gudea 89:1 entgegen. Dieses Fragment eines Libationsgefäßausgusses aus Steatit ist, wenn diese Annahme zutrifft, der erste Beleg einer Weihinschrift für diese Göttin im Bereich von 'Lagaš'. - Zu Geštinanna bzw. Ninazimu'a s. noch D.O. Edzard, RlA 3, 299-301; A. Falkenstein, AnOr 30, 73; 74 mit Anm. 6; W.Ph. Römer, BiOr 26 (1969) 167 Anm. 119 zu 16 (mit Literatur) und C. Wilcke, La voix de l'opposition, 61.

Während Geštinanna in der aS Zeit erst von Enannatum I. an als in Sagub in der Gegend von Lagaš beheimatet faßbar ist (s. dazu zuletzt G.J. Selz, UGASL s.v. Amageštin(anna) § 2), und die Texte diese Göttin sehr oft im Kontext mit **^{d}lugal-URUxKAR$_2$** "dem geliebten Gemahl der Inanna" in Lagaš (s. dazu etwa Enannatum I. 29,5:3-6:3 bei H. Steible, FAOS 5/I, 200), zeigen, ist Ninazimú'a bereits in der Fāra-Zeit zu belegen (in den Texten aus Fāra wohl in der Namensform **^{d}a$_2$$^{!?}$(=DA)-[NE/zi]-mu$_2$** in TSŠ 629,6:2) und in Tell Abū Ṣalābīḫ wohl unter **^{d}nin-a$_2$-NE** bei R.D. Biggs, OIP 99, S. 51, **za$_3$-mi$_3$**-Hymns Z. 185. Die Namensform **^{d}a$_2$-zi-mu$_2$-a**, die auch in 'Enki und Ninḫursag' Z. 264 und Z. 275 (als Gemahlin des Ningišzida) begegnet, hat P. Attinger, ZA 74 (1984) 48 (zu 264) als Volksetymologie verstanden und mit "qui a fait croître un bon bras" übersetzt.

Die Gleichsetzung von Geštinanna und Ninazimu'a durch Gudea ist in unmittelbarem Kontext zu sehen mit dem Geštinanna-Epitheton "geliebte Gemahlin des Ningišzida" (= **dam-ki-ag$_2$-^{d}nin-giš-zi-da-ka**) in Kol. 1:3-4 dieses Textes: Hier wird nicht nur das Verhältnis zwischen Geštinanna und Ningišzida als Götterpaar dargestellt, sondern durch die Verknüpfung der in Lagaš-Girsu alteingesessenen Geštinanna mit dem bislang in Lagaš fremden, aber andernorts schon Fāra-zeitlich nachweisbaren Ningišzida (s. A. Deimel, SF 1,4:7 (bei M. Krebernik, ZA 76 (1986) 198) und R.D. Biggs, OIP 99, Nr. 53,10:3), den erst Gudea in Lagaš-Girsu heimisch gemacht hat (s. dazu Gudea Statue I 1:1-2:2 = P 1:1-2:3, s. dazu A. Falkenstein, AnOr 30, 101f.), wird dessen Stellung im Pantheon von Lagaš gestützt. Geštinanna und Ningišzida erhalten nach Ausweis dieser Inschriften "ihren Tempel von Girsu": Während dieser Tempel des Ningišzida von Gudea errichtet wird (s. Gudea Statue I 3:9 = P 3:10; Gudea 64:9; Gudea 67:7; Gudea 68:6), geht der Bau dieses Geštinanna-Tempels, von dem Gudea hier in Statue M 2:5 = N 2:5 = O 2:4 berichtet, auf seinen Schwiegervater Urbaba zurück (s. Urbaba 1:6:5-8, s. dazu A. Falkenstein, AnOr 30, 74 mit Anm. 1). In diesem Zusammenhang ist zu beachten, daß in der Inschrift Gudea 16 noch ein Steinmetz mit Namen Zikalamma "Geštinanna, der Herrin von Sagub" einen Kalkstein-Ständer "für das Leben des Gudea, des Stadtfürsten von Lagaš" weiht, eine Inschrift, die deutlich an die Tradition der aS Zeit anknüpft; für den aS Geštinanna-Tempel von **sag-ub$_x$ (= UG$_5$)** s. die Belegzusammenstellung bei H. Behrens, H. Steible, FAOS 6, 412 s.v. **e$_2$-sag-ug$_5$**; 418 s.v. **sag-ug$_5$**; Lesung **sag-ub$_x$** zuletzt bei G.J. Selz, UGASL s.v. Amageštin(anna) § 2.

3) Kol. 2:7-3:1 = N 3:2-3 = O 2:6-3:1 = Q 2:2-3: Wie in Gudea Statue I 5:1-2 = Gudea Statue P 5:1-2 ist hier die sonst übliche Weihformel der Gudea-Statuen verkürzt, die neben der Herkunft des Materials auch den Stein benennt, den Gudea "zu einer Statue von sich" (= **alan-na-ni-še$_3$**) formt; s. dazu Anm. 17 zu Gudea Statue I. In allen Belegen der ausführlichen Weihformel handelt es sich bei dem Statuenmaterial ausschließlich um "Diorit" (s. dazu A. Falkenstein, AnOr 29, 132 mit Anm. 2); dagegen sind von den Gudea-Statuen mit den verkürzten Weihformeln die Gudea Statuen M aus Alabaster (/Paragonit), N aus Dolerit (bzw. Steatit oder Kalzit) und O aus grünlich schwarzem Steatit gearbeitet, während Gudea Statue Q aus Diorit besteht. Der Wechsel von der Baubeschreibung zur unmittelbaren Schilderung der Schaffung der Statue ist jedoch bereits auf zwei aS Steinstatuen bezeugt: En.I 26,2:6ff. und Ent. 1,3:8ff. (s. dazu H. Steible, FAOS 5/I, 196; 213).

4) Kol. 3:2: Zum Statuennamen s. **^{d}ba-ba$_6$ nam-šita-uru-inim-gi-na-ka-ke$_4$ ba-DU** "Baba steht dem Šita(-Opfer) des Uru'inimgina bei." in Ukg. 53:1 (s. H. Steible, FAOS

5/I, 355). Auffällig bleibt, daß das Subjekt zu **nam-šita-e ba-DU** hier nicht ausdrücklich genannt ist (s. dazu schon B. Alster, bei: F. Johansen, Mesopotamia 6, S. 55); logisches Subjekt kann dabei nur Geštinanna sein wegen des dativischen Bezuges auf diese Gottheit in der Benennungsform **mu-še$_3$ mu-na-sa$_4$** "er hat ihr (i.S. von (nach) ihr = ihr (= Geštinanna) (zu Ehren)) als Namen genannt" in Kol. 3:3).

5) Kol. 3:4 = N 3:7 = O 3:5: Die Schreibung **e$_2$-a-ni-a** ist in den Texten Gudeas orthographisch ungewöhnlich und nur noch in Gudea Statue Q 2:6 zu belegen; sowohl Gudea Statue R 2:7 wie auch in Gudea Zyl. B 2:5 und 5:4 bieten durchweg **e$_2$-a-na** (Gudea Zyl. B 5:6 **e$_2$-na**). Zu den Formen des Lokativs in Verbindung mit dem Possesivsuffix der 3. Pers. Sing. der Personenklasse s. A. Falkenstein, AnOr 28, 107f. (kontrahierte Formen) und 109 (unkontrahierte Formen).

Gudea Statue N

1) Die Inschrift ist bis auf den Statuennamen in Kol. 3:4-5 mit Gudea Statue M und O identisch. Zur Frage der Echtheit dieser Statuen s. Anm. 1 zu Gudea Statue M.

2) Kol. 3:4-5: Gegenüber den zu vergleichenden Namen auf Gudea Statue H 3: 1-5 und Gudea Statue I 5:3-6 (s. dazu B. Alster, bei: F. Johansen, Mesopotamia 6, S. 55ff.) fällt auf, daß in diesem Statuennamen der Name Gudeas, dem die Gottheit Leben geschenkt hat, nicht genannt ist; dies ist wegen des Dativ-Infixes in der Verbalform **mu-na-sum** problematisch. Beachte in diesem Zusammenhang, daß auch im Namen der Gudea Statue O 3:2-3 Gudea als Objekt (im Terminativ(?)) zu **igi(-zi) bar** "(recht(mäßig)) anschauen" nicht aufgeführt ist.

Gudea Statue O

1) Die Inschrift ist bis auf den Statuennamen in Kol. 3:2-3 mit Gudea Statue M und N identisch. Zur Frage der Echtheit dieser Statuen s. Anm. 1 zu Gudea Statue M.

2) Kol. 3:2-3: Zum Statuennamen vgl. die Benennung der "Stele des Kasurra, die er (= Gudea) aufgestellt hat" (= **na-ka$_2$-sur-ra bi$_2$-ru$_2$-a** (Gudea Zyl. A 23:13)) in Gudea Zyl. A 23:16-17 **gu$_3$-de$_2$-a en ^{d}nin-gir$_2$-su-ke$_4$ igi-zi mu-ši-bar** "Gudea hat der Herr Ningirsu recht(mäßig) angeschaut"; da **igi(-zi) bar** normalerweise den Terminativ regiert (s. A. Falkenstein, AnOr 29, 132f.), dürfte **gu$_3$-de$_2$-a** an dieser Stelle wohl im virtuellen Terminativ stehen. Auf der anderen Seite fällt auf, daß hier im Namen von Gudea Statue O Gudea als Objekt des Anschauens nicht ausdrücklich genannt ist. Vgl. dazu auch Anm. 2 zu Gudea Statue N.

Gudea Statue P

1) Die Inschrift stimmt bis auf den Statuennamen in Kol. 5:3-6 mit Gudea Statue I überein. Zur Frage der Echtheit s. Anm. 1 zu Gudea Statue I.

2) Kol. 5:3-6: Der Statuenname begegnet wörtlich in Gudea Statue C 3:18-4:1.

Gudea Statue Q

1) Diese Statue gehört mit Statue I und P zu jenen drei Gudea-Statuen, die mit Sicherheit keine Beischrift(en) getragen haben (s. dazu Anm. 1 zu Gudea Stat. A). In diesem Zusammenhang ist hervorzuheben, daß die Fundumstände von Statue I für deren Echtheit zu sprechen scheinen, während B. Alster Statue P für eine Fälschung hält (s. dazu Anm. 1 zu Gudea Stat. I); die Echtheit von Statue Q ist bislang von niemandem bezweifelt worden.

2) Kol. 1:1-2:1 stimmt wörtlich mit Gudea 64:1-8 überein, einem Inschriftentypus, der auf Backseinen und Tonnägeln überliefert ist.

3) Kol. 2:2-7: Das verkürzte Weihformular folgt bis auf den Statuennamen (Kol. 2:4) wörtlich dem Formular von Gudea Statue M 2:7-3:4 = N 3:2-7 = O 2:6-3:5, wobei die Übereinstimmung mit der orthographisch ungewöhnlichen Schreibung von **e$_2$-a-ni-a** (Kol. 2:6) auffällt (s. dazu Anm. 3 und 5 zu Gudea Statue M).

4) Kol. 2:4: Die hier vorgeschlagene Lesung und Übersetzung von **mu-ni-tum$_2$** folgt dem aS gut bezeugten **mu-ni-tum$_2$** "er (= der Herrscher) hat (den Tempel) für sie/ihn (= GN) hergerichtet" (s. H. Behrens, H. Steible, FAOS 6, 62 s.v. **DU** III = **tum$_2$** 2.; Lesung **DU** = **tum$_2$** wegen **mu-ni-tum$_2$-ma-a** "(als) er (= Enannatum I.) (das E'anna) für sie (= Inanna) hergerichtet hatte" in En. I 9,3:10 (s. H. Steible, FAOS 5/I, 185; FAOS 5/II, S. 88 zu (4)) und wird dem Lesungsvorschlag **e$_2$-mu i$_3$-gub** "In my temple it stands" bei S. Levy, AfO 11 (1936-37) 152 vorgezogen (s. auch den Übersetzungsvorschlag von **i$_3$-gub** "er stellte hin" bei A. Falkenstein, AnOr 28, 166). Zu diesem morphologischen Verständnis von **mu-ni-** in **mu-ni-tum$_2$** s. jetzt M.-L. Thomsen, SL 237, § 476 und 238f., § 479. Die Übersetzung "Der Tempel ist für ihn (= Ningišzida) hergerichtet" geht davon aus, daß **e$_2$** hier Subjekt zu **mu-ni-tum$_2$** ist. Denn **e$_2$** kann in diesem Kontext angesichts der gut bezeugten Schreibung **e$_2$-a** (A. Falkenstein, AnOr 28, 107) kaum als Lokativ (etwa i.S. von "sie (= die Statue) steht für ihn (= Gudea) im Tempel (= **mu-ni-DU**)") verstanden werden, wie auch nicht als Lokativ-Terminativ für **e$_2$-e** (s. A. Falkenstein, AnOr 28, 111) (etwa i.S. von "sie (= die Statue) ist für den Tempel geeignet"). Welche Verbindung hier zwischen **e$_2$** "Tempel" und dem in Gudea Statue I 3:9 (; 5:8) = P 3:10 (; 5:8) erwähnten Ningišzida-Tempel von Girsu besteht, kann hier nicht weiter erörtert werden.

Gudea Statue R

1) Kol. 1:1-7: **lu$_2$ ... si bi$_2$-sa$_2$-sa$_2$-a** (Kol. 1:6-7) bildet den Schluß der zu **gu$_3$-de$_2$-a** (Kol. 1:1) gehörenden Appositionskette und wird wie **sipa-zi- ... ^{d}nin-gir$_2$-su-ka-ke$_4$** (<* **...-ak-ak-e** (= Agentiv)) (Kol. 1:4-5) als Agentiv verstanden (<***si b.e-(n-) sa$_2$.sa$_2$.-a** (= Nominalisierung) **-e**). Die Vorausstellung dieser Agentivkette in Kol. 1:1-7 ist dadurch zu erklären, daß Gudea sowohl Subjekt des Nebensatzes (Kol. 1:8-2:1) als auch des Hauptsatzes (Kol. 2:(2-)8 ist.

2) Kol. 1:6-7: Vgl. dazu G. Farber-Flügge, Stud. Pohl 10, 179 ("Der die Ordnungen (oder Vorschriften) der Götter in Ordnung hält."). Für die inhaltliche Aussage dieser Zeilen ist heranzuziehen Gudea Statue E 2:5-8 **pi-lu$_5$-da- / ^{d}ba-ba$_6$ / nin-a-na-še$_3$ / en$_3$ im-ma-ši-tar** "er (= Gudea) hat sich um den Kult der Baba, seiner Herrin, gekümmert".

3) Kol. 1:8-2:1: Diese Zeilen enthalten den bislang einzigen Beleg eines mit **u$_4$** ... finites Verbum **-a** (= Nominalisierung) **-ta** (= Ablativ) gebildeten Temporalsatzes ("nachdem ...") in den hier vorliegenden Inschriften Gudeas.

4) Kol. 2:2-3: Lesung dieser Zeilen mit A. Falkenstein, AnOr 30, 107 Anm. 2. E. Sollberger, JCS 10 (1956) 11 zieht in Erwägung, daß Namḫani, der **gala-maḫ** zur Zeit des Gudea (Kol. 2:2), mit dem letzten Stadtfürsten der II. Dynastie von Lagaš, Namaḫni, identisch sei, auch wenn es keinen positiven Beweis dafür gibt; bei J. Renger, ZA 59 (NF 25) (1969) 199 Anm. 920 wird dieser Identifikationsversuch als Faktum angenommen. J.-P. Grégoire, Prov. mér., 40 trennt unter Hinweis auf 'Kodex Urnammu(/Šulgi)' Z. 75-77 (s. jetzt J. Finkelstein, JCS 22 (1969) 67 **nam-ḫa-ni / ensi$_2$-/ lagaš^{ki}-ke$_4$**) zwischen Namḫani, "contemporain d'Urnammu", und Nammaḫni, "gendre d'Urba'u (, a régné avant Gudéa)". Dagegen sieht A. Falkenstein, AnOr 30, 4 mit Anm. 5 in **nam-maḫ-ni-du$_{10}$** (in Lugirizal 1:Vs 6), **nam-maḫ-ni** (in Nammaḫni 1-15 und 18) und **nam-ḫa-ni** (in 'Kodex Urnammu(/Šulgi)' Z. 75 (s.o.)) verschiedene (akzentbedingte) Schreibungen des Schwiegersohnes Urbaba's Nam(ma)ḫni(du). Die Namensform **nam-ḫa-ni** ist jetzt möglicherweise auch belegt in Nammaḫni 12:2' (s. Anm. 1 zu Nammaḫni 12). Festzuhalten ist hier in jedem Falle die konsequente

Schreibung der Namensform **nam-maḫ-ni** für den (späteren) Stadtfürsten von Lagaš in Nammaḫni 1-15.

gala-maḫ-MI$_2$-gi$_{16}$-sa$^!$-ka(-ra) ist mit A. Falkenstein, AnOr 30, 153 Anm. 8 als doppelte Genitivverbindung (<* **...-ak-ak(-ra)**) zu erklären. Die genaue Bedeutung von **MI$_2$-gi$_{16}$-sa** bleibt unklar; s. dazu J.-P. Grégoire, Prov. mér., 47 Anm. 213. A. Falkenstein, a.a.O. 107 mit Anm. 2 sieht hier in **MI$_2$-gi$_{16}$-sa** "Frau des bleibenden Besitzes" ein Epitheton von Nin-MAR.KI und vermutet a.a.O. 167 mit Anm. 10 eine Verbindung zu aS **^{d}nin-MAR.KI(-)en-gi$_{16}$-sa-kam** in DP 69,3:3-4. Der erweiterte Kontext von DP 69 macht jedoch deutlich, daß diese Verbindung nicht besteht, daß **en-gi$_{16}$-sa(-kam)** vielmehr PN ist (dieser PN ist aS gut bezeugt: VS 14,54,4:4; 173,3:6 (bei J. Bauer, AWL 548); DP 43,8:1; 132,3:13; 157,1:2; 160,1:2 und 218,2:8) und syntaktisch parallel steht zu **ša$_6$-ša$_6$(-kam)** in Kol. 2:5 dieses Textes. DP 69,2:6-3:4 lautet: **1 zabar-del$_2$-ma$_2$-dilmun / 1 men / 1 gu$_2$-za / ^{d}nin-MAR.KI / en-gi$_{16}$-sa-kam** "1 Bronzeschale eines Dilmun-Schiffes, 1 Krone, 1 Halskette: (für) Nin-MAR.KI; - von Engisa sind (diese Gegenstände)".

Überdies wäre es auch ungewöhnlich, daß in der Titulatur eines **gala-maḫ** das Epitheton einer Gottheit ohne deren Namen genannt wird, vgl. dazu etwa aS **gala-maḫ-^{d}nin-MAR.KI** in DP 133,9:1-2 oder nS **gala-maḫ-^{d}dumu-zi** und **gala-maḫ-^{d}nanše** bei G. Pettinato, MVN 6, 394. Aufgrund der Verbindung **gur$_7$-MI$_2$-gi$_{16}$-sa(-ta)** "Getreidespeicher (von) ..." in ITT IV 7202 Vs 3 bei G. Pettinato, a.a.O. 127 und M. Fransos, OA XVI (1977) 146 darf angenommen werden, daß hier **MI$_2$-gi$_{16}$-sa** ein Toponym ist. In **gala-maḫ-MI$_2$-gi$_{16}$-sa** dürfte demnach eine Bildung **gala-maḫ**-ON vorliegen, die vor allem aS gut bezeugt ist (mit Lagaš in DP 132,2:7; 133,3:6-7, mit Girsu in DP 133,12:12-13; VS 14,137,2:6; 173,9:6 (s. J. Bauer, AWL 598 s.v. **gala-maḫ**) und mit Sirara in DP 132,6:1; 220,1:8 und VS 14,173,5:5). Da jedoch der Toponym **MI$_2$-gi$_{16}$-sa(-k)** eine Genitivverbindung darstellt (so schon A. Falkenstein, a.a.O. 153, Anm. 8), kann **e$_2^?$-MI$_2$-gi$_{16}$-sa-ka** in Kol. 4:3 dieses Textes nur als doppelte Genitivverbindung analysiert werden (<* **...-ak-ak**); dagegen bereitet die Erklärung von **e$_2$-MI$_2$-gi$_{16}$-sa-ka-ni** (in Urningirsu I. 4:7 und Šulgi 24:8) Schwierigkeiten, da eine Wiedergabe "ihr(en) (= Nin-MAR.KI's) Haus(/Tempel) von MI$_2$-gisa" nur bei Annahme einer defektiven Schreibung oder einer Emendation **e$_2$-MI$_2$-gi$_{16}$-sa-ka-<ka->ni** möglich wäre; vgl. dazu auch **e$_2$-MI$_2$-gi$_{16}$-sa- / gir$_2$-su^{ki}-ka-ni** "ihr (= Nin-MAR.KI's) E-MI$_2$-gisa von Girsu" in Šulgi 21:7-8.

5) Kol. 2:4-10: In **-bi** bei **ama-ar-gi$_4$-bi** (Kol. 2:8) wird der vorausgestellte Satzteil von Kol. 2:4-7 **ku$_3$-babbar ... u$_3$ nig$_2$ en-na gal$_2$-la-aš e$_2$-a-na lu$_2$ nu-ku$_4$-ku$_4$-de$_3$** "wegen (= Terminativ in **gal$_2$-la-aš** (<* **gal$_2$-a-š(e$_3$)**) in Kol. 2:6) Silber, ... und des vorhandenen 'Herrenbesitzes' betritt niemand sein(= Namḫani's) Haus" aufgenommen (<*...-**ku$_4$-ku$_4$-de$_3$**, vgl. dazu D.O. Edzard, ZA 62 (1972) 25ff. und jetzt M. Yoshikawa, ZA 69 (1979) 161-165; 175).
Die hier angesprochene "Befreiung" (= **ama-ar-gi$_4$**) eines **gala-maḫ** ist zu vergleichen mit Ukg. 4 (= 5), 4:2-8 (s. H. Steible, FAOS 5/I, 290ff.), wo es in den Mißstandsschilderungen früherer Zeiten heißt:
lu$_2$-eš$_2$-gid$_2$ / gala-maḫ / agrig / lu$_2$-bappir$_3$ / ugula-ugula-ne / bar-sila$_4$-gaba-ka-ka / ku$_3$ bi-gar-re$_2$-eš
"Der Feldvermesser, der oberste Kultsänger, der Verwalter, der Braumeister, alle Aufseher hatten wegen eines Opferlammes Silber gezahlt.".
Diese Regelung wurde nach Ausweis von Ukg. 4,8:29-9:1 = 5,8:7-10 (s. H. Steible, a.a.O. 300f.) unter Uru'inimgina aufgegeben:
bar-sila$_4$-gaba-ka-ka / ku$_3$ a-ga$_2$-ga$_2$-da / maškim-bi / e-ta-šub
"Daß man wegen eines Opferlammes Silber zahlt, - die dafür verantwortlichen Kommissare werden entfernt.".
Für die Aussage, daß hier wegen der in Kol. 2:4-6 genannten Forderungen niemand das Haus des **gala-maḫ** betreten darf (/kann), ist Gudea Statue B 5:10-11 heranzuziehen:
lu$_2$-ur$_5$-ra / e$_2$-lu$_2$-ka nu-ku$_4$
"Der 'Schuldeneintreiber' betrat nicht das Haus eines anderen.".
Zu den Einkünften und Abgaben des **gala-maḫ** in aB Zeit vgl. J. Renger, ZA 59 (NF 25) (1969) 199.

6) Kol. 2:5: So in Anlehnung an A. Falkenstein, bei E. Sollberger, a.a.O. 24 ("(um Dienst mit dem) Tragkorb für Erd(arbeiten zu fordern)"). - Oder ist **IL$_2$** (= **dusu**) vielleicht mit der aS gut bezeugten **IL$_2$**-Abgabe zu verbinden ? Diese war u.a. nach Ukg. 4,5:19-21 = 5,5:16-18 bzw. Ukg. 4,9:2-4 = 5,8:11-13 (s. dazu H. Steible, FAOS 5/I, 294f. und 300f.) ursprünglich von den Tempelverwaltern (= **sanga-sanga-ne**) unter der Obhut von Kommissaren (= **maškim**) an den Palast zu leisten, wurde aber von Uru'inimgina abgeschafft.

7) Kol. 2:6: **nig$_2$-en-na** wird hier wegen **gaba-GANA$_2$** “Rand/Begrenzung des Feldes (/der Felder)” in Kol. 2:9 dieses Textes mit dem gleichlautenden, gut bezeugten Terminus der Verwaltungsurkunden des 3. Jahrtausends verbunden, der sehr häufig im Kontext **GANA$_2$ nig$_2$-en-na** “die Felder (sind) ‘Herrenbesitz’” steht (s. dazu zuletzt G.J. Selz, FAOS 15/1, 197 zu Nik. 34,2:2(!) (nicht (2:3)) (mit älterer Literatur)).

8) Kol. 2:8: Die unsichere Lesung **gar** in **ama-ar-gi$_4$-bi mu-gar**$^{!?}$ kann gestützt werden durch aS gut bezeugtes **ama-gi$_4$--gar** bei H. Behrens, H. Steible, FAOS 6, 27f. s.v. **ama-gi$_4$** mit Verweis auf A. Falkenstein, NG III 91. E. Sollberger, a.a.O. 13 sieht dagegen “no possibility of reading **gar**”.

9) Kol. 2:9: Diese Zeile, nach Photo bei E. Sollberger, JCS 10 (1966) 12 gelesen, bleibt unklar.
Ist **EŠ.EŠ** vielleicht mit dem Ur-III-zeitlich gut bezeugten **eš$_3$-eš$_3$**-Fest zu verbinden? Zu dem Ešeš-Fest in der Ur-III-Zeit s. ausführlich S.B. Nelson, Nasha. A Study of Administrative Texts of the Third Dynasty of Ur. (Diss. Ann Arbor 1972) 103ff. und W.W. Hallo, HUCA 48 (1977) 5ff..
Zu **gaba** “Rand”, “Seite”, “Grenze”, “Begrenzung” in **gaba-GANA$_2$** vgl. P. Steinkeller, ZA 72 (1982) 240, Anm.11, wo auf **gaba-a-ša$_3$** verwiesen ist.

10) Kol. 2:10: Vgl. dazu Urnammu 28,1:18 **inim bi$_2$-gi-in** “Die (bestehende) Abmachung wurde bestätigt”.

11) Kol. 4:3-4: Übersetzung in Anlehnung an A.Falkenstein, AnOr 30, 151 mit Anm. 6, der diese Zeilen mit “er bra[chte] sie [ihr] ins Emigisa, das Kadu<ḫa>” wiedergegeben hat und dabei eine Verbindung vermutete zwischen **ka-du$_8$** (4:4) und dem **(e$_2$-)ka-du$_8$-ḫa** bei N. Schneider, AnOr 19, 30 Nr. 171 (STA 8,11:5 **alan-^{d}gu$_3$-de$_2$-a e$_2$-ka-du$_8$-ḫa**) und Nr. 172 (**^{d}gu$_3$-de$_2$-a ka-du$_8$-ḫa** in ITT III 5271(!) Vs 9; ITT V 6927 Rs 2), das eine Statue Gudeas beherbergte (s. dazu auch A. Falkenstein, AnOr 30, 45 mit Anm. 2 und 4). **e$_2^?$-MI$_2$-gi$_{16}$-sa-ka** (Kol. 4:3) ist analog zur Bildung **gala-maḫ-MI$_2$-gi$_{16}$-sa$^!$-ka(-ra)** (in Kol. 2:2-3 dieses Textes) als doppelte Genitivverbindung (<* **...-ak-ak**) zu verstehen; s. dazu oben Anm. 4. Der bei **DU** i.S. von “(eine Statue) aufstellen” (s. dazu unten) zu erwartende Lokativ wird in **ka-du$_8$** (Kol. 4:4) vermutet, so daß eine Emendation **ka-du$_8$<-ḫa>**, die auf A. Falkenstein, a.a.O. 151, Anm. 6 zurückgreift, notwendig erscheint. Über diese syntaktische Gleichsetzung wird das (E)kadu(ḫa) als Teil des E-MI$_2$-gisa(ka) erwiesen.

Zu **E$_2$-MI$_2$-gi$_{16}$-sa(-ka)** als dem Tempel der Nin-MAR.KI in Gu'abba und Girsu s. A. Falkenstein, a.a.O. 28ff. zu 66. und 67.; 106; 153 mit Anm. 8-10; 167. Beachte in diesem Zusammenhang auch, daß **e$_2$-^{d}nin-MAR.KI** "Tempel der Nin-MAR.KI" als theologische Bezeichnung des Kultortes der Nin-MAR.KI in nS Zeit fast vollständig durch die (geographische) Benennung **gu$_2$-ab-ba^{ki}** "Rand des Hōr(-Gebietes)" (s. dazu A. Falkenstein, AnOr 30, 28ff. mit der Übersetzung "Ufer des Meeres") verdrängt wird; zum Nebeneinander dieser Benennungen s. ausführlich J.-P. Grégoire, Prov. mér., 47ff. und D.O. Edzard u.a., RGTC 1, 48; 61; D.O. Edzard, G. Farber, RGTC 2, 46f.; 65.

DU in **m[u-na]-ni-D[U]** (Kol. 4:4) wird hier über die wörtliche Parallele in Gudea-Statue T b) 1':(3'-)5' i.S. von "(eine Statue) aufstellen" verstanden. Während **DU** mit lokativischer Rektion in der Bedeutung "aufstellen" auch anderweitig mit verschiedenen Objekten (u.a. **balag** "Harfe" oder **ig-gal** "große Türflügel") in diesen Inschriften nachzuweisen ist (s. dazu H. Behrens, FAOS 10, s.v. **DU** IV 1.), bieten die Inschriften der Gudea-Statuen an dieser Stelle sonst durchweg die Form **mu-na-ni-ku$_4$** "er hat ihm/ihr (= GN) (die Statue) dort hineingebracht" (s. H. Behrens, a.a.O., s.v. **ku$_4$** 1.a)1'.). Mit **mu-na-ni-DU** "er hat ihm/ihr (= GN) (die Statue) dort aufgestellt" greift Gudea offensichtlich auf ein älteres Formular zurück, das erstmals auf zwei Statuen des Enannatum I. (in En. I 25,3:1'-4'; 26,2:6-8 bei H. Steible, FAOS 5/I, 194ff.) begegnet, in seiner vollständigen Form jedoch auf der Diorit-Statue des Entemena überliefert ist: Ent. 1,3:8-4:1 (vgl. leicht abweichend H. Steible, a.a.O 213):

u$_4$-ba en-te:me-na-ke$_4$ / alan-na-ni / mu-tu / ... / mu mu-ni-sa$_4$ / ^{d}en-lil$_2$-la / e$_2$-a / mu-na-ni-DU

"Damals hat Entemena die(se) Statue von sich geschaffen, hat darauf '...' (als ihren) Namen genannt (und) hat (sie) dem Enlil im Tempel aufgestellt.".

In dem Wechsel von **DU** zu **ku$_4$** hat J. Krecher, ZA 77 (1987) 7ff. (besonders 10f. zu 5.) bei seinem Vorschlag **DU** = **ku$_x$(-r)** "eintreten", "hineinbringen" nur eine graphematische Differenzierung gesehen. Bei dieser Annahme sollte jedoch nicht außer Acht gelassen werden, daß sich das Bedeutungsfeld für **DU** (mit Lokativ) "aufstellen" in den aS und den nS Inschriften weitgehend deckt (dazu H. Behrens, H. Steible, FAOS 6, 63f. s.v. **DU** IV 2. und H. Behrens, FAOS 10, s.v. **DU** IV 1.), während **DU** i.S. von "(eine Statue) aufstellen" zwar aS gut bezeugt ist, unter Gudea nur noch in zwei Belegen nachzuweisen ist (Statuen R und T), auf den übrigen Statuen jedoch durch **ku_4** "hineinbringen" ersetzt wird. Hinter diesem Wechsel unter Gudea dürfte m.E. nicht nur eine graphematische Unterscheidung stecken, vielmehr ist auch von einer lexikalischen Differenzierung auszugehen, mit der unterschiedliche rituelle Gegebenheiten assoziiert sind (gegenüber dem "Aufstellen" einer Statue könnte mit dem "Hineinbringen" durchaus die Vorstellung einer Prozession verbunden werden).

Gudea Statue S

1) Obwohl auf den vorgelegten Fragmenten dieser Statue der Name Gudeas nicht erhalten ist, wird diese Statue doch allgemein Gudea zugeschrieben, s.dazu außer der o.g. Literatur auch W. Farber, in: AnOr 29A, 57* und 68*. In der Tat sprechen die Parallelen zu den Fragmenten dieser Statue deutlich für eine Zuordnung zu Gudea (s. dazu unten Anm. 3-4; 6-8;10-11). Zu einer möglichen Beischrift auf der rechten Schulter s. Anm.1 zu Gudea Statue A.

2) Kol. 2':1: Aufgrund der Zeichenspuren von Kol. 2':1 hat E. Unger, RA 51 (1957) 175 **e_2-PA e_2-dingir-ra-ta [lu_2-zi]-z[i-a]** gelesen und unter Bezug auf den "Text der Gründungsurkunde des Epa" (= Coll. de Clerq Nr. 2: CdC II Taf. VIII = Text C) von Gudea 46) Kol. 1:1-9 (Zählung nach E. Unger) danach ergänzt und damit die Inschrift auf Ningirsu festgelegt.
Die Lesung von **e_2-PA** ist in Kol. 2':1 aber nach den Zeichenspuren auf dem Photo bei E. Unger, a.a.O. 172 = Pl. I nicht eindeutig zu sichern; damit ist auch die Zuordnung dieser Inschrift zu Ningirsu nicht eindeutig. - Zum E-PA als Tempel des Ningirsu s. A. Falkenstein, AnOr 30, 132f..
Selbst wenn man E. Unger's Ergänzung aufrechterhalten möchte, befremdet der Umstand, daß in seiner Textrekonstruktion bei der Kolumnenzählung der einkolumnigen Bauinschrift (mit 9 Zeilen) eine zweikolumnige Fluchformel (mit 17 Zeilen) gegenübersteht, ohne daß zumindest die Anfertigung der Statue (, ihr Name) und ihre Aufstellung im Tempel erwähnt wären. Zu diesen formalen Kriterien als wesentliche

Bestandteile der Weihformeln der Statuen Gudeas s. Anm. 8 zu Gudea Statue A, Anm. 10 zu Gudea Statue F, Anm. 14 zu Gudea Statue G und Anm. 17 zu Gudea Statue I. Auch ist darauf hinzuweisen, daß E. Unger bei seiner Rekonstruktion die Kol. 3 erheblich breiter angenommen hat als Kol. 1 und 2; eine Durchsicht der Photos der Gudea-Statuen zeigt, daß dies ungewöhnlich ist.

3) Kol. 2':1-2: Zu möglichen Ergänzungen vgl. etwa Gudea Statue B 8:6-10 oder Gudea Statue C 4:5-8.
Wegen **e$_2$-dingir-ra-ta** "aus dem Tempel des Gottes" (Kol. 2':1) erscheint nach den Belegen bei H. Behrens, FAOS 10, s.v. **dingir** B 1. und 2. eine Zuordnung dieser Inschrift zu Ningirsu oder Ningišzida möglich.

4) Kol. 2':3-6: Zur möglichen Ergänzung vgl. Gudea Statue B 8:44-50. Wenn man annimmt, daß in Kol. 2':3-4 die Reihe der Götter mit zwei Gottheiten des Reichspantheons eröffnet wird, denen Ningirsu (Kol. 2':5-6; Ergänzung mit E. Unger, a.a.O. 175 mit Anm. 6 nach Gudea Statue B 8:49-50) folgt, könnte die Analogie der Fluchformel der Gudea Statue B ein Hinweis darauf sein, daß auch diese Statue dem Ningirsu geweiht war. Die Ergänzung **[^{d}nan]še / [nin-in-dub-b]a-ke$_4$**, die E. Unger, a.a.O. 175 für Kol. 2':3-4 vorgeschlagen hat, erscheint danach ausgeschlossen.

5) Kol. 2':7-3':1: Ergänzung mit E. Unger, a.a.O. 175f. (ohne **-ke$_4$** in Kol. 3':1).

6) Kol. 2':7-8: Dieselbe Abfolge begegnet auch in Gudea 13 = 14 Vs = 15:1-2 bzw. in umgekehrter Reihenfolge **ama-lagaš^{ki} ku$_3$ ^{d}ga$_2$-tum$_3$-du$_{10}$-ke$_4$** " die Mutter von Lagaš, die Heilige, Gatumdu" in Gudea Zyl. A 20:17 und Gudea Statue B 8:55-56 (Var.: **-e** statt **-ke$_4$**).

7) Kol. 2':9-3':1: Ergänzung nach Gudea 19 = 20:1-3 unter zusätzlicher Realisierung des Agentivs (**-ke$_4$**). Vgl. dazu auch Gudea Statue K 3':15-18 und Gudea Zyl. B 6:22 (**^{d}ig-alim dumu-ki-ag$_2$-ga$_2$-ni** "seinen (= Ningirsus) geliebten Sohn").

8) Kol. 3':2-4: E. Unger, a.a.O. 176 hat die Zeichenspuren in Kol. 3':4 nach Gudea Statue B 9:23 **lu$_2$-[bi]** gelesen. Man könnte die Zeichenspuren am Anfang dieser Zeile allerdings auch mit **NAM** verbinden, so daß Kol. 3':2-4 möglicherweise nach Gudea Statue B 9:4-5 zu **[dingir-mu] / [^{d}nin-giš-zi-da-ke$_4$] / n[am-tar-ra-ni ḫe$_2$-**

(da$_5$-)kuru$_2$-ne] "[(... (= die genannten Gottheiten) (und)) mein (Schutz)gott Ningišzida mögen sein entschiedenes Schi[cksal ändern]!" zu ergänzen wäre.

9) Kol. 3':5: Die Ergänzung **^{giš}dur$_2$-gar-ra-na [saḫar-ra] ḫa-NE-KU-[ne]** "seinen Thron, in den Staub hin mögen sie legen", die E. Unger, ibidem im Anschluß an Gudea Statue B 9:10-11 vorgeschlagen hat, ist wegen des doppelten Lokativs (<* **...-a.ni-a saḫar-a**) problematisch.

Zum Plural-Verbum **durun** s. M. Yoshikawa, ASJ 3 (1981) 115ff..

10) Kol. 3':6-7: S. zu diesen Zeilen Anm. 9 zu Gudea Statue K.

11) Kol. 3':8: Vgl. dazu die inhaltliche Parallele in Gudea Statue B 9:12-16.

Gudea Statue T

1) V.K. Šilejko, ZVO 25 (1921) 137 stellt zu Coll. W. Goléniščev Nr. 5144, 1-5 fest (für die Übersetzung aus dem Russsischen danke ich Ulrich Haarmann, Freiburg i.Br.): "Fünf Fragmente zweier Statuen aus grauem Stein, die darüberhinaus wahrscheinlich den Stadtfürsten Gudea darstellen. Zwei Fragmente, die zu den Schultern der Statuen gehören, enthalten die folgende Inschrift:". Demnach gehören die beiden von V.K. Šilejko in Kopie vorgelegten Textfragmente Nr. 5144,5 und Nr. 5144,1 zu zwei verschiedenen Statuen, die im folgenden durch **a)** (= Nr. 5144,5) und **b)** (= Nr. 5144,1) unterschieden werden. Trotz der Feststellungen V.K. Šilejko's ("Schultern der Statuen", s.o.) dürften die beiden Textfragmente wohl kaum zu den sogenannten Beischriften (auf der rechten Schulter) der Gudea-Statuen gehören, da in **b)** der Textschluß deutlich gegen den Beischriftcharakter spricht; auch für **a)** ist darauf hinzuweisen, daß in den hier vorliegenden Statueninschriften der Name einer Gottheit am Anfang einer Beischrift sonst nur noch in der von Gudea Statue C (= **^{d}nin-giš-zi-da**) festzustellen ist.

Die Bezeichnung Gudea Statue T wird aus Gründen der Konvention beibehalten, obwohl zumindest für **a)** die Zuordnung zu Gudea sehr unsicher ist.

a) 1) Kol. 1':1: Nisaba ist in den hier vorgelegten Gudea-Inschriften nicht weiter zu belegen und begegnet bei Gudea nur in Zylinder A (s. dazu A. Falkenstein, AnOr 30, 110).

a) 2) Kol. 1':2: Man erwartet **nin-geštu$_2$-[ga]** "Herrin [der] Weisheit"; dies ist jedoch aufgrund der Zeichenanordnung in Kol. 1':1 nach den Raumverhältnissen dieser Zeile kaum möglich.

b) 1) Kol. 1':1'-2': Über das Epitheton **⌜ma$_2$⌝-gid$_2$-^{d}en-lil$_2$-ke$_4$** "Treidler des Enlil", das auch in Gudea Statue D 1:9-10 (**ma$_2$-gid$_2$-^{d}en-lil$_2$-la$_2$**) begegnet und mit **ma$_2$-gid$_2$-e$_2$-kur-ra-ke$_4$** "Treidler des Ekur" in Gudea 12:8-9 zu vergleichen ist, kann die Zuordnung dieser Inschrift zu Gudea wahrscheinlich gemacht werden (s. dazu A. Falkenstein, AnOr 30, 43; 70 mit Anm. 10 und 11), zumal dieses Epitheton m.W. auf diesen Herrscher beschränkt ist.

b) 2) Koi. 1':3'-5': **alan-na-ni mu-tu** "die(se) Statue von sich hat er geformt" (Kol. 1':3') findet sich wörtlich parallel auf den Gudea-Statuen M, N, O und Q (s. dazu Anm. 17 zu Gudea Statue I und Anm. 3 zu Gudea Statue M).
[m]u-na-ni-DU "(die Statue) hat er ihr/ihm (= GN) dort (= im Tempel) aufgestellt" (Kol. 1':5'), das in diesen Inschriften sonst nur noch in Gudea Statue R 4:(3-)4 begegnet, steht hier für sonst geläufiges **(e$_2$-(...-)*a) mu-na-ni-ku$_4$** "(in den Tempel (...)) hat er (die Statue) ihr/ihm (= GN) hineingebracht", s. dazu ausführlich Anm. 11 zu Gudea Statue R.
Während die genannten Statuen entweder nach **mu-tu** (Gudea-Statuen M, N, O und Q) oder nach **m[u-na]-ni-D[U]** (in Gudea Statue R 4:4) den Statuen-Namen nennen, fehlt dieser hier; dafür steht - völlig singulär für eine Gudea-Statue - der Ausdruck **nam-ti-la-ni-še$_3$** "für sein Leben". Diese einzigartige Formulierung auf einer Gudea-Statue läßt Zweifel darüber aufkommen, ob dieses Fragment wirklich Gudea zuzuschreiben ist (s. aber oben unter Anm. b)1)). - Zum Sinn der Statuennamen s. Anm. 10 zu Gudea Statue F.

Gudea Statue U

1) Beischrift Z. 4-5: Ergänzung nach Gudea 34:7-8.

2) Kol. 1:1'-2': Wenn die Ergänzung in Kol. 1:2' zutrifft, und **nin-a-ni** das letzte Epitheton der ersten angesprochenen Gottheit dieses Textes ist, kann aufgrund der Aussage von Z. 4-6 der Beischrift dieser Statue davon ausgegangen werden, daß diese Statue Nanše geweiht war; so schon E. Sollberger, RA 62 (1968) 143.

3) Kol. 2:2'(-4'): Ergänzung nach Gudea Statue B 5:18(-20) (mit Anm. 41-42 (mit Parallelstellen)). - Zählung dieser Zeilen nach Kollation gegen die Zählung in der Kopie H.A. Churchill's bei E. Sollberger, a.a.O. 144 fig. 2, wo für **gi-[gun$_4$]** und **ki-ag$_2$-ni** zwei Zeilen vorgesehen sind; diese zweizeilige Schreibung ist hier bislang nur in Gudea 57:11-12 belegt.

Gudea Statue X

1) Z. 1-2: Ergänzung nach Gudea 28 = Šulgi 38:1-2. Dagegen bietet Šulgi 37:1-2 **^{d}mes-lam-ta-e$_3$-a / dingir-a-ni** "Meslamta'e'a, sein(em) (Schutz)gott"; so auch Ibbī-suen 4:1-2 (mit Var. **dingir-⸢ra⸣-a-ni-ir**).

Gudea Statue Y

1) Kol. 1':1'ff.: Es ist nicht zu entscheiden, ob Kol. 1':1' den Beginn dieser Statueninschrift darstellt oder nicht. Falls diese Kalkstein-Statue jedoch an Ningirsu adressiert war, bildet dieses Fragment ein interessantes Gegenstück zu Gudea Statue S, die aus dem gleichen Material und mit großer Wahrscheinlichkeit Ningirsu zugesprochen war.

Gudea Statue Z

1) Kol. 1':1'ff: Die Zuordnung dieses Statuenfragmentes zu Gudea erfolgt über die bislang nur für Gudea nachzuweisende Wendung ^{na4}**esi im-ta-e$_{11}$ alan-na-(ni-)še$_3$ mu-tu** "Diorit hat er herabgebracht, hat (ihn) zu einer Statue (von sich) geformt", obwohl in Kol. 1':1' nach den Zeichenspuren nicht, wie bei Gudea üblich, mit **kur(/ḫur-sag)- ma$_2$-gan^{ki}-ta** gerechnet werden kann; s. dazu die Belegsammlung bei H. Behrens, FAOS 10, s. **alan** 2.b).

Inschriften der III. Dynastie von Ur

Urnammu 1

Text: A) Nach C.B.F. Walker, CBI 22f. zu 12. befinden sich folgende gestempelte Backsteine im British Museum:

BM 90002 = 1979-12-20,3

BM 90003 = 1979-12-20,4

BM 90020 = 51-1-1,289

BM 90790 = 1979-12-20,352

BM 90791 = 1979-12-20,353+90793

BM 90801 = 1979-12-20,358: E. Norris, IR1I1; L.W. King, CT 21,4; (Kopien);

BM 114226 = 1919-10-11,4657

BM 114227 = 1919-10-11,4658

BM 114229 = 1919-10-11,4660

BM 114230 = 1919-10-11,4661

BM 114236 = 1919-10-11,4667

BM 114237 = 1919-10-11,4668

BM 114239 = 1919-10-11,4670

BM 114244 = 1919-10-11,4675

BM 114246 = 1919-10-11,4677

BM 114254 = 1919-10-11,4685

BM 137357 = 1919-10-11,5362

BM 137495 = 1935-1-12,116;

Herkunft: Ur.

C.B.F. Walker, a.a.O. 23 zu 12. erwähnt ferner BM 90904 (= BM 12032) (" a fragment of bitumen having the reversed impression of this stamp" (= Urnammu 1 A)).

B) *AO 26688 (Backstein): unpubl.; Herkunft: ?.

C) Museo di Antichità di Torino (Backstein, gestempelt): G. Boson, Aegyptus 15 (1936) 420 (Kopie); Herkunft: Ur.

D) YBC 2384 (Backstein): unpubl., vgl. F.J. Stephens, YOS IX S. 26 zu (114-)115; Herkunft: ?.

E) BM 90846 (Türangelstein): L.W. King, CT 21,5; E. Norris, IR1I2; (Kopien); Herkunft: Ur.

F) *University Museum, Philadelphia (Türangelstein): unpubl., vgl. G. Barton, RISA 272f. 12. mit Anm. 6; Kollation: H. Behrens; Herkunft: Ur.

G) *U. 2749 (Türangelstein), University Museum, Philadelphia: Anonymus, MJ 16 (1925) 296 (Photo); Kollation: H. Behrens; Herkunft: Ur; vgl. oben Text F).

H) Museums-Nr. ? (nicht überprüft): F. Lenormant, Bullettino ... 1879, 25ff.; Herkunft: Ur.

I) *BM 115026 (Fragment eines Türangelsteins aus Diorit mit vollständiger Inschrift, wie Text A)): unpubl.; vgl. British Museum. A Guide (1922) 60 zu 54.; dieser Text gehört zu den bei C.J. Gadd, L. Legrain, UET I S. XXIV genannten "numerous copies on gate-sockets and bricks"; Herkunft: Ur.

J) CBS 15338 (= U. 65); CBS 16527 (= U. 3132) (Backsteine, gestempelt, mit vollständiger Inschrift): unpubl., s. H. Behrens, JCS 37 (1985) 230f. zu 7.; Herkunft: Ur.

K) (Collection particulière) (Fragment eines Backsteins; Zuordnung nicht sicher): J.-P. Grégoire, MVN 10, Nr. 24 (Kopie); Herkunft: ?.

Literatur: F. Thureau-Dangin, SAK 186, a); W.W. Hallo, HUCA 33 (1962) 24: Ur-Nammu 1; E. Sollberger, J.-R. Kupper, IRSA 136 IIIA1b; C.B.F. Walker, CBI 22 zu 12.; I. Kärki, StOr 58, 1: Urnammu 1.

Umschrift nach Text A)

1 ur-^{d}nammu	Urnammu,
2 lugal-uri$_{5}^{ki}$-ma	der König von Ur,
3 lu$_{2}$ e$_{2}$-^{d}nanna	der Mann, der den Tempel des Nanna
4 in-du$_{3}$-a **(a)**	gebaut hat.

a) Z. 4: Text F): **in-ni-du$_{3}$**.

Urnammu 2

Text: *BM 118547 = 1927-5-27,3 (Türangelstein aus Diorit): C.J. Gadd, L. Legrain, UET I 33 (Kopie); Herkunft: Radhibah, nahe Ur.

Literatur: G. Barton, RISA 360, 8.1.; C.J. Gadd, L. Legrain, UET I S. 7, Nr. 33; W.W. Hallo, HUCA 33 (1962) 24: Urnammu 2; I. Kärki, StOr 58, 1: Urnammu 2.

1 ur-^{d}namm[u]	Urnammu,
2 lugal-uri$_5$^{ki}-ma	der König von Ur,
3 lu$_2$ e$_2$-^{d}nin-sun$_2$	der Mann, der den Tempel (der) Ninsun
4 in-du$_3$-a	gebaut hat.

Urnammu 3

Text: A) CBS 9332! (Tafel aus grauem Steatit): H. Hilprecht BE I/2 122 (Kopie); Herkunft: Nippur.

B) Nach C.B.F. Walker, CBI 23 zu 13. befinden sich im British Museum folgende gestempelte Backsteine:

BM 90374 = 51-10-9,69

BM 90792 = 1979-12-20,354

BM 90794 = 51-10-9,70

BM 90795 = 1979-12-20,355

BM 90796 = 51-10-9,79+80

BM 90799 = 51-10-9,84

BM 90802 = 1979-12-20,359:

E. Norris, IR1I9; L.W. King, CT 21,4; (Kopien);

BM 80151 = Bu 91-5-9,264

BM 90396 = 51-10-9,86

BM 114298 = 1919-10-11,4742

BM 137358 = 1919-10-11,5363

und ein unregistriertes Fragment; möglicherweise gehört hierher auch das Backsteinfragment BM 90379 = 51-10-9,89R, s. dazu C.B.F. Walker, a.a.O. 28 zu 21. (BM 90379);

Herkunft: Nippur.

C) HS 1991 (Bruchstück aus gebranntem Ton, wohl Backstein) und HS 2014 (Gipsabguß eines Ziegels mit gleicher Inschrift): unpubl., vgl. J. Oelsner, WZJ 18 (1969) G, Heft 5, 53, 17. (Umschrift); Herkunft: Nippur.

D) YBC 2382 (Backstein): unpubl., vgl. F.J. Stephens, YOS IX S. 26, 114(-115); Herkunft: ?.

E) MLC 2628 (Bronzenagel, Korbträger): A.T. Clay, BRM IV pl. I (Photo); Nr. 43 (Kopie); vgl. S. 46 zu Nr. 43, wo eine Steintafel der Sammlung mit gleicher Inschrift genannt ist; W.W. Hallo, Ancient Mesopotamian Art and Selected Texts, S. 22 (Umschrift); Photo davon wohl pl. 8; A. Moortgat, KAM Abb. 159; S.A. Rashīd, Gründungsfiguren, Taf. 23, Nr. 123 (Umzeichnung); Herkunft: Nippur.

F) 3 Korbträger + 1 Steintafel: IM 59586: ILN August 18, 1956, 226f. Abb. (13) 15 (Photo); S.A. Rashīd, Gründungsfiguren, Taf. C, Nr. 120 (Photo); Taf. 21, Nr. 120 (Umzeichung); IM 61402/1: ILN September 6, 1958, 78, Abb.17; V.E. Crawford, Archaeology 12 (1959) 78 Abb. oben links; W. Orthmann, PKG 14, Abb. 65; F. Basmachi, Treasures of the Iraq Museum (Baghdad 1975-76) Abb. 100 rechts; (Photos); S.A. Rashīd, Gründungsfiguren, Taf. 22, Nr. 121 (Umzeichnung); Museums-Nummer ?: ILN August 18, 1956, 226f., Abb. 15 (13) (Photo); s. S.A. Rashīd, Gründungsfiguren, S. 25 zu Nr. 122; Herkunft: Nippur.

G) Nach H. Behrens, JCS 37 (1985) 231 zu 8. sind noch folgende gestempelte Backsteine des University Museums, Philadelphia bekannt:

CBS 8638;

CBS 8647;

CBS 8648;

UM 84-26-35;

UM 84-26-37;

UM 84-26-38;

Herkunft: Nippur.

H) Ashm. 1967-1504 (Backstein, gestempelt): J.-P. Grégoire, MVN 10, Nr. 16 (Kopie); Herkunft: Nippur.

I) MMA 59.41.86 (= 6 N-T 1125) (Backstein): M. Sigrist, in: I. Spar, CTMMA I Pl. 120, Nr. 116 (Kopie); S. 159 (Umschrift und Übersetzung); Herkunft: Nippur, Oberflächenfund.

J) *IM 59590 (Tafel aus Steatit; Vs: flach; Rs: gewölbt (unbeschrieben)): unpubl.; Herkunft: ?.

Literatur: F. Thureau-Dangin, SAK 186, g); W.W. Hallo, HUCA 33 (1962) 24f.: Ur-Nammu 3; C.B.F. Walker, CBI 23 zu 13.; J.-P. Grégoire, MVN 10, S. 23 zu 16.; M. Sigrist, in: I. Spar, MMA I S. 159, Nr. 116; I. Kärki, StOr 58, 2: Urnammu 3. - Vgl. S.A. Rashīd, Gründungsfiguren, S. 24f..

Umschrift nach Text B)

1 ur-^{d}nammu	Urnammu,
2 lugal-uri$_{5}^{ki}$-ma	der König von Ur,
3 lugal-ki-en-gi-ki-uri	der König von Sumer (und) Akkad,
4 lu$_2$ e$_2$-^{d}en-lil$_2$-la$_2$ **(a) (1)**	der Mann, der den Tempel des Enlil
5 in-du$_3$-a	gebaut hat.

a) Z. 4: Nach C.B.F. Walker, CBI 23 zu 13. ist diese Zeile in BM 90374, 90792, 90794 und 90795 in zwei getrennten Zeilen geschrieben: **lu$_2$ e$_2$- / ^{d}en-lil$_2$-la$_2$**.

1) Z. 4: Aufgrund der Bemerkungen von C.B.F. Walker, ibidem (s. Anm. a)) ist davon auszugehen, daß es zwei verschiedene Ziegelstempel mit dieser Inschrift gegeben hat: einen mit einer 5-zeiligen Inschrift und einen mit einer 6-zeiligen Inschrift.

Urnammu 4

Text:

Backstein: A) IM ? (gestempelt): F. Safar, Sumer 3 (1947) Taf. gegenüber S. 235 (arab. Teil) Fig. 1 a) (Kopie); s. auch S. 98 (engl. Teil), wo von etwa einem Dutzend gleicher gestempelter Backsteine die Rede ist; ferner F. Safar, M.A. Mustafa, S. Lloyd, Eridu (Baghdad 1981) 65 mit der Angabe von zwei vollständigen Backsteinen und einem Fragment (alle gestempelt); 229, Fig. 108, 1 (Kopie); Herkunft: Eridu.

B) Birmingham City Museum 285'35 (gestempelt): R.C. Thompson, Archaeologia 70 (1920) 115 rechts oben (Kopie); vgl. A.R. George, Iraq 41 (1979) 122 zu II.B.27.; Herkunft: Eridu.

Literatur: R.C. Thompson, Archaeologia 70 (1920) 116; W.W. Hallo, HUCA 33 (1962) 25: Ur-Nammu 4; C.B.F. Walker, CBI 24 zu 14.; F. Safar, M.A. Mustafa, S. Lloyd, a.a.O. 228, 1); I. Kärki, StOr 58, 3: Urnammu 4.

Umschrift nach Text A)

1 ur-^{d}nammu	Urnammu,
2 lugal-uri$_5^{ki}$-ma	der König von Ur,
3 lu$_2$ e$_2$-	der Mann, der den Tempel
4 ^{d}en-ki	des Enki
5 eridu^{ki}-ga	in Eridu
6 in-du$_3$-a	gebaut hat.

Urnammu 5

Text:

Backstein: A) BM 90296 = 1979-12-20,183 (gestempelt): L.W. King, CT 21,9; T.G. Pinches, IVR^2 35,1; F. Lenormant, Choix Nr. 60; (Kopien); Herkunft: ?.

B) BM 119273 = 1927-10-3,268 (= U. 3081); UM 35-1-397: C.J. Gadd, L. Legrain UET I 41(a) (Kopie); s. H. Behrens, JCS 37 (1985) 231 zu 9.E.; Herkunft: Ur, Egipar, Raum 3.

C) BM 119275 = 1927-10-3,270 (= U. 3081) (gestempelt; Fragment (?)): C.J. Gadd, L. Legrain, UET I 41(b) (teilw. Kopie); pl. G (Photo); Herkunft: Ur, Egipar, Raum 3.

D) Nach C.B.F. Walker, CBI 24 zu 15. sind noch folgende Backsteine des British Museum bekannt:

BM 137398 = 1979-12-18,33

BM 137418 = 1979-12-18,53 (gestempelt);

Herkunft: Ur.

E) H. Behrens, JCS 37 (1985) 231 zu 9.A.-D. nennt noch folgende gestempelte Exemplare des University Museums:

CBS 16462 (= U. 3081a)

CBS 16531a (= U. 3081b)

CBS 16531b (= U. 3081c)

CBS 16532 (= U. 3081d);

(zu U. 3081a-d vgl. auch oben Text B) und C)); ferner den geschriebenen Backstein UM 35-1-397 (s. oben Text B)); Herkunft: Ur.

Literatur: F. Thureau-Dangin, SAK 186, f); C.J. Gadd, L. Legrain, UET I S. 8f., Nr. 41(a) und Nr. 41(b); W.W. Hallo, HUCA 33 (1962) 25: Ur-Nammu 5; E. Sollberger, J.-R. Kupper, IRSA 138 IIIA1j; C.B.F. Walker, CBI 24 zu 15.; I. Kärki, StOr 58, 3: Urnammu 5.

Umschrift nach Text B)

1 an lugal-dingir-re-ne	An, dem Herrn der Götter,
2 lugal-a-ni	sein(em) Herrn,
3 ur-^{d}nammu	hat Urnammu,
4 lugal-uri$_{5}^{ki}$-ma-ke$_{4}$	der König von Ur,
5 kiri$_{6}$-maḫ	einen riesigen Garten
6 mu-na-DU **(a)**	angelegt
7 bara$_{2}$ ki-sikil-la	(und) hat ihm (dort(?)) ein Postament auf reinem Boden
8 mu-na-du$_{3}$	errichtet.

a) Z. 6: Text C) und E) (= CBS 16532) bieten **KAS$_{4}$-** *gunû* (= LAK 487) für **DU**.

Urnammu 6

Text:

Backstein: A) Viele Exemplare, auf das Iraq Museum, das British Museum (s. unten unter Text B)) und das University Museum (s. unten unter Text C)) verteilt: C.J. Gadd, L. Legrain, UET I 39 (Kopie); Herkunft: Ur.

B) Nach C.B.F. Walker, CBI 24f. zu 16. sind folgende gestempelte Backsteine im British Museum vorhanden:

BM 114234 = 1919-10-11,4665

BM 114243 = 1919-10-11,4674

BM 114247 = 1919-10-11,4678

BM 137416 = 1979-12-18,51:

Herkunft: Ur.

C) H. Behrens, JCS 37 (1985) 231 zu 10. nennt folgende gestempelte Exemplare des University Museums:

CBS 16459 (= U. 2878a)

CBS 16529 (= U. 2878b)

CBS 15346;

Herkunft: Ur.

Literatur: C.J. Gadd, L. Legrain, UET I S. 8, Nr. 39; W.W. Hallo, HUCA 33 (1962) 25: Ur-Nammu 6; C.B.F. Walker, CBI 24f. zu 16.; I. Kärki, StOr 58, 4: Urnammu 6.

Umschrift nach Text A)

1 ^{d}inanna	Inanna,
2 nin-ku$_3$-nun-na	der heiligen, fürstlichen Herrin,
3 nin-a-ni	seine(r) Herrin,
4 ur-^{d}nammu	hat Urnammu,
5 lugal-uri$_5$^{ki}-ma-ke$_4$	der König von Ur,
6 e$_2$-a-ni	ihren Tempel
7 mu-na-du$_3$	gebaut.

Urnammu 7

Text:

Backstein: A) BM 90006 = 51-1-1,279: L.W. King, CT 21,3 (Kopie); vgl. E. Norris, IR1I6 (Kopie in einer Kolumne); Herkunft: Uruk.

B) Museums-Nr. ? (zwei Exemplare): A. Schott, UVB I (1930) pl. 24,2-3 (Kopien); Herkunft: Uruk, E'anna.

C) Nach C.B.F. Walker, CBI 25 zu 17. sind noch folgende gestempelte Exemplare des British Museum bekannt:

BM 90007 = 1979-12-20,7

BM 90010 = 1979-12-20,10

BM 90014 = 95-5-14,9

BM 90015 = 1979-12-20,14

BM 90019 = 51-1-1,303

BM 90021 = 1979-12-20,18:

L.W. King, CT 21,3 (Kopie von BM 90015); E. Norris, IR1I6 (Kopie in einer Kolumne); L.W. King, HSA pl. XXVIII (gegenüber S. 280) (Photo von BM 90015); Herkunft: Uruk.

D) Fragmente, gefunden in WS 078 und WS 369: unpubl., s. H.J. Nissen, Uruk Countryside 217.

Ton-tafel(?): E) MLC 2075 (späte Abschrift): unpubl., vgl. W.W. Hallo, HUCA 33 (1962) 25: Ur-Nammu 7: iii.

Literatur: F. Thureau-Dangin, SAK 186, d); A. Schott, UVB I (1930) 50 zu 2. und 3.; W.W. Hallo, HUCA 33 (1962) 25: Ur-Nammu 7; C.B.F. Walker, CBI 25 zu 17.; I. Kärki, StOr 58, 4: Urnammu 7.

Umschrift nach Text A)

1	1 ^{d}inanna	Inanna,
	2 nin-a-ni	seine(r) Herrin,
	3 ur-^{d}nammu	hat Urnammu,
	4 nita-kal-ga	der starke Mann,
2	1 lugal-uri$_5^{ki}$-ma	der König von Ur,
	2 lugal-ki-en-gi-ki-uri-ke$_4$	der König von Sumer (und) Akkad,
	3 e$_2$-a-ni	ihren Tempel
	4 mu-na-du$_3$	gebaut.

Urnammu 8

Text: Viele Backsteine: C.J. Gadd, L. Legrain, UET I 40 (Kopie); Herkunft: Ur, Enunmaḫ, Raum 23.

Literatur: C.J. Gadd, L. Legrain, UET I S. 8, Nr. 40; W.W. Hallo, HUCA 33 (1962) 25: Ur-Nammu 8; I. Kärki, StOr 58, 5: Urnammu 8.

1 ^{d}inanna$^{!}$(=^{d}NANNA)	Inanna, **(1)**
2 nin-an-na	der Herrin des Himmels,
3 nin-a-ni	seine(r) Herrin,
4 ur-^{d}nammu	hat Urnammu,
5 lugal-uri$_{5}^{ki}$-ma-ke$_{4}$	der König von Ur,
6 e$_{2}$-a-ni	ihren Tempel
7 mu-na-du$_{3}$	gebaut.

1) Z. 1: **^{d}NANNA** ist hier wegen **nin-an-na** "Herrin des Himmels" in Z. 2 sicher Schreibfehler für **^{d}inanna**, der mit C. Wilcke, RlA 5, 75:2.2 "wohl nur bei größter lautlicher und rhythmischer Ähnlichkeit der beiden Namen (d.h. Betonung Inánna) möglich war." Da C.J. Gadd, L. Legrain UET I S. XI zu 40 viele Exemplare dieses Backsteins erwähnen (, über deren Verbleib keine Angaben gemacht werden, die sich jedoch nicht im British Museum oder im University Museum befinden,) und auch C.B.F. Walker, CBI 22-27 und H. Behrens, JCS 37 (1985) 230-232 bei ihrer Zusammenstellung der Backsteine des Urnammu kein Exemplar zu diesem Text notieren, stellt sich die Frage, ob es sich hier um einen falsch geschnittenen Ziegelstempel handelt, oder ob in UET I 40 ein Kopiefehler vorliegt.

Urnammu 9

Text:

Backstein: A) Nach C.B.F. Walker, CBI 25f. zu 18. sind folgende Backsteine des British Museum bekannt:

BM 90004 = 1979-12-20,5 (gestempelt)

BM 90009 = 1979-12-20,9 (gestempelt)

BM 90011 = 1979-12-20,11 (gestempelt)

BM 90012 = 1979-12-20,12 (gestempelt)

BM 90797 = 1979-12-20,356 (gestempelt):

E. Norris, 1R1!3; L.W. King, CT 21,2; (Kopien von BM 90004, 90009 und Var. von BM 90011); ferner:

BM 114228 = 1919-10-11,4659

BM 114231 = 1919-10-11,4662 (gestempelt)

BM 114232 = 1919-10-11,4663 (gestempelt)

BM 114233 = 1919-10-11,4664 (gestempelt)

BM 114235 = 1919-10-11,4666 (gestempelt)

BM 114238 = 1919-10-11,4669 (gestempelt)

BM 114240 = 1919-10-11,4671 (gestempelt)

BM 114241 = 1919-10-11,4672 (gestempelt)

BM 114242 = 1919-10-11,4673 (gestempelt)

BM 114245 = 1919-10-11,4676 (gestempelt)

BM 114248 = 1919-10-11,4679 (gestempelt)

BM 114249 = 1919-10-11,4680 (gestempelt)

BM 114250 = 1919-10-11,4681 (gestempelt)

BM 114251 = 1919-10-11,4682 (gestempelt)

BM 114253 = 1919-10-11,4684 (gestempelt)

BM 137417 = 1979-12-18,52 (gestempelt);

Herkunft: Ur.

B) IM 66434 (gestempelt): S. as-Siwani, Sumer 18 (1962) 189 (arabischer Teil) (Kopie); Herkunft: Ur.

C) Mehrere Exemplare: unpubl., vgl. C.J. Gadd, L. Legrain, UET I S. XXIV; dazu gehören neben den unter Text A) erwähnten Backsteinen die gestempelten Exemplare des University Museum, die H. Behrens, JCS 37 (1985) 231 zu 11. nennt:

CBS 16530 (= U. 2624c)

CBS 16461 (= U. 2624b)

CBS 15327 (= U. 2624a) ("der Stempel scheint doppelt aufgestempelt zu sein");

Herkunft: Ur.

Literatur: F. Thureau-Dangin, SAK 186, b); W.W. Hallo, HUCA 33 (1962) 25: Ur-Nammu 9; S. as-Siwani, a.a.O. 188f.; E. Sollberger, J.-R. Kupper, IRSA 135 IIIA1c; C.B.F. Walker, CBI 25f. zu 18.; I. Kärki, StOr 58, 5: Urnammu 9.

Umschrift nach Text A) (BM 90004 und 90009)

1	1 ^{d}nanna	Nanna,
	2 lugal-a-ni	sein(em) Herrn,
	3 ur-^{d}nammu	hat Urnammu,
	4 lugal-uri$_5$^{ki}-ma-ke$_4$	der König von Ur,
2	1 e$_2$-a-ni	seinen Tempel
	2 mu-na-du$_3$	gebaut.
	3 bad$_3$-uri$_5$^{ki}-ma	Die Mauer von Ur
	4 mu-na-du$_3$ **(a) (1)**	hat er ihm gebaut.

a) Kol. 2:4: Text A) BM 90011 bietet **mu-MU**.

1) Kol. 2:4: Da nach Aussage von C.B.F. Walker, CBI 25f. zu 18. außer BM 114228 alle Backsteine des British Museum gestempelte Inschriften tragen, zeigt die in Anm. a) genannte Textvariante für Kol. 2:4, daß für diese Inschrift zwei verschiedene Stempel existiert haben.

Urnammu 10

Text:

Backstein: A) C.B.F. Walker, CBI 26f. zu 19. notiert folgende Exemplare des British Museum:

BM 90000 = 1979-12-20,1: E. Norris, 1R1I5; L.W. King, CT 21,7; (Kopien); ferner:

BM 124349 = 1933-10-13,2; Herkunft: Ur.

B) H. Behrens, JCS 37 (1985) 232 zu 12. nennt folgende Backsteine des University Museum:

CBS 16458 (= U. 3133a)

CBS 16528a (= U. 3133b)

CBS 16528b (= U. 3133c)

UM 35-1-396

UM 35-1-394

UM 35-1-395; vgl. schon C.J. Gadd, L. Legrain, UET I S. XXIV; L. Woolley, UE 5, 31 (wo von zwei Exemplaren die Rede ist); Herkunft: Ur (in situ in den Mauern des Zingels der Ziqqurrat).

C) Fitzwilliam Museum, Cambridge, E. 206.1934: E. Szlechter, Studia et documenta historiae et juris 31 (1965) S. nach 496 (Kopie); Herkunft: Ur.

Literatur: F. Thureau-Dangin, SAK 186, c); E. Sollberger, J.-R. Kupper, IRSA 135f. IIIA1d; C.B.F. Walker, CBI 26f. zu 19.; I. Kärki, StOr 58, 6: Urnammu 10. - Vgl. E. Szlechter, a.a.O. 495 III; die Angabe eines weiteren Duplikates bei W.W. Hallo, HUCA 33 (1962) 25: Ur-Nammu 10:iii (Edzard, Sumer 13 (1957) 176) konnte nicht verzifiziert werden.

Umschrift nach Text A)

1 ^{d}nanna	Nanna,
2 dumu-sag-	dem erst(geboren)en Sohn
3 ^{d}en-lil$_{2}$-la$_{2}$	des Enlil,
4 lugal-a-ni	sein(em) Herrn,
5 ur-^{d}nammu	hat Urnammu,
6 nita-kal-ga	der starke Mann,
7 en-unu^{ki}-ga	der Herr von Uruk,
8 lugal-uri$_{5}$^{ki}-ma	der König von Ur,
9 lugal-ki-en-gi-ki-uri-ke$_{4}$	der König von Sumer (und) Akkad,
10 e$_{2}$-temen-ni$_{2}$-guru$_{3}$	das Etemenniguru,
11 e$_{2}$-ki-ag$_{2}$-ga$_{2}$-ni	seinen geliebten Tempel,
12 mu-na-du$_{3}$	gebaut
13 ki-be$_{2}$ mu-na-gi$_{4}$	(und) hat (ihn) ihm wiederhergestellt.

Urnammu 11

Text:

Backstein: C.B.F. Walker, CBI 27 zu 20. nennt folgende gestempelte Exemplare des British Museum :

BM 90001 = 1979-12-20,2

BM 90008 = 1979-12-20,8

BM 90013 = 1979-12-20,13

BM 90016 = 1979-12-20,15

BM 90018 = 1979-12-20,17

BM 90800: E. Norris, 1R1I7; L.W. King CT 21,5 (= BM 90001); (Kopien); ferner:

BM 90722 = 1979-12-20,324;

Herkunft: Larsa.

Literatur: F. Thureau-Dangin, 186, e); W.W. Hallo, HUCA 33 (1962) 25: Ur-Nammu 10, C.B.F. Walker, CBI 27 zu 20.; I. Kärki, StOr 58, 6f.: Urnammu 11.

1 ^{d}utu	Utu,
2 lugal-a-ni	sein(em) Herrn,
3 ur-^{d}nammu	hat Urnammu,
4 nita-kal-ga	der starke Mann,
5 lugal-uri$_5$^{ki}-ma	der König von Ur,
6 lugal-ki-en-gi-ki-uri-ke$_4$	der König von Sumer (und) Akkad,
7 e$_2$-a-ni	seinen Tempel
8 mu-na-du$_3$	gebaut.

Urnammu 12

Text: IM Nr. ? (Steintafel): F. Safar, Sumer 3 (1947) Taf. gegenüber S. 235 (arabischer Teil), Fig. 1 b) (Kopie); F. Safar, M.A. Mustafa, S. Lloyd, Eridu (Baghdad 1981) 65; 229, Fig. 108, 2 (Kopie); Herkunft: Eridu.

Literatur: W.W. Hallo, HUCA 33 (1962) 25: Ur-Nammu 12; F. Safar, M.A. Mustafa, S. Lloyd, a.a.O. 228, 2); I. Kärki, StOr 58, 7: Urnammu 12.

1 ^{d}en-ki	Enki,
2 lugal-a-ni	sein(em) Herrn,
3 ur-^{d}nammu	hat Urnammu,
4 nita$^{!}$-kal-ga	der starke Mann,
5 lugal-uri$_{5}^{ki}$-ma	der König von Ur,
6 lugal-ki-en-gi-ki-uri-ke$_{4}$	der König von Sumer (und) Akkad,
7 e$_{2}$-a-ni	seinen Tempel
8 mu-na-du$_{3}$	gebaut.

Urnammu 13

Text: A) MLC 2629 (Steintafel): A.T. Clay, BRM IV 44 (Kopie); Herkunft: ?.

B) VA 10938 (= W. 13936a) (Bronzenagel, Korbträger; heute verloren; Zeilenaufteilung (nach Photo) wie Text A) und E)); VA 10945 (= W. 13936 b) (Tafel aus Steatit; Vs: flach; Rs: gewölbt; Vs 1-8 = A)/E) Vs. 1-Rs. 1; Rs 1-2 = A)/E) Rs 2-3): A. Falkenstein, UVB 5, Taf. 17,b (Photo des Bronzenagels); Taf. 17,c (Photo der Steatittafel); S.A. Rashīd, Gründungsfiguren, Taf. 24, Nr. 125 (Umzeichnung); J. Marzahn, AoF 14/1 (1987) 32 zu 12. (Kopie); Herkunft: Uruk, Eanna-Ziqqurrat.

C) BM 113896 (Bronzenagel, Korbträger); E. Douglas van Buren, Foundation Figurines, Pl. X Fig. 18; Chr. Zervos, L'art de la Mésopotamie, p. 225; E. Strommenger, Mesopotamien, Abb. 146 rechts; A. Salonen, HAM I pl. LXXXVII; (Photos); S.A. Rashīd, Gründungsfiguren, Taf. 24, Nr. 126 (Umzeichnung); Herkunft: Kunsthandel, Uruk(?).

D) Burrel Collection, Art Gallery, Glasgow (Bronzenagel, Korbträger): S.A. Rashīd, Gründungsfiguren, Taf. 25, Nr. 127 (Umzeichnung); vgl. W.W. Hallo, HUCA 33 (1962) 26 Urnammu 13:iii mit Anm. 205 und Verweis auf W. Wells, AfO 18 (1957-58) 164, 4; Herkunft: Kunsthandel, Uruk(?).

E) *Coll. Erlenmeyer, Basel (vollständig erhaltene Tafel aus Steatit; Vs: flach; Rs: gewölbt): unpubl.; Herkunft: ?.

F) *BM 113866 = 1919-7-12,615 (vollständig erhaltene Tafel aus Steatit; Vs: flach; Rs: gewölbt): unpubl., vgl. British Museum. A Guide (1922) 85 zu 63.; Herkunft: ?.

G) IM 45428 (Bronzenagel, Korbträger): F. Basmachi, Treasures of the Iraq Museum (Baghdad 1975-76) Abb. 100 links; S.A. Rashid, Gründungsfiguren, Taf. C, Nr. 124; (Photos); Taf. 24, Nr. 124 (Umzeichung); Herkunft: Uruk.

H) *IM 45429 (= W. 17922) (vollständig erhaltene Tafel aus Steatit; Vs: flach; Rs: gewölbt): F. Basmachi, Treasures of the Iraq Museum (Baghdad 1975-76) Abb. 100 Mitte (Zeilenaufteilung wie Text A) und E)); Herkunft: Uruk.

Literatur: A. Falkenstein, UVB 5 (1934) 19; W.W. Hallo, HUCA 33 (1962) 25f.: Ur-Nammu 13; J. Marzahn, AoF 14/1 (1987) 32f. zu 12.; I. Kärki, StOr 58, 7f.: Urnammu 13. - Vgl. S.A. Rashīd, Gründungsfiguren, S. 26f..

Umschrift nach Text A) und E)

Vs 1 ^{d}inanna	Inanna,
2 nin-e$_2$-an-na	der Herrin von E'anna,
3 nin-a-ni	seine(r) Herrin,
4 ur-^{d}nammu	hat Urnammu,
5 nita-kal-ga	der starke Mann,
6 lugal-uri$_5$^{ki}-ma	der König von Ur,
7 lugal-ki-en-gi-ki-uri-ke$_4$	der König von Sumer (und) Akkad,
Rs 1 e$_2$-a-ni	ihren Tempel
2 mu-na-du$_3$ **(a)**	gebaut
3 ki-be$_2$ mu-na-gi$_4$	(und) hat (ihn) ihr wiederhergestellt.

a) Text E): **-du$_3$$^!$(=NI)**.

Urnammu 14

Text: CBS 841 (Basalttafel): H.V. Hilprecht, BE I/1 14 (Kopie); Herkunft: Nordbabylonien, vielleicht Keš.

Literatur: F. Thureau-Dangin, SAK 188, m); W.W. Hallo, HUCA 33 (1962) 26: Ur-Nammu 14; I. Kärki, StOr 58, 8: Urnammu 14. - Vgl. A. Poebel, PBS IV/I S. 28; G.B. Gragg, TCS 3, 160.

Vs	1 ^{d}nin-ḫur-sag	Ninḫursag,
	2 nin-a-ni	seine(r) Herrin,
	3 ur-^{d}nammu	hat Urnammu,
	4 nita-kal-ga	der starke Mann,
	5 lugal-uri$_5$^{ki}-ma	der König von Ur,
	6 lugal-ki-en-gi-ki-uri-ke$_4$	der König von Sumer (und) Akkad,
	7 [e$_2$(?)-k]eš$_3$^{ki} **(1)**	das [Ek]eš(?),
	8 [e$_2$-k]i-ag$_2$-ga$_2$-ni	ihren [ge]liebten [Tempel],
Rs	1 [m]u-na-du$_3$	gebaut.

1) Vs 1:7: Ergänzung mit D.O. Edzard, RlA 5, 571 s.v. Keš. Die Ergänzung von **e$_2$** bleibt jedoch wegen der knappen Raumverhältnisse im Bruch unsicher. F. Thureau-Dangin, SAK 188, m) und A. Poebel, IV/I S. 28 nehmen für diese Zeile nur **[k]eš$_3$^{ki}** an und G.B. Gragg, TCS 3, 160 liest in Vs 7-8 sogar nur **[k]eš$_3$^{ki} [k]i-ag$_2$-ga$_2$-ni**"her beloved keš$_3$".
Zum Nebeneinander von **e$_2$-keš$_3$^{ki}** und **keš$_3$^{ki}** vgl. etwa Å. Sjöberg, TCS 3, 22 TH 7, Z. 87.90 (**keši$_3$^{ki}**), Z. 94.99 (**e$_2$-keši$_3$^{ki}**) oder G. Gragg, TCS 3, 167ff. (s. dazu D.O. Edzard, RlA 5, 572). - Zur Lesung **keš$_3$** bzw. einer möglichen älteren Aussprache **keši$_3$** s. D.O. Edzard, RlA 5, 571; ders., RlA 5, 573 zum Forschungsstand über die Lage von Keš.

Urnammu 15

Text: *BM 114187 = 1919-10-11,277 (Tafel aus Kalkstein): C.J. Gadd, L. Legrain, UET I 47 (Kopie); H.R. Hall, JEA 9 (1923) pl. XXXVII 4 (Photo der Vs); Herkunft: Ur, Palast.

Literatur: C.J. Gadd, L. Legrain, UET I S. 10, Nr. 47; W.W. Hallo, HUCA 33 (1962) 26: Ur-Nammu 15; I. Kärki, StOr 58, 8f.: Urnammu 15. - Vgl. schon G. Barton, RISA 364f., 13..

Vs	1 ^{d}⸢nin⸣-sun$_2$	Ninsun,
	2 dingir-ra-ni	seine(r) (Schutz)göttin,
	3 ur-^{d}nammu	hat Urnammu,
	4 nita-kal-ga	der starke Mann,
	5 lugal-uri$_5$^{ki}-ma	der König von Ur,
	6 lugal-ki-en-gi-ki-uri-ke$_4$	der König von Sumer (und) Akkad,
	7 e$_2$-maḫ	das Emaḫ,
Rs	1 ⸢e$_2$⸣-[ki]-⸢*ag$_2$-*ga$_2$-ni⸣	ihren [ge]liebten Tempel,
	2 mu-na-du$_3$	gebaut.

Urnammu 16

Text: Museums-Nr. ? (Türangelstein aus schwarzem Trachyt): H.V. Hilprecht, BE I/2 121 (Kopie); Herkunft: Nippur, südöstlich der Ziqqurrat.

Literatur: F. Thureau-Dangin, SAK 188, k); W.W. Hallo, HUCA 33 (1962) 26: Ur-Nammu 16; I. Kärki, StOr 58, 9: Urnammu 16.

1 ^{d}en-lil$_2$	Enlil,
2 lugal-kur-kur-ra	dem Herrn aller Länder,
3 lugal-a-ni	sein(em) Herrn,
4 ur-^{d}nammu	hat Urnammu,
5 nita-kal-ga	der starke Mann,
6 lugal-uri$_5$^{ki}-ma	der König von Ur,
7 lugal-ki-en-gi-ki-uri-ke$_4$	der König von Sumer (und) Akkad,
8 e$_2$-kur	das Ekur,
9 e$_2$-ki-ag$_2$-ga$_2$-ni	seinen geliebten Tempel,
10 mu-na-du$_3$	gebaut.

Urnammu 17

Text:

Türangelstein:	A) U. 6744: C.J. Gadd, L. Legrain, UET I 37 (Kopie von Z. 2); Herkunft: Ur, südöstlich des Giparku.
	B) *BM 119008 (= U. 2736): C.J. Gadd, L. Legrain, UET I 36 (Kopie); Herkunft: Ur, Giparku, Raum 6.
Literatur:	G. Barton, RISA 274, 14. (UET I 37); 362, 4. (UET I 36); C.J. Gadd, L. Legrain, UET I S. 8, Nr. 36 und 37; W.W. Hallo, HUCA 33 (1962) 26: Ur-Nammu 17; I. Kärki, StOr 58, 9f.: Urnammu 17.

Umschrift nach Text B)

1 ^{d}inanna	Inanna,
2 nin-nun-na **(a)**	der fürstlichen Herrin, **(1)**
3 nin-a-ni	seine(r) Herrin,
4 ur-^{d}nammu	hat Urnammu,
5 nita-kal-ga	der starke Mann,
6 lugal-uri$_{5}^{ki}$-ma	der König von Ur,
7 lugal-ki-en-gi-ki-uri-ke$_{4}$	der König von Sumer (und) Akkad,
8 eš$_{3}$-bur	das Ešbur,
9 e$_{2}$-ki-ag$_{2}$-a-ni	ihren geliebten Tempel,
10 mu-na-du$_{3}$	gebaut.

a) Z. 2: Var. in Text A): **nin-ku$_{3}$-nun-na**.

1) Z. 2: Während das Epitheton **nin-nun-na** in diesen Texten singulär ist, bietet Text A) die Variante **nin-ku$_{3}$-nun-na** "(der) reinen, fürstlichen Herrin", ein Epitheton, das auch in Urbaba 1,4:8 für Inanna belegt ist; vgl. auch den GN **^{d}nin-ku$_{3}$-nun-na** in Urbaba 8,3:1 (als Beinamen von Inanna mit einem Tempel in **URUxKAR$_{2}^{ki}$**) und in Ur 24:1.

Urnammu 18

Text:

Türangelstein: A) CBS 16564 (=U. 6354; s. auch Text C)): C.J. Gadd, L. Legrain, UET I 38 (Kopie); pl. G (Photo); Herkunft: Ur, Giparku, Raum A.5.

B) *BM 115025 (Fragment aus Diorit mit vollständiger 1-Kol. Inschrift): unpubl., vgl. British Museum. A Guide (1922) 60 zu 53.; Herkunft: ?.

C) IM 1135 (= U. 6354; s. auch Text A); aus Kalkstein): unpubl., Angaben nach dem Inventarbuch des Iraq Museums; Herkunft: Ur.

Literatur: C.J. Gadd, L. Legrain, UET I S. 8, Nr. 38; W.W. Hallo, HUCA 33 (1962) 26: Ur-Nammu 18; I. Kärki, StOr 58, 10: Urnammu 18. - Vgl. auch G. Barton, RISA 362, 5..

1 ^{d}nin-e$_{2}^{!}$-gal	Ninegal,
2 nin-a-ni	seine(r) Herrin,
3 ur-^{d}nammu	hat Urnammu,
4 nita-kal-ga	der starke Mann,
5 lugal-uri$_{5}^{ki}$-ma	der König von Ur,
6 lugal-ki-en-gi-ki-uri-ke$_{4}$	der König von Sumer (und) Akkad,
7 e$_{2}$-a-ni	ihren Tempel
8 mu-na-du$_{3}$	gebaut.

Urnammu 19

Text:

Türangelstein: U. 6353 (= BM 118548 (= 1927-5-27,4); = BM 118550 (= 1927-5-27,6); = CBS 16567 (mitgeteilt von H. Behrens); = IM 1133 (aus Kalkstein); = IM 1134 (aus Kalkstein); = IM 1137 (aus Kalkstein)) (insgesamt sind 13 Exempl. der Inschrift in AJ 6 (1926) 366 genannt): C.J. Gadd, L. Legrain, UET I 35 (Kopie); Herkunft: Ur, Giparku (teilw. wiederverwendet von Amarsuen).

Literatur: C.J. Gadd, L. Legrain, UET I S. 7, Nr. 35; W.W. Hallo, HUCA 33 (1962) 26: Ur-Nammu 19; E. Sollberger, J.-R. Kupper, IRSA 138 IIIA1i; I. Kärki, StOr 58, 10: Urnammu 19. - Vgl. G. Barton, RISA 360, 8.3..

1 ^{d}⌜nin-gal⌝	Ningal,
2 nin-a-ni	seine(r) Herrin,
3 ur-^{d}nammu	hat Urnammu,
4 nita-kal-ga	der starke Mann,
5 lugal-uri$_5$^{ki}-ma	der König von Ur,
6 lugal-ki-en-gi-ki-uri-ke$_4$	der König von Sumer (und) Akkad,
7 gi$_6$-par$_3$-ku$_3$-ga-ni	ihr Giparku
8 mu-na-du$_3$	gebaut.

Urnammu 20

Text: University Museum Nr. ? (Türangelstein): unpubl., vgl. G. Barton, RISA 274f., 13. (Umschrift); Herkunft: ?.

Literatur: G. Barton, ibidem; W.W. Hallo, HUCA 33 (1962) 26: Ur-Nammu 20; I. Kärki, StOr 58, 10f.: Urnammu 20.

Dieser Text war im University Museum nicht auffindbar. Der Text stimmt bis auf den Namen in Z. 3 - auch in der Zeilenanordnung - wörtlich überein mit Amarsuen 13, der bislang auf dreizehn Türangelsteinen überliefert ist, von denen sich zumindest zwei Exemplare im University Museum, Philadelphia, befinden. Es wird vermutet, daß dieser Text nicht existiert: Wahrscheinlich hat G. Barton die Namen **ur-^{d}nammu** in Z. 3 dieses Textes und **^{d}amar-^{d}suen** in Amarsuen 13:3 verwechselt und so den Text 'geschaffen', der bislang nur in RISA 274f., 13. in G. Barton's Umschrift überliefert ist. Diese Annahme wird gestützt durch den Titel **lugal-an-ub-da-limmu-ba-ke$_4$**"König der vier Weltgegenden", der für Urnammu bislang nur in Z. 6 dieses Textes zu belegen ist (vgl. dazu schon W.W. Hallo, AOS 43, 53 Anm. 1 mit Verweis auf Th. Jacobsen, AS 11, 203 Anm.31); sonst begegnet dieser Titel in den hier vorliegenden Texten erst von Šulgi an, s. die Belegsammlung bei H. Behrens, FAOS 10, s.v. **lugal** II C 1. Dieser Text wird daher nach der Umschrift von G. Barton hier nicht wiederholt.

Urnammu 21

Text: A) BM 90826 (Türangelstein): L.W. King, CT 21,6; E. Norris, IR1I8; (Kopien); L.W. King, H.R. Hall, Egypt and Western Asia in the Light of Recent Discoveries (London 1907) 188 (Photo); Herkunft: Nippur.

B) *BM 103352 = 1911-4-8,42 (kleine Stele aus Diorit mit 1-Kol. Inschrift (vollständig)); unpubl., vgl. British Museum. A Guide (1922) 60 zu 31.; Herkunft: ?.

Literatur: F. Thureau-Dangin, SAK 188,l); G. Barton, RISA 272, 11.; W.W. Hallo, HUCA 33 (1962) 26: Ur-Nammu 21; I. Kärki, StOr 58, 11: Urnammu 21.

Umschrift nach Text A) und B)

1 ^{d}nin-lil$_2$	Ninlil,
2 nin-a-ni	seine(r) Herrin,
3 ur-^{d}nammu	hat Urnammu,
4 nita-kal-ga	der starke Mann,
5 lugal-uri$_5$^{ki}-ma	der König von Ur,
6 lugal-ki-en-gi-ki-uri-ke$_4$	der König von Sumer (und) Akkad,
7 e$_2$-šu-tum-ki-ag$_2$-ga$_2$-ni	ihr geliebtes Ešutum
8 mu-na-du$_3$	gebaut.

Urnammu 22

Text

Tonnagel: A) U. 169; 520; 722 (= IM 238); 917 (= IM 288); 1516 (= IM 741); 1517; 1597 (= *BM 117 142 = 1924-9-20,391; Kollation und Zuordnung durch C.B.F. Walker); 2595 (= BM 119054 = 1927-10-3,49); 2795 (= BM 119026 = 1927-10-3,29); 6307 (= *IM 90961; Fragment); 7701 (dieser Tonnagel ist zweimal inventarisiert: IM 3565/A-B (alte IM-Nummer, s. auch unten unter Text B)) und *IM 90916 (Fragment mit vollständigem Text)); 10135 a (= *IM 90965; Fragment, Inschrift stark abgerieben, aber vollständig erhalten); 13613 a-b (= *IM 92788; Fragment mit fast vollständiger Inschrift); U. pa (Fragment): C.J. Gadd, L. Legrain, UET I 45 (Kopie) mit Kollation bei E. Sollberger, UET

VIII S. 26, 10. zu UET I 45; (die U.-Nummern, die mit den IM-Nummern identifiziert werden konnten, sind sowohl hier unter Text A) bei der Aufarbeitung der U.-Nummern (in Anschluß an UET I S. XI zu 45 und E. Sollberger, ibidem) als auch unter Text B) genannt, wo die IM-Nummern in Anschluß an D.O. Edzard, Sumer 13 (1957) 176 erfaßt sind.

Herkunft (Angaben nach UET I S. XI zu 45): U. 169; 520; 722; 917; 1516; 1517; 2595; 2795: Diqdiqqah;

Herkunft (Angaben nach E. Sollberger, ibidem): U. 6307: Ur, Bereich des 'Dimtab-ba'-Tempels; U. 7701: Ur, Bereich der Larsa-Häuser, auf der südwestlichen Seite des Temenos; U. 10135 a: Ur, Bereich des Königsfriedhofs; U. 13613 a: Ur, aus dem 'Larsa-Schutt' über dem Königsfriedhof; U. 13613 b: Ur, mitten aus der Stadtmauer im Nordosten; U. pa: Ur.

Ferner: *BM 30065 = 56-9-3,1479 (Fragment mit fragmentarischer Inschrift): unpubl.; Kollation: K. Volk; Herkunft: ?.

*BM 30084 = 56-9-3,1499 (Fragment mit fragmentarischer Inschrift): unpubl.; Zuordnung zu Urnammu 22 unsicher; möglich erscheint auch eine Zuordnung zu Urnammu 23 A)(?); Kollation: K. Volk; Herkunft: ?.

*BM 30088 = 56-9-3,1503 (Fragment mit fragmentarischer Inschrift): unpubl.; Kollation: K. Volk; Herkunft: ?.

B) IM 100 (= U. 229); 741 (= *U. 1516); 3565/A-B (= *U. 7701); 22868. (IM 238 (= U. 722) und IM 384 (= U. 522) gehören hierher oder zu Urnammu 24 C); IM 288 (= U. 917) und IM 385 (= U. 526) gehören hierher oder zu Urnammu 23 B)): unpubl., vgl. D.O. Edzard, Sumer 13 (1957) 176; die Vermutung von E. Sollberger, UET VIII S. 26, 10. zu UET I 45, daß einige dieser Tonnägel identisch seien mit denen, deren Grabungsnummern oben unter Text A) aufgeführt sind, wurde durch die Kollation bestätigt; s. auch oben unter Text A); Herkunft: Ur.

Darüberhinaus wurden folgende Tonnägel (Fragmente mit fragmentarischer Inschrift) festgestellt: *IM 90955; 90969; 92799; Herkunft: ?.

C) UCLM 9-1777: unpubl.; vgl. D.A. Foxvog, RA 72 (1978) 41; Herkunft: ?.

D) Vgl. Urnammu 23 Text A) und B).

E) VA 15447 (= W. 6434) (Fragment): J. Marzahn, AoF 14/1 (1987) 33 zu 13. mit Tafel I Abb. 1. (Photo); Herkunft: Uruk.

Literatur: C.J. Gadd, L. Legrain, UET I S. 9f., Nr. 45; G. Barton, RISA 362, 11.; Th. Jacobsen, Iraq 22 (1960) 182 (a); W.W. Hallo, HUCA 33 (1962) 26: Urnammu 22; I. Kärki, StOr 58, 11f.: Urnammu 22; J. Marzahn, AoF 14/1 (1987) 33 zu 13..

Umschrift nach Text A) (UET I 45)

1 ^{d}en-lil$_2$	Enlil,
2 lugal-kur-kur-ra **(a)**	dem Herrn aller Länder,
3 lugal-a-ni	sein(em) Herrn,
4 ur-^{d}nammu	hat Urnammu,
5 nita-kal-ga	der starke Mann,
6 lugal-uri$_5$^{ki}-ma	der König von Ur,
7 lugal-ki-en-gi-ki-uri-ke$_4$	der König von Sumer (und) Akkad,
8 i$_7$-uri$_5$^{ki}-ma	den I'urima(-Kanal), **(1)**
9 i$_7$-nidba-ka-ni	seinen Kanal für die Speiseopfer,
10 mu-na-ba-al	gegraben. **(2)**

a) Z. 2: om. in Text A) (BM 30088).

1) Z. 8: Zum **i$_7$-uri$_5$^{ki}-ma** ("Kanal von Ur") s. D.O. Edzard, G. Farber, RGTC 2, 294 s.v. Uri ("evtl. mit H.J. Nissen, Uruk Countryside 44 ein Name für den Unterlauf des Euphrats").

2) Z. 10: Der hier erstmals belegte Terminus **ba-al** für das Anlegen eines Kanals (s. H. Behrens, FAOS 10, s.v. **ba-al**) ist in den aS Bau- und Weihinschriften nicht bezeugt; statt dessen begegnet dort **e--ak** "einen Graben anlegen", **e--du$_3$** "einen Graben anlegen" (wörtlich: "bauen"), **a/i$_7$--dun** "einen Kanal graben", **i$_7$ al--du$_3$** "einen Kanal mit der Hacke anlegen" (wörtlich: "bauen"), s. dazu H. Behrens, H. Steible, FAOS 6, 3 s.v. **a** !; 94ff. s.v. **e l** "Graben"; und 166f. s.v. **i$_7$**.

Urnammu 23

Text

Tonnagel: A)U. 872 (= *IM 92779); 1595 (= *IM 779); 1596 (= *IM 780); 1597; 1632 (= *IM 790); 1649 (= BM 116986 = 1924-9-20,249): C.J. Gadd, L. Legrain, UET I 46 (Kopie) mit Kollation bei E. Sollberger, UET VIII S. 26, 11. zu UET I 46; Kollation und Identifikation der U.-Nummern mit den IM-Nummern: H. Steible (s. auch unten unter Text B)); Herkunft: Diqdiqqah.

Ferner: *BM 30084 = 56-9-3,1499 (Zuordnung dieses Textes unsicher, s. dazu auch unter Urnammu 22 A)).

B) IM 779 (= *U. 1595); 780 (= *U.1596); 790 (= *U.1632); 3569 (= *U. 7724); 45472; (IM 288 (= *U. 917) und IM 385 (= U. 526) gehören hierher oder zu Urnammu 22 B)): unpubl., vgl. D.O. Edzard, Sumer 13 (1957) 176; die Vermutung von E. Sollberger, UET VIII S. 26, 11. zu UET I 46, daß vier dieser Tonnägel identisch mit den unter A) nach ihren Grabungsnummern genannten Texten (darunter aber nicht U. 872) seien, wurde im wesentlichen durch die Kollation bestätigt; s. auch oben unter Text A); Herkunft: Diqdiqqah(?).

C) EŞEM 13539 (Fragment, enthält Z. 1-6): unpubl., vgl. F.R. Kraus, HEHK I 113 (d); Herkunft: ?.

D) E. 733 (Fragment, enthält Z. 1-3; 9-11): K. Oberhuber, IKT Taf. I Text 1 (Kopie); Taf. II (Photos); Herkunft: Eridu(?).

E) Birmingham City Museum 287'35 B: unpubl., vgl. A.R. George, Iraq 41 (1979) 122 zu II.B.26.; Herkunft: ?.

F) VA 15448 (= W. 13201) (Fragment): J. Marzahn, AoF 14/1 (1987) 33f. zu 14. mit Taf. I Abb. 1. (Photo); Herkunft: Uruk.

Literatur: C.J. Gadd, L. Legrain, UET I S. 10, Nr. 46; G. Barton, RISA 362f., 12; K. Oberhuber, IKT S. 6ff.; Th. Jacobsen, Iraq 22 (1960) 182f. (b); W.W. Hallo, HUCA 33 (1962) 27: Ur-Nammu 23; I. Kärki, StOr 58, 12f.: Urnammu 23; J. Marzahn, AoF 14/1 33f. zu 14..

Umschrift und Text A) (UET I 46)

1 ^{d}en-lil$_{2}$	Enlil,
2 lugal-kur-kur-ra	dem Herrn aller Länder,
3 lugal-a-ni	sein(em) Herrn,
4 ur-^{d}nammu	hat Urnammu,
5 lugal-uri$_{5}^{ki}$-ma	der König von Ur,

6 lugal-ki-en-gi-ki-uri-ke$_4$	der König von Sumer (und) Akkad,
7 e$_2$-a-ni	seinen Tempel
8 mu-na-du$_3$	gebaut.
9 i$_7$-en-eren$_2$-nun **(a)**	Den I'enerennun(-Kanal), **(1)**
10 i$_7$-nidba-ka-ni	seinen Kanal für die Speiseopfer,
11 mu-na-ba-al	hat er ihm gegraben.

a) Z. 9: Text A) (U. 872 = IM 92779) om. **eren$_2$**; s. dazu E. Sollberger, UET VIII S. 26, 11. zu UET I 46.

1) Z. 9: Zu **i$_7$-en-eren$_2$-nun** (, wofür K. Oberhuber, IKT S. 8 einen Verbindungskanal zwischen Eridu und Ur vermutet,) s. zuletzt D.O. Edzard, G. Farber, RGTC 2, 261 s.v. Enerennun.

Urnammu 24

Text

Tonnagel: A) U. 918 (= IM 22908(?), s. dazu unten unter Text C)); 1634 (= BM 116984 = 1924-9-20,247); *2521 (drei Exemplare mit dieser U.-Nummer: *BM 119027 = 1927-10-3,22; *BM 119042 = 1927-10-3,37 (Fragment mit stark zerstörter Inschrift) und *BM 119055 = 1927-10-3,50 (Fragment); *U. 7771 (dieser Tonnagel ist zweimal inventarisiert: IM 3572 (alte IM-Nummer, s. auch unten unter Text C)) und *IM 92794 (Fragment mit fast vollständiger Inschrift); 10135 B (= *IM 92795; Fragment mit fragmentarischer Inschrift); 13001 (= *IM 90963; Fragment mit fast vollständiger Inschrift); 13602(!) (= *IM 90967; Fragment mit fast vollständiger Inschrift); 13603 (= *IM 90968; Fragment); U. na (= BM 116985 = 1924-9-20,248); U. oa (Fragment): C.J. Gadd, L. Legrain, UET I 42 (Kopie von U. 918) mit Kollation bei E. Sollberger, UET VIII S. 26, 9. zu UET I 42; Herkunft: U. 918; 1634; 2125: Ur, Diqdiqqah; U. 7771: Ur, Gebiet des Königsfriedhofs (Versuchsgraben E); U. 10135 B: 'found by PG 875!'; U. 13602(!) und 13603: Ur, im Larsa-zeitlichen Schutt oberhalb des Königsfriedhofs; U. na; oa: ?; Kollation: im British Museum: M. Geller, K. Volk, C.B.F. Walker; im Iraq-Museum: H. Steible; s. auch unter Text C).

Ferner: *UM 35-1-148 (Fragment mit vollständiger Inschrift): unpubl.; Herkunft: ?.

B) NYPL D-28: unpubl., vgl. B. Schwartz, BNYPL 44 (1940) 808 Nr. 25; Herkunft: ?.

C) IM 3572 A (= *U. 7771); 22908 (da IM 3572 A durch Kollation mit U. 7771 identifiziert werden konnte (s. oben unter Text A)), müßte nach der Vermutung von E. Sollberger, ibidem IM 22908 mit U. 918 identisch sein); (IM 238 (= U. 722) und IM 384 (= U. 522) gehören hierher oder zu Urnammu 22 B)): unpubl., vgl. D.O. Edzard, Sumer 13 (1957) 176; Herkunft: Ur(?). S. auch oben unter Text A).

Darüberhinaus wurden folgende Tonnägel (Fragmente mit fragmentarischer Inschrift) festgestellt: *IM 90943; *90944; *90962; Herkunft: ?.

D) FM E. 64.1935 (Tonnagel): E. Szlechter, Studia et documenta historiae et juris 31 (1965) 496 (Kopie); Herkunft: ?.

Literatur: W.W. Hallo, HUCA 33 (1962) 27: Ur-Nammu 24; E. Sollberger, J.-R. Kupper, IRSA 136 IIIA1e; I. Kärki, StOr 58, 13: Urnammu 24. - Vgl. G. Barton, RISA 362, 9.; E. Szlechter, a.a.O. 495 II; Th. Jacobsen, Iraq 22 (1960) 183 (c).

Umschrift nach Text A)

1 ^{d}nanna	Nanna,
2 lugal-a-ni **(1)**	seine(m) Herrn,
3 ur-^{d}nammu	hat Urnammu,
4 nita-kal-ga	der starke Mann,
5 lugal-uri$_{5}^{ki}$-ma	der König von Ur,
6 lugal-ki-en-gi-ki-uri-ke$_{4}$	der König von Sumer (und) Akkad,
7 i$_{7}$-nun	den Inun(-Kanal), **(2)**
8 i$_{7}$-ki-ag$_{2}$-ni	seinen geliebten Kanal,
9 mu-na-ba-al	gegraben.

1) Z. 2: Lesung **lugal-a-ni** nach Kollation bei E. Sollberger, UET VIII S. 26, 9. zu UET I 42 (, wo **lugal-a-ni-ŠE$_{3}$** kopiert ist).

2) Z. 7: Zum **i$_{7}$-nun**(-Kanal) s. D.O. Edzard, G. Farber, RGTC 2, 282f. s.v. Nun.

Urnammu 25

Text
Tonnagel: A)*BM 30051 = 59-10-14,85 (Fragment);

*BM 30052 = 59-10-14,86
*BM 30053 = 59-10-14,87
*BM 30054 = 59-10-14,88
*BM 30055 = 59-10-14,89
(Fragmente mit fast vollständiger Inschrift);
*BM 30057 = 59-10-14,91
*BM 30068 = 56-9-3,1482
*BM 30075 = 56-9-3,1489
*BM 30076 = 56-9-3,1490
*BM 30077 = 56-9-3,1491
*BM 30078 = 56-9-3,1492
*BM 30079 = 56-9-3,1493
*BM 30080 = 56-9-3,1494
*BM 30081 = 56-9-3,1495
*BM 30082 = 56-9-3,1497
*BM 30083 = 56-9-3,1498
*BM 30085 = 56-9-3,1500
*BM 30087 = 56-9-3,1502
*BM 90911
(Fragmente mit fragmentarischer Inschrift);

alle Exemplare 1-kol. geschrieben: L.W. King, CT 21, 8 (Kopie von *BM 30051 mit Varianten); Herkunft: Ur.

B) *BM 30090 = 56-9-3,1496 (Fragment mit fast vollständiger Inschrift): L.W. King, HSA Pl. XXXIII gegenüber S. 314 unten rechts (Photo); E. Norris, 1R1I4 (Kopie); Herkunft: Ur oder Eridu (?).

C) "Numerous copies": unpubl., C.J. Gadd, L. Legrain, UET I S. XXIV (ganz oder teilweise identisch mit Text A), B), D) und E) (?)); Herkunft: Ur.

D) Ganz oder teilweise identisch mit Text C): U. 331 (= *IM 90906; Fragment mit fragmentarischer Inschrift); 2648 (= BM 119017 = 1927-10-3,12) (vollständig erhalten); 2648 E (= BM 119018 = 1927-10-3,13) (vollständig erhalten); 2648 A (= BM 119019 = 1927-10-3,14) (vollständig erhalten); 2648 D (= BM 119020 = 1927-10-3,15) (vollständig erhalten); 6081 (= *IM 90907; Fragment mit fragmentarischer Inschrift); 7713 (= *IM 90964; = IM 3568 (alte IM-Nummer); vollständig erhalten); 7717 (= *IM 90910; Fragment mit fast vollständiger Inschrift); 10102 a-g (= *IM 90904 (Fragment); = *IM 90905 (Fragment); = *IM 90908 (Fragment); = *IM 90909 (Fragment); = *IM 90919-90922 (4 Fragmente); = *IM 90937 (Fragment mit vollständiger Inschrift)); 13604 a-f (= *IM 90903 (Fragment mit fast vollständigem Text); = *IM 90912-90914 (3 Fragmente); = *IM 90917 (Fragment mit fast vollständigem Text); = *IM 90918 (Fragment); = *IM 90930 (Fragment)); 18769 (= *IM 90929; Fragment); 18786 (= *IM 90923; Text vollständig); U. rb (= *BM 124352 = 1933-10-13,5; Text vollständig); U. sb (= BM 124353 = 1933-10-13,6; Text vollständig); U. tb (= BM 124354 = 1933-10-13,7; Text vollständig); U. ub (= BM 124355 = 1933-10-13,8; Text beschädigt); U. vb-yb (ein vollständiger und drei beschädigte Tonnägel mit vollständigem Text); U. zb; ac-zc; ad-ed; (32 Fragmente); im University Museum, Philadelphia, befinden sich zehn Exemplare mit 1-kol. Inschrift:

*UM 33-35-194

*UM 33-35-195

*UM 35- 1-149

*UM 35- 1-150 (2 Exemplare dieser Nummer)

*UM 35- 1-151

*UM 35- 1-152 (sieben Fragmente)

*UM 84- 3- 1

*CBS 19704 (zwei vollständig erhaltene Exemplare)

*CBS 13148 (Fragment mit vollständiger Inschrift);

unpubl., vgl. E. Sollberger, UET VIII S. 35f., 46. mit ausführlichen Herkunftsangaben; vgl. noch L. Woolley, UE V pl. 15a für ein Photo mit Tonnägeln in situ.

E) Teilweise identisch mit Text C)(?) oder Text D)(?): IM 96 (= U. 201); 103 (= U. 243 A); 114 (= U. 297); 115 (= U. 300); 123 (= U. 345); 134 (= U. 436); 135 (= U. 437); 177 (= U. 527); 239 (= U. 747); 240 (= U. 748); 376 (= U. ?); 377 (= U. ?); 380 (= U. 328); 386 (= U. 529); 387 (= U. 530); 388 (= U. 531); 389 (= U. 533); 392 (= U. ?); 566/A-D (= U. 1116, a-c); 906/A-B (= U. 2648 B, C); 1351 (= U. ?); 2222 (= *IM 49857/5 (vollständiges Exemplar); 3568/1-21 (= U. 7713); 3574 (= U. 7779); 9226 (= U. ?); 22866/A-M (= U. ?); 22907 (= U. ?); 49857/1-6 (49857/5 = IM 2222, s.o.): unpubl., vgl. D.O. Edzard, Sumer 13 (1957) 176; Herkunft: Ur(?).

Darüberhinaus wurden durch die Kollation folgende Exemplare mit neuen IM-Nummern festgestellt, die möglicherweise zum Teil mit den o.g. alten IM-Nummern identisch sind:

*IM 2412/1 (vollständig)

*IM 2412/12 (vollständig)

IM 90926 (Fragment, fast völlig zerstörter Text)

IM 90927 (Fragment, fragmentarischer Text)

IM 90928 (Fragment, fragmentarischer Text)

IM 90931 (Fragment, fragmentarischer Text)

IM 90932 (Fragment, fragmentarischer Text)

IM 90936 (Fragment, fast vollständiger Text)

IM 90938 (Fragment, fast vollständiger Text)

IM 90939 (Fragment, fragmentarischer Text)

IM 90940 (Fragment, fast vollständiger Text)

IM 90942 (Fragment, fast vollständiger Text)

IM 90945 (Fragment, vollständiger Text)

IM 90946

IM 90947

IM 90948

IM 90949

IM 90950

IM 90951

IM 90952

IM 90953

IM 90954

IM 92792

IM 92793

IM 92797

IM 92800

IM 92803

IM 92804

IM 92805

IM 92806:

(Fragmente mit fragmentarischer Inschrift): unpubl.; Herkunft: ?.

F) Chicago Museum of Natural History Nr. 156003: unpubl., vgl. W.W. Hallo, HUCA 33 (1962) 27: Ur-Nammu 25: v.; Herkunft: ?.

G) FM E. 3.48: E. Szlechter, Studia et documenta historiae et juris 31 (1965) 496 (Kopie); Herkunft: ?.

H) Ashm. 1935-774 (= U. 551); Ashm. 1925-663: J.-P. Grégoire, MVN 10, Nr. 17(-18) (Kopie von Ashm. 1935-774); Herkunft: Ur.

I) Birmingham City Museum 63'76 und 64'76: unpubl., vgl. A.R. George, Iraq 41 (1979) 122 zu II.B.24. und 25.; Herkunft: ?.

Literatur: F. Thureau-Dangin, SAK 188, h); W.W. Hallo, HUCA 33 (1967) 27: Ur-Nammu 25; J.-P. Grégoire, MVN 10, S. 23 zu 17. und 18.; I. Kärki, StOr 58, 13f.: Urnammu 25.

Umschrift nach Text G)

1 ^{d}nanna	Nanna,
2 amar-ban$_3$-da-an-na **(a)**	dem ungestümen Jungstier des An,
3 dumu-sag-	dem erst(geboren)en Sohn
4 ^{d}en-lil$_2$-la$_2$	des Enlil,
5 lugal-a-ni	sein(em) Herrn,
6 ur-^{d}nammu **(b)**	hat Urnammu,
7 nita-kal-ga	der starke Mann,
8 lugal-uri$_5^{ki}$ **(c)** -ma-ke$_4$	der König von Ur,
9 e$_2$-temen-ni$_2$-guru$_3$-ni	sein Etemenniguru
10 mu-na-du$_3$	gebaut.

a) Z. 2: Text E) (IM 2412/12): **amar-banda$_3$-ŠEŠ.KI**. **ŠEŠ.KI** ist wohl kaum als phonetische Variante zu **an-na** in den übrigen Texten zu verstehen (**ŠEŠ.KI** = **nan=na**), sondern als eine Doppelschreibung, die sich an dem genau an der gleichen Stelle geschriebenen **nanna** = **ŠEŠ.KI** der Z. 1 orientiert.

b) Z. 6: Text D) (U. 7717 = IM 90910) om. diese Zeile.

c) Z. 8: Es ist unsicher, ob Text A) BM 30053 das Determinativ KI schreibt, da am rechten Zeilenrand kaum Platz dafür ist.

Urnammu 26

Text

Tonnagel: A) *CBS 16231 (= U. 6019): C.J. Gadd, L. Legrain, UET I 50 (Kopie); Herkunft: Ur, Diqdiqqah.

B) *BM 119029 = 1927-10-3,24 (= U. 2701) (Kol. 1:1'-4' = A) 1:4-7; Kol. 2:1-4 = A) 2:1-4); *BM 119041 = 1927-10-3,36 (= U. 2520) (Kol. 1: abgebrochen; Kol. 2:1-4 = A) 2:1-4): unpubl., vgl. C.J. Gadd, L. Legrain, UET I S. XI zu 50; Herkunft: Ur, Diqdiqqah.

C) *IM 92814 (= U. 7722) (Zeilenaufteilung wie Text A)): unpubl., vgl. C.J. Gadd, L. Legrain, ibidem; vgl. auch E. Sollberger, UET VIII S. 26, 12. zu UET I 50; Herkunft: Ur, Diqdiqqah.

D) *BM 30086 = 56-9-3,1501: unpubl., Kollation: K. Volk, Herkunft: ?.

Literatur: C.J. Gadd, L. Legrain, UET I S. 11, Nr. 50; W.W. Hallo, HUCA 33 (1962) 27: Ur-Nammu 26; E. Sollberger, J.-R. Kupper, IRSA 136 IIIA1f; I. Kärki, StOr 58, 14f.: Urnammu 26. - Vgl. A.L. Oppenheim, JAOS 74 (1954) 14; Th. Jacobsen, Iraq 22 (1960) 184 (5); J. Finkelstein, JCS 22 (1969) 67, Z. 87ff.; W. Heimpel, ZA 77 (1987) 78 zu 34.

Umschrift nach Text A)

1	1 ^{d}nanna	Nanna,
	2 dumu-sag- **(a)**	dem erst(geboren)en Sohn
	3 ^{d}en-lil$_{2}$-la$_{2}$	des Enlil,
	4 lugal-a-ni	sein(em) Herrn,
	5 ur-^{d}nammu	hat Urnammu,
	6 nita-kal-ga	der starke Mann,
	7 lugal-uri$_{2}^{!\ ki}$-ma	der König von Ur,
	8 lugal-ki-en-gi-ki-uri-ke$_{4}$	der König von Sumer (und) Akkad,
	9 lu$_{2}$ e$_{2}$-^{d}nanna	der Mann, der den Tempel des Nanna
	10 in-du$_{3}$-a	gebaut hat,
2	1 nig$_{2}$-ul-li$_{2}$-a-ke$_{4}$ pa mu-na-e$_{3}$ **(b)**	das Althergebrachte (in voller Pracht) erstrahlen lassen. **(1)**
	2 gaba-a-ab-ka-ka	An der Küste des Meeres **(2)** **(3)**
	3 ki-SAR-a nam-ga-eš$_{8}$ bi$_{2}$-silim	hat er in(?) den (be)schriebenen(?) Orten den Fernhandel gesunden lassen **(4)**

4 ma_2-ma_2-gan šu-na mu-ni-gi_4	(und) hat ihm (= Nanna) die Magan-Schiffe in seine Hand zurückgegeben.

a) Kol. 1:2-3: Text C) schreibt Z. 2-3 in einer Zeile.

b) Kol. 2:1: Text C) schreibt **pa mu-ni:na-e_3**; vgl. dazu schon E. Sollberger, UET VIII S. 26, 12..

1) Kol. 2:1: Zu **nig_2-ul-li_2-a** "das Althergebrachte" vgl. Ean. 1,6:6-7 (bei H. Steible, FAOS 5/I 124) **nig_2-ul-li_2-a-d[a]/ gu_3 nam-mi-⌜de_2⌝** "Auf[grund] der alten Überlieferung(?) hat er (= E'annatum) fürwahr ausgerufen: '...'!". Sachlich ist zu vergleichen der Prolog des 'Kodex Urnammu/Šulgi' (s. dazu J. Finkelstein, JCS 22 (1969) 66ff. (und jetzt S.N. Kramer, OrNS 52 (1983) 453ff.)), wo in Z. 87ff. die früheren Mißstände geschildert werden, denen in Z. 104ff. die Neuregelungen folgen (zu Z. 125ff. des 'Kodex Urnammu/Šulgi' s. jetzt auch F. Yildiz, OrNS 50 (1981) 87ff.).

2) Kol. 2:2: Zu **gaba-a-ab(-ba)** "Küste des Meeres" s. zuletzt P. Steinkeller, ZA 72 (1982) 240 mit Anm. 12 ("coast of the sea").

3) Kol. 2:2-3: A. Falkenstein hat bereits in OrNS 23 (1954) auf die Parallele dieser Zeilen zu 'Kodex Urnammu(/Šulgi)' Z. 79ff. hingewiesen; ebenso A.L. Oppenheim, JAOS 74 (1954) 14; s. dazu jetzt J. Finkelstein, JCS 22 (1969) 67, Z. 79-84 und Z. 90-92 (Schilderung des Mißstandes aus früherer Zeit) und Z. 117-122 (bzw. 124) (Neuregelung durch (Urnammu/)Šulgi). Vgl. zu Kol. 2:2-4 dieses Textes zuletzt E. Sollberger, IRSA 136 zu IIIA1f mit Anm. a und 1 und D.O. Edzard, RlA 6, 62f..

4) Kol. 2:3: **ki-SAR-a** ist aufgrund der oben in Anm. 3 genannten Parallele zu 'Kodex Urnammu(/Šulgi)' mit **ki-sar-ra** im Kontext von Z. 79-86 bei J. Finkelstein, JCS 22 (1969) 67 zu vergleichen; vgl. dazu E. Sollberger, IRSA 136 IIIA1f Anm. a mit Literaturhinweisen und jetzt W. Heimpel, ZA 77 (1987) 78f. zu 34 (mit Übersetzung unserer Zeile: "Am Rand des Meeres hat er den Handel im Kisara gesichert.") und 35; die Schreibung **ki-SAR-a** begegnet auch in einer kassitischen Bauinschrift aus Isin (= IB

949) bei C.B.F. Walker, Sumer 34 (1978) 101, der diesen Ausdruck versuchsweise **ki-sa$_x$-a** liest und darin (über parallele Texte) eine phonetische Schreibung für **kissa** (= **KI.ŠEŠ.DU$_3$.A**) sieht.

Ob **ki-SAR-a** hier Variante zu **ki-sar-ra** ist oder gar zu **ki-sar-<ra->a** zu emendieren ist, kann nicht entschieden werden. Die hier vorgelegte Übersetzung von **ki-SAR-a** "in(?) den beschriebenen(?) Orten" orientiert sich an der Normalorthographie von **ki-sar-ra** (wörtlich: "der beschriebene Ort"). Diese Aussage spielt möglicherweise auf eine Liste mit Namen von Orten an, die für die Sicherung des Fernhandel längs der Küste des Golfes bedeutsam waren.

Dieser Deutungsversuch ist vor dem Hintergrund der Aussagen von Urnammu 28 und 47 (s.u.) zu sehen, wonach Urnammu "die Abmachung" "über einen Grenzkanal" (= **i$_7$-ki-sur-ra-kam** in Urnammu 28,1:12) bzw. "über über das Gebiet (für) die Magan-Schiffe, [das] An (und) Enlil zum Geschenk gem[acht haben]" (Urnammu 47,1:3-7), "aufgrund des gerechten Rechtsspruches des Utu bestätigt" hat (Urnammu 28,1:15-18 und Urnammu 47,2:1-3).

Zu **nam-ga-eš$_8$**(/**ga:raš**) "Fernhandel" vgl. zuletzt H. Waetzoldt, bei: L. Cagni, Bilinguismo 414-416 (415: "Soweit ich sehe, besorgt der **ga:raš** den Fernhandel, ist folglich ein "Im- und Exportkaufmann").

Urnammu 27

Text

Tonnagel: A) U. 7778; 10101 (= *IM 92781; Fragment; Kol. 1:1-8 = BM 138346,1:1- 8; Kol. 2:1-5 = BM 138346, 2:1-5); 11673 A (= *IM 92782; Fragment; Kol. 1:1'-4' = BM 138346, 1:8-12; Kol. 2:1-8 = BM 138346,2:1-8); 11673 B; 15024 (= *IM 92783; Fragment; Kol. 1:1-5.1'-2' = BM 138346,1:1-5.11-12; Kol. 2:1-8 = BM 138346,2:1-8); 17821 (= BM 123119 = 1932-10-8,3); U. ob; pb; (Fragmente): C.J. Gadd, L. Legrain, UET I 284 (Kopie von U. 7778) mit Kollation bei E. Sollberger, UET VIII S. 33, 36. zu UET I 284-285 mit ausführlichen Herkunftsangaben; Herkunft: Ur.

Darüberhinaus wurden durch Kollation folgende Tonnägel festgestellt:

*IM 92768 (Fragment; Kol. 1:1'-6' = BM 138346,1:7-12; Kol. 2: abgebrochen); *IM 92771 (Fragment; Kol. 1:1-12 (nur Zeilenenden erhalten) = BM

138346,1:1-12; Kol. 2:1-8 = BM 138346,2:1-8); *IM 92772 (Fragment; Kol. 1: abgebrochen; Kol. 2:1-8 (nur Zeilenenden erhalten) = BM 138346,2:1-8); Herkunft ?.

Ferner: *BM 30056 (= 59-10-14,90) (Fragment mit 2-kol. Inschrift; 1. Kol. abgebrochen) und *BM 138346 (= 1935-1-13,749) (Fragment mit 2-kol. Inschrift, s. Umschrift unten): unpubl.; Herkunft: Ur (bzw. Eridu(?)).

B) U. 7746 (Larsa-zeitliche Schülertafel): L. Woolley, AJ 7 (1927) 406; C.J. Gadd, UET I 285 (Kopie); Herkunft: Ur, Nr. 7, Quiet Street, Räume 5-6.

Literatur: C.J. Gadd, L. Legrain, UET I S. 85, Nr. 284, 285; W.W. Hallo, HUCA 33 (1962) 27: Ur-Nammu 27; E. Sollberger, J.-R. Kupper, IRSA 137f. IIIA1h; I. Kärki, StOr 58, 15f.: Urnammu 27.

Umschrift nach Text A) (BM 138346)

1	1 ^{d}nanna	Nanna,
	2 dumu-sag-	dem erst(geboren)en Sohn
	3 ^{d}en-lil$_2$-la$_2$	des Enlil,
	4 lugal-a-ni	sein(em) Herrn,
	5 ur-^{d}nammu	hat Urnammu,
	6 nita-kal-ga **(a)**	der starke Mann,
	7 lugal-uri$_5$^{ki}-ma	der König von Ur,
	8 lugal-ki-en-gi-ki-uri-ke$_4$	der König von Sumer (und) Akkad,
	9 sug-peš-du$_3$-a$^{!}$(= MIN)	in dem (mit Dattelpalm)setzlingen bepflanzten Sumpfgebiet **(1)(2)**
	10 sug ḫe$_2$-me-am$_3$	- fürwahr ein Sumpfgebiet war es (geworden) -
	11 a-ša$_3$-bi	ein Feld
	12 1,0,0 GANA$_2$-am$_3$ **(b)**	im Umfang von 3600 (Iku) (= ca. 12,70 km^2) **(3)**
2	1 a-[ta] **(4)**	ent-
	2 ḫa-mu-na-[ta-DU]	wäs[sert(?)] **(5)**.
	3 e-bi 4 d[a-na] 260 **(c)** nind[an] (= NINDA.[DU])	Den Graben dafür (mit einer Länge von) 4 D[A.NA] (= ca. 43,2 km) (und) 260 NIND[AN] (= ca. 1,5 km) **(6)**
	4 ḫe$_2$-na-[AKA] **(7)**	hat er ihm [angelegt].

5 **(d)** uri$_5$$^{k[i]}$-[e gi$_{16}$-sa-aš] **(e)**	[In] Ur hat er ihn [beständig] **(8)**
6 ḫe$_2$-m[i-AKA] **(f)** **(9)**	[angelegt].
7 e-ba a-b[a ^{d}nanna-gim]	Von diesem Graben ([ist:]) "Wer [(ist) wie Nanna?]"
8 mu-[bi]	der Name.

a) Kol. 1:6: Text A) (*U. 17821 = BM 123119) (die Angabe U. 17823 bei E. Sollberger, UET VIII S. 33 zu 36. (zu Z. 3) scheint ein Druckfehler zu sein) (Kollation von C.B.F. Walker) om. **nita-kal-ga**.

b) Kol. 1:12: Text A) (*U. 17821 = BM 123119) (s. oben unter Anm. a)) und Text B) (aB Schülertafel) om. **GANA$_2$**.

c) Kol. 2:3: Text A) (*U. 15024 = IM 92873): 270.

d) Kol. 2:5: Text B) bietet in zwei Zeilen **uri$_5$^{ki}-ma / ⌜gi$_{16}$-sa⌝**.

e) Kol. 2:5: **gi$_{16}$-sa-aš** in Text A) (*U. 11673 A = IM 92782); IM 92772 (**[gi$_{16}$-sa-a]š**) und wohl auch in IM 92771 (**gi$_{16}$-sa-[aš]**; die Ergänzung darf nach der Zeichenanordnung in dieser Zeile als sehr wahrscheinlich gelten).

f) Kol. 2:6: Var. in Text A) (*U. 15024 = IM 92783): **ḫe$_2$-mi-na**.

1) Kol. 1:9-2:6: Vgl. dazu A. Falkenstein, ZA 58 (NF 24) (1967) 9 und C. Wilcke, LE 202 zu Z. 297 (zu Kol. 1:9-2:2 dieses Textes) und D.O. Edzard, RlA 6, 60 § 3.2. (mit Paraphrase des Inhalts der Inschrift).

2) Kol. 1:9: Für **peš** "Setzling (einer Dattelpalme)" s. CAD L 175 s.v. *libbu* 7.c). Vgl. E. Sollberger, IRSA 137 zu IIIA1h mit der Wiedergabe "dattiers" und Verweis auf BM 122935 (s. dazu E. Sollberger, AfO 17 (1954-56) 27f. (Umschrift und Kopie), Z. 1-2 **^{d}nin-gublaga (= EZENxLA) / a-sug giš-du$_3$-a-ka-ra**).

3) Kol. 1:12: Zum Feldmaß **ŠAR$_2$.GAL** s. M. Powell, in: ZA 62 (1972) 219 fig. 3 und ders., JCS 27 (1975) 186; nach E. Sollberger, IRSA 138 IIIA1h Anm. 1 umfaßt 1 großes **šar$_2$** etwa 23000 ha.

4) Kol. 2:1-8: Ergänzung dieser Zeilen nach Text A) (*U. 11673 A = IM 92782).

5) Kol. 2:1-2: Zu **a-ta DU**"entwässern(?)" vgl. aS Ent.1,5:1: **25;0.0 GANA$_2$ en-an-na-tum$_2$ sur-^{d}nanše e-ta-e$_{11}$** "25 (Bur) (des) Enannatum(-Feldes) sind (am) Surnanše trockengelegt worden" (H. Steible, FAOS 5/I 213 ist danach zu modifizieren) und A. Salonen, Agricultura 404 s.v. **a-ta e$_{11}$** "vom Wasser entleeren". Lesung **⌈ḫa⌉-mu-na-ta-DU** mit E. Sollberger, IRSA 137 IIIA1h Anm. a. (gegenüber **a mu-na-ta-DU** bei A. Falkenstein und C. Wilcke, s. dazu oben Anm. 1).

6) Kol. 2:3: S. schon E. Sollberger, IRSA 138 IIIA1h Anm. 2 (etwa 45 km). Zur Neufestlegung des Maßes **danna / da-na** "(Muster)meile" durch Šulgi s. D.O. Edzard, ZA 61 (1971) 216 Anm. 19; ferner jetzt M.A. Powell, RlA 7, 467f zu §I.2.I..
Zum Längenmaß **NINDA.DU** s. H. Behrens, H. Steible, FAOS 6, 265f. s.v. **NINDA.DU**; nach A. Salonen, HAM I 278 s.v. **gar** mißt **1 NINDA.DU** in der aB-Zeit 5,94 m; ferner jetzt M.A. Powell, RlA 7, 477ff. zu §II..

7) Kol. 2:4: Die Ergänzung **AKA** ist auch durch Text A) *U. 10101 = IM 92781 und *U. 15024 = IM 92783 gesichert.

8) Kol. 2:5: Gegenüber dieser Ergänzung nach Text A) *U. 11673 A = IM 92782 (**uri$_5$^{ki}-e gi$_{16}$-sa-aš**) und IM 92772 (**[...]⌈^{ki}-e⌉ [gi$_{16}$-sa-a]š**) bietet der aB Text B) **uri$_5$^{ki}-ma / gi$_{16}$-sa**: Dabei ist der Lokativ-Terminativ in **uri$_5$^{ki}-e** durch einen Lokativ in **uri$_5$^{ki}-ma** (<* **uri$_5$^{ki}.m-a**) ersetzt, und für den Terminativ-Adverbialis in den frühen Texten (**gi$_{16}$-sa-aš** <* **gi$_{16}$.sa-š(e$_3$)**) bietet der spätere Text einen Akkusativ-Adverbialis bzw. einen Lokativ-Adverbialis (**gi$_{16}$-sa** <* **gi$_{16}$.sa-0** bzw. <***gi$_{16}$.sa-a**). Die Aussage von E. Sollberger, UET VIII S. 33 zu 36. zu Z. 14-15, daß U. 11673 A ein **-a** über einem radierten **MA** schreibe, ist danach zu korrigieren.
Zu **gi$_{16}$-sa** s. ausführlich A. Falkenstein, ZA 58 (NF 24) (1967) 5ff. (S. 9 zu unserer Stelle).

9) Kol. 2:6: Die Ergänzung **AKA** ist auch über Text A) (IM 92772) gesichert. - Wegen der oben in Anm. f) genannten Textvariante hat E. Sollberger, UET VIII S. 33 zu 36. zu Z. 16 für **AKA** zwar eine Lesung **na**$_3$ erwogen, doch wird mit **-na** sicher ***-n-a**$_5$ realisiert (so schon A. Cavigneaux, SAZ 45f.).

Urnammu 28

Text:

Tonnagel: A)*AO 4194 (mit 3 Dupl., darunter *AO 15304 (fast vollständiges Expl. mit vollständiger 2-kol. Inschrift; Kol. 1:1-16 = AO 4194, 1:1-16; Kol. 2:1-16 = AO 4194, 1:17-2:14) und *AO 15305 (vollständiges Expl. mit fast vollständiger 2-kol. Inschrift; Kol. 1:1-17 = AO 4194, 1:1-17; Kol. 2:1-15 = AO 4194,1:18-2:14)): F. Thureau-Dangin bei: G. Cros, NFT 169 = F. Thureau-Dangin, RA 6 (1907) 81 (Kopie von AO 4194) mit Kollation bei J.-M. Aynard, RA 54 (1960) 16 unter Urnammu; Herkunft: Ur.

B) *IM 20864 (fast vollständiges Expl. mit vollständiger 2-kol. Inschrift; Kol. 1:1-17 = AO 4194, 1:1-17; Kol. 2:1-15 = AO 4194, 1:18-2:14); 22847; 23089; (Tonnägel): unpubl., vgl. D.O. Edzard, Sumer 13 (1957) 176; Herkunft: ?.

Literatur: F. Thureau-Dangin, SAK 188, i); RA 6 (1907) 79ff.; NFT 167ff.; W.W. Hallo, HUCA 33 (1968) 27: Ur-Nammu 28; Th. Jacobsen, Iraq 22 (1960) 178; E. Sollberger, J.-R. Kupper, IRSA 137 IIIA1g; H. Sauren, ASJ 2 (1980) 141ff.; I. Kärki, StOr 58, 16ff.: Urnammu 28.

Umschrift nach Text A), AO 4194; Kol. 2 nach der Kollation von J.-M. Aynard ergänzt.

1	1 ^{d}nanna	Nanna,
	2 dumu-sag-^{d}en-lil$_2$-la$_2$	dem erst(geboren)en Sohn des Enlil,
	3 lugal-a-ni	sein(em) Herrn,
	4 ur-^{d}nammu	hat Urnammu,
	5 nita-kal-ga	der starke Mann,
	6 lugal-uri$_5$^{ki}-ma **(a)**	der König von Ur,
	7 lugal-ki-en-gi-ki-uri-ke$_4$	der König von Sumer (und) Akkad,

	8 u$_4$ <e$_2$-> ^{d}en-lil$_2$-la$_2$ **(b)**	als er <den Tempel> des Enlil
	9 in-du$_3$-a	gebaut hatte,
	10 i$_7$-da	den Kanal **(1) (2)**
	11 ^{d}⌈nanna⌉-gu$_2$-gal mu-bi	mit Namen Nannagugal ("Nanna (ist) Deichgraf")
	12 i$_7$-ki-sur-ra-kam	- es ist ein Grenzkanal -
	13 mu-ba-al	gegraben.
	14 kun-bi **(c)** a-ab-ba-ka **(d)** i$_3$-la$_2$	Seine Mündung hat er (bis) ins Hōr(- Gebiet) reichen lassen. **(3)**
	15 di-nig$_2$-gi-na-	Aufgrund des gerechten Rechtsspruches**(4)**
	16 ^{d}utu-ta	des Utu
	17 bar bi$_2$-tam	wurde die(se) Angelegenheit bereinigt **(5)**
	18 inim bi$_2$-gi-in	(und) die (bestehende) Abmachung bestätigt. **(6)**
2	1 lu$_2$	Der Mann,
	2 ^{d}nanna-[a]	der sich gegen Nanna
	3 in-da$_5$-kuru$_2$-[a]	feindlich verhält,
	4 lugal ḫe$_2$-[a]	- sei er ein König,
	5 ensi$_2$ ḫe$_2$-[a]	sei er ein Stadtfürst, -
	6 lu$_2$-aš$_2$-du$_{11}$-g[a]-	möge wie ein Mann,
	7 ^{d}nanna-gi[m] **(e)**	den Nanna verflucht hat,
	8 ḫe$_2$-[na] **(f)**	sein !
	9 ki-tuš-^{d}nanna-k[a]	Im Wohnsitz des Nanna
	10 ḫe$_2$-eb$_2$-GIBI[L]	möge er ... ! **(7)**
	11 uru-ne$_2$ gi-KA-t[a]	Seine (eigene) Stadt möge (ihn) aus ... **(8)**
	12 ḫe$_2$-ta-⌈dag-dag⌉-ge	verstoßen(?) ! **(9)**
	13 nam-ti-il nig$_2$-gig-ga-ni	Das Leben möge ein Übel für ihn **(10)**
	14 ḫe$_2$-na **(g)**	sein !

a) Kol. 1:6: Var. Text A), ein Expl. add. **-ke$_4$**.

b) Kol. 1:8-9: Text A), AO 15305 und Text B), IM 20864 bieten jeweils in Kol. 1:8-9 **u$_4$ e$_2$-^{d}en-lil$_2$-la$_2$ / in-du$_3$-a**; Var. Text A), AO 15304,1:8-9 schreibt **u$_4$ e$_2$-^{d}en-lil$_2$-la$_2$ / in-du$_3$**.

c) Kol. 1:14: Var. Text A), AO 15304,1:14 om. **-bi**.

d) Kol. 1:14: Var. Text B), IM 20864,1:14 om. **-ka**.

e) Kol. 2:7: Var. Text A), ein Expl. schreibt **^{d}nanna$^{!}$(= ^{d}ŠEŠ)**.

f) Kol. 2:8: Ergänzung mit J.-M. Aynard, RA 54 (1960) 16 gegen F. Thureau-Dangin, RA 6 (1907) 168 **ḫe$_2$-[a]**. Text A), AO 15304,2:10 und Text B), IM 20864,2:9 bieten **ḫe$_2$-na**; AO 15305,2:9: **ḫe$_2$-[n]a**.

g) Kol. 2:14: Var. Text A), AO 15304,2:16 und AO 15305,2:15 und Text B), IM 20864,2:15 schreiben **ḫe$_2$-a**, wobei in IM 20864 das Zeichen **A** über ein radiertes **NA** geschrieben ist.

1) Kol. 1:10-13: S. auch die Parallele in Urnammu 29,b)1:9"-12", dazu schon Th. Jacobsen, Iraq 22 (1960) 178.

2) Kol. 1:10-11: Wörtlich: "Des Kanals 'Nanna (ist) der Deichgraf' sein Name". Zur Lage des Kanals Nannagugal s. D.O. Edzard, G. Farber, RGTC 2, 279f. s.v. Nanna-Gugal.

3) Kol. 1:14: Vgl. dazu **kun-bi ab-ša$_3$-ga mu-na-ni-la$_2$** "seine (= des Kanals) Einmündung ließ er ihr (= Nanše) bis ins Innere des Hōr(-Gebietes) reichen" in Ukg. 4,2:11-13 = 5,2:13-15 bei H. Steible, FAOS 5/I 290f..

4) Kol. 1:15-18: Vgl. die enge Parallele in Urnammu 47,2:1-4: **di-nig$_2$-gi-[na]- / ^{d}utu-ta / ⌈inim mu⌉-na-gi-in** "((was) das Gebiet (für) die Magan-Schiffe (anlangt), ..., hat Urnammu, ...,) aufgrund des gerecht[en] Rechtsspruches des Utu ihm (= Nanna) die (bestehende) Abmachung bestätigt".

5) Kol. 1:17: Die Verbindung **bar--tam** hat W.W. Hallo, JANES 5 (1973) 165ff. ausführlich dargestellt (mit den Übersetzungsvorschlägen "to select, prefer, choose" (S.

167)) und hat diese Zeile mit "he voted" wiedergegeben (S. 166), wobei er den Vorschlag von Th. Jacobsen, Iraq 22 (1960) 178 "he cleared up the underlying facts" modifizierte. Die hier vorgelegte Übersetzung "die(se) Angelegenheit wurde bereinigt geht davon aus, daß die Aussagen von Kol. 1:10-14 und Kol. 1:15-18 inhaltlich zusammengehören, wobei nicht näher zu klären ist, ob Urnammu auch in Kol. 1:15-18 Subjekt ist oder eine nicht näher genannte Instanz.

Zu **bar** "Angelegenheit" vgl. die Gleichung **bar** = *(w)arkatu* (schon bei W.W. Hallo, a.a.O. 166 Anm. 12 und CAD A/II 277 s.v. *arkatu* 4. "circumstances (of a case)"). - **tam** ist über *ubbubu* (s. AHw 181 und A. Cavigneaux, SAZ 16) i.S. von "bereinigen" verstanden.

Vgl. schließlich die Wiedergabe unserer Zeile bei E. Sollberger, IRSA 137 IIIA1g "il (en) purifia le tracé" und in PSD B 131 s.v. **bar--tam** ("he examined").

6) Kol. 1:18: Übersetzung in Anlehnung an Th. Jacobsen, Iraq 22 (1960) 178 ("(he) confirmed the testimony (about the boundary)"), der diese Aussage auf den Grenzkanal in Kol. 1:12 bezieht. Vgl. den inhaltlich ähnlichen Ansatz bei F.R. Kraus, ZA 51 (NF 17) (1955) 64f. ("bestätigen" für **KA--gi-in**) und W.W. Hallo, JANES 5 (1973) 166 ("(he) settled the (border-)dispute").

7) Kol. 2:10: Wenn **GIBIL** hier in seiner geläufigen Bedeutung "neu sein/werden" und **ḫe$_2$-eb$_2$-GIBIL** als "er möge neu sein" wiederzugeben ist, könnte man diese Aussage i.S. von "er möge unbekannt sein" interpretieren.

Ein Ansatz **ḫe$_2$-eb$_2$-bil$_2$** "er möge verbrannt werden" scheint mir ebensowenig wahrscheinlich wie der Vorschlag von E. Sollberger, IRSA 137 IIIA1g "qu'il soit dévoré de fièvre!". Die Wiedergabe bei Th. Jacobsen, ibidem "may he have to take up a new (abode with (each) Moon)" läßt sich lexikalisch nicht sichern.

8) Kol. 2:11: **gi-KA(-ta)** bleibt unklar. Während diese Verbindung bei Th. Jacobsen, ibidem unübersetzt ist und als mit **uru-ni** gleichgeordnet verstanden wird (vgl. dazu auch A. Falkenstein, BiOr 23 (1966) 167 (zu UET VIII 65 VI 12-16)), hat E. Sollberger, IRSA 137 IIIA1g für diese Zeile die Übersetzung "chassé (?) de sa cité" vorgeschlagen, bei der **uru-NI** als Ablativ verstanden ist; dieses Textverständnis halte ich für problematisch.

Weniger problematisch ist dagegen wohl die Erklärung, daß **gi-KA** entweder Kurzform für **gi-gu$_3$-na** oder zu **gi-gu$_3$<-na>** zu emendieren ist (beachte auch die Emendation zu **<e$_2$->^{d}en-lil$_2$-la$_2$** in Text A), AO 4194,1:8); diese Emendation wurde bereits von H. Sauren, ASJ 2 (1980) 142 vorgeschlagen. Die Übersetzung von Kol. 2:11-12 müßte dann lauten: "Seine (eigene) Stadt möge (ihn) aus dem Gigu<na> verstoßen!". Allerdings spricht die einheitliche Überlieferung der Texte gegen dieses Verständnis; auch ist die Schreibung **gi-gu$_3$-na** hauptsächlich aS bezeugt (s. H. Behrens, H. Steible, FAOS 6, 414 s.v. **gi-gu$_3$-na**), so daß man in diesem Text die Schreibung **gi-gun$_4$(-na)** erwarten würde, s. dazu A. Falkenstein, AnOr 30, 134ff. (u.a. mit dem Versuch einer Bestimmung dieser Anlage als "Hochterrasse"); vgl. aber auch die altbabylonischen Belege für **gi-gu$_3$-na** bei Å. Sjöberg, TCS 3, 73 zu Z. 95..

9) Kol.2:12: Die Bedeutung "jemanden verstoßen" für **dag-dag** (= *nagāšu*, AHw 710) mit dem Ablativ ist aus dem Kontext erschlossen. In jedem Fall ist für **dag-dag** in **ḫe$_2$-ta-⌜dag-dag⌝-ge** normativ eine transitive Bedeutung zu fordern; anders Th. Jacobsen, Iraq 22 (1960) 178 ("may he roam and roam") und E. Sollberger, IRSA 137 IIIA1g ("qu'il erre sans cesse"); vgl. noch A. Falkenstein, BiOr 23 (1966) 167 (zu UET VIII 65 VI 12-16) ("möge er da[vonei]len!").

10) Kol. 2:13-14: Die gleiche Fluchformel begegnet auch in UET VIII 65,6:15-16; s. dazu A. Falkenstein, ibidem ("Leben sei (ihm) versagt!") und E. Sollberger, ibidem ("(qu'il) mène une vie de paria!").

Urnammu 29

*CBS 16676: Stele des Urnammu aus Kalkstein, s. dazu allgemein L. Woolley, AJ 5 (1925) 369ff.; pl. XLVI; XLVII 1; XLVIII; (Photos); L. Legrain, MJ 18 (1927) 75ff.; ders., RA 30 (1933) 111ff., pl. I und II (Photos); Ch. Zervos, L'art de la Mésopotamie, p. 228; V. Christian, Altertumskunde Taf. 424; 426 Abb. 1-2; A. Parrot, Sumer, Abb. 279-282 (Abb. 280 seitenverkehrt); A. Moortgat, KAM Abb. 194; 195; 198; 199; 201; P. Amiet, KAO Abb. 404; W. Orthmann, PKG 14, Abb. 115; 116a-b; J. Börker-Klähn, Bildstelen,

Tafeln, Abb. 94a-k; (Photos); J. Börker-Klähn, bei: W. Orthmann, PKG 14, S. 203 Fig. 37a-b und jetzt J. Börker-Klähn, Bildstelen, Tafeln G+H (Rekonstruktionszeichnungen); für eine ausführliche Beschreibung der Stele und Photos aller Einzelstücke s. L. Woolley, UE VI S. 75-81 mit Pl. 41-45 und jetzt J. Börker-Klähn, Bildstelen, Text, S. 39-44 und S. 155f. zu 94.

a) Text: U. ? (Beischrift auf dem unteren Teil eines Gewandes): C.J. Gadd, L. Legrain, UET I 44a (Kopie); L. Woolley, AJ 5 (1925) pl. XLVIII (Photo zeigt die Inschrift im oberen Register); ders., UE VI pl. 41 a (Photo zeigt die Inschrift im dritten Register auf dem Gewand des 'Architekten', wo sie L. Legrain, RA 30 (1933) 111 mit pl. I zugeordnet hat; dies führte zu dem Mißverständnis, es gäbe zwei Namensbeischriften: fälschlich J. Börker-Klähn, Bildstelen, Text, S. 155 zu 94 und S. 156 mit Anm. 5; in Wirklichkeit handelt es sich um dasselbe Fragment. Beachte aber die Rekonstruktionszeichnungvon J. Börker-Klähn bei W. Orthmann, PKG 14, S. 203 Fig. 37a, wo dieser Gewandteil als ergänzt gezeichnet ist); Herkunft: s. b).

b) Text: *U. 3265; 3328; (Inschrift auf der Rückseite, Steg zwischen dem dritten und vierten Register): C.J. Gadd, L. Legrain, UET I 44b (Kopien der drei Fragmente; beachte die gegenüber den Photos abweichende Anordnung); L. Woolley, UE VI pl. 44 c; W. Orthmann, PKG 14, Abb. 115; J. Börker-Klähn, Bildstelen, Tafeln, Abb. 94g; (Photos); Herkunft: Ur, auf oder neben der Terrasse, auf der die Ziqqurrat errichtet ist, s. dazu ausführlich L. Woolley, UE VI S. 75 und jetzt J. Börker-Klähn, Bildstelen, Text, S. 155f. zu 94.

Literatur: C.J. Gadd, L. Legrain, UET I S. 9, Nr. 44; G. Barton, RISA 362, 10.; W.W. Hallo, HUCA 33 (1982) 27: Ur-Nammu 29; I. Kärki, StOr 58, 18ff.: Urnammu 29.

Anordnung der Inschrift b) nach dem Photo bei W. Orthmann, PKG 14, Abb. 115 und nach Kollation:

a) Beischrift

	1 ur-^{d}nammu	Urnammu,
	2 lugal-uri$_{5}^{ki}$-ma	der König von Ur.
b) 1	1' [....]	[....]
	2' [.... *UN]U$^{?}$/⸢SU$^{?}$⸣	[....] ...
	3' [....] IM	[....] ...
	4' [....] ⸢x⸣ [....]	[....] ... [....]
	(abgebrochen)	(abgebrochen)

	1" ⸢*mu⸣-[ba-al]	hat er (= Urnammu) ge[graben];
	2" i$_7$-[....]	den Kanal [....], **(1)**
	3" [....]	[....],
	4" ⸢*mu⸣-ba-*a[l]	hat er gegrab[en];
	5" i$_7$-[x-x(?)]-na	den Kanal [...]...,
	6" ⸢i$_7$-x-x(?)⸣-maḫ-	den riesigen ... Kanal
	7" ^{d}nanna	des Nanna,
	8" mu-ba-al	hat er gegraben;
	9" i$_7$-^{d}nanna-gu$_2$-gal	den Nannagugal-Kanal, **(2)**
	10" ⸢i$_7$-ki-sur-ra⸣-	den Grenzkanal
	11" $^{[d]}$⸢*nin-*gir$_2$⸣-*su	(des) Ningirsu, **(3)**
	12" ⸢*mu⸣-ba-al	hat er gegraben;
	13" i$_7$-gu$_2$-bi-eridu^{ki}-ga	den Gubi'eriduga-Kanal, **(4)**
	14" i$_7$-gu$_2$-[x]-*ur$_2^?$-	den Kanal ...[...]...
	15" ^{d}*nin-⸢*gir$_2$-*su⸣	(des(?)) Ningirsu,
	16" mu-ba-a[l]	hat er gegrab[en];
	(abgebrochen)	(abgebrochen)
b) 2	1' [....] ⸢KI⸣	[....]...
	2' [x(?)-gi$_6$-p]ar$_4$-⸢*ka$^?$⸣ **(5)**	im(?) [...] des [Gip]ar **(6)**
	3' [*x]-⸢x⸣-da	[...]...
	4' [*x](-)mu-da-gi$_4$	[...]... .
	5' lu$_2$ a$_2^!$(= DA)-nig$_2$-ḫul-d[im$_2$-ma]	Den Mann, [der] den Befehl [zu einer] Übeltat **(7)**
	6' [ib$_2$-ši-ag$_2$-e(?)-a]	[gegen sie (= diese Stele) erteilt],
	7' [mu-sar-ra]-ba	[der die] darauf (= auf der Stele befindliche) [Inschrift] **(8)**
	8' [šu bi$_2$(?)]-ib$_2$-[uru$_{12}$(/ur$_3$-re)- a(?)]	[abreib]t,
	(abgebrochen)	(abgebrochen)
	1" ⸢x⸣ [x x(?)] ⸢x⸣ [x]	...[...]...[...],
	2" ⸢x⸣ [x x(?)] ⸢x⸣-ga	[mögen] ...[...]... (= GN), **(9)**
	3" lu[gal$^?$-x x(?)]-⸢GI$^?$⸣	der He[rr ...]...,
	4" [....]	[....] (= GN),
	5" luga[l-....]	Her[r ....],

6" ⌈*x⌉ [....]	...[....] (= GN),
7" lugal-[....]	Herr [....],
8" $^{⌈d⌉}$[....]	(und) (die Göttin) [....],
9" nin-⌈x⌉ [x x(?)] ⌈x x⌉ [x x(?)]	die Herrin ...[...]...[...],
10" nam [ḫa(?)-....-kuru$_5$(?)-ne(?)]	verf[luchen]!
11" ⌈x⌉ [....]	...[....]
(abgebrochen)	(abgebrochen).

1) b) Kol. 1:2"-4": In der Kopie bei C.J. Gadd, L. Legrain, UET I 44b nimmt Kol. 1:2" den Raum von zwei Normalzeilen ein. Der Text ist an dieser Stelle so stark zerstört, daß auch nach der Kollation eine Entscheidung darüber nicht (mehr) möglich ist, ob dieser Bruch ein oder zwei Zeilen umfaßt hat. Legt man jedoch in Kol. 1:2"f(f). den gleichen formalen Aufbau wie in b) Kol. 1:5"-8"; Kol. 1:9"-12"; Kol. 1:13"-16" dieses Textes zugrunde, sind zumindest ein Kanalname (Kol. 1:2") mit Apposition (Kol. 1:3") und die Verbalform (**⌈mu⌉-ba-a[l]** (Kol. 1:4") zu postulieren.

2) b) Kol. 1:9"-12": Vgl. oben die Parallele in Urnammu 28,1:10-13.

3) b) Kol. 1:11": So schon der Lesungsvorschlag von Th. Jacobsen, Iraq 22 (1960) 178 (**$^{⌈d⌉?}$⌈Nin⌉(?)-⌈gir$_2$⌉(?)-⌈zu⌉**.

4) b) Kol. 1:13"-15": Unklar bleibt, ob hier zwei Kanalnamen vorliegen, oder ob, analog zu Z. 9"-11", Z.14"-15" eine Apposition zu **i$_7$-gu$_2$-bi-eridu^{ki}-ga** in Z. 13" darstellen; zu dieser Vermutung s. schon D.O. Edzard, G. Farber, RGTC 2, 266 s.v. Gubi-Eridu und Gu-x-úr-Ningirsu.

5) b) Kol. 2:2': Das letzte Zeichen der Zeile ist (nach Kollation) eher **KA** und nicht **KE$_4$** (wie in der Kopie in UET I 44b).

6) b) Kol. 2:(2'-)4': Der Inhalt dieser Zeilen bleibt unklar; da in b) Kol. 2:5' die Fluchformel dieses Textes beginnt, markiert b) Kol. 2:4' das Ende der eigentlichen Inschrift. **gi$_4$** ist mit dem Infix **-da-** in diesen Texten bislang nur in Gudea Statue B 9:19-20 belegt: **IM an-na ḫe$_2$-da-a-gi$_4$ / a ki-a ḫe$_2$-da-a-gi$_4$** "Der Regen möge im Himmel zurückgehalten werden, das Wasser möge in der Erde zurückgehalten werden !".

7) b) Kol. 2:5'-6': Ergänzung des Anfangs der Fluchformel nach Ibbīsuen A 9-10:65-66. Beachte jedoch den Beginn der Fluchformel in Urnammu 47,2:7-8 **[l]u$_2$ a$_2$-nig$_2$-⸢ḫul-dim$_2$⸣-ma / [....]-ag$_2$-GA$_2$-a** und auch die Formulierung bei D.O. Edzard AfO 19 (1959-60) 8: Kol. 3:34-4:2.

8) b) Kol. 2:7'-8': Ergänzung in Anlehnung an Urnammu 40:13; Šulgi 65:7-8 (**... šu bi$_2$-ib$_2$-uru$_{12}$-a**) bzw. Amarsuen 12:40-41 (**... šu bi$_2$-ib$_2$-ur$_3$-re-a**); s. auch die Belegsammlung bei H. Behrens, FAOS 10, s.v. **šu ur$_3$/uru$_{12}$**.

9) b) Kol. 2:2"-10": Zum formalen Aufbau dieser Zeilen vgl. etwa Šulgi 65:7-14 oder Amarsuen 3,1:13-2:9.

Urnammu 30

Text: U. 7799 (Fragment eines Steingefäßes): C.J. Gadd, L. Legrain, UET I 286 (Kopie); Herkunft: Ur, Enunmaḫ.

Literatur: C.J. Gadd, L. Legrain, UET I S. 86, Nr. 286; W.W. Hallo, HUCA 33 (1968) 28: Ur-Nammu 30; I. Kärki, StOr 58, 20f.: Urnammu 30.

1 ⸢d⸣nan[na]	Nan[na]
2 [l]ugal-a-ni-[ir] **(1)**	seine[m] Herrn,
3 [u]r-dn[ammu]	([hat]) [U]rn[ammu],
(abgebrochen)	(abgebrochen).

1) Z. 2: Ergänzung am Zeilenende auf Grund der Zeilenanordnung der Zeile. Die Schreibung des Dativ-Morphems ist an dieser Position in den Inschriften des Urnammu sonst nicht nachzuweisen. Vgl. jedoch auch den problematischen Beleg Urnammu 46:1-2 ^{d}**en-ki mar-uru$_5$-an-ki-ra / lugal-a-ni** "Enki, der Sturmflut von Himmel (und) Erde, sein(em) Herrn".

Urnammu 31

Text: IM 1174 (= U. 6366; Steinplatte aus O'olith): C.J. Gadd, L. Legrain, UET I 34 (Kopie); Herkunft: Ur, Giparku, Raum C. 26, s. dazu L. Woolley, M. Mallowan, UE VII S. 223 zu U. 6366.

Literatur: C.J. Gadd, L. Legrain, UET I S. 7, Nr. 34; W.W. Hallo, HUCA 33 (1962) 28: Ur-Nammu 31; I. Kärki, StOr 58, 21: Urnammu 31. - Vgl. G. Barton, RISA 360, 8.2..

1 ^{d}nin-gal	Ningal,
2 nin-a-ni	seine(r) Herrin,
3 ur-^{d}nammu	hat Urnammu,
4 nita-kal-ga	der starke Mann,
5 lugal-uri$_5^{ki}$-ma	der König von Ur,
6 lugal-ki-en-gi-ki-uri-ke$_4$	der König von Sumer (und) Akkad,
7 nam-ti-la-ni-še$_3$	für sein Leben
8 a mu-na-ru	(diesen Gegenstand) geweiht.

Urnammu 32

Text: YBC 2156 (Fragment eines Marmorgefäßes): A.T. Clay, YOS I 16 (Kopie); Herkunft: Umma.

Literatur: G. Barton, RISA 274, 17.; A.T. Clay, YOS I S. 13ff.; W.W. Hallo, HUCA 33 (1962) 28: Ur-Nammu 32; I. Kärki, StOr 58, 21: Urnammu 32.

1 ⸢d⸣šara$_2$	Šara,
2 [lu]gal-a-ni	sein(em) [He]rrn,
3 [u]r-^{d}nammu	hat Urnammu,
4 [n]ita-kal-ga	der starke Mann,
5 [lu]gal-uri$_5$$^!$(= URI$_3$(= LAK 31). AB)^{ki}-ma	der [Kö]nig von Ur,
6 [lug]al-ki-e[n-g]i-ki-⸢uri⸣-[ke$_4$]	der [Kön]ig [von] Su[me]r (und) Akkad,
(abgebrochen)	(abgebrochen).

Urnammu 33

Text: IM 97 (= U. 208; Keulenkopf aus Marmor): C.J. Gadd, L. Legrain, UET I 32 (Kopie); pl. F, 32 (Photo); L. Woolley, AJ 3 (1923) pl. XXXII fig. I links oben; Iraq Museum Guide (1942) 110; T. Solyman, Götterwaffen, Taf. XXIX, 215 und XXX, 216; F. Basmachi, Treasures of the Iraq Museum (Baghdad 1975-76) Abb. 95; (Photos); Herkunft: Ur, Enunmaḫ, Raum 17.

Literatur: C.J. Gadd, L. Legrain, UET I S. 7, Nr. 32; W.W. Hallo, HUCA 33 (1962) 28: Ur-Nammu 33; I. Kärki, StOr 58, 22: Urnammu 33.

1 ⸢d⸣[nan]na	[Nan]na,
2 lugal-a-ni	sein(em) Herrn,
3 ur-^{d}nammu	hat Urnammu,
4 ⸢nita⸣-kal-ga	der starke Mann,
5 lugal-uri$_5$^{ki}-ma	der König von Ur,
6 lugal-ki-en-gi-ki-uri-ke$_4$	der König von Sumer (und) Akkad,
7 [nam-ti]-la-ni-še$_3$	für sein [Lebe]n
8 ⸢a⸣ [mu]-na-ru	(diesen Gegenstand) geweiht.

Urnammu 34

Text: *BM 116433 = 1923-11-10,18 (= U. 267) (Fragment eines Keulenkopfes): C.J. Gadd, L. Legrain, UET I 49 (Kopie); Kollation: K. Volk; Herkunft: Ur, Enunmaḫ.

Literatur: C.J. Gadd, L. Legrain, UET I S. 10f., Nr. 49; W.W. Hallo, HUCA 33 (1962) 28: Ur-Nammu 34; I. Kärki, StOr 58, 22: Urnammu 34.

1 ⌜dšara$_2$?⌝ **(1)**	Šara(?),
2 lugal-a-ni	sein(em) Herrn,
3 ur-⌜dnammu⌝ **(2)**	hat Urnammu,
4 nita-⌜kal-ga⌝	der starke Mann,
5 ⌜en-*unu$^{ki(?)}$-*ga⌝	der Herr von Uruk,
6 lugal-u[ri$_5$^{ki}-ma]	der König [von] U[r],
7 lugal-⌜ki-en⌝-[gi]-ki-⌜uri-ke$_4$⌝	der König von Sum[er] (und) Akkad,
8 ⌜nam⌝-ti-la-ni-še$_3$	für sein Leben
9 ⌜a⌝ mu-na-ru	(diesen Gegenstand) geweiht.

1) Z. 1: Lesung des Gottesnamens mit W.W. Hallo, HUCA 33 (1962) 28; vgl. auch Urnammu 32:1; statt dessen haben C.J. Gadd, L. Legrain, UET I S. 10f. **dnin-EZENxLA** (= **dnin-gublaga)** vermutet.

2) Z. 3-7: Ergänzung nach Urnammu 10:5-9, obwohl nach der Kopie von Z. 5 die Raumverhältnisse für **unu^{ki}** knapp sind; so wohl auch die Ergänzung bei D.O. Edzard, G. Farber, RGTC 2, 214 s.v. **en-unu^{ki}-ga**.

Urnammu 35

Text: A) *CBS 14938 (= U. 209) (Fragment eines schwarzweißen Steinnagels): Teil der Joint-Copy bei C.J. Gadd, L. Legrain, UET I 48; s. Tafel XXIV dieser Arbeit (Kopie); Herkunft: Ur, Enunmaḫ.

B) *CBS 14940 (= U. 249) (Fragment eines Gefäßes aus weißem Kalkstein): Teil der Joint-Copy bei C.J. Gadd, L. Legrain, UET I 48 (Z. 1'-6' = A) Z. 7-12); s. Tafel XXIV dieser Arbeit (Kopie); Herkunft: Ur, Enunmaḫ.

C) U. 270: unpubl., vgl. C. J. Gadd, L. Legrain, UET I S. XI zu Nr. 48; Herkunft: Ur.

Literatur: C.J. Gadd, L. Legrain, UET I S. 10, Nr. 48; W.W. Hallo, HUCA 33 (1962) 28: Ur-Nammu 35; E. Sollberger, J.-R. Kupper, IRSA 139 IIIA1l; C. Wilcke, CRRA 19 (1974) 193; I. Kärki, StOr 58, 22f.: Urnammu 35. - Vgl. G. Barton, RISA 364, 14..

Umschrift nach Text A)

1 ⌈^{d}⌉nin-gal	Ningal,
2 [ni]n-a-ni	ihre(r) [Herr]in,
3 [na]m-ti-	hat für das [Le]ben
4 ⌈ur⌉-^{d}nammu	des Urnammu,
5 [nita-k]al-ga	des [st]arken [Mannes],
6 [luga]l-uri$_{5}^{ki}$-ma	des [Köni]gs von Ur,
7 [lugal]-ki-en-gi-ki-uri **(1)**	des [Königs] von Sumer (und) Akkad,
8 [ad-d]a-na-še$_{3}$	ihres [Vat]ers,
9 [en-n]ir-gal$_{2}$-an-na	[Enn]irgalanna,
10 [en]-⌈^{d}⌉nanna	[die En(-Priesterin)] des Nanna,
11 [dum]u-ki-ag$_{2}$-ni	seine geliebte [Tocht]er,
12 ⌈a⌉ mu-na-ru **(2)**	(diesen Gegenstand) geweiht.

1) Z. 7-10: Ergänzung der Zeilenanfänge ist gesichert durch Text B) Z. 1'-4':

[lu]gal-ki-e[n]-gi-ki-ur[i]

ad-da-na-[še$_{3}$]

en-nir-gal$_2$-a[n-na]
en-^{d}na[nna].

2) Z. 11-12: So schon die Umschrift bei G. Barton, RISA 364, 14.. Die Ergänzungsvorschläge von C. Wilcke, CRRA 19 (1974) 193 für die Zeilenanfänge (**[dumu-M]I$_2$-ki-ag$_2$-ne$_2$** / **[x x] a mu-na-ru**) sind nach der Neukopie hinfällig.

Urnammu 36

Siegel des Ḫašḫamer, s. dazu W.W. Hallo, HUCA 33 (1962) 28: Ur-Nammu 36; E. Sollberger, J.-R. Kupper, IRSA 139 IIIA1m; I. Kärki, StOr 58, 23f.: Urnammu 36a.

Urnammu 37

CBS 15046: literarisch(?), altbabylonisch; s. dazu A. Poebel, PBS V 40 (Tontafel); W.W. Hallo, HUCA 33 (1962) 28: Ur-Nammu 37; I. Kärki, StOr 58, 24: Urnammu 37.

Urnammu 38

Text: *UM 31-43-249 (= U. 16528) (Kalksteintafel): E. Sollberger, UET VIII 19 (Kopie von L. Legrain); Herkunft: Ur, im Füllschutt der Mausoleen von Šulgi und Amarsuen, "against outer footing of NE. wall".

Literatur: E. Sollberger, UET VIII S. 5 zu 19.; I. Kärki, StOr 58, 25: Urnammu 39. - Vgl. A. Falkenstein, BiOr 23 (1966) 166.

1 ⌈^{d}nin⌉-ša$_{3}$-ge-*p[a$_{3}$]-d[a]	Ninšagep[a]d[a],
2 ⌈nin⌉-a-ni	seine(r) Herrin,
3 ⌈ur⌉-^{d}[nammu]	hat Ur[nammu],
4 ⌈lugal⌉-*uri$_{5}$^{*ki}-[ma]-k[e$_{4}$]	der König [von] Ur,
5 ⌈*e$_{2}$-*a⌉-n[i]	ihr[en] Tempel
6 [mu-n]a-[du$_{3}$]	[geb]a[ut].

Urnammu 39

Text: *UM 31-43-253 (= U. 16533) (Fragment eines Gefäßes aus weißem Kalkstein): E. Sollberger, UET VIII 20 (Kopie von L. Legrain); Herkunft: Ur, Gebiet der Isin-Larsa-Häuser, s. dazu E. Sollberger, a.a.O. S. 5 zu 20..

Literatur: I. Kärki, StOr 58, 25: Urnammu 40.

1' [....]	[....]
2' ⌈ur⌉-[^{d}nammu]	Ur[nammu],
3' nita-[kal-ga]	der [starke] Mann,
4' *lugal-*u[ri$_{5}$^{ki}-ma]	der König [von] U[r],
(abgebrochen)	(abgebrochen).

Urnammu 40

Text: IM 14322 (= U. 16530) (Gefäßfuß aus grau-weißem Marmor): E. Sollberger, UET VIII 21 (Kopie von L. Legrain); Herkunft: Ur, aus einem 'Grab' der Mausoleen von Šulgi und Amarsuen, s. dazu E. Sollberger, UET VIII S. 5 zu 21..

Literatur: E. Sollberger, J.-R. Kupper, IRSA 138 IIIA1k; I. Kärki, StOr 58, 26: Urnammu 41. - Vgl. A. Falkenstein BiOr 23 (1966) 166.

1 ^{d}bil$_3$-ga-meš$_3$	Gilgameš
2 EN.DIM$_2$.GIG^{ki}	(von) EN.DIM$_2$.GIG, **(1)**
3 lugal-a-ni	sein(em) Herrn,
4 ur-^{d}nammu	hat Urnammu,
5 nita-kal-ga	der starke Mann,
6 lugal-uri$_5$^{ki}-ma	der König von Ur,
7 lugal-ki-en-gi-ki-uri-ke$_4$	der König von Sumer (und) Akkad,
8 u$_4$ e$_2$-^{d}nanna	als er den Tempel des Nanna
9 mu-du$_3$-a	gebaut hatte,
10 nam-ti-la-ni-še$_3$	für sein Leben
11 a mu-na-ru	(diesen Gegenstand) geweiht.
12 lu$_2$ mu-sar-ra-ba	Den Mann, der diese Inschrift
13 šu bi$_2$-ib$_2$-uru$_{12}$-a	abreibt,
14 $^{d⌜}$bil$_3$$^{⌝}$-ga-meš$_3$-e	möge Gilgameš
15 nam ḫa-ba-da-KU$_5$-e	verfluchen! **(2)**

1) Z. 2: Zu diesem Ort als Kultstätte von Ninazu und Ninšubur s. J. van Dijk, SGL II 88 mit Anm. 23; vgl. ferner D.O. Edzard, G. Farber, RGTC 2, 46, s.v. Endimgig; D.O. Edzard, RIA 5, 64 s.v. IM 1 und jetzt P. Steinkeller, ASJ 3 (1981) 86f. (am Euphrat, oberhalb von Ur, vielleicht Diqdiqqah).

2) Z. 15: Beachte die ungewöhnliche Schreibung **-KU$_5$-e** in **nam ḫa-ba-da-KU$_5$-e**, auch in **nam ḫe$_2$-ma-KU$_5$-e** in Gudea Statue C 4:12; vgl. dagegen **nam ḫa-ba-da-ku$_5$-de$_6$** in Šulgi 46:16.
Zu **nam--ku$_5$(-d/r)** "verfluchen" und die mögliche Verteilung von *ḫamṭu* und *marû* s. D.O. Edzard, AS 20, 75; 78f., 7..

Urnammu 41

Siegel der SI.A-tum, s. dazu E. Sollberger, RA 61 (1967) 69; E. Sollberger, J.-R. Kupper, IRSA 139 IIIA1n; I. Kärki, StOr 58, 24: Urnammu 36b.

Urnammu 42

Text: *CBS 14939 (= U. 246) (Fragment einer Kalksteinschale): unpubl., vgl. L. Woolley, UE VI S. 50; Herkunft: Ur, Enunmaḫ, Raum 10.

1' nin-⌜a⌝-[ni]	([.... (= GN), (....,)]) se[in(er)] Herrin,
2' ur-^{d}na[mmu]	([hat]) Urna[mmu],
3' ⌜nita⌝-kal-g[a]	der starke Mann,
4' lugal-ur[i$_5$](=ŠEŠ.[AB])^{ki}-m[a]	der König [von] Ur,
5' [....] ⌜x⌝ [....]	[....] ... [....]
(abgebrochen)	(abgebrochen).

Urnammu 43

Text: Birmingham City Museum 69'79 (Perle, Obsidian(?)): A.R. George, Iraq 41 (1979) 133, 23. (Kopie); Herkunft: ?.

Literatur: A.R. George, Iraq 41 (1979) 122 zu II.B.23.; 132 zu 23.; I. Kärki, StOr 58, 26f.: Urnammu 43.

1	1 [ur-^{d}nam]mu	[Urnam]mu,
	2 [nita-kal-g]a **(1)**	[der stark]e [Mann],
2	1 lugal-uri$_{5}^{ki}$-ma	der König von Ur.

1) Kol. 1:2: Zeilenzählung mit A.R. George, a.a.O. 132, obwohl zwischen Z. 1 und 2 in der Kopie kein Zeilentrenner zu sehen ist.

Urnammu 44

Text: *CBS 14943 (= U. 252) (Fragment eines Gefäßes aus Alabaster): unpubl., vgl. L. Woolley, UE VI S. 50; Herkunft: Ur, Enunmaḫ, Raum 10.

1 ^{d}n[anna](= Š[EŠ.KI])	N[anna], **(1)**
2 lugal-⸢a⸣-[ni]	se[in(em)] Herrn,
3 u[r-^{d}nammu]	([hat]) U[rnammu],
(abgebrochen)	(abgebrochen).

1) Z. 1-3: Ergänzung nach fast identischem Textanfang in Urnammu 30:1-3 (Z. 2 bietet **[l]ugal-a-ni-[ir]**), der gleichfalls auf einem Steingefäß überliefert ist.

Urnammu 45

Text: HS 1965 (Steintafel): s. die Beschreibung dieses Textes von J. Oelsner, WZJ 18 (1969) 53, 18.; Herkunft: Nippur.

Literatur: I. Kärki, StOr 58, 26: Urnammu 42.

Umschrift nach den Angaben J. Oelsners rekonstruiert:

1 ^{d}en-lil$_2$	Enlil,
2 lugal-kur-kur-ra	dem Herrn aller Länder,
3 lugal-a-ni	sein(em) Herrn,
4 ur-^{d}nammu	hat Urnammu,
5 nita-kal-ga	der starke Mann,
6 lugal-uri$_5$ ^{ki}-ma	der König von Ur,
7 lugal-ki-en-gi-ki-uri-ke$_4$	der König von Sumer (und) Akkad,
8 bad$_3$-nibru^{ki}	die Mauer von Nippur
9 mu-na-du$_3$	gebaut.

Urnammu 46

Text: Private Sammlung in England (Türangelstein aus Diorit oder Basalt; z.Zt. als Leihgabe im Ashmolean Museum, Oxford): O.R. Gurney, Iraq 44 (1982) 144 (Photos); Herkunft: als Geschenk des Türkischen Gouverneurs in Baghdad 1918 übergeben.

Literatur: O.R. Gurney, a.a.O. 143f.; I. Kärki, StOr 58, 27: Urnammu 44.

1 ^{d}en-ki mar-uru$_5$-an-ki-ra **(1)**	Enki, der Sturmflut von Himmel (und) Erde, **(2)**
2 lugal-a-ni	sein(em) Herrn,
3 ur-^{d}nammu	hat Urnammu,
4 nita-kal-ga	der starke Mann,
5 lugal-uri$_5$^{ki}-ma	der König von Ur,
6 lugal-ki-en-gi-ki-uri-ke$_4$	der König von Sumer (und) Akkad,
7 e$_2$-a-ni	seinen Tempel
8 mu-na-du$_3$	gebaut.

1) Z. 1-2: Besonders auffällig ist hier die Schreibung des Dativmorphems **-ra** am Ende von Z. 1. Man erwartet die Realisierung des Dativs am Ende der Apposition **lugal-a-ni** (Z. 2); diese ist jedoch in den vorliegenden Inschriften des Urnammu (vgl. aber Urnammu 30:1-2) (und Šulgi) an dieser Position bislang nicht eindeutig nachzuweisen.

2) Z. 1: Verständnis dieser Zeile mit O.R. Gurney, ibidem. Nach "Inanna und Enki" I Kol. 5:29 (s. G. Farber-Flügge, Stud. Pohl 10, 28f.) gehört **mar-uru$_5$** "Sturmflut"zuden**me**, die Inanna von Enki aus Eridu mit sich brachte. Zu Enki/Ea als Wassergott in späteren Belegen s. H. Galter, Ea/Enki 52ff..

Urnammu 47

Text: *BM 104744 = 1912-7-6,8 (Tafel aus Kalkstein): s. Taf. XIII-XIV dieser Arbeit (Photos); Herkunft: ?.

Literatur: Vgl. British Museum. A Guide (1922) 85 zu 62..

1	1 ^{d}nanna	Nanna,
	2 lugal-a-ni	sein(em) Herrn, -
	3 ⸢ki⸣-sur-⸢ra⸣-	(was) das Gebiet **(1)**
	4 ma$_2$-⸢ma$_2$-gan^{ki}⸣	(für) die Magan-Schiffe (anlangt),
	5 an-ne$_2$	[das] An
	6 ^{d}⸢en-lil$_2$⸣-[le]	(und) Enlil
	7 sag-⸢še$_3$ i$_3$-im$^?$⸣-ri[g$_7$(= PA.⸢KAB⸣. [DU])-ga]	zum Geschenk gem[acht haben],
	8 ur-$^{[d]}$⸢nammu⸣	hat Urnammu,
	9 nit[a-kal-g]a	der [starke] Mann,
	10 lugal-⸢uri$_5$⸣$^{[k]i}$-m[a]	der König [von] Ur,
	11 lugal-[ki-en]-gi-[ki-uri-ke$_4$(?)]	der König [von Sum]er (und) [Akkad],
	12 u$_4$ e$_2$-$^{⸢d⸣}$[na]nn[a](=[ŠE]Š.K[I])	als er den Tempel [des Na]nna
	13 mu-du$_3$-a	gebaut hatte,

2	1 di-nig$_2$-gi-[na]-	aufgrund des gerecht[en] Rechtsspruches **(2)**
	2 ^{d}utu-ta	des Utu
	3 ⌜inim mu⌝-na-gi-in	ihm (= Nanna) die (bestehende) Abmachung bestätigt,
	4 ⌜šu-na mu⌝-ni-[g]i$_4$	hat (das Gebiet) (ihm) in seine (= des Nanna) Hand zurückgegeben
	5 ⌜x-ba x x⌝-na-ni	(und) hat sein(e) ... **(3)**
	6 [a m]u-na-ru	ihm [ge]weiht.
	7 [l]u$_2$ a$_2$-nig$_2$-⌜ḫul-dim$_2$⌝-ma	Den Mann, der den Befehl zu einer Übeltat **(4)**
	8 [....]-ag$_2$-GA$_2$-a	[gegen (den Gegenstand, zu dem diese Steintafel gehört),] erteilt,
	9 l[u$_2$ inim]-bi	den Ma[nn], der diese [Abmachung] **(5)**
	10 [i]b$_2$-kuru$_2$-a	ändert,
	11 ^{d}nanna	([möge]) Nanna
3	1 GARA$_2$$^?$⌜x x⌝[x] ⌜x(?)⌝	...[...]...
	(Rest der Kolumne bis auf wenige Zeichen am Zeilenende **(6)** abgebrochen)	
4	1 [ḫ]e$_2$-in-TI-e	... !
	2 uru-ni-da	Auf seine Stadt
	3 sag-ki-⌜ni⌝	möge er (= Nanna) seinen zornigen Blick **(7)**
	4 ḫa-ba-da-⌜gid$_2$⌝-[de$_3$]	richten.
	5 ^{giš}g[u-za-ni-ta(?)]	[Von seinem] Th[ron herab] **(8)**
	6 saḫar-r[a ḫe$_2$-em-ta-tuš]	[möge er in] den Staub [gesetzt werden!]
	7 ur[u ....]	[....] Stadt
	8 G[I$^?$] / Z[I$^?$] [....]	...[....]
	9 ḫe$_2$-⌜ta$^?$-x⌝-[x]-⌜x-x⌝	möge [er] ...[...]...!
	10 ⌜x x x x⌝(?)	...
	11 [x] ⌜x x⌝ [x]	[...]...[...]
	12 [....] ⌜ḫe$_2$$^?$⌝-a	[....] möge er sein! **(9)**

1) Kol. 1:3-2:4: Die Verbindung **ki-sur-ra-ma$_2$-ma$_2$-gan^{ki}** "Gebiet (oder: Grenze) (für) die Magan-Schiffe" (Kol. 1:3-4) ist - soweit ich sehe - singulär. **ki-sur-ra** meint hier wohl das "Seefahrtsgebiet" gegenüber seiner sonstigen, gut bezeugten Bedeutung "Territorium", s. dazu die Zusammenstellung bei H. Behrens, FAOS 10, s.v. **ki-sur-ra**.
Die Aussage von Kol.1:3-2:4 ist zu verbinden mit der von Urnammu 26,2:1-4:
nig$_2$-ul-li$_2$-a-ke$_4$ pa mu-na-e$_3$ / gaba-a-ab-ka-ka / ki-SAR-a nam-ga-eš$_8$ bi$_2$-silim / ma$_2$-ma$_2$-gan šu-na mu-ni-gi$_4$ "Das Althergebrachte hat er (= Urnammu) (in voller Pracht) erstrahlen lassen, hat an der Küste des Meeres in(?) den (be)schriebenen(?) Orten den Fernhandel gesunden lassen (und) hat ihm (= Nanna) die Magan-Schiffe in seine Hand zurückgegeben.".
Beide Aussagen machen deutlich, daß Urnammu um eine Regelung des Seefahrtsgebietes (**ki-sur-ra-ma$_2$-ma$_2$-gan^{ki}** "Gebiet (oder: Grenze) (für) die Magan-Schiffe") und die Sicherheit der Seefahrtswege "in(?) den (be)schriebenen(?) Orten" bemüht war. Bezieht man hier auch die Aussagen von Urnammu 28 mit ein, wo in Kol. 1:15-18 eine enge phraseologische Parallele zu Kol. 2:1-3 dieses Textes besteht, zeigt sich, daß es Urnammu um eine umfassende Regelung des Handels zu Wasser ging: von der Anlage des "Nannagugal-Kanals", den er als "Grenzkanal" wohl zur Unterstützung des Binnenhandels "(bis) ins Hör-Gebiet reichen ließ" (vgl. Urnammu 28,1:10-14), bis zur Restituierung des Seefahrtsgebietes, mit der er den Außenhandel (wieder)belebte. Von diesem Kanalbau ist auch auf der Urnammu-Stele in Urnammu 29 die Rede in Verbindung mit der umfassenden Kanalbautätigkeit des Urnammu, die vor diesem Hintergrund eine neue Bedeutung gewinnt.

2) Kol. 2:1-3: Diese Zeilen haben eine fast wörtliche Parallele in Urnammu 28,1:15-18 (s.o. Anm. 1).

3) Kol. 2:5-6: Kol. 2:5 umfaßt das Akkusativobjekt zu **[a m]u-na-ru** "er hat ihm (= Nanna) [ge]weiht". Ob in **x-ba** ein vorausgestelltes Rektum (einer Genitivverbindung) oder ein Lokativ realisiert wird, bleibt unklar. In dem in Kol. 2:5 genannten Objekt ist sicher nicht die Kalksteintafel angesprochen, auf der sich diese Inschrift befindet, sondern ein anderer Gegenstand, der nicht oder nur sehr schwer zu beschriften war, und dem diese Kalksteintafel erklärend beigegeben wurde. Damit wird die sonst unübliche explizite Benennung des geweihten Objektes hier einsichtig.

4) Kol.2:7-8: Der Beginn der Fluchformel ist zu vergleichen mit dem von Urnammu 29,2:5'-6' und Ibbīsuen A 9-10:65-66.

Die Verbalform **[....]-ag$_2$-GA$_2$-a** in Kol. 2:8 ist über die Parallele in Ibbīsuen A 9-10:66 **ib$_2$-ši-ag$_2$-e-a** sicher über ***...-ag$_2$-e-a** zu erklären, wobei offenbleibt, ob **GA$_2$** über die Lesung **ge$_{26}$** (so schon D.O. Edzard, ZA 66 (1976) 52 zu **te-ge$_x$(=GA$_2$)** oder bei einer Lesung **ga$_2$** über eine Vokalharmonie zu verstehen ist.

5) Kol. 2:9-10: Ergänzung in Anlehnung an Gudea Statue B 8:42 **lu$_2$ inim-ni ib$_2$-ku=ru$_2$-a** "der Mann, der seine (= des Gudea) Abmachung (/Worte) ändert".

6) In Kol. 3 ist jeweils am Ende von Z. 1', 3'und 7' das Zeichen **A** zu erkennen, das wohl als Morphem der Nominalisierung der Verbalformen der Fluchformel zu erklären ist; vgl. etwa oben Kol. 2:8 und 2:10.

7) Kol. 4:3-4: Zu **sag-ki--gid$_2$** "zornig anschauen" s. die Belegsammlung bei A. Falkenstein, ZA 57 (NF 23) (1965) 75f. zu Z. 1.

8) Kol. 4:5-6: Ergänzung dieser Zeilen in Anlehnung an Gudea Statue B 9:10-11.

9) Kol. 4:12: Zu **ḫe$_2$-a** am Ende der Fluchformel vgl. in diesen Texten Urnammu 28,2:14 mit Varianten in Anm. g).

Šulgi 1a

Text: A) Nach C.B.F. Walker, CBI 27f. zu 21. sind folgende gestempelte Backsteine des British Museum bekannt:

BM 90005 = 1979-12-20,6

BM 90017 = 1979-12-20,16

BM 90276 = 1979-12-20,169:

E. Norris, 1R2II1 (Kopie); L.W. King, CT 21,10 (Kopie von BM 90005); ferner:

BM 90379 = 51-10-9,89R (Zuordnung unsicher; gehört möglicherweise zu Urnammu 3, Text B))

BM 114208 = 1919-10-11,2608: H.R. Hall, u.a., UE I pl. XII 7 (Photo); Herkunft: Ur.

B) U. 7847 = * IM 92925 (Fragment eines Ziegelstempels): E. Sollberger, UET VIII 24 (Kopie); Herkunft: Ur, Diqdiqqah.

C) "pavement(?) of burnt bricks, ..., stamped by King Dungi or Shulgi": H.R. Hall, u.a., UE I pl. XII 7 (Photo des Backsteins BM 114208 (= 1919-10-11,2608), s. dazu C.B.F. Walker, CBI 28 zu 21. BM 114208 (s. schon oben Text A)); Herkunft: Eridu, Tempelbereich ?.

D) H. Behrens, JCS 37 (1985) 232 zu 13. nennt folgende gestempelte Backsteine des University Museums:

CBS 16463 (= U. 2881a)

CBS 16533 (= U. 2881b)

UM 84-26-32

UM 84-26-33

UM 84-26-34

(U. 2881 ist bereits bei C.J. Gadd, L. Legrain, UET I S. XXIV (zu "Shulgi ... S.A.K.I. p. 190 (a)") erwähnt).

Herkunft: Ur.

E) Sb 5634 (Hammer (= "marteau") (aus Kupfer): R. de Mecquenem, RA 47 (1953) 81 fig. 2, 4a (Umzeichnung); 82 (Umschrift): P. Calmeyer, Datierbare Bronzen 38; P. Amiet, Elam 243, Abb. 176; (Photos); Herkunft: Susa.

Literatur: F. Thureau-Dangin, SAK 190, a); G. Barton, RISA 274, 1.; W.W. Hallo, HUCA 33 (1962) 28: Šulgi 1; E. Sollberger, J.-R. Kupper, IRSA 139f. IIIA2b; C.B.F. Walker, CBI 27f. zu 21.; I. Kärki, StOr 58, 27f.: Šulgi 1b.

Umschrift nach Text A)

1 ^{d}šul-gi	Šulgi,
2 nita-kal-ga	der starke Mann,
3 lugal-uri$_5$^{ki}-ma	der König von Ur,
4 lugal-ki-en-gi-ki-uri	der König von Sumer (und) Akkad.

Šulgi 1b

Text: A) U. 6337 a (= CBS 16525); b (= IM 1259); c (= IM ?); d (= *BM 118730); e (= *BM 118729); (Tonzylinder): E. Sollberger, UET VIII 23 (Kopie); L. Woolley, AJ 6 (1926) pl. LXIb (Grabungsphotos der Fundlage); pl. LXIa; ders., UE VI pl. 48c (Photo U. 6337 a-c); Herkunft: Ur, unter dem 'Šulgi-Fußboden, Hof T 9' des 'Dim-tab-ba'-Tempels.

B) IM 61278 (Backstein; gestempelt): T. Madhlūm, Sumer 16 (1960) 91 (arabischer Teil) (Umschrift; dort wird irrtümlich IM 61778 als Museumsnummer angegeben); pl. 11 B (arabischer Teil) (Photo); J.N. Postgate, Sumer 32 (1976) 88 Nr. 22 (Umschrift); Herkunft: Tell al-Wilayah, "basin north side of mound".

Literatur: E. Sollberger, J.-R. Kupper, IRSA 140 IIIA2c; I. Kärki, StOr 58, 28: Šulgi 1c. - Vgl. E. Sollberger, UET VIII S. 5f. zu 23..

1 ^{d}šul-gi	Šulgi,
2 nita-kal-ga	der starke Mann,
3 lugal-uri$_5$^{ki}-ma	der König von Ur,
4 lugal-an-ub-da-limmu$_2$-ba	der König der vier Weltgegenden.

Šulgi 2

Text: Pierpont Morgan Library (Fragment einer Karneolperle): CANES I pl. XLV No. 295 (Photo); S. 168, No. 295; Herkunft: Kunsthandel.

Literatur: W.W. Hallo, HUCA 33 (1962) 29: Šulgi 2; W.W. Hallo, AOS 43, 143 mit Anm. 7; I. Kärki, StOr 58, 28f.: Šulgi 2.

1 [$^{d(?)}$šu]l-gi	[Šu]lgi,
2 [lu]gal-uri$_2$^{ki}-ma	der [Kö]nig von Ur,
3 [l]u$_2$ IM^{ki}	der [Ma]nn, [der] ... **(1)**
4 [i]n-du$_3$-[a]	[er]baut hat.

1) Z. 3: So mit W.W. Hallo, AOS 43,143. Zu den Lesungen und dem Versuch der geographischen Bestimmung von **IM^{ki}** s. D.O. Edzard, RlA 5, 63ff. s.v. **IM^{ki}**; D.O. Edzard, G. Farber, RGTC 2, 83f. s.v. **IM** (mit dem Lesungsvorschlag **lugal-IM^{ki}** für diese Zeile).

Šulgi 3

Text: As. 31-765 (Backstein, gestempelt): Th. Jacobsen, AS 6, 22 (Kopie); 23 (Photo); Herkunft: Tell Asmar.

Literatur: Th. Jacobsen, AS 6, 20ff.; I.J. Gelb, MAD 2, 16 zu 1.a.; W.W. Hallo, HUCA 33 (1962) 29: Šulgi 3; E. Sollberger, J.-R. Kupper, IRSA 142 IIIA2k; I. Kärki, StOr 58, 29: Šulgi 3; I.J. Gelb, B. Kienast, FAOS 7, 339: Ur 1.

1 šul-gi	Šulgi, **(1)**
2 *da-num$_2$*	der Starke,
3 LUGAL uri$_5$^{ki}	der König von Ur
4 *u$_3$* LUGAL	und der König
5 *ki-ib-ra-tim*	der vier
6 *ar-ba-im*	Weltgegenden,
7 BA.DIM$_2$	der Erbauer

8 E_2.SIKIL	des Esikil,
9 E_2 $^{d⌜}$tišpak⌝	des Tempel des Tišpak,
10 *in iš-nun*^{ki}	in Ešnunna.

1) Z. 1-10: Vgl. zu dieser akkadischen Inschrift auch die sumerische 'Variante' Šulgi 7, in der der Tempel Esikil dem Ninazu zugeschrieben ist; zu beiden Inschriften s. J. van Dijk, SGL II 22 Anm. 34.

Šulgi 4a

Text: AO Nr. ? (Steintafel): A. Amiaud, ZA 3 (1988) gegenüber S. 95; E. Schrader, ZDMG 29 (1875) 37; (Kopien); Herkunft: Ninive.

Literatur: F. Thureau-Dangin, SAK 190, g); G. Barton, RISA 278, 8.; I.J. Gelb, MAD 2 16 zu 1.a.; W.W.Hallo, HUCA 33 (1962) 29: Šulgi 4 i.; E. Sollberger, J.-R. Kupper, IRSA 142 IIIA2m; E. von Weiher, AOAT 11, 6; I. Kärki, StOr 58, 29: Šulgi 4a; I.J. Gelb, B. Kienast, FAOS 7, 339f.: Ur 2.

Vs	1 šul-gi	Šulgi, **(1)**
	2 *da-num*$_2$	der Starke,
	3 LUGAL uri_5^{ki}	der König von Ur
	4 *u*$_3$ LUGAL	und der König
	5 *ki-ib-ra-tim*	der vier
	6 *ar-ba-im*	Weltgegenden,
	7 BA.DIM$_2$	der Erbauer
Rs	1 E_2-⌜mes⌝-lam	des Emeslam,
	2 E_2 [^{d}ne$_3$]-eri$_{11}$-gal	des Tempels des [Ne]rgal,
	3 *be-[li$_2$]-šu*	seines H[er]rn,
	4 ⌜*in*⌝ [GU$_2$.DU$_8$].A^{KI}	in [Kut]ha. **(2)**

1) Vs 1ff.: S. Auch die sumerische Fassung dieser Inschrift, Šulgi A 4b.

2) Rs 4: Zur vermuteten Identifikation von **gu_2-du_8-a** = *kutû(m)* mit dem Tell Ibrāhīm und dessen Lage s. D.O. Edzard, G. Farber, RGTC 2 66f.; D.O. Edzard und M. Geller, RlA 6, 384ff. s.v. Kutha.

Šulgi A 4b

Text: BM 35389 (Tontafel: neubabylonische Abschrift von einer Steintafel mit Kolophon, s. dazu W.W. Hallo, HUCA 33 (1962) 9 Anm. 63): L.W. King, CT 9,3; H. Winckler, Sumer und Akkad, 16:1; ABK Nr. 35; (Kopien); Kollation: K. Volk; Herkunft: ?.

Literatur: F. Thureau-Dangin, SAK 190, f); G. Barton, RISA 267, 7.; W.W. Hallo, HUCA 33 (1962) 29: Šulgi 4 ii.; E. Sollberger, J.-R. Kupper, IRSA 142 IIIA2l; E. von Weiher, AOAT 11, 6f.; I. Kärki, StOr 58, 30: Šulgi 4b; H. Hunger, AOAT 2, 127 Nr. 442 (Kolophon).

Vs	1 šul-gi	Šulgi,
	2 nita-kal-ga	der starke Mann,
	3 lugal-uri_5^{ki}-ma	der König von Ur,
	4 lugal-ki-en-gi-ki-uri	der König von Sumer (und) Akkad,
	5 e_2-mes-lam	der das Emeslam,
Rs	1 e_2-^{d}mes-lam-ta-e_3-a	den Tempel des Meslamta'e'a,
	2 gu_2-du_8-a^{ki}	in Gudu'a
	3 mu-du_3-a	gebaut hat.

Kolophon:

1 *ša muḫḫi* ^{na4}*narî* **(1)** *labiri* (= LIBIR.RA)	Was auf einer alten Gründungsinschrift **(1)**
2 *ša* E_2-mes-lam *qe_2-reb kutî* (= GU_2.DU_8.A)^{ki}	des Emeslam in Kutha (steht).

3 IM.GID$_2$.DA ^{md}*bēl-uballiṭ$_3$*^{it}*tupš[arri]* (=DUB.S[AR]) — Langtafel des Bēluballiṭ, des Schrei[bers].

1) Kolophon Z. 1: Nach dem Inhalt des eigentlichen Textes kann ^{na4}*narû* (= **NA.RU$_2$.A)** hier kaum in der ursprünglichen, wörtlichen Bedeutung "Stele" gefaßt werden, sondern ist vielmehr - wie später geläufig - als "Gründungsinschrift / -tafel" zu verstehen; vgl. zu dieser Bedeutung und ihrer Entwicklung R. Ellis, Foundation Deposits, 145ff.; ferner CAD N/I 367 s.v. *narû* A 3. b) ("foundation inscription").

Šulgi 5

Text:

Backstein: A) Nach C.B.F. Walker, CBI 28f. zu 22. sind folgende Exemplare des British Museum bekannt:

BM 90277 = 1979-12-20,170 (gestempelt)

BM 90278 = 1979-12-20,171 (gestempelt):

E. Norris, 1R2II2 (Kopie); L.W. King, CT 21, 11 (Kopie von BM 90278); ferner:

BM 90804 = 1979-12-20,360

BM 114252 = 1919-10-11,4683

BM 114255 = 1919-10-11,4686 (gestempelt)

BM 114256 = 1919-10-11,4687 (gestempelt)

BM 114257 = 1010-10-11,4688 (gestempelt)

BM 114258 = 1919-10-11,4689 (gestempelt)

BM 114301 = 1919-10-11,4690 (gestempelt)

BM 114302 = 1919-10-11,4691

BM 114303 = 1919-10-11,4692 (gestempelt)

BM 114304 = 1919-10-11,4693 (gestempelt)

BM 114305 = 1919-10-11,4694 (gestempelt)

BM 114306 = 1919-10-11,4695 (gestempelt)

Herkunft: Ur.

C.B.F. Walker, a.a.O. 29 zu 22. erwähnt ferner BM 114256A = 1919-10-11,4687A + 4755 ("a fragment of bitumen having the reversed impression of the stamp on BM 114256").

B) H. Behrens, JCS 37 (1985) 232 zu 14. nennt folgende Exemplare des University Museums:

CBS 16535a (= U. 2880a) (gestempelt)

CBS 16535b (= U. 2880b) (gestempelt)

CBS 16536c (= U. 2880c)

CBS 16464 (gestempelt);

Herkunft: Ur.

(Die gestempelten Exemplare dieses Textes, wie auch die von Text A) und C) gehören wohl zu den bei C.J. Gadd, L. Legrain, UET I, S. XXIV (zu "Shulgi ... S.A.K.I. p. 190 (b)) genannten "several copies".)

C) IM 66433 (gestempelt): S. as-Siwani, Sumer 18 (1962) 188 (arabischer Teil) (Kopie); Herkunft: Ur.

Ziegelstempel: D) 3 N 313 (Zeilenenden von Z. 4-7 enthalten, Zuordnung unsicher): D.E. McCown, OIP 78 pl. 148,8 (Photo); Herkunft: Nippur, TB 284 IX 1.

Literatur: F. Thureau-Dangin, SAK 190, b); G. Barton, RISA 276, 2.; W.W. Hallo, HUCA 33 (1962) 29: Šulgi 5; C.B.F. Walker, CBI 28f. zu 22.; I. Kärki, StOr 58, 30f.: Šulgi 5.

Umschrift nach Text A) (BM 90278)

1 šul-gi	Šulgi,
2 nita-kal-ga	der starke Mann,
3 lugal-uri$_5$^{ki}-ma	der König von Ur,
4 lugal-ki-en-gi-ki-uri-ke$_4$	der König von Sumer (und) Akkad,
5 e$_2$-ḫur$^!$-sag	hat das Eḫursag, **(1)**
6 e$_2$-ki-ag$_2$-ga$_2$-ni **(a)**	sein geliebtes Haus,
7 mu-du$_3$	gebaut.

a) Z. 6: Var. in Text A) BM 114302 **e$_2$-ki-ag$_2$-a-ni**

1) Z. 5: W.W. Hallo, HUCA 33 (1962) 29 Anm. 214 hat den zeitlichen Bezug dieses Textes zur Datenformel des 11. (bzw. 10.) Regierungsjahres Šulgi's (nach BE I/2 125:5) **mu e$_2$-ḫur-sag-lugal ba-du$_3$** "Jahr: Das Eḫursaglugal wurde gebaut" hergestellt und vermutet, das Eḫursag sei ein Palast, da es keiner Gottheit gewidmet sei. Dazu ist jedoch zu beachten, daß die Sammlung der sumerischen Tempellieder das "Eḫursag des Šulgi in Ur" (= **e$_2$-ḫur-sag-šul-gi** (mit Var. **^{d}šul-gi** in den Texten E) und Ga)) **uri$_2$^{ki}**-ma) (in Z. 132) in der neunten Hymne besingt (s. dazu Å. Sjöberg, TCS 3, 24, Z. 119-134) und den "himmlischen Šulgi" (= **šul-gi** (mit Var. **^{d}šul-gi** in den Texten E) und Ga)) **-an-na-ke$_4$** in Z. 132) als Bauherrn nennt. Aus der unterschiedlichen Schreibung des Herrschernamens mit und ohne Gottesdeterminativ in dem Tempellied und der Tatsache, daß in dieser Bauinschrift Šulgi ohne das Gottesdeterminativ geschrieben ist, hat C. Wilcke, CRRA 19 (1974) 190 Anm. 51 den Schluß gezogen, daß "nicht sicher zu sein" scheint, "daß das **e$_2$-ḫur-sag** als Tempel für den vergöttlichten König gebaut wurde". In diesem Zusammenhang müssen auch die Inschriften Šusuen 3, 5 und 10-13 genannt werden, in denen der Bau eines Hauses (= Tempels(?)) für den vergöttlichten Šusuen berichtet wird.

Šulgi 6

Text:

Backstein: A) Museums-Nr. ? V.: Scheil, MDP 4, Pl. 1,4 (Photo) (enthält Z. 1-4); Herkunft: Susa.

B) Museums-Nr. ?: V. Scheil, MDP 6, Pl. 6,1 (Photo); Herkunft: Susa.

Literatur: V. Scheil, MDP 4, S. 8; ders., MDP 6, S. 20; F. Thureau-Dangin, SAK 190, c); G. Barton, RISA 276, 3.; W.W. Hallo, HUCA 33 (1962) 20: Šulgi 6; E. Sollberger, J.-R. Kupper, IRSA 142 IIIA2n; I. Kärki, StOr 58, 31: Šulgi 6.

Umschrift nach Text B)

1 šul-gi	Šulgi,

2 nita-kal-ga	der starke Mann,
3 lugal-uri$_5$^{ki}-ma	der König von Ur,
4 lugal-ki-en-gi-<ki->uri-ke$_4$	der König von Sumer (und) <Ak>kad,
5 ^{d}nin-šušin^{ki}-ra	hat Ninšušin
6 e$_2$-a-ni	seinen Tempel
7 mu-na-du$_3$	gebaut
8 ki-be$_2$ mu-na-gi$_4$	(und) hat (ihn) ihm wiederhergestellt.

Šulgi 7

Text: As. 31-736 (Backstein, gestempelt): Th. Jacobsen, AS 6, 21 (Kopie); Herkunft: Tell Asmar.

Literatur: Th. Jacobsen, a.a.O. 20; W.W. Hallo, HUCA 33 (1962) 29: Šulgi 7; E. Sollberger, J.-R. Kupper, IRSA 141 IIIA2j; I. Kärki, StOr 58, 32: Šulgi 7.

1 ^{d}nin-a-zu	Ninazu, **(1)**
2 lugal-a-ni	sein(em) Herrn,
3 šul-gi	hat Šulgi,
4 nita-kal-ga	der starke Mann,
5 lugal-uri$_5$^{ki}-ma	der König von Ur,
6 lugal-ki-en-gi-ki-uri-ke$_4$	der König von Sumer (und) Akkad,
7 e$_2$-sikil	das Esikil,
8 e$_2$-ki-ag$_2$-ga$_2$-ni	seinen geliebten Tempel,
9 mu-na-du$_3$$^{!}$(=NI)	gebaut.

1) Z. 1-9: S. zu dieser Inschrift Šulgi 3.

Šulgi 8

Text:

Backstein: A) A 1143: D. Luckenbill, OIP 14, 37; E.J. Banks, Bismya 134; (Kopien); Herkunft: Adab.

B) A 1141: D. Luckenbill, OIP 14, 38 (Kopie); E.J. Banks, Bismya 344 (Photo); Herkunft: Adab.

C) A 1142: D. Luckenbill, OIP 14, 39 (Kopie); Herkunft: Adab.

Literatur: W.W. Hallo, HUCA 33 (1962) 29: Šulgi 8; I. Kärki, StOr 58, 32: Šulgi 8.

1 ^{d}nin-ḫur-sag	Ninḫursag,
2 nin-a-ni	seine(r) Herrin,
3 šul-gi	hat Šulgi,
4 nita-kal-ga	der starke Mann,
5 lugal-uri$_{5}^{ki}$-ma	der König von Ur,
6 lugal-ki-en-gi-ki-uri-ke$_{4}$	der König von Sumer (und) Akkad,
7 giš-keš$_{2}$-DU-	ihr geliebtes
8 ki-ag$_{2}$-ni	Stauwehr
9 mu-na-du$_{3}$	gebaut.

Šulgi 9

Text: HS 1963 (Steintafel): H.V. Hilprecht, BE I/2 123 (Kopie); s. dazu J. Oelsner, WZJ 18 (1969) 19.; Herkunft: Nippur.

Literatur: F. Thureau-Dangin, SAK 192, l); G. Barton, RISA 278, 12.; W.W. Hallo, HUCA 33 (1962) 29: Šulgi 9; I. Kärki, StOr 58, 32f.: Šulgi 9.

Vs 1 ^{d}dam-gal-nun-na	Damgalnunna,
2 nin-a-ni	seine(r) Herrin,
3 šul-gi	hat Šulgi,

4 nita-kal-ga	der starke Mann,
5 lugal-$uri_5{}^{ki}$-ma	der König von Ur,
6 lugal-ki-en-gi-ki-uri-ke_4	der König von Sumer (und) Akkad,
Rs 1 e_2-nibru^{ki}-ka-ni	ihren Tempel von Nippur
2 mu-na-du_3	gebaut.

Šulgi 10

Text: *BM 17287 (Tafel aus schwarz-grünem Stein(= Steatit(?))): L.W. King, CT 3,1 = H. Winckler, AOF I (1897) 547,8; (Kopien); Kollation: K. Volk; Herkunft: ?.

Literatur: F. Thureau-Dangin, SAK 192, m); G. Barton, RISA 278, 13.; W.W. Hallo, HUCA 33 (1962) 30: Šulgi 10; I. Kärki, StOr 58, 33: Šulgi 10.

Vs 1 $^{⸢d⸣}$en-k[i]	Enk[i],
2 lugal-a-ni	sein(em) Herrn,
3 šul-gi	hat Šulgi,
4 nita-kal-ga	der starke Mann,
5 lugal-$uri_5{}^{ki}$-ma	der König von Ur,
6 lugal-ki-en-gi-ki-uri-ke_4	der König von Sumer (und) Akkad,
Rs 1 e_2-a-ni	seinen Tempel
2 mu-na-du_3	gebaut.

Šulgi 11

Text: A) *BM 90897 = BM 12025 (Tafel aus Steatit): L.W. King, CT 21, 10-11; E. Norris, IR2II3; (Kopien); L.W. King, HSA pl. XXIX gegenüber S. 288 (Photo oben links); Herkunft: ?.

B) W. 17303 = IM 45614 (Bronzenagel, Korbträger); W. 17304 = IM 45615 (Tafel aus Steatit, Vs: flach; Rs: gewölbt): A. Falkenstein, UVB 10 (1939) Taf. 22 b (Bronzenagel); c-d (Steintafel); (Photos); S.A. Rashīd, Gründungsfiguren, Taf. 30, Nr. 140 (Umzeichnung); Herkunft: Uruk, Eanna.

C) VA 15192 (= W. 17945a) (Bronzenagel, Korbträger; Kol. 1:1-6 = B) (W. 17304) 1:1-6; Kol. 2:1-5 = B) (W. 17304)1:7-2:4; = W. 17945 b: Tafel aus Diorit; Zeilenanordnung wie Text B) (W. 17304)): J. Marzahn, AoF 14/1 (1987) 35 zu 15. a+b (Kopie beider Texte); vgl. S.A. Rashīd, Gründungsfiguren, S. 30 zu Nr. 141(?); Herkunft: Uruk.

Literatur: F. Thureau-Dangin, SAK 192, n); G. Barton, RISA 278, 14.; A. Falkenstein, UVB 10 (1938) 18; W.W. Hallo, HUCA 33 (1962) 30: Šulgi 11; I: Kärki, StOr 58, 33f.: Šulgi 11; J. Marzahn, AoF 14/1 (1987) 34f. zu 15..

Umschrift nach Text B)(W. 17304)

Vs	1 ^{d}inanna	Inanna,
	2 nin-e_2-an-na	der Herrin von E'anna,
	3 nin-a-ni	seine(r) Herrin,
	4 šul-gi	hat Šulgi,
	5 nita-kal-ga	der starke Mann,
	6 lugal-$uri_5{}^{ki}$-ma	der König von Ur,
	7 lugal-ki-en-gi-ki-uri-ke_4	der König von Sumer (und) Akkad,
Rs	1 e_2-an-na	das E'anna
	2 ki-be_2 mu-na-gi_4	wiederhergestellt
	3 bad_3-gal-bi	(und) hat ihr seine (= des E'anna) große Mauer
	4 mu-na-du_3	gebaut.

Šulgi 12

Text: A) Museums-Nr. ? (Steintafeln): V. Scheil, MDP 6, Pl. 6, 2 (Photo); s. die Angaben bei S.A. Rashīd, Gründungsfiguren, S. 33 mit Anm. 50; Herkunft: Susa, Inšušinak-Tempel.

B) Museums-Nr. ? (Bronzenägel, Korbträger (mit Steintafeln gleichen Textes,

s. Text A))): s. die Beschreibung und Angaben bei S.A. Rashīd, Gründungsfiguren, S. 32; S. 33f. zu Nr. 158-165: Sb 2879; Sb 2881; Sb 11455-11460 (!, wohl nicht Sb 11560): R. de Mecquenem, MDP 7, Pl. XI a, b (Photos von Sb 2879 und Sb 11457 oder Sb 11458); A. Parrot, Tello 205, Abb. 44, d; ders., Sumer, Abb. 292 C (Photo); S. A. Rashīd, Gründungsfiguren, Taf. C, Nr. 158 (Photo von Sb 2879); Taf. 33, Nr. 158; Nr. 162 (Umzeichungen von Sb 2879 und Sb 11457); B. André, Naissance de l'écriture, S. 232, Nr. 177 (Photo: Sb 2881); Herkunft: Šusa, Inšušinak-Tempel.

Literatur: V. Scheil, MDP 6, S. 21f.; F. Thureau-Dangin, SAK 192, p); G. Barton, RISA 280, 16.; W.W. Hallo, HUCA 33 (1962) 30: Šulgi 12; I. Kärki, StOr 58, 34: Šulgi 12.

Umschrift nach Text A)

Vs	1 ^{d}nin-šušin **(a)**	Ninšušin,
	2 lugal-a-ni	sein(em) Herrn,
	3 ^{d}šul-gi	hat Šulgi,
	4 nita-kal-ga	der starke Mann,
	5 lugal-uri$_{5}$^{ki}-ma	der König von Ur,
Rs	1 lugal-ki-en-gi-ki-uri-ke$_{4}$	der König von Sumer (und) Akkad,
	2 a-ar-ke$_{4}$-eš$_{2}$	A'arkeš,
	3 e$_{2}$-ki-ag$_{2}$-ga$_{2}$-ni	seinen geliebten Tempel
	4 mu-na-du$_{3}$	gebaut.

a) Vs. 1: Text B) add. **ki**.

Šulgi 13

Text: A) *MNB 1363 (Steintafel): E. de Sarzec, DC II Pl. 29,4 (Photo); vgl. P. Toscanne, RA 7 (1910) 59 Anm. 1 (ins nA übertragene Kopie); Herkunft: Girsu.

B) Zwei liegende Bronzestiere, Inschrift abgerieben, Zuordnung unsicher:

*MNB 1371: E. de Sarzec, DC II Pl. 28,6 (Photo); L. Heuzey, Catalogue (1902) 311, Nr. 162 (Umzeichnung); A. Parrot, Tello 204; 205, Abb. 44, c (Umzeichnung); S.A. Rashīd, Gründungsfiguren, Taf. 27, Nr. 132 (Umzeichung);

MNB 1377: A. Parrot, Tello 204; 205, Abb. 44, a; S.A. Rashīd, Gründungsfiguren, Taf. 20, Nr. 117 (Umzeichnung);

Herkunft: Girsu, Tell N.

C) Coll. Mercer (Steintafel): J. Mercer, JSOR 10 (1926) pl. nach S. 286, Nr. 7 (Kopie); Herkunft: ?.

D) Univ. of Michigan (Steintafel): unpubl., vgl. G. Barton, RISA 366, 9.; W.W. Hallo, HUCA 33 (1962) 30 Šulgi 13 v.; Herkunft: ?.

Literatur: F. Thureau-Dangin, SAK 190, h); G. Barton, RISA 278, 9.; 366, 9.; W.W. Hallo, HUCA 33 (1962) 30: Šulgi 13; I. Kärki, StOr 58, 34f.: Šulgi 13. - Vgl. P. Toscanne, RA 7 (1910) 59 Anm. 1; S.A. Rashīd, Gründungsfiguren, S. 23 (zu Nr. 117); S. 28 (zu Nr. 132).

Umschrift nach Text A) (Zeilenanordnung Z. 1-4: 1/3, 2/4)

Vs	1 ^{d}nanše	Nanše,
	2 nin-uru$_{16}$ **(a)**	der gewaltigen Herrin,
	3 nin-in-dub-ba	der Herrin des 'abgegrenzten Gebietes'
	4 nin-a-ni	seine(r) Herrin,
	5 šul-gi	hat Šulgi,
	6 nita-kal-ga	der starke Mann,
	7 lugal-uri$_{5}$^{ki}-ma	der König von Ur,
	8 lugal-ki-en-gi-ki-uri-ke$_{4}$ **(b)**	der König von Sumer (und) Akkad,
	9 e$_{2}$-šeš-šeš-e-ga$_{2}$-ra	das Ešeššešegara,
Rs	1 e$_{2}$-ki-ag$_{2}$-ga$_{2}$-ni **(c)**	ihren geliebten Tempel,
	2 mu-na-du$_{3}$	gebaut.

a) Vs. Z. 2: Text D) (nach Umschrift G. Barton, RISA 366, 9.): **nin$^{!?}$-uru$_{16}$**.

b) Vs Z. 8: Die Kopie von J. Mercer bietet für Text D): (8) **lugal-ki-en-** (9) **gi-ki-uri-ke$_{4}$$^{!}$(=E$_{2}$)**.

c) Rs Z. 1: Text D) (Umschrift G. Barton, RISA 366, 9.) om. diese Zeile.

Šulgi 14

Text: *BM 17288 = 94-1-15,2 (Fragment einer Tafel aus Steatit; Vs: flach; Rs: gewölbt): L.W. King, CT 3,1; H. Winckler, AOF I (1897) 547,7; (Kopien); Herkunft: ?.

Literatur: F. Thureau-Dangin, SAK 192, o); G. Barton, RISA 280, 15.; I.J. Gelb, MAD 2, 16 zu 1.a.; W.W. Hallo, HUCA 33 (1962) 30: Šulgi 14; E. Sollberger, J.-R. Kupper, IRSA 141 IIIA2h; I: Kärki, StOr 58, 35: Šulgi 14; I.J. Gelb, B. Kienast, FAOS 7, 340: Ur 3.

1 *a-na*	Für
2 ^{d}I$_7$	den Flußgott,
3 *be-li*$_2$*-śu*	seinen Herrn,
4 *šul-gi*	([hat]) Šulgi,
5 *da-num*$_2$	der Starke,
6 LUGAL [u]ri$_5^{ki}$	der König von Ur
7 ⸢*u*$_3$⸣ [LUGA]L	und [der Kön]ig **(1)**
(abgebrochen)	(abgebrochen).

1) Z. 7(ff.): Zu möglicher Ergänzung *u*$_3$ **LUGAL** *ki-ib-ra-tim ar-ba-im* s. etwa Šulgi 3:4-6; die Zeilenaufteilung bleibt auch nach Kollation unsicher.

Šulgi 15

Text: A) AO 27910 (Steintafel): E. de Sarzec, DC II Pl. 29,3 (Photo); H. Winckler,

ABK Nr. 32 (Kopie); Herkunft: Girsu.

B) *AO 426 (Bronzenagel, Korbträger): E. de Sarzec, DC II Pl. 28,1 (Photo; gleicher Text wie A)); Vs 1-7 = A) 1:1-7; Rs 1-4 = A) 1:8-2:3); Photo auch(?) bei V. Christian, Altertumskunde, Taf. 430,1; S.A. Rashīd, Gründungsfiguren, Taf. 26, Nr. 131 (Umzeichnung); vgl. E. Douglas van Buren, Foundation Figurines, S. 23 mit Anm. 3; Herkunft: Girsu.

C) EŞEM 1524 (Bronzenagel, Korbträger): E. Unger, RLV Bd. 8 Taf. 141,a (Photo); E. Douglas van Buren, Foundation Figurines, S. 24;S.A. Rashīd, Gründungsfiguren, Taf. 26, Nr. 130; Herkunft: Girsu.

D) EŞEM 489 (Bronzenagel, Korbträger): E. Unger, RLV Bd. 8, Taf. 141, b; ders., SuAK Abb. 53; (Photos); E. Douglas van Buren, Foundation Figurines, S. 24; S.A. Rashīd, Gründungsfiguren, Taf. 25, Nr. 128 (Umzeichnung); Herkunft: Girsu.

E) EŞEM 490 (Bronzenagel, Korbträger): E. Unger, RLV Bd. 8, Taf. 141, c (Photo); S.A. Rashīd, Gründungsfiguren, Taf. 26, Nr. 129 (Umzeichnung); Herkunft: Girsu.

Literatur: F. Thureau-Dangin, SAK 192, i); G. Barton, RISA 278, 10.; W.W. Hallo, HUCA 33 (1962) 30: Šulgi 15; E. Sollberger, J.-R. Kupper, IRSA 141 IIIA2i; I. Kärki, StOr 58, 36: Šulgi 15.

Umschrift nach Text A)

Vs	1 ^{d}nin-gir$_{2}$-su	Ningirsu,
	2 ur-sag-kal-ga-	dem mächtigen Helden
	3 ^{d}en-lil$_{2}$-la$_{2}$	des Enlil,
	4 lugal-a-ni	sein(em) Herrn,
	5 ^{d}šul-gi	hat Šulgi,
	6 nita-kal-ga	der starke Mann,
	7 lugal-uri$_{5}^{ki}$-ma	der König von Ur,
	8 lugal-ki-en-gi-ki-uri-ke$_{4}$	der König von Sumer (und) Akkad,
Rs	1 e$_{2}$-ninnu	das Eninnu,
	2 e$_{2}$-ki-ag$_{2}$-ga$_{2}$-ni	seinen geliebten Tempel,
	3 mu-na-du$_{3}$	gebaut.

Šulgi 16

Text: *IM 2 (= U. 222) (Steintafel aus Steatit; Vs: flach; Rs: gewölbt): C.J. Gadd, L. Legrain, UET I 58 (Kopie); pl. J (Photo der Vs); Herkunft: Ur, Enunmaḫ, Raum 19.

Literatur: C.J. Gadd, L. Legrain, UET I S. 13, Nr. 58; W.W. Hallo, HUCA 33 (1962) 30: Šulgi 16; I. Kärki, StOr 58, 36: Šulgi 16. - Vgl. G. Barton, RISA 366, 10..

Vs	1 ^{d}nin-mu$_{2}$	Ninmu,
	2 gir$_{2}$-la$_{2}$-e$_{2}$-kur$_{2}$-ra-ra **(1)**	dem Schlachter des Ekur,
	3 šul-gi	hat Šulgi,
	4 nita-kal-ga	der starke Mann,
	5 lugal-uri$_{5}^{ki}$-ma	der König von Ur,
	6 lugal-ki-en-gi-ki-uri-ke$_{4}$	der König von Sumer (und) Akkad,
	7 e$_{2}$-a-ni	seinen Tempel
Rs	1 mu-na-du$_{3}$	gebaut.

1) Vs 2: Beachte die syllabische Schreibung **e$_{2}$-kur$_{2}$** für **e$_{2}$-kur**.

Šulgi 17

Text: *CBS 842 (Steintafel): H.V. Hilprecht, BE I/1 16 (Kopie); Herkunft: Ur.

Literatur: F. Thureau-Dangin, SAK 192, k); W.W. Hallo, HUCA 33 (1962) 30: Šulgi 17; I. Kärki, StOr 58, 36f.: Šulgi 17.

Vs	1 ^{d}nin-*ur[i$_{5}$]^{ki}-ma	Ninurima,
	2 nin-a-ni	seine(r) Herrin,
	3 šul-gi	hat Šulgi,

	4 nita-⌈kal⌉-ga	der starke Mann,
	5 lugal-*uri$_5$^{ki}-ma	der König von Ur,
	6 lugal-ki-en-⌈gi⌉-ki-uri-ke$_4$	der König von Sumer (und) Akkad,
Rs	1 e$_2$-kar-zi-da-ka-ni	ihren Tempel von Karzida
	2 mu-na-du$_3$	gebaut.

Šulgi 18

Text: A) U. 6157; 6300; 6302 (= *IM 1157; s. auch Text B)); 6304 (= *IM 1158; s. auch Text B)) (Steintafeln); 1 Exemplar befindet sich im University Museum in Philadelphia, s. Photo in: New York Times vom 17. April 1984, S. A 14): C.J. Gadd, UET I 59 (Kopie); pl. J; L. Woolley, UE VI pl. 48a; (Photos von U. 6157); Herkunft: Ur, 'Dim-tab-ba'-Tempel.

B) *IM 1157 (= U. 6302; vollständige Tafel aus Steatit; Vs: flach; Rs: gewölbt und unbeschrieben); *IM 1158 (= U. 6204; vollständige Tafel aus fast schwarzem Steatit(?); Vs: flach; Rs: gewölbt und unbeschrieben): Iraq Museum Guide (1942) fig. 88; Herkunft: Ur.

C) Fünf Bronzenägel (Korbträger), die wohl zu den unter Text A) und B) genannten Steintafeln gehören:

IM 1376 (= U. 6301 oder U. 6303): L. Woolley, UE VI S. 98; S.A. Rashīd, Gründungsfiguren, Taf. 31, Nr. 143 (Umzeichnung);

IM 1376 (= U. 6158): L. Woolley, UE VI pl. 47, c´links; E. Douglas van Buren, Foundation Figurines, Pl. IX Fig. 17; (Photos); S.A. Rashīd, Gründungsfiguren, Taf. 32, Nr. 146 (Umzeichnung);

CBS 16216 (= U. 6305): L. Woolley, UE VI pl. 47, c rechts; E. Douglas van Buren, Foundation Figurines, Pl. X Fig. 19; (Photos); S.A. Rashīd, Gründungsfiguren, Taf. 32, Nr. 147 (Umzeichnung);

CBS 16219 (= U. 6968): L. Woolley, UE VI S. 98; S.A. Rashīd, Gründungsfiguren, Taf. C, Nr. 148; (Photos);

IM 1376 (= U. 6301 oder U. 6303): s. S.A. Rashīd, Gründungsfiguren, S. 32 zu Nr. 149;

Herkunft: 'Dim-tab-ba'-Tempel.

Literatur: Vgl. C.J. Gadd, L. Legrain, UET I S. 13, Nr. 59; G. Barton, RISA 366, 11.; W.W. Hallo, HUCA 33 (1962) 30: Šulgi 18; I. Kärki, StOr 58, 37: Šulgi 18. - Vgl. E. Douglas van Buren, Foundation Figurines, S. 25 mit Anm. 4; S.A. Rashīd, Gründungsfiguren, S. 31; S. 32 zu Nr. 143; 146-149.

Umschrift nach Text A)

1 ^{d}nimin-tab-ba	Nimintabba, **(1)**
2 nin-a-ni	seine(r) Herrin,
3 šul-gi	hat Šulgi,
4 nita-kal-ga	der starke Mann,
5 lugal-uri$_5$^{ki}-ma	der König von Ur,
6 lugal-ki-en-gi-ki-uri-ke$_4$	der König von Sumer (und) Akkad,
7 e$_2$-a-ni	ihren Tempel
8 mu-na-du$_3$	gebaut.

1) Z. 1: Zu ^{d}**nimin** = ^{d}e$_2$-*a* s. E. Sollberger, ZA 50 (NF 16) (1952) 26 Anm. 3 und H. Galter, Ea/Enki, S. 31 (mit Verweis auf MSL XIV 285, Aa 12:195). Nimintabba ist auch in der großen aB Götterliste TCL XV 10, 308-310 in der Abfolge ^{d}**kal-kal** / ^{d}**e$_2$-ig-dab-ba$^{!}$(= ZU)** / ^{d}**nin-min-tab-ba** nachzuweisen; die gleiche Abfolge ist auch in **An** = *Anum* I 281-284 anzutreffen:

^{d}**kal-kal**	= **i$_3$-du$_8$-gal-e$_2$-kur-ra-ke$_4$**
[^{d}e$_2$-ig]-dab-ba	= "
^{d}**nimin(40)^{min}-tab-ba**	= **dam-bi munus**
[ ]	= ^{d}**nimin^{min}-tab**

Zu der Lesung ^{d}**nimin(=40)-tab-ba** und dem Kult dieser Göttin in Ur s. D. Charpin, Archives familiales, 16f..

Šulgi 19

Text: A 3700 (Steintafel): I.J. Gelb, ArOr 18/1-2 (1950) 189 (Umschrift); pl. II (Photo); Herkunft: ?.

Literatur: I.J. Gelb, a.a.O. 189f.; W.W. Hallo, HUCA 33 (1962) 31 Šulgi 19; E. Sollberger; J.-R. Kupper, IRSA 143 IIIA2o; I. Kärki, StOr 58, 37f.: Šulgi 19.

1 ^{d}*su-ul-la-at*	Sullat **(1)**
2 *u*$_3$ ^{d}*ḫa-ni-iš*	und Ḫaniš,
3 lugal-a-ni	sein(em) Herrn,
4 šul-gi	hat Šulgi,
5 nita-kal-ga	der starke Mann,
6 lugal-uri$_5$^{ki}-ma	der König von Ur,
7 lugal-ki-en-gi-ki-uri-ke$_4$	der König von Sumer (und) Akkad,
8 e$_2$-a-ni	seinen Tempel
9 mu-na-du$_3$	gebaut.

1) Z. 1ff.: Zu S/Šullat und Ḫaniš als einer Götter-Dyas s. ausführlich I.J. Gelb, ibidem, der auf diese Weise überzeugend den konsequenten Gebrauch des Singulars in Z. 3, 8, 9 erklärt hat, obwohl zwei verschiedene Götternamen in Z. 1-2 vorliegen.

Šulgi 20

Text:

Türangelstein: A)*CBS 14549 (aus Diorit): L. Legrain, MJ 15 (1924) 77 (Photo); ders., PBS XV 42 (Kopie); Herkunft: Nippur.

B)*IM 54540 = 3 N 417 (aus Diorit): D.E. McCown, Archaeology 5 (1952) 74 (Photo); Herkunft: Nippur.

Literatur: G. Barton, RISA 276, 6.; W.W. Hallo, HUCA 33 (1962) 31: Šulgi 20, mit Anm. 216; E. Sollberger, J.-R. Kupper, IRSA 141 IIIA2g; I. Kärki, StOr 58, 38: Šulgi 20.

Umschrift nach Text A)

1 ^{d}inanna	Inanna, **(1)**
2 nin-a-ni	seine(r) Herrin,
3 šul-gi	hat Šulgi,
4 nita-kal-ga	der starke Mann,
5 lugal-uri$_5$^{ki}-ma	der König von Ur,
6 lugal-ki-en-gi-ki-uri-ke$_4$	der König von Sumer (und) Akkad,
7 ⌜e$_2$⌝-dur-an-ki-ka-ni	ihren Tempel von Duranki
8 mu-na-du$_3$	gebaut
9 ki-be$_2$ mu-na-gi$_4$	(und) hat (ihn) ihr wiederhergestellt.
10 nam-ti-la-ni-še$_3$	Für sein Leben hat er ihr (diesen Gegenstand)
11 a mu-na-ru	geweiht.

1) Z. 1-8: Wörtlich parallel zu Šulgi 75 (Backstein).

Šulgi 21

Text: A) BM Papierabklatsch Nr.138 (Türangelstein): E. Norris, IR2II4 (Kopie); Herkunft: Tell Eed, nahe Uruk (s. dazu W.W. Hallo, HUCA 33 (1962) 31 Anm. 217).

B) Coll. Mercer (Türangelstein(?)): S. Mercer, JSOR 12 (1928) 149 Nr. 33 (Kopie); Herkunft: ?.

C) YBC 2387 (Bronzenagel, Korbträger): E. Douglas van Buren, Foundation Figurines, Pl. XI Fig. 21 (Photo); S.A. Rashīd, Gründungsfiguren, Taf. 34, Nr. 168 (Umzeichnung); vgl. R.P. Dougherty, AASOR 5 (1925) 34 Anm. 42;Herkunft: Kunsthandel.

Literatur: F. Thureau-Dangin, SAK 190, e); G. Barton, RISA 276, 5.; S. Mercer, JSOR 12 (1928) 146f., Nr.33; W.W. Hallo, HUCA 33 (1962) 31: Šulgi 21. I. Kärki, StOr 58, 38f.: Šulgi 21. - Vgl. S.A. Rashīd, Gründungsfiguren, S. 34 zu Nr. 168.

Umschrift nach Text A)

1 ^{d}nin-MAR.KI	Nin-MAR.KI,
2 nin-a-ni	seine(r) Herrin,
3 ^{d}šul-gi **(a)**	hat Šulgi,
4 nita-kal-ga	der starke Mann,
5 lugal-uri$_5$^{ki}-ma	der König von Ur,
6 lugal-ki-en-gi-ki-uri-ke$_4$	der König von Sumer (und) Akkad,
7 e$_2$-MI$_2$-gi$_{16}$-sa-	ihr E-MI$_2$-gisa **(1)**
8 gir$_2$-su^{ki}-ka-ni	von Girsu
9 mu-na-du$_3$	gebaut.

a) Z. 3: Text B: **šul-gi**.

1) Z. 7-8: Vgl. zu diesen Zeilen **e$_2$-MI$_2$-gi$_{16}$-sa-ka-ni** in Šulgi 24:8 und Urningirsu I. 4:7. Die Schwierigkeiten der Morphologie von **e$_2$-MI$_2$-gi$_{16}$-sa(-k)** sind in Anm. 2 zu Urningirsu I. 4 und Anm. 4 zu Gudea Statue R dargestellt.

Šulgi 22

Text:

Tonnagel: A) VA 3119: L. Messerschmidt, VS I 24 (Kopie); Herkunft: ?.

Ferner jetzt:

VA 15449 (= W. 5766) (Fragment): J. Marzahn, AoF 14/1 (1987) 35f. zu 16. mit Taf. I Abb. 2. (Photo); Herkunft: Uruk.

B) AO Nr. ?: E. de Sarzec, DC II Pl. 38 Mitte rechts (Photo zeigt Z. 3-6); Herkunft: Girsu.

C) AO 11924 (= TG 1027; weitere Dupl. sind TG 70; 624+1258; 2322; 4155; 4158; von diesem Tonnagel befinden sich 2 Fragmente mit jeweils vollständiger Inschrift im Musée des Antiquités in Rouen (*Nr. 4737(266); : H. de Genouillac, FT II Pl. XLVI (Kopie); Herkunft: Girsu.

D) NYPL FF-1: unpubl., vgl. B. Schwartz, BNYPL 44 (1940) 808 Nr. 18; Herkunft: ?.

E) EŞEM 420; 5557-5562; 13531; 13532; (10 Exemplare; 2 vollständig): unpubl., vgl. F.R. Kraus, HEHK I 112 Nr. 17; Herkunft: ?.

F) IM 20866; 22846; 22851; 23088/1-12; 23576/A-C; 49858/1-3: unpubl., vgl. D.O. Edzard, Sumer 13 (1957) 176; 179 (zu IM 20866); Herkunft: ?.

G) 11 Exemplare (eines davon AO 11924 (= Text C); vermutlich sind auch die übrigen unter Text B) und C) genannten Texte unter diesen 11 Expl.): unpubl., vgl. J.-M. Aynard, RA 54 (1960) 16f..

H) FLP Nr. 2640.1-2: E.B. Smick, Cuneiform Documents of the Third Millenium in the Public Library of Philadelphia, Diss. Dropsie College 1951, pl. XCIII, Nr. 73 (Kopie); Herkunft:?.

Literatur: S. Šulgi 13; W.W. Hallo, HUCA 33 (1962) 31: Šulgi 22; I: Kärki, StOr 58, 39: Šulgi 22; ferner J. Marzahn, AoF 14/1 (1987) 35f. zu 16..

Umschrift nach Text A)

1 ^{d}nanše	Nanše,
2 nin-in-dub-ba	der Herrin des ‘abgegrenzten Gebiets’,
3 nin-a-ni	seine(r) Herrin,
4 šul-gi	hat Šulgi,
5 nita-kal-ga	der starke Mann,
6 lugal-uri$_5$^{ki}-ma-ke$_4$$^!$	der König von Ur,
7 e$_2$-šeš-šeš-gar-ra-ka-ni	ihr Ešeššešgarra **(1)**
8 mu-na-du$_3$	gebaut.

1) Z. 7: Für **e$_2$-šeš-šeš-gar-ra-ka-ni** bietet Šulgi 13: Vs 9 die Variante **e$_2$-šeš-šeš-e-ga$_2$-ra**; zu diesem Tempelnamen s. A. Falkenstein, AnOr 30, 131 mit Anm. 1.

Šulgi 23

Text:

Tonnagel: A) AO Nr. ?: unpubl., vgl. F. Thureau-Dangin, SAK 190, d) (Umschrift); Herkunft: Girsu.

B) EŞEM Nr. ?: unpubl., vgl. F.R. Kraus, HEHK I 112 Nr. 18; Herkunft: Girsu.

C) IM 22849: unpubl., vgl. D.O. Edzard, Sumer 13 (1957) 176; Herkunft: ?.

D) AO Nr.?(10 Expl.; darunter Text A); 2+5+3): unpubl., vgl. J.-M. Aynard, RA 54 (1960) 16; Herkunft: Girsu.

Literatur: F. Thureau-Dangin, SAK 190, d); G. Barton, RISA 276, 4.; W.W. Hallo, HUCA 33 (1962) 31: Šulgi 23; I. Kärki, StOr 58, 39f.: Šulgi 23.

Umschrift nach Text A)

1 ^{d}nin-gir$_2$-su	Ningirsu, **(1)**
2 ur-sag-kal-ga-	dem mächtigen Helden
3 ^{d}en-lil$_2$-la$_2$	des Enlil,
4 lugal-a-ni	sein(em) Herrn,
5 ^{d}šul-gi	hat Šulgi,
6 nita-kal-ga	der starke Mann,
7 lugal-uri$_5$^{ki}-ma	der König von Ur,
8 lugal-ki-en-gi-ki-uri-ke$_4$	der König von Sumer (und) Akkad,
9 e$_2$-a-ni	seinen Tempel
10 mu-na-du$_3$	gebaut.

1) Z. 1ff.: Vgl. oben die Inschrift Šulgi 15.

Šulgi 24

Text: AO Nr. ? (Tonnagel): unpubl., vgl. J.-M. Aynard, RA 54 (1960) 17 (Umschrift); Herkunft: ?.

Literatur: W.W. Hallo, HUCA 33 (1962) 31: Šulgi 24; I. Kärki, StOr 58, 40: Šulgi 24. - Vgl. oben Šulgi 21.

1 ^{d}nin-MAR.KI	Nin-MAR.KI,
2 munus-ša$_{6}$-ga	der schönen Frau,
3 dumu-sag-^{d}nanše	de(r) erst(geboren)en Tochter der Nanše,
4 ^{d}šul-gi	hat Šulgi,
5 nita-kal-ga	der starke Mann,
6 lugal-uri$_{5}$^{ki}-ma	der König von Ur,
7 lugal-ki-en-gi-ki-uri-ke$_{4}$	der König von Sumer (und) Akkad,
8 e$_{2}$-MI$_{2}$-gi$_{16}$-sa-ka-ni	ihr E-MI$_{2}$-gisa (1)
9 mu-na-du$_{3}$	gebaut.

1) Z. 8: Vgl. Šulgi 21:7-8 mit Anm. 1.

Šulgi 25

Text: *IM 1173 (= U. 6306) (Statue aus Diorit): C.J. Gadd, L. Legrain, UET I 52 (Kopie); L. Woolley, AJ 6 (1926) pl. 51, c; ders., UE VI pl. 47, b; F. Basmachi, Treasures of the Iraq Museum (Baghdad 1975-76) Abb. 65; A. Moortgat, KAM Abb. 178; W. Orthmann, PKG 14, Abb. 63 a+b; (Photos); Herkunft. Ur, 'Dim-tab-ba'-Tempel.

Literatur: C.J. Gadd, L. Legrain, UET I S. 11f., Nr. 52; G. Barton, RISA 364, 3.; W.W. Hallo, HUCA 33 (1962) 31: Šulgi 25; I. Kärki, StOr 58, 40f.: Šulgi 25.

Inschrift auf dem Rücken

1	1 ^{d}nanna	Nanna,
	2 [lu]gal-a-ni	sein(em) [He]rrn,
	3 [š]ul-gi	hat [Š]ulgi,
	4 [nit]a-kal-ga	der starke [Man]n,
	5 [lug]al-uri$_5$^{ki}-ma	der [Kön]ig von Ur,
	6 [lugal-ki]-⌜en⌝-[gi-ki-uri-ke$_4$]	[der König von Su]me[r (und) Akkad],
	(abgebrochen(?))	(abgebrochen(?))
2	1 nam-ti-la-ni-še$_3$	für sein Leben
	2 a mu-na-ru	(diesen Gegenstand) geweiht.
	3 alan-ba	Von dieser Statue [ist(?)] **(1)**
	4 ^{d}nanna bad$_3$[(-x(?))-*m]u **(2)**	"Nanna (ist) me[ine...(?)] Mauer!"
	5 [mu-bi-im(?)]	[der Name].
	(abgebrochen)	(Ende der Inschrift(?)).

1) Kol. 2:3-5: Ergänzung analog zu Amarsuen 3,1:10-12.

2) Kol. 2:4: Das letzte Zeichen dieser Zeile ist nach Kollation eindeutig **-mu** zu lesen und nicht **gal$_2$** (wie bei I. Kärki, a.a.O. 41: **^{d}nanna EZEN [mu]-gal$_2$**).

Šulgi 26

Text: *MMA L. 1983.95a-b (Statue aus "black, mottled stone (... hornblendplagioclase hornfels or a basic hornfels)"): R.L. Zettler, in: DUMU-E$_2$-DUB-BA-A, S. 66-68, Fig. 1 a-d (Photos); M. Civil, in: DUMU-E$_2$-DUB-BA-A, S. 63 (Kopie); Kollation: C. Wilcke; Herkunft: Gekauft von E.J. Banks.

Literatur: M. Civil, a.a.O., S. 49ff., bes. S. 53ff.; R.L. Zettler, a.a.o., S. 65ff.; vgl. schon W.W. Hallo, HUCA 33 (1962) 31: Šulgi 26 ("statue to Nindara. Unpublished; courtesy A.L. Oppenheim").

1	1	^{d}ni[n]-DAR-a	Nin-DAR-a, **(1)**
	2	[lu]gal-uru$_{16}$	dem gewaltigen Herrn,
	3	⸢*x⸣ [....]	... [....],
	4	[lugal-a-ni]	[sein(em) Herrn],
	5	[nam-ti-]	hat für [das Leben] **(2)**
	6	[^{d}šul-gi]	[des Šulgi],
	7	[nit]a-kal-g[a]	des starken [Mann]es,
	8	lu[g]al-uri$_{5}^{ki}$-ma	des Königs von Ur,
	9	lugal-ki-en-gi-ki-uri-ka-še$_{3}$	des Königs von Sumer und Akkad,
	10	^{d}šul-gi-ki-ur$_{5}$-ša$_{6}$-kalam-ma-ka	Šulgiki'uršakalammaka,
	11	lu$_{2}$-giš-tag-ga-ne$_{2}$	sein Opferbeauftragter,
	12	alan-a-ni	seine (eigene) Statue
	13	mu-tu	geformt;
	14	alan-ba	von dieser Statue (ist:)
2	1	^{d}šul-gi	"Šulgi,
	2	⸢a$_{2}$⸣-sum⸣-m[a]-	[dem] Kraft verliehen (wurde)
	3	$^{[d]}$nin-DAR-⸢a⸣	von Nin-DAR-a,
	4	[z]i-ša$_{3}$-⸢gal$_{2}$⸣-uru-na	(ist) der Lebensodem seiner Stadt"
	5	mu-[b]i	der Name.
	6	⸢x x⸣ [x]	(Wenn) ... [...]
	7	⸢*x-*a$^{?}$/za$^{?}$-*x-*x⸣[x(?)]	... [...]
	8	⸢*KA⸣-bur-[r]a	...
	9	ki-an-na-ka ab$_{2}$-ba šu-tum$_{3}$	im Ort ... auf die Kühe gebracht wurden,
	10	u$_{4}$-ezem-ma-ka	(und) am Festtag
	11	e$_{2}$-^{d}nin-MAR.KI-ka	im Tempel von Nin-MAR.KI
	12	sag kisal-la dab$_{5}$-ba	die Erstling(sgaben)(?) im Hof übernommen wurden, **(3)**
	13	5 dug dida(= U$_{2}$.SA)	waren 5 Krüge Dida(-Bier),

	14	7 dug kaš	7 Krüge Bier,
	15	*0.1.1 *zi$_3$-lugal	1 (UL) 1 (Ban) königliches(?) Mehl,
	16	1 gada ga-dul$_9$	1 Leinendecke,
	17	1 gada gu-za	1 Leinen(-Decke) (für) den Thron,
	18	GIŠ.DAR.DU$_3$-^{giš}eren u$_3$ *KAB.RA-^{giš}eren	Zedernzapfen(?) (und) Zedernwedel(?), **(4)**
	19	7 ma-na a-ra$_2$-2-am$_3$	zwei mal 7 Pfund,
	20	20.0 ku$_6$-al-dar-ra	1200 zerlegte Fische,
	21	1 mun gur-lugal	1 Königs-Gur Salz,
3	1	1 naga gur	1 Gur Soda(-Kraut)
	2	⌈dug⌉-sila$_3$-⌈*IGI + *X⌉	(in) ... Liter-Krügen,
	3	*1$^?$ ⌈ku$_3$⌉ [....]	1 ... [....]
	4	[....]	[....]
	5	⌈^{*d}nanše x⌉	Nanše ...
	6	⌈ḫar⌉-ku$_3$-[x]	(im Wert von) [...]-Ringen,
	7	⌈1$^?$⌉ dug i$_3$-⌈*x-*x⌉	1(?) Krug ... Öl
	8	NIG$_2$-ba-gašam-[k]am	die Zuteilung (/der Lohn) für die Künstler.
	9	gir$_2$-su^{ki} še ⌈il$_2$⌉-la-ka	In Girsu, (zu dem Zeitpunkt,) an dem die Getreideabgabe geleistet wurde, (und)
	10	ma$_2$-šu-du$_7$-a	das abgefertigte(?) Schiff
	11	gu$_2$-ab-ba^{ki}-ta du$_8$-dam	von Gu'abba ablegen(?) sollte, **(5)**
	12	nam-lu$_2$-pi-lu$_5$-da	war es das Amt des Zeremonien-Meisters,
	13	e$_2$-ta-izi-la$_2$-a-	'das Feuer aus dem Haus zu bringen'
	14	gašam-kam	für die Künstler.
	15	bal-u$_4$-10	(Für) einen 10-Tage-Turnus:
	16	u$_3$ igi-3-gal$_2$	Entweder 1/3 (der monatlichen(?) Zuteilung)
	17	e$_2$-ki-es$_3$-sa^{ki}-ga	im Tempel von Ki'es
	18	e$_2$-gir$_2$-su^{ki}-ka igi-3-gal$_2$	(und) 1/3 (Zuteilung) im Tempel von Girsu,
	19	ma$_2$ eš$_3$-gi$_6$-zal	(wenn) das Schiff (bei) dem Heiligtum die Nacht verbrachte, **(6)**
	20	u$_3$ ma$_2$ kar-bur tag-da-bi	oder wenn das Schiff (am) ... Kai anlegte;

	21 NIG$_2$-⌈*ba$^?$⌉ *5/6$^?$-ša-bi	5/6 Zuteilung davon,
	22 ma$_2$ LAL.SAR-bar-še$_3$ DU-a-bi	wenn das Schiff nach Usurbar kam,
	23 NIG$_2$-dab$_5$-bi lu$_2$ [n]u-d[a-tu]ku	(weil(?)) niemand Anspruch auf seine (Empfangs)ration hatte.
	24 ur$_2$-gu$_4$-udu ⌈e$_2$-gal⌉ e$_2$-sag	Keulen (von) Rindern (und) Schafen (aus) dem Palast, der Sammelstelle(?)(der) Abgaben(?)
	25 u$_3$ bara$_2$-^{d}nin-[*gi]r$^?$-[su-*k]a	oder der Kapelle von Nin[g]ir[su](?).
4	1 nam-šita$_4$	(Aus) dem Šita-Amt
	2 KI.UD kur$_6$ a-en$_3$-bi	... Nahrungslose ...
	3 e$_2$-sag-udu-e$_2$-gal	der Sammelstelle(?) (für) Schafe des Palastes;
	4 ur$_2$-udu-ama-siki	Keulen (von) Mutterwollschafen.
	5 5 sila$_3$ i$_3$-nun	5 Sila Butter,
	6 6 zu$_2$-lum-lugal	6 Königs(-Sila) Datteln,
	7 [....] 0.0.1 ga-⌈*ḪA⌉$^?$	[x] + 1 (Ban) ...
	8 0.0.1 g[a]	10 (Sila) Milch,
	9 10 ⌈sila$_3$⌉-geštin	10 Sila Wein,
	10 [x] $^{[gi]š}$peš$_3$ še-[er-gu]	[x] Feigenzö[pfe],
	11 ⌈4⌉ ^{giš}ḫašḫur še-[er-gu]	4 Apfelzö[pfe],
	12 ninda kaskal b[i$_2$-il$_2$-l]a	Proviant, der (auf) der Reise [mitgeführt wurde],
	13 NIG$_2$-dab$_5$-gašam-kam	war die (Empfangs)ration für die Künstler.
	14 a-ša$_3$ ambar-tur	Das Feld Ambartur,
	15 a-ša$_3$ ki-mu-ra	das Feld Kimura,
	16 a-ša$_3$ giš-gi-banda$_3$	das Feld Gišgibanda,
	17 a-ša$_3$ a-geštin-na	das Feld Ageštinna und
	18 a-ša$_3$ ⌈x⌉-gi$_4$-a	das Feld ...-gi'a, -
	19 giri$_3$-gin-na-gašam-kam	waren auf der gängigen Liste (der Felder) für die Künstler.
	20 udu e$_2$ DU.DU	Schafe ... (und)
	21 maš$_2$ inim-ma	Ziegenböcke nach Absprache(?)
	22 NIG$_2$-dab$_5$-gašam-kam	waren die (Empfangs)ration der Künstler.

23 u_4-ul-li_2-a-$še_3$	Für ferne Tage: **(7)**
24 lu_2 giš udun i_3-na-SUM-da	Der Mann, der das Holz fürwahr für ihn (= Šulgi) in den Ofen legt, -
25 lu_2-ba ^{d}lamma-a-ni $ḫe_2$-me	dieses Mannes Schutzgottheit werde ich fürwahr sein !
26 mu-mu $ḫe_2$-pa_3-de_3	Meinen Namen möge er anrufen !
27 en_3-mu $ḫe_2$-<tar->re	Um mich möge er sich küm<mern>!
(abgebrochen)	(Ende des Textes (?)).

1) Kol. 1:1ff.: Eine detaillierte Diskussion dieses schwierigen Textes war angesichts des Erscheinungsdatums der Bearbeitung von M. Civil, ibidem nicht mehr möglich. Wegen der ungewöhnlichen Form und der singulären Aussagen sollte dieser Text hier aber unbedingt berücksichtigt werden. Soweit in der Umschrift Änderungen gegenüber M. Civil vorgenommen wurden, basieren diese auf der Lesung nach den Photos bei R.L. Zettler, in: DUMU-E_2-DUB-BA-A, 66-68, fig. 1a-d oder zur Hauptsache auf den Kollationen von C. Wilcke. Das in mehreren Punkten abweichende Verständnis des Textes geht aus der vorliegenden Übersetzung hervor, die angesichts der erheblichen Schwierigkeiten mit großem Vorbehalt vorgelegt wird.

2) Kol. 1:5-9: Das von M. Civil, a.a.O. 53 für "col. i 5-10" ergänzte Formular dürfte kaum zutreffen: Bislang ist in diesen Texten kein Beleg für ein Formular bekannt geworden, in dem ein Untergebener eines Königs zuerst ein Objekt "für sein Leben" (= **nam-ti-la-ni-$še_3$**) und erst danach für das Leben seines königlichen Oberherrn weiht; vgl. die Materialzusammenstellung bei H. Behrens, FAOS 10 s.v. **nam-ti**.

3) Kol. 2:12: Zu **sag** "Erstling(sgaben)" vgl. das Baba-Epitheton **nin sag-e ki-ag_2** "Die Herrin, die das Beste/Erste liebt" in Gudea Statue E 1:8 (s. dazu oben Anm. 4 zu Gudea Statue E).

4) Kol. 2:18: Lesung und Übersetzung dieser Zeile mit C. Wilcke, der für **GIŠ. DAR.DU_3** an "Triebe" oder "Zapfen" denkt und **KAB.RA** mit *kaparru* (s. CAD K 177 *kaparru* B) verbindet.

5) Kol. 3:(10-)11: M. Civil, a.a.O. 57 zu Lines 45-47 versuchte **du$_8$** über die gut bezeugte Bedeutung "to caulk" zu verstehen (vgl. dazu schon R. Kutscher, ASJ 5 (1983) 62). Diesem Verständnis steht m.E. die Rektion mit dem Ablativ bei **gu$_2$-ab-ba^{ki}-ta** entgegen. Die hier angenommene Bedeutung "ablegen (von Schiffen)" ist nach dem Kontext geraten.

6) Kol. 3:19-20: Lesung von Kol. 3:19 mit C. Wilcke. - Zur Verbindung **ma$_2$ ... gi$_6$-zal** (Kol. 3:19) und **ma$_2$ kar-... tag** (Kol.3:20) vgl. etwa **ma$_2$ u$_4$-zal-la** bzw. **ma$_2$ kar-e tag-ga** bei T. Gomi, Selected Neo-Sumerian Administrative Texts from the British Museum (1990) Nr. 260 Rs 1:14 und Nr 409 Rs. 2:4.

7) Kol. 4:23-27: Da die Aussage **mu-mu ḫe$_2$-pa$_3$-de$_3$** "Meinen Namen möge er anrufen !" (Kol. 4:26) sich wörtlich parallel in Gudea Statue I 4:7 = P 4:8 findet und dort im Kontext des Totenkultes steht (s. Anm. 15 zu Gudea Statue I), dürfte die vorliegende Segensformel wohl im gleichen Kontext anzusiedeln sein.

Šulgi 27

Text: IM Nr. ? (= U. 2770) (Fragment einer Statue aus Diorit): C.J. Gadd, L. Legrain, UET I 53 (Kopie); die Angabe bei W.W. Hallo, HUCA 33 (1962) 31 zu Šulgi 27, ein Photo dieser Statue finde sich bei L. Woolley, AJ 6 (1926) pl. 51, c, konnte nicht verifiziert werden; Herkunft: Ur.

Literatur: C.J. Gadd, L. Legrain, UET I S. 12, Nr. 53; G. Barton, RISA 364, 4.; W.W. Hallo, HUCA 33 (1962) 31: Šulgi 27; I. Kärki, StOr 58, 41: Šulgi 27.

1' ⌜u$_3$ x ša$_3$⌝-[ba(?)] si m[u-sa$_2$(?)] **(1)**	Und hat ... dar[in(?)] in Ordnung ge[bracht(?)].
2' ^{d}šul-g[i]	Šulgi,
3' nita-kal-g[a]	der starke Mann,
4' lugal-ur[i$_5$]^{ki}-ma	der König von Ur,
5' lugal-an-ub-da-limmu$_2$-ba-ke$_4$	der König der vier Weltgegenden,

6' ^{d}nin-sun$_2$-u[r]i$_5$^{ki}-m[a]	hat (der Göttin) Ninsun [von] Ur
7' ⸢in⸣-na-[x]	... [...] **(2)** .
(abgebrochen)	(abgebrochen).

1) Z. 1': Das zweite Zeichen in dieser Zeile ist möglicherweise **[u]š**; die Verbindung **uš si--sa$_2$** "die Fundamentplatte ordnungsgemäß ausführen" ist allerdings in diesen Texten bisher nicht zu belegen.

2) Z. 7': Amarsuen 22:10' könnte für diese Zeile eine Ergänzung **in-na-[ba]** "er hat ihr (= Ninsun von Ur) [gegeben] " nahelegen, die allerdings nur sehr zögernd geäußert wird, da in Amarsuen 22:10' das "gegebene" Objekt (= ein Gefäß) als Träger der Inschrift logisch vorausgesetzt werden darf, wohingegen man dieses Objekt in einer Statuen-Inschrift (wie dieser) expressis verbis erwarten muß.

Šulgi 28

Text: AO 44 (weibliche Statuette aus Diorit): E. de Sarzec, DC II Pl. 21,4 (Photo); H. Winckler, ABK Nr. 34 (Kopie); A. Parrot, Tello 233, Abb.46, g (Umzeichnung); Herkunft: Girsu.

Literatur: F. Thureau-Dangin, SAK 194, w); G. Barton, RISA 282, 24.; W.W. Hallo, HUCA 33 (1962) 32: Šulgi 28; E. Sollberger, J.-R. Kupper, IRSA 162fIIIB4c; I. Kärki, StOr 58, 41f.: Šulgi 28. - Vgl. A. Spycket, La statuaire 210f. mit Anm. 133.

1	1 [^{d}lamma-TAR-s]ir$_2$-[si]r$_2$-ra	[Der Schutzgottheit] von [TAR-s]ir[si]r, **(1)**
	2 [ama-^{d}]ba-ba$_6$	der [Mutter] Baba,
	3 [nin-a]-ni	ihre(r) [Herrin],
	4 [nam-t]i-	für das [Lebe]n
	5 [^{d}šu]l-gi **(2)**	des [Šu]lgi,

	6 [nita-ka]l-ga	des [stark]en [Mannes],
2	1 lugal-uri$_5$^{ki}-ma	des Königs von Ur,
	2 lugal-ki-en-<gi->ki-uri-ka-še$_3$	des Königs von Sum<er> (und) Akkad:
	3 ḫa-la-^{d}lamma	Ḫalalamma,
	4 dumu-lu$_2$-giri$_{17}$-zal	die Tochter des Lugirizal **(3)**,
	5 ensi$_2$-	des Stadtfürsten
	6 ⌈lagaš^{ki}-ka⌉-ke$_4$	von Lagaš. **(4)**

1) Kol. 1:1-2: Ergänzung mit F. Thureau-Dangin, SAK 194, w) und E. Sollberger, IRSA 162 IIIB4c mit Verweis auf Gudea Statue H 3:2; zu **^{d}lamma-TAR-sir$_2$-sir$_2$-ra** s. Anm. 1 zu Urbaba 5.

2) Kol. 1:5: Die Ergänzung **[^{d}šu]l-gi** ist aufgrund der Zeichenanordnung der vorausgehenden wie auch folgenden Zeilen zwingend.

3) Kol. 2:4-6: "Lugirizal, der Stadtfürst von Lagaš" begegnet nicht nur in Šulgi 32:9-11 (als Stifter eines Steingefäßes für Ningirsu), sondern dürfte m.E. auch identisch sein mit dem gleichnamigen Stadtfürsten von Lagaš in der Inschrift Lugirizal 1: Vs. 7-9 (in Teil II dieser Arbeit).

4) Kol. 2:6: Nach dem Photo ist die Inschrift mit dieser Zeile zu Ende. Man erwartet aber wegen des Agentivs in Kol. 2:6 ein transitives, finites Verbum, etwa **a mu-na-ru** "sie (= Ḫalalamma) hat ihr (= der Schutzgottheit) (diesen Gegenstand) geweiht" (so die sinngemäße Ergänzung in der Übersetzung bei F. Thureau-Dangin, SAK 195, w) und E. Sollberger, 162 IIIB4c).

Šulgi 29

Text: *BM 91075 = BM 12218 = 78-12-12,1 (Perücke aus Diorit): L.W. King, CT 5,2: 12218 (Kopie); ders., HSA pl. XIX unten links, gegenüber S. 206; H.R.

Hall, La sculpture babylonienne et assyrienne au British Museum (Paris -Brüssel 1928) pl. VIII.7; (Photos); D.J. Wiseman, Iraq 22 (1960) pl. XXII b (Photo der Rückseite mit der Inschrift); A. Parrot, Tello 233, Abb 46, f; s. A. Spycket, La statuaire 212 Anm. 141; Herkunft: Kunsthandel.

Literatur: F. Thureau-Dangin, SAK 194, x); G. Barton, RISA 282, 25.; W.W. Hallo, HUCA 33 (1962) 32: Šulgi 29; E. Sollberger, J.-R. Kupper, IRSA 144f. IIIA2u; I. Kärki, StOr 58, 42f.: Šulgi 29. - Vgl. D.J. Wiseman, Iraq 22 (1960) 168 mit Anm. 25.

1 $^{\ulcorner d \urcorner}$lamma **(1)**	Der Schutzgottheit, **(2)**
2 nin-a-ni	sein(er) Herrin,
3 [n]am-ti-	hat für das Leben
4 $^{\ulcorner d \urcorner}$šul-gi	des Šulgi,
5 nita-kal-ga	des starken Mannes,
6 lugal-uri$_5^{ki}$-ma-ka-še$_3$	des Königs von Ur,
7 ^{d}ba-ba$_6$-nin-am$_3$	Babaninam,
8 zabar-dab$_5$-	der ... **(3)**
9 ur-^{d}nin-gir$_2$-*su$^!$	des Urningirsu, **(4)**
10 en-ki-ag$_2$-^{d}nanše-ka-ke$_4$	des geliebten En(-Priesters) der Nanše,
11 ḫi-li-nam-munus-ka-ni	ihren fraulichen Schmuck **(5)**
12 mu-na-dim$_2$	angefertigt.

1) Z. 1: Die zwischen **⸢DINGIR⸣** und **LAMMA** erkennbare Einritzung in der Kopie von L.W. King hat nach Kollation keinen Zusammenhang zu **⸢DINGIR⸣**.

2) Z. 1-2: = Amarsuen 17:1-2 (**^{d}lamma$^!$ nin-a-ni-ir$^!$**): Gemeint ist mit **^{d}lamma**"Schutzgottheit" sicher eine bestimmte Erscheinungsform der Baba; dies wird sowohl durch die Parallele in Šulgi 28:1-3 als auch durch die Erwähnung der Baba im Namen des Spenders in Z. 7 (**^{d}ba-ba$_6$-nin-am$_3$** "Baba ist die Herrin") nahegelegt; vgl. dazu auch Anm. 1 zu Amarsuen 17.

3) Z. 8: **zabar-dab$_5$** ist nach wie vor nicht ganz geklärt, obwohl B. Lafont in einer ausführlichen Untersuchung in RA 77 (1983) 97ff. gezeigt hat, daß die hier vorliegende Berufsbezeichnung in der Ur-III-Zeit vor allem in den Drehem-Texten zwischen den

Jahren Šulgi 43 und Amarsuen 22 nachzuweisen ist (S. 99) und "plus ou moins responsable d'un service chargé de pouvoir aux besoins de culte" (S. 109) war. Die hohe Stellung des **zabar-dab$_{(5)}$** ist auch noch in zwei Episoden von "Bilgameš und Akka" zu erkennen: Zunächst wird der **zabar-dab** direkt von Akka, dem König von Kiš, angesprochen (65ff.); in einer späteren Szene folgt Bilgameš, der "Herr von Kullab", dem **zabar-dab** auf die Mauer von Uruk, die dieser als erster bestiegen hatte (Z. 84ff.); s. dazu W. Römer, AOAT 209/1, S. 32ff.; S. 74 zu Z. 65 und jetzt auch D. Charpin, Clergé 235ff. ("un échanson"(240)).

4) Z. 9-10: Urningirsu begegnet in der gleichen Funktion, aber mit erweiterten Epitheta, auch in den Inschriften von 'Lagaš' 11 (auf einem zweifach gestempelten Backstein, einer Steatit-Schale und auf einem Alabastergefäß) und von Ibbīsuen 3:9-12.

5) Z. 11: Wörtlich: "ihren Schmuck der Fraulichkeit" i.S. von "Schmuck, wie ihn Frauen tragen", vgl. dazu **ḫi-li-nam-munus-e-ne** bei G. Farber-Flügge, Stud. Pohl 10, 226 s.v. **ḫi-li** mit Verweis auf B. Hruška, ArOr 37 (1969) 496.

Šulgi 30

Text: AO 12227 (= TG 1382) (Tongefäß): H. de Genouillac, FT II Pl. XLIV (Kopie); Herkunft: Girsu.

Literatur: W.W. Hallo, HUCA 33 (1962) 32: Šulgi 30; I. Kärki, StOr 58, 43: Šulgi 30.

1 GURUN$^{!}$.DUG$^{!}$	...:
2 ^{d}šul-gi lugal	Šulgi, der König.

1) Die Bestimmung dieser Inschrift als Weihinschrift ist unsicher; es könnte sich um einen einfachen Besitzvermerk handeln, s. dazu schon W.W. Hallo, HUCA 33 (1962) 32 mit Anm. 218.

Šulgi 31

Text: *VA 3324 (Fragment einer Schale aus schwarzbraunem Stein): L. Messerschmidt, VS I 25 (Kopie); Kollation: J. Marzahn; Herkunft: ?.

Literatur: W.W. Hallo, HUCA 33 (1962) 32: Šulgi 31; E. Sollberger, J.-R. Kupper, IRSA 164 IIIC1a; I. Kärki, StOr 58, 43: Šulgi 31.

1 dingir-maḫ	Dingirmaḫ,
2 nin-a-ni	seine(r) Herrin,
3 nam-ti-	([hat]) für das Leben
4 ^{d}šul-gi	des Šulgi,
5 nita-kal-ga	des starken Mannes,
6 lugal-uri$_5^{ki}$-ma	des Königs von Ur,
7 lugal-an-ub-da-limmu$_2$-ba-ka-še$_3$	des Königs der vier Weltgegenden,
8 [ḫa-ba-*l]u$_2$-*ke$_4$	[Habal]uke, **(1)**
9 [ens]i$_2$(?)-	[der Stadtf]ürst(?)
10 [adab^{ki}(?)]	[von Adab(?)],
(abgebrochen)	(abgebrochen).

1) Z. 8-10: Ergänzung dieser Zeilen in Anlehnung an Šūsuen 3:10-12. Lesung **[ḫa-ba-l]u$_2$-ke$_4$** nach Kollation durch J. Marzahn (briefliche Mitteilung), der gleichzeitig eine Lesung **[ḫa-ba-l]u$_5$-ke$_4$** - analog zu Šūsuen 3:10 **ḫa-ba$^!$ (= ZU)-lu$_5^!$-ke$_4^!$** - ausschließt. **lu$_2$** ist danach als phonetische Variante zu **lu$_5$(-g/k)** anzusehen.

Mit den beiden Formen **ḫa-ba-lu$_2$/lu$_5$-ke$_4$** ist deshalb der Name eines und desselben Stadtfürsten von Adab zu verbinden, der bereits in der Regierungszeit des Šulgi faßbar ist und dort noch unter Šūsuen geherrscht hat. Beachte die Notiz bei E. Sollberger, IRSA 164 IIIC1: "Habaluge (contemporain de Šulgi, Amar-Suena et Šū-Suen)". **ḫa-ba-lu$_5$-ke$_4$** hat jetzt P. Steinkeller innerhalb seiner Untersuchung zu **lu$_5$(-g/k)** in SEL 1 (1984) 5ff. als "May he pasture/take-care-of" gedeutet (S. 6; 9).

Šulgi 32

Text: *AO 191 (Fragment eines Steingefäßes; Rand): L. Heuzey, Villa royale 4:2 = RA 4 (1897) 90 Fig. 2 (Kopie); Herkunft: Girsu.

Literatur: F. Thureau-Dangin, SAK 194, v); G. Barton, RISA 280, 22.; W.W. Hallo, HUCA 33 (1962) 32: Šulgi 32; E. Sollberger, J.-R. Kupper, IRSA 162 IIIB4a; I. Kärki, StOr 58, 43f.: Šulgi 32.

1 ^{d}nin-gir$_2$-su	Ningirsu,
2 *ur-*s[ag-ka]l-ga-	dem [mächt]igen Held[en]
3 ^{d}e[n-l]il$_2$-la$_2$	des E[nl]il,
4 lugal-a-n[i]	sein[(em)] Herrn,
5 nam-ti-	([hat]) für das Leben
6 šul-g[i]	des Šulgi,
7 ni[t]a-ka[l-ga]	des stark[en] Mannes,
8 [l]ugal-uri$_5$^{ki}-ma-ka-še$_3$	des Königs von Ur,
9 lu$_2$-giri$_{17}$-zal	Lugirizal,
10 ensi$_2$-	der Stadtfürst
11 ⸢*lagaš⸣$^{⸢ki⸣}$-[ke$_4$] (1)	[von] Lagaš,
(abgebrochen)	(abgebrochen).

1) Z. 11: Nach der Kollation ist der Platz für die Ergänzung von **-ke$_4$** ausreichend.

Šulgi 33

Text: LB 934 (Gefäß aus Diorit): J. van Dijk, TLB II 14 (Kopie); Herkunft: ?.

Literatur: W.W. Hallo, HUCA 33 (1962) 32: Šulgi 33; I.Kärki, StOr 58, 44: Šulgi 33.

1 ^{d}nin-⸢ḫur⸣-[sag]	Ninḫur[sag]
2 nin-a-ni	seine(r) Herrin,
3 nam-t[i]-	([hat]) [für] das Leben
4 ^{d}šul-⸢gi⸣	des Šulgi,
5 nita-kal-ga	des starken Mannes,
6 ⸢lugal⸣-uri$_{5}^{ki}$-[ma]-⸢ka⸣-[še$_3$(?)]	des Königs [von] Ur,
(abgebrochen)	(abgebrochen).

Šulgi 34

Text: YBC 2158 (Gefäßfragment aus weißem Marmor): A.T. Clay, YOS I 17 (Kopie); Herkunft: Umma.

Literatur: G. Barton, RISA 282, 23.; A.T. Clay, YOS I S. 15; W.W. Hallo, HUCA 33 (1962) 32: Šulgi 34; I. Kärki, StOr 58, 44f.: Šulgi 34.

1 [^{d}šara$_2$] **(1)**	[Šara],
2 [nir-gal$_2$-an-na]	[dem Angesehenen des An],
3 ⸢dumu⸣-ki-ag$_2$-^{d}⸢inanna⸣	dem geliebten Sohn der Inanna,
4 lugal-a-⸢ni⸣	sein(em) Herrn,
5 ⸢nam⸣-t[i]-	([hat]) für das Leben
6 ^{d}šul-gi	des Šulgi,
7 nita-k[al-ga]	des sta[rken] Mannes,
8 l[u]gal-u[r]i$_{5}^{ki}$-[m]a	des Königs von Ur,
9 lugal-an-⸢ub⸣-da-limmu$_2$-ba-ka-⸢še$_3$⸣	des Königs der vier Weltgegenden,
10 ⸢lu$_2$$^{?}$⸣-^{d}⸢nanna$^{!}$⸣	Lunanna(?),
11 dumu-*šu-er$_3$-ra*	der Sohn des Šu'erra,
12 dam-gar$_3$-ke$_4$	des Kaufmanns,
13 ⸢x⸣ [....]	...[....]
(abgebrochen)	(abgebrochen).

1) Z. 1-3: Ergänzung nach Šūsuen 8:1-4.

Šulgi 35

Text: IM 1151 (= U. 6736) (Hinweis von E. Braun-Holzinger) (Platte aus Steatit): C.J. Gadd, L. Legrain, UET I 54 (Kopie); Herkunft: Ur, Giparku.

Literatur: C.J. Gadd, L. Legrain, UET I S. 12, Nr. 54; G. Barton, RISA 364, 5.; W.W. Hallo, HUCA 33 (1962) 32: Šulgi 35; ders., AOS 43, 61; I. Kärki, StOr 58, 45: Šulgi 35.

1' nam-ti-	Für das Leben
2' ^{d}šul-gi	des Šulgi,
3' dingir-kalam-ma-na-ka-še$_3$$^!$ **(1)**	des Gottes seines Landes,
4' lugal-uri$_5$^{ki}-ma	des Königs von Ur,
5' lugal-an-ub-da-limmu$_2$-ba-ka-še$_3$$^!$	des Königs der vier Weltgegenden,
6' [x(?)] ⌜x x x⌝ [....]	[...]...[....]
(abgebrochen)	(abgebrochen).

1) Z. 3'-5': Das letzte Zeichen in Z. 3' stimmt mit dem letzten Zeichen in Z. 5' überein, wo man **-še$_3$** erwartet. Die Schreibung des Terminativs **(-še$_3$)** bereits am Ende von Z. 3' ist allerdings ungewöhnlich, zumal dann konsequenterweise auch am Ende von Z. 4' die Realisierung des Terminativs zu fordern wäre.

Šulgi 36

Text: *CBS 15501 (Bronzegegenstand): A. Poebel, PBS V Pl. CII Nr. 41 (Photo); PBS V 41 (Kopie); Herkunft: ?.

Literatur: Vgl. I.J. Gelb, MAD 2^2, 16 zu 1.a.; W.W. Hallo, HUCA 33 (1962) 32: Šulgi 36; I. Kärki, StOr 58, 46: Šulgi 36; I.J. Gelb, B. Kienast, FAOS 7, 341: Ur 4.

1' [....] ⌈x⌉ [....]	[....]...[....]
2' [....] NE.IGI	[....]...
3' [$^{d(?)}$šu]l-g[i]	[Šu]lgi,
4' *[da-num$_2$]*	[der Starke],
5' [LUGAL u]ri$_5^{ki}$	[der König von U]r
6' *[u$_3$]* LUGAL	[und] König
7' *[ki-ib]-ra-tim*	der [vi]er
8' *[ar-ba]-im*	[Weltge]genden,
9' [....] ⌈x⌉	[....]...
(abgebrochen)	(abgebrochen).

Šulgi 37

Text: *BM 91074 = BM 12217 (Keulenkopf): L.W. King, CT 5,2: 12217 (Kopie); ders., HSA pl. XIX gegenüber S. 206 links oben; T. Solyman, Götterwaffen, Taf. XXVII, 211; (Photos); Herkunft: ?.

Literatur: F. Thureau-Dangin, SAK 192, q); G. Barton, RISA 280, 17.; vgl. W.W. Hallo, HUCA 33 (1962) 32: Šulgi 37; I. Kärki, StOr 58, 46: Šulgi 37.

1 ^{d}mes-lam-ṭa-e$_3$-a	Meslamta'e'a,
2 dingir-a-ni	sein(em) (Schutz)gott,
3 lu$_2$-nimgir-ke$_4$	hat Lunimgir
4 nam-ti-	für das Leben
5 šul-gi-še$_3$	des Šulgi **(1)**
6 a mu-na-ru	(diesen Gegenstand) geweiht.

1) Z. 5: Da Šulgi hier ohne seine Titel genannt wird, erwägt W.W. Hallo, HUCA 33 (1962) 32 Anm. 220, ob diese Inschrift nicht aus der Zeit vor seinem Regierungsantritt stammen könnte.

Šulgi 38

Text: NBC 6105 (Keulenkopf aus dunkelgrünem Steatit): F.J. Stephens, YOS IX 21 (Kopie); pl. XLV Nr. 21 (Photo); Herkunft:?.

Literatur: W.W. Hallo, HUCA 33 (1962) 32: Šulgi 38; I. Kärki, StOr 58, 46f.: Šulgi 38. -Vgl. F.J. Stephens, YOS IX S. 8, Nr. 21.

1 $^{⸢d⸣}$mes-lam-ta-e_3-a	Meslamta'e'a,
2 [lug]al-a-ni	sein(em) [Her]rn,
3 ⸢nam⸣-ti-	hat für das Leben
4 ^{d}šul-gi	des Šulgi,
5 nita-kal-ga	des starken Mannes,
6 lugal-uri_5^{ki}-ma	des Königs von Ur,
7 lugal-an-ub-⸢da⸣-$limmu_2$-ba-ka-$še_3$	des Königs der vier Weltgegenden,
8 *ilum*(=DINIGR)-*ba-ni*	Ilumbānī
9 dumu-*ḫa*$^{!?}$-⸢*si*$_2^{!}$⸣-*is*-⸢$E_2^{?}$.X.$MI_2^{?}$-$ke_4^{?}$⸣	des Sohn des ...,
10 ⸢a mu⸣-na-ru	(diesen Gegenstand) geweiht.

Šulgi 39

Text: Museums-Nr. ? (Fragment eines Keulenkopfes): P. Toscanne, RA 7 (1910) 59; Ch.-G. Janneau, Une dynastie chaldéenne, 8; (Kopien); Herkunft: ?.

Literatur: P. Toscanne, a.a.O. 59; G. Barton, RISA 282, 27.; W.W. Hallo, HUCA 33 (1962) 33: Šulgi 39; I. Kärki, StOr 58, 47: Šulgi 39.

1 ^{d}nanše	Nanše,
2 nin-a-ni	seine(r) Herrin,
3 šul-g[i]	([hat]) Šulgi,
4 nita-ka[l-ga]	der sta[rke] Mann,

5 lug[al-uri$_{2/5}$^{ki}-ma]	der Kön[ig von Ur],
(abgebrochen)	(abgebrochen).

Šulgi 40

Text: Sb 2745 (Keulenkopf): V. Scheil MDP 14, S. 22 (Umzeichnung); ders., RT 31 (1909) 135 VI (Kopie); T. Solyman, Götterwaffen, Taf. XXXI, 221-222; P. Amiet, Elam S. 244, Abb. 177; (Photos); Herkunft: Susa.

Literatur: V. Scheil, MDP 14, S. 22f.; vgl. G. Barton, RISA 282, 29. und 286, 37.$^{!}$; A.L. Oppenheim, JAOS 74 (1954) 14; W.W. Hallo, HUCA 33 (1962) 33: Šulgi 40; I. Kärki, StOr 58, 47f.: Šulgi 40.

1 ^{d}nin-uru-a-mu-DU	Ninuru'amu-DU, **(1)**
2 nin-a-ni	ihre(r) Herrin,
3 nam-ti-	haben für das Leben
4 šul-gi	des Šulgi,
5 nit[a]-kal-ga	des starken Mannes,
6 l[ug]al-uri$_5$^{ki}-[m]a-ka-še$_3$	des K[ön]igs von Ur,
7 nin-kisal-še$_3$	Ninkisalše
8 ur-nigin$_3$-mu	(und) Urniginmu,
9 ga-⌜eš$_8$⌝-a-ab-ba-ka-ke$_4$	der Seehandelskaufmann, **(2)**
10 a mu-na-ru	(diesen Gegenstand) geweiht.

1) Z. 1: Der in diesen Inschriften singuläre GN **^{d}nin-uru-a-mu-DU** ist bereits aS in zwei Belegen nachzuweisen: **ur-^{d}nin-uru-a-mu-DU** in Nik. 14,2:3 bei G.J. Selz, FAOS 15/I 117 und **gala-^{d}nin-uru-a-mu-DU** in DP 159,3:6-4:1. Über die Abfolge in der aB Götterliste TCL 15,10,222-225 (= **An** = *Anum* IV 32-36) **^{d}nin-uru-ki-gar-ra** ("die Herrin, die die Stadt gegründet hat") / **^{d}nin-gu$_2$-bar-ra** ("die Herrin, die ...") / **^{d}nin-uru-a-mu-un-DU** / **^{d}nin-a-nim-ma** ("die Herrin der stehenden Wasser") kann

^{d}**nin-uru-a-mu-DU** wohl als "die Herrin hat in die Stadt das Wasser gebracht" verstanden werden; anders noch Ch. Jean, Réligion 135.

2) Z. 9: Es ist durchaus möglich, die Berufsbezeichnung in dieser Zeile auf die beiden PN in Z. 8-9 zu beziehen ("die Seehandelskaufleute"), auch wenn das Morphem des Plurals nicht realisiert ist (man würde dann in Z. 9 **...-ke$_4$-ne** erwarten).

Šulgi 41

Text: *CBS 8598 (Achatperle): H.V. Hilprecht, BE I/1 15 (Vs mit der Šulgi-Inschrift) + 43 (Rs mit der akkadischen Inschrift des Kurigalzu, der diese Perle wiederverwendet hat, nachdem er sie aus Susa mitgenommen hatte) (Kopien); Kollation: H. Behrens, Herkunft: Nippur (vorher Susa).

Literatur: F. Thureau-Dangin, SAK 192, r); G. Barton, RISA 280, 18.; W.W. Hallo, HUCA 33 (1962) 33: Šulgi 41; E. Sollberger, J.-R. Kupper, IRSA 144 IIIA2s (mit Anm. 1 und Übersetzung der Rs); I. Kärki, StOr 58, 48: Šulgi 41.

Umschrift nach BE I/1 15

1 ^{d}innana	Inanna,
2 nin-a-ni	ihre(r) Herrin
3 nam-ti-	hat für das Leben
4 šul-gi	des Šulgi,
5 nita-kal-ga	des starken Mannes,
6 lugal-uri$_5$^{ki}-ma-ka-še$_3$	des Königs von Ur,
7 SI.A-*tum*	SI.A-tum, **(1)**
8 ⌜x x (x)⌝ ni	seine ...,
(abgebrochen)	(abgebrochen).

1) Z. 7-8: Auf der Grundlage eines Siegels, das **SI.A-*tum*** als "Gemahlin des Urnammu"

(= **dam-ur-^{d}nammu**) nennt, hat E. Sollberger, RA 61 (1967) 69 zu 1. für Z. 8 dieses Textes die Ergänzung **a[ma]-t[u-d]a-ni** "(Watartum,) [the mother who bore] him" vorgeschlagen und hat diese Ergänzung in IRSA 144 IIIA2s wiederholt ("la [mère qui l'enfanta]". Die Richtigkeit dieser Ergänzung hat P. Steinkeller, ASJ 3 (1981) 77f. dadurch zu untermauern gesucht, daß er die Aussage **^{d}geštin-an-na ama-lugal** "Geštinanna, Mutter (des) Königs" in einer wohl Šulgi-zeitlichen Urkunde so interpretierte, daß hinter Geštinanna sich der Name von Urnammu's Gemahlin **SI.A**-*tum* verberge, diese nach ihrem Tod unter einer Erscheinungsform der Geštinanna verehrt worden sei. Diese Vermutung ist jetzt mit der Aussage **^{d}geštin-an-na** *zi-ib-na-tum* **^{d}geštin-an-na lugal** in NBC 4143:10 bei P. Michalowski, ASJ 4 (1982) 130ff. zu vergleichen, der den Lesungsvorschlag *Watartum* für **SI.A**-*tum* relativiert und für **SI.A**-*tum* die Lesung *zi-ib-na-tum* in Erwägung gezogen hat. Zu dieser Problematik vgl. auch Anm. 1 zu Šulgi 70. Unabhängig von diesen Vermutungen konnte der Ergänzungsvorschlag von E. Sollberger für Z. 8 bislang durch Kollation nicht bestätigt werden. Die Zeichenspuren in der Kopie von BE 1/I 15 passen jedoch nicht zu diesem Vorschlag.

Šulgi 42

Text: Coll. R. Schmidt, Solothurn (Achatperle): A. Pohl, OrNS 16 (1947) 464 (Kopie); Herkunft: gekauft in Teheran.

Literatur: A. Pohl, a.a.O. 464f.; W.W. Hallo, HUCA 33 (1962) 33: Šulgi 42; E. Sollberger, J.-R. Kupper, IRSA 144 IIIA2t; I. Kärki, StOr 58, 48f.: Šulgi 42.

1	1 ^{d}⸢inanna⸣	Inanna,
	2 nin-e_2-an-⸢na⸣	der Herrin von E'anna,
	3 nin-a-ni	ihrer Herrin,
	4 nam-ti-	hat für das Leben
	5 ^{d}šul-gi	des Šulgi,
	6 nita-kal-⸢ga⸣	des starken Mannes,

	7 lugal-uri$_5^{ki}$-ma	des Königs von Ur,
2	1 ⌜lugal⌝-ki-en-	des Königs von Sumer **(1)**
	2 ⌜gi⌝-ki-⌜uri⌝-ka-še$_3$	(und) Akkad,
	3 *⌜e$_2$⌝-a-ni-ša*!	E'aniša, **(2)**
	4 lukur-⌜ra⌝-ni	seine Lukur(-Priesterin),
	5 a mu-na-ru	(diesen Gegenstand) geweiht.

1) Kol. 2:1-2: Beachte die ungewöhnliche Schreibung dieses Titels in zwei Zeilen.

2) Kol. 2:3-4: Lesung des PN mit P. Steinkeller, RA 73 (1979) 190. In Ashm. 1971-346 trägt *Ea-niša* den Titel **lukur-kaskal-la**, s. dazu J.-P. Grégoire, RA 73 (1979) 190f.; vgl. ferner P. Michalowski, ASJ 4 (1982) 135. Zu der Vermutung, daß in Verbindung mir Vergöttlichung des Königs um die Mitte der Regierungszeit des Šulgi **lukur** den Begriff **dam** "as the term for 'king's wife'" ersetzt, s. P. Steinkeller, ASJ 3 (1981) 81.

Šulgi 43

Text: As 9063 (Hinweis von E. Braun-Holzinger) (Perle aus Karneol): V. Scheil, MDP 6, S.22; Ch.-G. Janneau, Une dynastie chaldéenne, 38; L. Delaporte, CCL II A 815; (Kopien); Herkunft: Susa.

Literatur: V. Scheil, a.a.O. 22; F. Thureau-Dangin, SAK 194, y); G. Barton RISA 282, 26.; W.W. Hallo, HUCA 33 (1962) 33: Šulgi 43; I Kärki, StOr 58, 49: Šulgi 43.

1	1 ^{d}nin-gal	Ningal,
	2 ama-ni-ir	seiner Mutter,
	3 ^{d}šul-gi	hat Šulgi,
	4 dingir-kalam-ma-na	der Gott seines Landes,
	5 lugal-uri$_5^{ki}$-ma	der König von Ur,
2	1 lugal-an-ub-da-limmu$_2$-ba-ke$_4$!	der König der vier Weltgegenden,

2 nam-ti-la-ni-še$_3$	für sein Leben
3 a mu-na-ru	(diesen Gegenstand) geweiht.

Šulgi 44

Perle mit einer 7-zeiligen Weihinschrift an Ninḫursag; unpubl., Metropolitan Museum; s. dazu W.W. Hallo, HUCA 33 (1962) 33: Šulgi 44; I. Kärki, StOr 58, 49: Šulgi 44.

Šulgi 45

Text: Coll. Southesk Q ∝ 37 (Perle aus Karneol): Carnegie, Catalogue of the Southesk Collection II (1908) 57 Q ∝ 37; C.F. Lehmann-Haupt, Materialien, S. 5 Nr. 1; (Kopien); Herkunft: ?.

Literatur: W.W. Hallo, HUCA 33 (1962) 33: Šulgi 45 mit Anm. 223; I. Kärki, StOr 58, 49f.: Šulgi 45.

1	1 ^{d}nin-lil$_2$	Ninlil,
	2 nin-a-ni	seine(r) Herrin,
	3 ^{d}šul-gi	hat Šulgi,
	4 nita-kal-ga	der starke Mann,
	5 lugal-uri$_5$^{ki}-ma	der König von Ur,
2	1 lugal-ki-en-gi-ki-uri-ke$_4$	der König von Sumer (und) Akkad,
	2 nam-ti-la-ni-še$_3$	für sein Leben
	3 a mu-na-ru **(1)**	(diesen Gegenstand) geweiht.

1) Kol. 2:3: Das Zeichen **A** fehlt in der Kopie bei C.F. Lehmann-Haupt, a.a.O. S. 5.

Šulgi 46

Text: Museums-Nr. ? (Perle): J. Bromski, RO 2 (1919-24, erschienen 1925) 189 (Kopie; mir nicht zugänglich); Herkunft: ?.

Literatur: W.W. Hallo, AOS 43, 32 Anm. 4 (Umschrift von Z. 1-11); ders., HUCA 33 (1962) 22 Anm. 196 (Umschrift von Z. 12-16); 33: Šulgi 46; E. Sollberger, J.-R. Kupper, IRSA 141 IIIA2f; I. Kärki, StOr 58, 50: Šulgi 46.

Umschrift nach W.W. Hallo, AOS 43, 32 Anm. 4 (Z. 1-11) und HUCA 33 (1962) 22 Anm. 196 (Z. 12-16):

1 ^{d}nin-lil$_2$	Ninlil,
2 nin-a-ni	seine(r) Herrin,
3 šul-gi	hat Šulgi,
4 nita-kal-ga	der starke Mann,
5 lugal-uri$_5$^{ki}-ma	der König von Ur,
6 lugal-ki-en-gi-ki-uri-ke$_4$	der König von Sumer (und) Akkad,
7 nam-ti-la-ni-še$_3$	für sein Leben
8 u$_3$ nam-ti-	und für das Leben
9 nin-TUR.TUR-mu	von Nin-TUR.TUR-mu, **(1)**
10 dumu-ki-ag$_2$-ga$_2$-na-še$_3$	seines geliebtes Kindes,
11 a mu-na-ru	(diesen Gegenstand) geweiht.
12 lu$_2$ mu-sar-ra-b[a]	Den Mann, [der die]se Inschrift
13 šu bi$_2$-ib-uru$_{12}$-[a]	abreibt,
14 nin-mu	möge meine Herrin,
15 ^{d}nin-lil$_2$-ke$_4$ **(2)**	Ninlil,
16 nam ḫa-ba-da-ku$_5$-de$_6$ **(3)**	verfluchen !

1) Z. 8-10: **nin-TUR.TUR-mu** in Z. 9 ist hier als PN verstanden. Dagegen liest C. Wilcke, ZA 68 (1978) 219 zu 129f. diese Zeile **Nin-tur dumu-mu** und übersetzt Z. 8-10 unter Hinweis auf den Emesal-Text TIM 9, Nr. 6, Z. 1=19; Z. 9=26, wo **dumu-mu** für *mārtum* "Tochter" geschrieben ist, "und für das Leben von Nintur, *der Tochter*, seinem geliebten Kind". Eine derartige Ausdrucksweise ist in diesen Texten allerdings sonst nicht nachzuweisen.

2) Z. 15: Beachte die auffällige Form **^{d}nin-lil$_2$-ke$_4$** gegenüber üblichem **^{d}nin-lil$_2$-le**.

3) Z. 16: Lesung **ku$_5$-de$_6$(=DU)** in **nam ḫa-ba-da-ku$_5$-de$_6$** mit D.O. Edzard, AS 20, 75; 78f.; vgl. auch Anm. 2 zu Urnammu 40.

Šulgi 47-49

Siegel: s. dazu W.W. Hallo, HUCA 33 (1962) 33: Šulgi 47-49; I. Kärki, StOr 58, 50ff.: Šulgi 47-49.

Šulgi 50-52

Gewichte: s. dazu W.W. Hallo, HUCA 33 (1962) 34: Šulgi 50-52; I. Kärki, StOr 58, 52ff.: Šulgi 50-52.

Šulgi 53 i-vi

Siegelabrollungen: s. dazu W.W. Hallo, HUCA 33 (1962) 34: Šulgi 53 i-vi; I. Kärki, StOr 58, 54ff.: Šulgi 53a-e.

Šulgi 54

IM 53977 (Tontafel; späte Abschrift(?) einer sumerisch-akkadischen Bilingue): J. van Dijk, Sumer 11 (1955) pl. XVI und TIM 9, 35: I. Kärki, StOr 58, 59-61: Šulgi 54 und jetzt I.J. Gelb, B. Kienast, FAOS 7, 344ff.: Ur C 1.

Šulgi 55

Text: *BM 116441 = 1923-11-10,26 (= U. 296) (Fragment eines Alabaster-Gefäßes mit roten Einschlüssen): E. Sollberger, UET VIII 22 (Kopie); Herkunft: Ur, Enunmah Raum 12.

Literatur: E. Sollberger, J.-R. Kupper, IRSA 139 IIIA2a; I. Kärki, StOr 58, 27: Šulgi 1a. - Vgl. E. Sollberger, UET VIII S. 5 zu 22..

1 $^{⌜*d⌝(Ras.)}$šu[l-gi] **(1)**	Šu[lgi],
2 nita-k[al-ga]	der st[arke] Mann,
3 lugal-[uri$_5$]^{ki}-m[a] **(2)**	der König [von Ur],
(abgebrochen(?))	(abgebrochen(?)).

1) Z. 1: Das Zeichen **ŠUL** steht - wie von E. Sollberger kopiert - nicht am linken Zeilenrand. Dies legt die Vermutung nahe, daß vor **ŠUL** ursprünglich noch ein Zeichen gestanden hat. Eine Überprüfung des Originals hat ergeben, daß der Raum vor **ŠUL** abgerieben ist, wobei auch die linke obere Zeilenumrandung ganz getilgt (die obere Zeilenbegrenzung ist nur noch bis auf die Höhe des Zeichenanfangs von **ŠUL** zu erkennen) und die linke untere Zeilenbegrenzung teilweise beschädigt wurde. Die Zeilenbegrenzungen von Z. 2 und 3 sind - wie in der Kopie E. Sollbergers angegeben - deutlich zu erkennen. In dem abgeschliffenen Raum vor **ŠUL** in Z. 1 ist lediglich eine schwache, aber noch deutliche waagrechte Einritzung zu erkennen, die in der Kopie E. Sollbergers nicht vermerkt ist: Diese Einritzung ist wohl der Rest des Zeichens **DINGIR**. Damit kann dann auch die zurückgezogene Schreibung von **ŠUL** in dieser Zeile erklärt werden.

2) Z. 3: Diese Zeile bildet das Ende der Kolumne; ob eine weitere Kolumne existiert hat, ist nicht auszumachen.

Šulgi 56

Text: IM 9425 (= U. 16539) (Fragment eines Gefäßes aus weißem Kalkstein): E. Sollberger, UET VIII 25 (Kopie von L. Legrain); Herkunft: Ur, Šulgi-und Amarsuen-Mausoleum.

Literatur: I. Kärki, StOr 58, 65f.: Šulgi 64. - Vgl. E. Sollberger, UET VIII S. 6 zu 25..

1 $^{[d]}$šul-gi	Šulgi,
2 [din]gir-kalam-ma-na	dem [Go]tt seines Landes,
3 lugal-uri$_5$^{ki}-ma	dem König von Ur,
4 lugal-an-ub-da-limmu$_2$-ba	de(m) König der vier Weltgegenden,
5 nin$_9$-kal-la	([hat]) Ninkalla, **(1)**
6 dumu-nibru^{ki}	der Bürger von Nippur, **(2)**
7 [ki-a]g$_2$-ga$_2$-⸢ni⸣	sein [Lieb]ling,
(abgebrochen)	(abgebrochen).

1) Z. 5-7: S. die Parallele bei M. Civil, OrNS 54 (1985) 40 ii 2-4.

2) Z. 6-7: Die Benennung **[ki-a]g$_2$-ga$_2$-⸢ni⸣** "sein (= Šulgi's) [Lieb]ling" ist in diesen Texten ungewöhnlich. Man erwartet **x-ki-ag$_2$-ga$_2$-ni**, "sein geliebter ...", wofür aber nach der Kopie kein Platz zu sein scheint. E. Sollberger, UET VIII S. 6 zu 25. hat bei seiner Übersetzung "his [bel]oved citizen of Nippur" offensichtlich **[ki-a]g$_2$-ga$_2$-⸢ni⸣** mit **dumu-nibru^{ki}** (Z. 6) verbunden.

Šulgi 57

Text: *BM 116448 = 1923-11-10,34 (= U. 280) (Fragment einer Schale aus schwarzem Steatit (mit Kalksteineinlagen)): E. Sollberger, UET VIII 26 (Kopie); Herkunft: Ur, Enunmaḫ-Bereich, unter dem Fußboden von Raum 16-17 (nach L. Woolley, UE VI S. 88 dagegen Raum 11).

Literatur: I. Kärki, StOr 58, 66: Šulgi 65. - Vgl. E. Sollberger, UET VIII S. 6 zu 26..

1 $^{\ulcorner d \urcorner}$šul-gi	Šulgi, **(1)**
2 [nit]a-kal-ga	der starke [Man]n,
3 lugal-[uri$_5$^{ki}-ma(?)]	der König [von Ur]. **(2)**

1) Z. 1: Die Inschrift ist unmittelbar oberhalb des Standwulstes der Schale angebracht. Ob diese Zeile den Anfang der Inschrift bildet, ist zwar nicht sicher, aber sehr wahrscheinlich.

2) Z. 3: Die Kollation hat ergeben, daß nach **LUGAL** ein Zeilentrenner steht: Demnach bildet diese Zeile wohl das Ende der Inschrift.

Šulgi 58

Text: *BM 116447 = 1923-11-10,33 (= U. 281) (Fragment einer Schale aus schwarzem Steatit, die wie die Inschrift Šulgi 57 (= BM 116448) auf der Außenwand mit Bohrungen für Einlagen versehen ist; Zuweisung zu Šulgi wegen des gleichen Fundortes wie Šulgi 57 mit E. Sollberger, UET VIII S. 6 zu 27.): E. Sollberger, UET VIII 27 (Kopie); Kollation: H. Steible; Herkunft: s. Šulgi 57.

Literatur: I. Kärki, StOr 58, 66: Šulgi 66. - Vgl. E. Sollberger, UET VIII S. 6 zu 27..

1' lugal-uri$_5$^{ki}-ma-ke$_4$$^!$ **(1)**	Der König von Ur,
(abgebrochen(?))	(abgebrochen(?)).

1) Z. 1: Ohne Zeilenrahmung, Text zwischen den Bohrungen (s.o.) geschrieben. Wegen der Realisierung des Agentivs erwartet man eine Fortsetzung des Textes mit der Wiedergabe eines transitiven, finiten Verbums (wohl **a mu-(na-)ru**).

Šulgi 59

Text: *IM 92931 (= U. 10615) (Steinfragment): E. Sollberger, UET VIII 28 (Kopie); Herkunft: Ur, im Hof der Ziqqurrat.

Literatur: I. Kärki, StOr 58, 66f.: Šulgi 67. - Vgl. E. Sollberger, UET VIII S. 6 zu 28..

1 ^{d}šul-gi	Šulgi,
2 nita-kal-ga	der starke Mann,
3 lugal-⸢uri$_{5}$^{ki}-ma⸣	der König von Ur,
4 *luga[l-....]	der Köni[g ....],
(abgebrochen)	(abgebrochen).

Šulgi 60

Text: BM 122936 = 1931-10-10,4 (= U. 16008) (Fragment einer Schale aus Diorit): E. Sollberger, UET VIII 29 (Kopie von L. Legrain); Herkunft: Ur, Diqdiqqah.

Literatur: I. Kärki, StOr 58, 67: Šulgi 68. - Vgl. E. Sollberger, UET VIII S. 6 zu 29..

1 ^{d}nin-⸢giš⸣-zi-da	Ninigšzida,
2 dingir-ra-ni	sein(em) (Schutz)gott,
3 nam-ti-	hat für das Leben
4 ^{d}šul-gi	des Šulgi,

5 nita-kal-ga	des starken Mannes,
6 lug[al-uri$_5^{ki}$-ma]	des Kön[igs von Ur],
(abgebrochen)	(abgebrochen).

Šulgi 61

Text: BM 116449 = 1923-11-10,35 (= U. 652) (kleines Fragment eines schwarzen Steatitgefäßes): E. Sollberger, UET VIII 30 (Kopie); Herkunft: Ur, SW der Temenos-Mauer.

Literatur: I. Kärki, StOr 58, 67f.: Šulgi 69. - Vgl. E. Sollberger, UET VIII S. 6 zu 30..

1'[....] ⌜x⌝ [....](?)	[....]...[....](?)
2' [nam]-ti-	([hat für]) [das Le]ben
3 [$^{(d)}$šul]-gi	des [Šul]gi,
4' [nita-ka]l-g[a]	[des stark]en [Mannes],
5' [lugal-ur]i$_5^{k[i]}$-[ma]	[des Königs von U]r,
(abgebrochen)	(abgebrochen).

Šulgi 62

Text: IM Nr. ? (= U. 18807) (Fragment einer Schale aus weißem Kalkstein): E. Sollberger, UET VIII 105 (Kopie); Herkunft: Ur.

Literatur: I. Kärki, StOr 58, 68: Šulgi 70. - Vgl. E. Sollberger, UET VIII S. 23 zu 105..

1' ⌜nin-x⌝-[x(?)]-⌜x⌝	([....(= GN) (, ...)],) der Herrin ...[...(?)]..., **(1)**
2' nin-a-ni	seine(r) Herrin,

3' nam-⌜ti⌝-	([hat]) für das Leben
4' ^{d}šul-⌜gi⌝	des Šulgi,
5' nita-kal-ga	des starken Mannes
6' lugal-[ur]i_5^{ki}-ma	des Königs von Ur,
7' lugal-ki-en-gi-ki-uri-ka-$še_3$	des Königs von Sumer (und) Akkad,
8' ⌜AN⌝.ZI.GI_4 [....(?)]	...[....(?)] (= PN(?))
(abgebrochen)	(abgebrochen).

1) Z. 1': Die Spuren des letzten Zeichens dieser Zeile sind kaum mit **BA** zusammenzubringen, so daß eine mögliche Ergänzung des geläufigen Nanše-Epithetons **nin-in-dub-ba** (s. H. Behrens, FAOS 10, s.v. **nin** A)2.a)3') in dieser Zeile wohl auszuschließen ist.

Šulgi 63

Text: Museum für Vor- u. Frühgeschichte, Berlin, Nr ? (Backstein): E. von Schuler, BJVF 7 (1967) Taf. 3 (Photo); Herkunft: Kunsthandel; angeblich Susa.

Literatur: E. von Schuler, a.a.O. 293-295; E. Sollberger, J.-R. Kupper, IRSA 143 IIIA2p; A. Westenholz, AfO 23 (1970) 27; I. Kärki, StOr 58, 68f.: Šulgi 71 und jetzt I.J. Gelb, B. Kienast, FAOS 7, 341f.: Ur 5.

1 ^{d}šul-gi	Šulgi,
2 DINGIR *ma-ti-šu*	der Gott seines Landes,
3 *da-num*$_2$	der Starke,
4 LUGAL uri_5^{ki}	der König von Ur,
5 LUGAL *ki-ib-ra-tim*	der König der vier
6 *ar-ba-im*	Weltgegenden,
7 *i*$_3$*-nu*	hat, als er
8 *ma-at ki-maš*^{ki}	das Land Kimaš **(1)**
9 *u*$_3$ *ḫu-ur-tim*^{ki}	und Hu'urtum

10 *u_3-ḫa-li-qu_2-na*	vernichtet hatte,
11 *ḫi-ri-tam_2*	einen Graben
12 *iš-ku-un*	angelegt
13 *u_3 bi_2-ru-tam_2*	und den Deich **(2)**
14 *ib-ni*	gebaut.

1) Z. 8-9: Zur Lage dieser beiden Länder s. D.O. Edzard, G. Farber, RGTC 2, 80f. s.v. Ḫu'urti/Ḫurti und 100f. s.v. Kimaš.

2) Z. 13: Wiedergabe von *bē/īrutum* "Aufschüttung", hier wohl "Deich" mit E. Sollberger, in: RA 63 (1969) 40 Anm. 1 ("the embankment") bzw. IRSA 143 IIIA2p ("la berge") gegen E.v. Schuler, a.a.O. 295 ("(etwa) Zisterne"). Vgl. zu diesem Begriff auch die Untersuchung von A. Westenholz, AfO 23 (1970) 27ff..

Šulgi 64

Text: Coll. Morgan, Louvre (Fragment eines Keulenkopfes): P. Toscanne, RA 7 (1910) 60 (Kopie); Herkunft: ?.

Literatur: P. Toscanne, ibidem; G. Barton, RISA 282, 28.; W.W. Hallo, HUCA 33 (1962) 41: Anonymous 9; I. Kärki, StOr 58, 154: Anonym 9..

1' ^{d}[šul-gi]	([Dem/r .... (= GN), ...,]) hat [(für das Leben) des Šulgi], **(1)**
2' nita-[kal-ga]	des [starken] Mannes,
3' lugal-[uri_5]^{ki}-m[a-ka-$še_3$]	[des] Königs v[on Ur],
4' ḫa-ZI-[....]	Ḫa-...[....](= PN), **(2)**
5' mu-[....]	... [....], **(3)**
(abgebrochen)	(Ende der Inschrift(?)).

1) Z. 1'ff.: Dieser Text wird mit P. Toscanne, ibidem Šulgi zugeordnet, da die Abfolge der Epitheta **nita-kal-ga / lugal-uri$_{(2/)5}$^{ki}-ma** in Verbindung mit ^{d}PN in diesen Texten bislang nur bei Šulgi zu belegen ist.

2) Z. 4': Zu einer Ergänzung des PN vgl. etwa Šulgi 38:9 **(dumu-)***ḫa*$^{!?}$-⸢*si*$_2$$^{!}$⸣-*is*-**⸢E$_2$$^{?}$.X.MI$_2$$^{?}$-ke$_4$$^{?}$⸣**.

3) Z. 5': Angesichts des sicheren Zeilenanfangs ist hier eine Ergänzung nach dem Formular vergleichbarer Inschriften auf Keulenköpfen (s. Šulgi 37, 38 und 40), die alle **a mu-na-ru** am Textende bieten, nur mit Hilfe einer Emendation möglich (**<a> mu-[na-ru]** "[er (= PN) hat ihm (= GN)] <ge> [weiht]"). Eine Ergänzung **mu-[na-dim$_2$]**"[er (= PN) hat ihm (= GN) (diesen Gegenstand)] ange[fertigt]" ist wegen des festen Formulars von Inschriften auf Keulenköpfen wohl auszuschließen.

Šulgi 65

Text: *BM 116430 (= U. 248+257+260; Kalksteingefäß): C.J. Gadd, L. Legrain, UET I 57 (Kopie); Herkunft: Ur.

Literatur: C.J. Gadd, L. Legrain, UET I 12f., Nr. 57; E. Sollberger, J.-R. Kupper, IRSA 143f. IIIA2r; I. Kärki, StOr 58, 64f.: Šulgi 61.

1 šul-g[i]	Šulgi, **(1)**
2 nita-kal-g[a]	der starke Mann,
3 lugal-ur[i$_5$]^{ki}-m[a]	der König von Ur,
4 lugal-ki-*e[n]-gi-ki-uri-[x(?)]	der König der vier Weltgegenden:
5 šu-*gur-⸢*x⸣-[x(?)]	Šugur-...[...(?)], **(2)**
6 lukur-ki-ag$_2$-ga$_2$-ni	seine geliebte Lukur(-Priesterin).
7 lu$_2$ mu-sar-ra-ba	Den Mann, der diese Inschrift
8 šu bi$_2$-ib$_2$-uru$_{12}$-a	abreibt,
9 mu-ni bi$_2$-ib$_2$-sar-a	(und) seinen (eigenen) Namen (darauf) schreibt,

10 ^{d}nin-sun$_2$	mögen Ninsun,
11 dingir-mu	meine (Schutz)göttin,
12 ^{d}lugal-ban$_3$-da	(und) Lugalbanda,
13 lugal-mu	mein Herr,
14 nam ḫa-ba-da-kuru$_5$-ne	verfluchen!

1) Z. 1-6: Obwohl diese Zeilen in ihrer satzlosen Struktur durchaus mit Šulgi 66:1-5 zu vergleichen sind, ist aufgrund der Anordnung von **URI** in Z. 4 nach Kollation davon auszugehen, daß im Bruch am Ende von Z. 4 noch ein weiteres Zeichen gestanden hat. Vielleicht **-ra** zum Ausdruck des Dativs für Z. 1-4 ?

2) Z. 5: Zur Lesung des PN vgl. C.J. Gadd, L. Legrain, UET I S. 12 (**šu-kal(?)-[la]**) und jetzt I. Kärki, StOr 58, 64 (*šu-qur-[tum]*).

Šulgi 66

Text: A) *BM 118553 = 1927-5-27,26 (= U. 6355) (Schale aus Granit; Inschrift des Narāmsuen (UET I 24 A, s. dazu unten Anm. 1 und E. Sollberger, Iraq 22 (1960) 86f.); wiederverwendet unter Šulgi): C.J. Gadd, L. Legrain, UET I 24 B (Kopie); pl. E (Photo von UET I 24 A und B); Herkunft: Ur.

B) *BM 116442 = 1923-11-10,27 (= U. 254) (Kalksteingefäß): C.J. Gadd, L. Legrain, UET I 51 (Kopie); Herkunft: Ur.

Literatur: C.J. Gadd, L. Legrain, UET I S. 5f., Nr. 24; S. 11, Nr. 51; E. Sollberger, J.-R. Kupper, IRSA 143 IIIA2q; I. Kärki, StOr 58, 65: Šulgi 62.

1 ^{d}šul-gi	Šulgi,
2 nita-kal-ga	der starke Mann,
3 lugal-uri$_5$^{ki}-ma	der König von Ur,
4 lugal-an-ub-da-limmu$_2$-ba	der König der vier Weltgegenden:

5 ME-^{d}en-lil$_2$	ME-enlil,
6 dumu-MI$_2$-a-ni	seine Tochter.

1) Z. 1ff.: Text A) enthält neben dieser Inschrift noch die ältere des Narāmsuen (= UET I 24A, s. dazu oben Katalog zu Text A)):

^{d}*na-ra-am-*^{d}*suen*	Narāmsuen,
LUGAL	der König
ki-ib-ra-tim	der vier Welt-
ar-ba-im	gegenden.

Šulgi 67

Text: *MNB 1970 (Tafel aus Steatit, Vs: flach; Rs: gewölbt): s. Tafel XV-XVI dieser Arbeit (Photos); Herkunft: ?.

Vs	1 ^{d}nin-an-si$_4$-an-na	Ninansi'anna
	2 nin-a-ni	seine(r) Herrin,
	3 ^{d}šul-gi	hat Šulgi,
	4 nita-kal-ga	der starke Mann,
	5 lugal-uri$_5$$^{ki-}$ma	der König von Ur,
Rs	1 lugal-ki-en-gi-ki-uri-ke$_4$	der König von Sumer (und) Akkad,
	2 e$_2$-a-ni	ihren Tempel
	3 mu-na-du$_3$	gebaut.

Šulgi 68

Text: *Ashm. 1922-9 (Tafel aus Steatit): J.-P. Grégoire, MVN 10, Nr. 20 (Kopie); Herkunft: wahrscheinlich Lagaš (al-Hibā).

Literatur: J.-P. Grégoire, a.a.O. S.14 zu 20.; ders., Inscriptions et archives aAdministratives cunéiformes (2e Partie), Nr. 20, in: Studi per il Vocabolario Sumerico.

Vs	1 ^{d}nin-gir$_{2}$-⸢su⸣	Ningirsu
	2 ur-sag-kal-ga-	dem mächtigen Helden
	3 ^{d}en-lil$_{2}$-la$_{2}$	des Enlil,
	4 lugal-a-ni	sein(em) Herrn,
	5 ^{d}šul-gi	hat Šulgi,
	6 nita-kal-ga	der starke Mann,
	7 lugal-uri$_{5}$^{ki}-ma	der König von Ur,
	8 lugal-ki-en-gi-ki-uri-ke$_{4}$	der König von Sumer (und) Akkad,
Rs	1 e$_{2}$-ba-*gara$_{2}$-ka-ni	seinen Tempel von Bagara
	2 mu-na-du$_{3}$	gebaut.

Šulgi 69

Text: *AO 36 (Fragment einer männlichen Statuette, die an der Brust ein kleines Tier (Zicklein(?)) trägt; aus Serpentin): M.-Th. Barrelet, in: CRRA 19 (1974) Pl. I, F. 91 (Photos); s. Tafel XVII-XVIII dieser Arbeit (Photos); J.-M. Durand, in: CRRA 19 (1974) 130 (Kopie); Herkunft: Girsu.

Literatur: J.-M. Durand, ibidem. - Vgl. E. de Sarzec, Découvertes I 156; M.-Th. Barrelet, a.a.O. S. 36; A. Spycket, La statuaire 206 mit Anm. 107.

Die Inschrift beginnt auf der rechten Seite des Untergewandes und setzt sich auf der Rückseite des Untergewandes fort:

1	1 ^{d}*i[g-alim] **(1)**	I[galim], **(2)**

	2 dumu-*k[i-ag$_2$]-	dem ge[liebten] Sohn
	3 [^{d}nin-gir$_2$-su-ka]	[des Ningirsu],
	4 lugal-[a-ni]	[sein(em)] Herrn,
	5 $^{⸢d⸣}$šu[l-gi]	([hat]) Šu[lgi],
	6 ⸢nita-kal⸣-g[a]	der starke Mann,
	7 [l]ugal-⸢uri$_5$⸣[^{ki}-ma]	der König [von] Ur,
	8 [l]ugal-ki-en-g[i]-ki-uri-*k[e$_4$]	[der] König von Sumer (und) Akkad,
	9 nam-ti-la-*n[i-še$_3$]	[für] sein Leben
2	(abgebrochen)	(abgebrochen).

1) Kol.1:1: Die Spuren des Zeichens zu Beginn des Bruches können sicher mit **IG** zusammengebracht werden. Damit erledigt sich die Rekonstruktion der bislang einzigen Weihinschrift des Šulgi an den Gott Suen, die J.-M. Durand, in: CRRA 19 (1974) 130 vorgenommen hat.

2) Kol.1:1-4: Ergänzung dieser Zeilen nach Gudea 19 = 20:1-4.

Šulgi 70

Text: Coll. M. Foroughi (Ohrring aus Gold): P. Amiet, M. Lambert, RA 67 (1973) 160-161, fig. 4-5 (Photos und Kopie); Herkunft: Kunsthandel (erworben in Iran).

Literatur: P. Amiet, M. Lambert, a.a.O. 159-162; P. Steinkeller, ASJ 3 (1981) 78.

Zeilenanordnung: Z. 1/3; 2/4; 5/6; 7/8.

1 ^{d}geštin-an-na	(Der) Geštinanna**(1)**
2 DUMU-ni	hat ihr Diener(?)
3 šul-gi	Šulgi,

4 nita-kal-ga	der starke Mann,
5 lugal-uri$_5$^{ki}-ma	der König von Ur,
6 lugal-ki-en-gi-ki-uri-ke$_4$	der König von Sumer (und) Akkad,
7 nam-ti-la-ni-še$_3$	für sein Leben **(2)**
8 a mu-na-ru	(diesen Gegenstand) geweiht.

1) Z. (1-)3: Dieser Inschrift liegt wohl ein neues, in den Ur-III-zeitlichen Weihinschriften bislang unbekanntes Formular zugrunde, das allerdings schon mit dem aS Formular von En. I. 20 (bei H. Steible, FAOS 5/I, 191f.) in Verbindung gebracht werden kann: **^{d}lugal-URUxKAR$_2$^{ki}-ra ir$_{11}$-kal-ga-ni en-na-na-tum$_2$ ensi$_2$-lagaš^{ki}-ke$_4$** ... "Dem Lugal-URUxKAR$_2$: sein mächtiger Diener Enannatum, der Stadtfürst von Lagaš, ..." (Kol. 1:1ff.). Nach diesem Formular muß **DUMU-ni** in Z. 2 nicht als Apposition zu **^{d}geštin-an-na** in Z.1 gestellt werden, sondern kann durchaus vorausgestelltes Attribut zu **šul-gi** in Z. 3 sein. Problematisch bleibt bei diesem Verständnis das Fehlen der Dativ-Postposition **(-ra)**, die man bei **^{d}geštin-an-na** erwarten würde.

Demgegenüber hat M. Lambert, RA 67 (1973) 161f. bei der Erstbearbeitung dieser Inschrift **DUMU** als Fehlschreibung für **nin$^{!}$** gedeutet und **nin$^{!}$(= DUMU)-ni** mit "sa souveraine" wiedergegeben; bei dieser Deutung wäre jedoch wegen der ausnahmslosen Schreibung **nin-a-ni** in diesen Texten (s. H. Behrens, FAOS 10, s.v. **nin** A)1.c)) auch hier die Realisierung von **-a-** zu fordern. Das Verständnis von M. Lambert impliziert danach zwei Emendationen in einer Zeile (**nin$^{!}$(= DUMU)-<a->ni**), die angesichts der sonst korrekten Schreibweise der Inschrift besonders gravierend sind.

Nicht eindeutig zu klären ist auch bei unserem Textverständnis die Lesung und Bedeutung von **DUMU** in **DUMU-ni**. Da Šulgi nach der einschlägigen hymnischen Literatur als "Sohn der Ninsun" gilt (s. etwa J. Klein, Three Šulgi-Hymns, S. 74 zu D 41; S. 138 zu 47; S. 188 zu A 7; S. 219 zu Ni 4511 Rs. 6), kann wohl kaum **dumu-ni** "ihr (= Geštinanna's) Sohn" gelesen werden; viel eher ist wohl von einer Lesung **DUMU** = **banda$_3$** auszugehen, die vielleicht mit Å. Sjöberg, PSD B 86 s.v. **ban$_3$-da** D 7 "attendant", "assistant" zu verbinden und hier i.S. von "Diener(?)" zu verstehen ist. Dagegen liest P. Steinkeller, ASJ 3 (1981) 78 noch **dumu-ni** "her son".

2) Z. 7-8: Šulgi dürfte diesen goldenen Ohrring wohl für eine Statue der Geštinanna geweiht haben. Dies legen die sogenannten aS Götterweihurkunden nahe, etwa die **Nin-MAR.KI**-Weihurkunde DP 69 oder die Nanše-Weihurkunden DP 70-72, wo von verschiedenen "Kronen" (= **men-...**) und "Halsketten" (= **gu$_2$-za**) die Rede ist, s. dazu ausführlich G.J. Selz, UGASL s.v. Nin-MAR.KI § 3 und s.v. Nanše §§ 55a-61. Beachte in diesem Zusammenhang auch Ukg. 16,7:3-6 (bei H. Steible; FAOS 5/I 336f.) **^{d}ama-geštin-ta ku$_3$-za-gin$_3$-na-ni ba-ta-keš$_2$-keš$_2$ pu$_2$-ba i$_3$-šub** "von der (Statue der) Amageštin(na) hat er ihr Edelmetall (und) Lapislazuli zusammengerafft (und) hat (die Statue(?)) dort in den Brunnen geworfen".

Šulgi 71

Text: *AO 4392 (Fragment eines kleinen Gefäßes aus Onyx): s. Tafel XII dieser Arbeit (Photo); Herkunft: Girsu.

1' [nam]-⌜ti-⌝	([Dem/r ....(= GN), ...,]) hat für das [Le]ben
2' $^{[d]}$šul-gi-še$_3$ **(1)**	des Šulgi **(1)**
3' [x]-ša$_6$-ga	[...]-šaga(= PN),
4' [n]u-kiri$_6$(= SAR)	der Gärtner,
5' [a mu]-⌜na⌝-[ru]	[(diesen Gegenstand) geweiht].
(abgebrochen)	(Ende der Inschrift(?)).

1) Z. 1'-2': Nach der Zeichenanordnung in Z. 3' und 4' muß im Bruch am linken Rand von Z. 2' DINGIR ergänzt werden.

Zu **nam-ti-^{d}šul-gi-še$_3$** vgl. Šulgi 29 = 31 = 33 = 38 = 60:3ff.; 35:1'ff.; 42,1:4ff.; vgl. auch **nam-ti-šul-gi-še$_3$** (ohne Titulatur) in Šulgi 37:4-5.

Šulgi 72

Text: *CBS 14944 (= U. 269) (Fragment eines Gefäßes aus Alabaster): unpubl., vgl. L. Woolley, UE VI S. 50; Herkunft: Ur, Enunmaḫ, Raum 10.

1 [š]ul-g[i]	Šulgi,
2 [ni]ta-kal-g[a]	der starke [Ma]nn,
3 [lu]gal-ur[i$_{2/5}$]$^{⌈ki}$ma⌉	der [Kö]nig vor Ur,
(abgebrochen)	(abgebrochen).

Šulgi 73

Text: A) Acht Bronzenägel (Korbträger), die mit der unter Text B) genannten Steintafel zu verbinden sind; zu diesen Bronzenägeln gehören:

Sb 2883: S.A. Rashīd, Gründungsfiguren, S. 33 zu Nr. 150;

Sb 2885: P. Amiet, Elam 238, Abb. 173 (Photo); S. A. Rashīd, Gründungsfiguren, Taf. 33, Nr. 151 (Umzeichnung);

Sb 11461-Sb 11466 (6 Exemplare): S.A. Rashīd, Gründungsfiguren, S. 33 zu Nr. 152-157;

Herkunft: Susa, Ninḫursag-Tempel.

B) Sb 6847 (Tafel aus schwarzem Stein; Vs: flach; Rs: gewölbt): M. Lambert, RA 64 (1970) 71 (Photo); Herkunft: Susa.

Die Texte stimmen in der Zeilenanordnung überein.

Literatur: P. Amiet, Elam 238 (mit weiterer Literatur); M. Lambert, RA 64 (1970) 70f.. - Vgl. S.A. Rashīd, Gründungsfiguren, S. 32; 33 zu Nr. 150-157.

Vs 1 ^{d}nin-ḫur-sag-	Ninḫursag
2 šušin(= MUŠ$_3$.EREN)^{ki}-na	von Susa,
3 nin-a-ni	seine(r) Herrin,
4 ^{d}šul-gi	hat Šulgi,
5 nita-kal-ga	der starke Mann,

6 lugal-uri$_5$^{ki}-ma	der König von Ur,
Rs 1 lugal-ki-en-gi-ki-uri-ke$_4$	der König von Sumer (und) Akkad,
2 e$_2$-a-ni	ihren Tempel
3 mu-na-du$_3$	gebaut.

Šulgi 74

Text: *BM 26256 = 98-5-14,74 (Oberer Teil einer Tafel aus Steatit); Vs: flach; Rs: gewölbt): unpubl., vgl. British Museum. A Guide (1922) 85 zu 65.; Herkunft: ?.

1 ^{d}nin-šubur-	Ninšubur
2 unu^{ki}-ga	von Uruk,
3 nin-a-ni	seine(r) Herrin,
4 šul-gi	([hat]) Šulgi,
5 nita-kal-ga	der starke Mann,
6 [lugal-u]ri$_5$[^{ki}-ma]	[der König von] Ur,
(abgebrochen)	(unterer Teil der Tafel abgeschlagen).

Šulgi 75

Text: MMA 59.41.87 (= 6 NT 1129) (Backstein): M. Sigrist, in: I. Spar, CTMMA I Pl.121, Nr. 117 (Kopie); Herkunft: Nippur, Inanna-Tempel, Schicht IV (IT 127-128).

Literatur: M. Sigrist, a.a.O. 160, Nr. 117.

1 ^{d}⌜inanna⌝	Inanna, **(1)**

2 nin-⌜a⌝-ni	seine(r) Herrin,
3 ⌜šul-gi⌝	hat Šulgi,
4 nita-kal-⌜ga⌝	der starke Mann,
5 lugal-uri$_5$^{ki}-ma	der König von Ur,
6 lugal-ki-en$^!$-[g]i-ki-uri-⌜ke$_4$⌝	der König von Sumer (und) Akkad,
7 e$_2$-dur-an-k[i]-ka$^!$-n[i]	ihren Tempel von Duranki
8 mu-na-[du$_3$]	ge[baut].

1) Z.1-8: S. die wörtliche Parallele in Šulgi 20:1-8.

Amarsuen 1

Text:

Backstein: A) Museums-Nr. ? (mehrere Exemplare, auf die diese Inschrift gewöhnlich drei oder viermal geschrieben ist): H.V. Hilprecht, BE I/1 22 (Kopie); Herkunft: Nippur, SO-Seite der Ziqqurrat.

B) HS 1967 (Fragment): unpubl., vgl. J. Oelsner, WZJ 18 (1969) G, Heft 5, 53 Nr. 20 (Umschrift); Herkunft: ?.

C) H. Behrens, JCS 37 (1985) 232 zu 15. nennt CBS 8653 (Fragment mit vollständiger Inschrift, auf den Rand geschrieben); Herkunft: Nippur.

Literatur: F. Thureau-Dangin, SAK 196, a); G. Barton, RISA 286, 1.; W.W. Hallo, HUCA 33 (1962) 34: Amar-Sin 1; E. Sollberger, J.-R. Kupper, IRSA 146 IIIA3a; I. Kärki, StOr 58, 70f.: Amarsuena 1.

1 ^{d}amar-^{d}suen	Amarsuen,
2 lugal-kal-ga	der mächtige König.

Amarsuen 2

Text:

Backstein: A) Museums-Nr. ? (zwei Exemplare): unpubl., vgl. V. Scheil, RT 16 (1894) 184; 186; Herkunft: Sippar.

B) C.B.F. Walker, CBI 29f. zu 23. nennt folgende gestempelte Exemplare des British Museum:

BM 90023 = 1979-12-20,20

BM 90025 = 1979-12-20,22

BM 90030 = 1979-12-20,27

BM 90034 = 1979-12-20,29

BM 90037 = 59-10-14,46

BM 90040 = 59-10-14,8

BM 90042 = 1979-12-20,33

BM 90043 = 1979-10-20,34

BM 90348 = 59-10-14,4

BM 90349 = 59-10-14,5

BM 90352 = 1979-12-20,210

BM 90372 = 59-10-14,10

BM 90399 = 1979-12-20,230

BM 90767 = 59-10-14,338:

E. Norris, 1R3XII2 (Kopie); L.W. King, CT 21,24 (Kopie von BM 90034); ferner:

BM 114265 = 1919-10-11,4696

BM 114266 = 1919-10-11,4697

BM 114267 = 1919-10-11,4698

BM 114268 = 1919-10-11,4699

BM 114269 = 1919-10-11,4700

BM 114270 = 1919-10-11,4701

BM 114272 = 1919-10-11,4703

BM 114273 = 1919-10-11,4704

BM 114274 = 1919-10-11,4705

BM 114275 = 1919-10-11,4706

BM 122941 = 1931-10-10,9

BM 132804 = 1959-11-17,98

BM 137344 = 1935-1-13,4 (= U. 975)

BM 137348 = 1935-1-13,8 (= U. 3135; vgl. C.J. Gadd, L. Legrain, UET I S. XXIV fälschlicherweise U. 3125)

BM 137359 = 1919-10-11,5364

BM 137382 = 1979-12-18,17

BM 137403 = 1979-12-18,38

BM 137419 = 1979-12-18,54

BM 137423 = 1979-12-18,58;

zur Herkunft der Texte s. C.B.F. Walker, ibidem (bes. S. 30).

C) VA 3040 (gestempelt): L. Messerschmidt, VS I 26 (Kopie); vgl. W. Andrae, MDOG 17 (1903) 15; Herkunft: Kisurra.

D) Museums-Nr. ?: unpubl., vgl. R.C. Thompson, Archaeologia 70 (1920) 142; Herkunft: Tell el-Laḥm.

E) Museums-Nr. ? (Fragment): P. Dougherty, AASOR 7 (1925-26) fig. 40 (Photo; Z. 1-6); Herkunft: Isin.

F) Museums-Nr. ? (zwei gestempelte Exemplare): P. Dougherty, AASOR 7 (1925-26) fig. 41 (vollständig); fig. 42 (Z. 1-5; Rest abgerieben); (Photos); Herkunft: Badtibira.

G) A 1133 (Backstein): A 438 (Fragment eines Tongefäßes); A 1135 (Backsteinfragment): D. Luckenbill, OIP 14, 40-42 (Kopien); E.J. Banks, Bismya 343 (Photo von A 1133); Herkunft: Adab.

H) Museums-Nr. ? (gestempelt): unpubl., vgl. F. Thureau-Dangin, bei: G. Cros, NFT 140; Herkunft: Girsu.

I) *Ashm. 1924-625 (gestempelt): J.-P. Grégoire, MVN 10, Nr. 21 (Kopie); C.B.F. Walker, CBI 30 zu 23.; Herkunft: Isin(?).
Ashm. 1980-126 (gestempelt): s. C.B.F. Walker, CBI 30 zu 23.; Herkunft: ?.

J) (Collection particulière): J.-P. Grégoire, MVN 10, Nr. 22 (Kopie); Herkunft: ?.

K) H. Behrens, JCS 37 (1985) 232f. zu 16. nennt folgende gestempelte Exemplare des University Museum:

CBS 15331

CBS 15339 = (U. 73) (doppelt gestempelt); vgl. MJ 16, 302 (Photo)

CBS 16537a (= U. 3135a) (doppelt gestempelt)

CBS 16537b (= U. 3135b)

2 N-T 734b: Herkunft: Nippur

UM 84-26-2 (doppelt gestempelt)

UM 84-26-3

UM 84-26-4

UM 84-26-5:

Herkunft: (bis auf 2 N-T 734b) Ur.

L) Bibliothèque Nationale et Universitaire de Strasbourg, Nr. 146: D. Charpin, in: D. Charpin, J.-M. Durand, Documents cunéiformes de Strasbourg, in: Recherche sur les grandes civilisations, cahier no. 4 (Paris 1981) pl. 58 Nr. 146 (Kopie); Herkunft: ?.

M) Museum des Studium Biblicum Franciscanum, Jerusalem (gestempelt): M. Sigrist, T. Vuk, Studium Biblicum Franciscanum, Museum 4 (Jerusalem 1987) pl. 13, fig. 1 (Photo); S. 38 (Kopie); Herkunft: ?.

N) IB 205; 206; 262; 293; 294; 593; 687; 689(?); (gestempelt): s. D.O. Edzard, C. Wilcke, in: Isin-Išān Baḫrīyāt I 85 zu C 6 b. S. ferner D.O. Edzard, C. Wilcke, in: Isin - Išān Baḫrīyāt II 92. Herkunft: Isin.

O) Museums-Nr. ? (3 Expl.): unpubl., s. H.J. Nissen, Uruk Countryside, 217 (mit Angaben zu den Fundorten).

Literatur: F. Thureau-Dangin, SAK 196, b); G. Barton, RISA 286, 2.; W.W. Hallo, HUCA 33 (1962) 34f.: Amar-Sin 2; E. Sollberger, J.-R. Kupper, IRSA 146f.

IIIA3b; C.B.F. Walker, CBI 29f. zu 23. und J.-P. Grégoire, MVN 10, S. 24 zu 21. und 22.; M. Sigrist, T. Vuk, Studium Biblicum Franciscanum, Museum 4 (Jerusalem 1987) 38f.; I. Kärki, StOr 58, 71f.: Amarsuena 2.

Umschrift nach Text B (CT 21,24) und G)

1 ^{d}amar-^{d}suen	Amarsuen,
2 nibru^{ki}-a	den in Nippur
3 ^{d}en-lil$_{2}$-le	Enlil
4 mu-pa$_{3}$-da	mit Namen benannt hat,
5 sag-us$_{2}$-	der Versorger
6 e$_{2}$-^{d}en-lil$_{2}$-ka	des Tempels des Enlil,
7 nita-kal-ga **(a)**	der starke Mann,
8 lugal-uri$_{5}$^{ki}-ma	der König von Ur,
9 lugal-an-ub-da-limmu$_{2}$-ba	der König der vier Weltgegenden.

a) Z. 7: Text B) (BM 90043) und Text K) (CBS 15331, CBS 15339, UM 84-26-4 und UM 84-26-5) bieten die Variante **lugal-kal-ga** "der mächtige König".

Amarsuen 3

Text: A) C.B.F. Walker, CBI 30f. zu 24. nennt folgende Backsteine des British Museum, die alle mit zwei Stempeln (Stempel A = hier Kol. 1:1-13; B = hier Kol. 2:1-11) gestempelt sind (für die Verteilung der Stempel auf den einzelnen Backsteinen s. C.B.F. Walker, a.a.O. 31 zu 24.):

BM 90036 = 59-10-14,6

BM 90039 = 59-10-14,9

BM 90353 = 59-10-14,45

BM 90811 = 59-10-14,7:

E. Norris 1R5XIX (Kopie); L.W. King, CT 21, 25-26 (Kopie von BM 90039 + BM 90811); Herkunft: Ur.

B) *BM 119014 = 1927-10-3,9 (= U. 2757) (Modell eines Tonpodestes, neubabylonische Abschrift (s. dazu D.O. Edzard, RlA 6, 64f.. § 6.j.); Text in der zweiten Hälfte sehr verderbt; Kolophon (= Kol. 4) bei H. Hunger, AOAT 2, 35, Nr. 73): C.J. Gadd, L. Legrain, UET I 172 (Kopie); pl. T und U (Photos); Herkunft: Ur.

C) CBS 16466 (= U. 2861) (Backstein, die Inschrift ist mit zwei Stempeln auf den Backstein gestempelt; Stempel A (= Text A) 1:1-13) auf die rechte Seite der Vorderseite, Stempel B (= Text A) 2:1-11) links daneben und zusätzlich auf die linke Kante von unten nach oben; s. H. Behrens, JCS 37 (1985) 233 zu 17.; Herkunft: Ur.

Literatur: F. Thureau-Dangin, SAK 198, d); G. Barton RISA 286, 3.; W.W. Hallo, HUCA 33 (1962) 35: Amar-Sin 3; E. Sollberger, J.-R. Kupper, IRSA 149 IIIA3e (mit Übersetzung des Kolophons in Anm.1); C.B.F. Walker, CBI 30f. zu 24.; I. Kärki, StOr 58, 72ff.: Amarsuena 3; H. Hunger, AOAT 2, 35, Nr. 73 (Kolophon).

Umschrift nach Text A) (CT 21, 25-26)

1	1 ^{d}amar-^{d}suen **(a)**	Amarsuen,
	2 nibru^{ki}-a	den in Nippur
	3 ^{d}en-lil$_2$-le	Enlil
	4 mu-pa$_3$-da	mit Namen benannt hat,
	5 sag-us$_2$-	der Versorger
	6 e$_2$-^{d}en-lil$_2$-ka **(b)**	des Tempels des Enlil,
	7 lugal-kal-ga	der mächtige König,
	8 lugal-uri$_5$^{ki}-ma	der König von Ur,
	9 lugal-an-ub-da-limmu$_2$-ba-me **(c)**	der König der vier Weltgegenden, bin ich.
	10 ⌜alan⌝-ba **(d)**	Von dieser Statue ist
	11 ^{d}amar-^{d}suen ki-ag$_2$-uri$_5$^{ki}-ma	"Amarsuen, der Liebling von Ur"
	12 mu-bi-im	der Name.
	13 alan-ba **(e)**	Den Mann, der dieser Statue
2	1 lu$_2$ ki-gub-ba-bi	Standort
	2 ib$_2$-da-ab-kur$_2$-re-a **(f)**	verändert,
	3 bara$_2$-si-ga-bi	ihren Sockel
	4 i$_3$-bu$_3^!$(=KAxŠU$^!$) **(1)** -re-a	ausreißt,
	5 ^{d}nanna	mögen Nanna,

6 lugal-uri$_5$^{ki}-ma-ke$_4$	der Herr von Ur,
7 ^{d}nin-gal	(und) Ningal,
8 ama-uri$_5$^{ki}-ma-ke$_4$ **(g)**	die Mutter von Ur,
9 nam$^!$(= ḪU) ḫa$^!$-ba-an-da-kuru$_5$-ne **(h)**	verfluchen, **(2)**
10 numun-na-ni **(i)**	seinen Samen
11 ḫe$_2$-eb-til-le-ne **(j) (k) (l)**	mögen sie zu Ende gehen lassen !

a) Kol. 1:1: Text B): **amar-⌈^{d}suen⌉**.

b) Kol. 1:6: Text B): **e$_2$-^{d}en-lil$_2$-la$_2$-ka**.

c) Kol. 1:9: Text B) om. **-me**.

d) Kol. 1:10-12: Text B): **alan / mu-pa$_3$-^{d}suen / ki-ag$_2$-uri$_5$^{ki}-ma / mu-na-ni-in-du$_3$**.

e) Kol. 1:13ff.: Text B): **alan / ^{d}nin-gal / nin-⌈*x⌉-[....] / [....] / ⌈alan-x-x-(?)⌉ / RU-*gunû*-x-GA$_2$$^?$ / e$_2$-x-ga-ke$_4$ / in-KAxX-NI**.

f) Kol. 2:2: So mit C.B.F. Walker, ibidem nach CT 21, 26 Z. 2; die Kopie von E. Norris, IR5XIX (Text A)) bietet **kur** für **kur$_2$**. Eine Überprüfung des Originals konnte dieses Zeichen, das heute sehr verwaschen ist, nicht (mehr) eindeutig verifizieren.

g) Kol. 2:8: Text B): **nin-uri$_5$^{ki}-ma-ke$_4$** "die Herrin von Ur".

h) Kol. 2:9: Text B): **nam *ḫa$^!$-da-kuru$_5$-ne**.

i) Kol. 2:10: Text B): **MU-na-ni**.

j) Kol. 2:11: Text A): E. Norris, IR5XIX kopiert **ib$_2$-til-le-ne**; Text B): **ḫe$_2$-eb-*ku$_4$-*ku$_4$-ne** (Kollation: M. Geller).

k) Kol. 2:11: Text B) Kol. 4 weist ein nB-Kolophon auf (s. H. Hunger, AOAT 2, 35, Nr. 73; Übersetzung in Anlehnung an D.O. Edzard, RlA 6, 65 zu § 6.j.):

1 *gaba-ri agurri*(= ⸢SIG$_4$⸣.AL.UR$_3$.RA)	Kopie von einem gebrannten Ziegel
2 *nap-pal-ti* **uri**$_2$(= ŠEŠ.*UNU)^{ki}	aus dem Bauschutt von Ur;
3 *ep-šet* **amar-**^{d}**suen** *šar*$_3$ *u*$_2$*-ri*	das Werk des Amarsuen, des Königs von Ur,
4 *ina ši-te-'u-u*$_2$ *u*$_2$*-ṣu*$_2$*-ra-a-ti*	das beim Suchen der Grundrisse
5 **e**$_2$**-giš-nu**$_{11}$**-gal** ^{md}*sîn-balāṭ*$_3$*-su-iq- bi*	des Ekišnugal Sîn-balāṭ-su-iqbi,
6 *šakkanak* **uri**$_5$(= ŠEŠ.⸢*AB⸣)^{ki} iš-*te$^?$-⸢*e'-*u$_2$⸣	der Statthalter von Ur, gefunden hat,
7 ^{md}*nabû-šuma-iddina*^{na} *mār* ^{m}*iddin-*^{d}*pap-sukkal*	hat Nabû-šuma-iddina, der Nachkomme des Iddin-Papsukkal,
8 ^{lu2}*kalû* ^{d}*sîn*(= EN.{*ZU$^{Ras.}$}ZU)	der Klagepriester des Sîn,
9 a-na ta-mar-{*x$^{Ras.}$}ti	(daß es) gelesen werde (wörtlich: für das Lesen),
10 i-*mur-ma iš-ṭur	angesehen und (ab)geschrieben.

Vgl. auch die Übersetzung dieses Kolophons bei E. Sollberger, IRSA 149 IIIA3e Anm. 1.

^{m}*iddin-*^{d}*pap-sukkal* (Lesung mit H. Hunger) in Z. 7 des Kolophons ist bei D.O. Edzard, ibidem mit *Iddin-***Ninšubur** wiedergegeben. Zur Gleichsetzung von Ninšubur und Papsukkal s. R. Borger, in: BiOr 30 (1973) 176f.; 183 (mit Verweis auf CT 24, 40, 51: ^{d}**nin-šubur** / ^{d}*pap-sukkal* / *ša*$_2$ *a-nim*) und CRRA 20 (1975) 107; ferner An = *Anum* I 42-45.

l) Kol. 2:11: Auf der oberen Rundung von Text B) (s. dazu UET I pl. T) schreibt der Text (archaisierend):

^{d}**bara**$_2$**-**^{d}**en-lil**$_2$**-⸢la**$_2$$^{?}$**⸣**
[....(?)] ⸢AN⸣.ME
[....(?)] ⸢x⸣
[....(?)] ⸢x⸣.

1) Kol. 2:4: Identifikation des Zeichens als **KAxŠU** schon bei F. Thureau-Dangin, SAK 198, d) mit Anm. c), unter Hinweis auf REC 198.

2) Kol. 2:9: Das erste Zeichen dieser Zeile in der Kopie von CT 21,26 ist **ḪU** und stellt eine verkürzte Wiedergabe von **NAM** dar; es fehlt ganz die zweite Hälfte dieses

Zeichens. C.B.F. Walker, ibidem hat offensichtlich das zweite Zeichen dieser Zeile als zweite Hälfte von **NAM** gedeutet, doch erinnert dieses zweite Zeichen viel eher an **ḪA**. Überdies können bei einer Lesung **nam$^{!}$ ḫa$^{!}$-ba-an-da-kuru$_5$-ne** die Schwierigkeiten überwunden werden, die bei einer Lesung **nam ba-an-da-kuru$_5$-ne** (wörtlich: "sie (= Nanna und Ningal) werden verfluchen") (C.B.F. Walker liest: **nam ba-an-da-tar-ne**) angesichts der Parallelität dieser Verbalform zu **ḫe$_2$-eb-til-le-ne** "sie (= Nanna und Ningal) mögen zu Ende gehen lassen" (in Kol. 2:11) bestehen.
Lesung **kuru$_5$-ne** = **TAR.NE** in **nam ḫa-ba-an-da-kuru$_5$-ne** mit D.O. Edzard, AS 20, 75.

Amarsuen 4

Text: BM 120520 = 1928-10-9,3 (= U. 7704) (Backstein, gestempelt): C.J. Gadd, L. Legrain, UET I 288 (Kopie); Herkunft: Ur, Diqdiqqah.

Literatur: C.J. Gadd, L. Legrain, UET I S. 86, Nr. 288; W.W. Hallo, HUCA 33 (1962) 35: Amar-Sin 4; C.B.F. Walker, CBI 31 zu 25.; I. Kärki, StOr 58, 74f.: Amarsuena 4.

1 ^{d}amar-^{d}suen **(1)**	Amarsuen,
2 lugal-kal-ga	der mächtige König,
3 lugal-uri$_5$^{ki}-ma	der König von Ur,
4 lugal-an-ub-da-limmu$_2$-ba-ke$_4$	der König der vier Weltgegenden,
5 ki-en-nu-ga$_2$-uri$_5$^{ki}-ma	hat das Wachgebäude von Ur
6 mu-na-du$_3$	gebaut.
7 ki-en-nu-ga$_2$-ba	Von diesem Wachgeäude ist
8 ^{d}amar-^{d}suen	"Amarsuen,
9 ki-ag$_2$-^{d}nanna	der Liebling des Nanna"
10 [mu]-bi-im	der Name.

1) Z. 1-10: Die Umschrift folgt C.B.F. Walker, CBI 31 zu 25..

Amarsuen 5

Text:

Backstein: A) Nach C.B.F.Walker, CBI 31f. zu 26. sind folgende gestempelte Exemplare des British Museum bekannt:

BM 90024 = 1979-12-20,21

BM 90026 = 1979-12-20,23

BM 90027 = 1979-12-20,27

BM 90035 = 1979-12-20,30

BM 90038 = 1979-12-20(!, nicht 23, wohl Druckfehler),31

BM 90044 = 1979-12-20,35

BM 90056 = 1979-12-20,45

BM 90061 = 1979-12-20,49

BM 90279 = 1979-12-20,172

BM 90717 = 1979-12-20,322

BM 90813 = 1979-12-20,364:

E. Norris, 1R3XII1 (Kopie); L.W. King, CT 21,27 (Kopie von BM 90056) und ders., HSA pl. XXXII gegenüber S. 310 (Photo von BM 90056);

BM 90058 = 1979-12-20,47
+90821

BM 114216 = 1919-10-11,4647

BM 114217 = 1919-10-11,4648

BM 114218 = 1919-10-11,4649

BM 114219 = 1919-10-11,4650

BM 114220 = 1919-10-11,4651

BM 114221 = 1919-10-11,4652

BM 114222 = 1919-10-11,4653

BM 114223 = 1919-10-11,4654

BM 114224 = 1919-10-11,4655

BM 114225 = 1919-10-11,4656

BM 114297 = 1919-10-11,4741

BM 114343 = 1918-10-12,678

BM 114344 = 1918-10-12,679

BM 137338 = 1919-10-11,5360

BM 137339 = 1919-10-11,5361

BM 137387 = 1979-12-18,22

BM 137420 = 1979-12-18,55

BM 137421 = 1979-12-18,56

BM 137422 = 1979-12-18,57:

Herkunft: Ur(?) und Eridu.

Ferner nennt C.B.F. Walker folgende Nummern: BM 90900 (= 12028 = 56-9-8,402), BM 90901 (= 12029) und 56-9-8,400, 401 und 403 ("fragments of bitumen having the reversed impression of this stamp"); Herkunft: "J.G.Taylor'sexcavations".

B) Museums-Nr. ?: R.C. Thompson, Archaeologia 70 (1920) 115 Mitte (Kopie); Herkunft: Eridu.

C) YBC 2376: unpubl., vgl. F.J. Stephens, YOS IX S. 26, 116.; Herkunft: ?.

D) IM Nr. ?: F. Safar, Sumer 3 (1947) Taf. gegenüber S. 235 (arab.Teil) Fig. 1 c); F. Safar, M.A. Mustafa, S. Lloyd, Eridu (Baghdad 1981) 229, Fig. 108, 3; (Kopien); Herkunft: Eridu.

E) H. Behrens, JCS 37 (1985) 233 zu 18. nennt folgende gestempelte Backsteine des University Museum:

CBS 15329 (doppelt gestempelt)

CBS 15334 (doppelt gestempelt)

UM 84-26-6

CBS 16465 (doppelt gestempelt)

CBS 16538:

Anonymus, MJ 16 (1925) 302 (Photo); Herkunft: Ur.

F) Museums-Nr. ?: L. Matouš, Bulletin of the College of Arts 5 (Baghdad April 1962) 1ff.; Herkunft: ?.

G) Backstein im Besitz von Prof. K. Galling, Tübingen: unpubl., vgl. R. Borger, HKL I 226 zu CT 21, 27; Herkunft: ?.

H) UCLM 9-7953 (gestempelt): D.A. Foxvog, RA 72 (1978) 46, Fig. 3 (Kopie); W.W. Hallo, RA 73 (1979) 88f. zu 2.; Herkunft: Eridu.

I) Coll. F.M.Th. de Liagre Böhl, Leiden: unpubl., vgl. W.W. Hallo, RA 73 (1979) 89 zu 2..

J) Coll. E.S. David, New York: unpubl., vgl. W.W. Hallo, RA 73 (1979) 89 zu 2..

K) The Robert Hull Fleming Museum of the University of Vermont (Burlington), Nr. A 14948: s. die Beschreibung bei B. Lewis, E.R. Jewell, ASJ 4 (1982) 54, Text 11; Herkunft: Eridu.

L) Collection B. Hechich, Rom (gestempelt): M. Sigrist, T. Vuk, Studium Biblicum Franciscanum, Museum 4 (Jerusalem 1987) 41 (Kopie); Herkunft: ?.

M) Museums-Nr. ? (5 Expl.): s. H.J. Nissen, Uruk Countryside, 217 (mit Angaben zum Fundort).

Literatur: F. Thureau-Dangin, SAK 196, c); G. Barton, RISA 288, 4.; W.W. Hallo, HUCA 33 (1962) 35: Amar-Sin 5; E. Sollberger, J.-R. Kupper, IRSA 150 IIIA3h; F. Safar, M.A. Mustafa, S. Lloyd, Eridu (Baghdad 1981) 228, 3); M. Sigrist, T. Vuk, Studium Biblicum Franciscanum, Museum 4 (Jerusalem 1987), 40f.; I: Kärki, StOr 58, 75f.: Amarsuena 5.

Umschrift nach Text A) (CT 21,27: BM 90056)

1	1 ^{d}amar-^{d}suen	Amarsuen,
	2 ^{d}en-lil$_{2}$-le **(a)**	den Enlil
	3 nibru^{ki}-a$^{!}$ (= ZA)	in Nippur
	4 mu-pa$_{3}$-da	mit Namen benannt hat,
	5 sag-us$_{2}$-	der Versorger
	6 e$_{2}$-^{d}en-lil$_{2}$-ka	des Tempels des Enlil,
	7 lugal-kal-ga	der mächtige König,
	8 lugal-uri$_{5}^{ki}$-ma	der König von Ur,
2	1 lugal-an-ub-da-limmu$_{2}$-ba-ka **(b)**	der König der vier Weltgegenden,
	2 ^{d}en-ki	hat dem Enki,
	3 lugal-ki-ag$_{2}$-ga$_{2}$-ni-ir	seinem geliebten Herrn,
	4 abzu-ki-ag$_{2}$-ga$_{2}$-ni	sein geliebtes Abzu
	5 mu-na-du$_{3}$ **(c)**	gebaut.

a) Kol. 1:2-3 in Text A) (BM 90044, 90058, 114216, 114218, 114220, 114222, 114223, 137422) und Text K) in umgekehrter Abfolge.

b) Kol. 2:1: Text D) hat **-limmu$_{2}$-ba-ke$_{4}$**.

c) Kol. 2:5: Text K): **mu-na$^{!}$(=KI)-du$_{3}$**.

Amarsuen 6

Text: A) Museums-Nr. ? (Backstein): V. Scheil, RT 20 (1898) 67f. (Kopie in nA Umsetzung); Herkunft: ?.

B) *AO 3142 (Bronzenagel, Korbträger): L. Heuzey, Catalogue (1902) 313f., Nr. 163; E. Douglas van Buren, Foundation Figurines, S. 28f.; S.A. Rashīd, Gründungsfiguren, Taf. 35, Nr. 170 (Umzeichnung); Inschrift stark korrodiert; Zuweisung zu Amarsuen 6 unsicher; Kollation: K. Volk; Herkunft: Kunsthandel.

Literatur: F. Thureau-Dangin, SAK 198, e); G. Barton, RISA 288, 5.; W.W. Hallo, HUCA 33 (1962) 35: Amar-Sin 6; I. Kärki, StOr 58, 76f.: Amarsuena 6. - Vgl. E. Sollberger, AfO 17 (1954-56) 28f.; C.B.F. Walker, CBI 33 zu 27.; vgl. dazu auch unten Amarsuen 8 und 11.
Die Aufteilung der Texte Amarsuen 6, 8 und 11 folgt der Anordnung bei W.W. Hallo, HUCA 33 (1962) 35f.. - A. Falkenstein, UVB 10, 18f. und C.B.F. Walker, CBI 33 zu 27. fassen diese drei Textnummern zu einem Text zusammen und erklären Amarsuen 8 als Kurzform für Amarsuen 11 und halten Amarsuen 6 für den gleichen Text wie Amarsuen 11. Amarsuen 8 wird dagegen hier als eigener Text geführt. Problematisch bleibt Amarsuen 6, da der Bronzenagel (= Text B)) stark korrodiert und nur noch **a mu-na$^{?}$-r[u]** (Z. 28) zu erkennen ist, so daß dieser Text auch als Amarsuen 11 aufgefaßt werden könnte.

1 ^{d}nanna$^{!}$- **(1)**	Nanna
2 kar-zi-da	vom Karzida,
3 lugal-ki-ag$_{2}$-ga$_{2}^{!}$ **(2)** -ni-ir	seinem geliebten Herrn, -
4 ^{d}amar-^{d}suen	Amarsuen,
5 nibru^{ki}-a	den in Nippur
6 ^{d}en-lil$_{2}$-le	Enlil
7 mu-pa$_{3}$-da	mit Namen benannt hat,
8 sag-us$_{2}$-	der Versorger
9 e$_{2}$-^{d}en-lil$_{2}$-le **(3)**	des Tempels des Enlil,
10 dingir-zi	der recht(mäßig)e Gott,
11 ^{d}utu-kalam-ma-na	der Sonnengott seines Landes,
12 lugal-kal-ga	der mächtige König,
13 lugal-uri$_{5}^{ki}$-ma	der König von Ur,
14 lugal-an-ub-da-limmu$_{2}$-ba-ke$_{4}$	der König der vier Weltgegenden:
15 kar-zi-da	(Am) Karzida **(4)**,

16 u$_4$-ul-li$_2$$^{!}$-a-[ta]	wo [seit] fernen Tagen
17 gi$_6$-par$_4$(=KISAL)-bi [nu]-du$_3$-a[m$_3$]	ein entsprechendes Gipar [nicht] gebaut worden war, (und)
18 en nu-un-ti-la-a[m$_3$]	wo keine En(-Priesterin) lebte,
19 ^{d}amar-^{d}suen$^{!}$(=EN)	hat Amarsuen,
20 ki-ag$_2$-^{d}nanna$^{!}$ **(1)** -ke$_4$	der Liebling des Nanna,
21 gi$_6$-par$_4$-ku$_3$-ga-ni	ihm (= Nanna) sein Giparku
22 mu-na-du$_3$	gebaut.
23 en$^{!}$-ki-ag$_2$-ga$_2$$^{!}$ **(2)** -ni	Seine geliebte En(-Priesterin)
24 mu-na-ni-ku$_4$	hat er ihm dort eintreten lassen.
25 ^{d}amar-^{d}suen	Amarsuen,
26 u$_4$ im-da-ab-su$_3$-D[U]	der dadurch (seine) Tage lang macht, **(5)**
27 nam-ti-la-ni-še$_3$	hat ihm (= Nanna) für sein Leben
28 mu-na-du$_3$ **(6)**	(das Giparku) gebaut.

1) Z. 12 und Z. 20: Kopie von V. Scheil möglicherweise fehlerhaft: **^{d}ŠEŠ** für **^{d}ŠEŠ.KI** = **^{d}nanna**.

2) Z. 3 und Z. 23: Die Kopie von V. Scheil bietet fälschlicherweise **-ga-** statt **-ga$_2$-** in **lugal** (Z. 3) **/en** (Z. 23) **-ki-ag$_2$-ga$_2$(-...)**.

3) Z. 9: So die Kopie; man erwartet **e$_2$-^{d}en-lil$_2$-ka** wie etwa Amarsuen 5,1:6; Amarsuen 8:Vs 9 = 11:9.

4) Z. 15-22 = Amarsuen 11:15-22; vgl. dazu Amarsuen 8:Vs 13-Rs 7.

5) Z. 26: A. Falkenstein, UVB 10, 19 übersetzt die Parallele Amarsuen 11:26 "(Amarsuen) wird dadurch seine Tage langmachen" und E. Sollberger, IRSA 148 IIIA3d "(Amar-Suena, ce faisant,) a allongé ses jours". - Nicht auszuschließen ist auch ein Verständnis dieser Zeile als "(Amarsuen,) der (seine) Tage dadurch lang gemacht hat".

6) Z. 28: Text B) bietet nach Kollation durch K. Volk **a mu-na$^{?}$-r[u]** "(Amarsuen, ...,) hat ihm (= Nanna) (diesen Bronzenagel) gewe[iht]".

Amarsuen 7

Text: A) *BM 91014 = *BM 12156 (so mit R. Borger, HKL I 224 zu CT 3,1: 12156; Steintafel); L.W. King, CT 3,1 (Kopie); ders., HSA pl. XXIX gegenüber S. 288 (Photo oben rechts); Herkunft: Uruk.

B) E.A. Hoffmann Coll., Nr. 26 (Steatittafel): H. Radau, EBH 273 (Kopie); Herkunft: Uruk.

C) BM 91017 (Bronzenagel; Korbträger): L.W. King, HSA gegenüber S. 272 pl. XXVI rechts; E. Douglas van Buren, Foundation Figurines, Pl. XII Fig. 22; (Photos); S. 29 ("provenance is said to be Lagash"); S.A. Rashīd, Gründungsfiguren, Taf. 35, Nr. 171 (Umzeichnung).

Literatur: F. Thureau-Dangin, SAK 200, h); G. Barton, RISA 292, 10.; W.W. Hallo, HUCA 33 (1962) 35: Amar-Sin 7; I. Kärki, StOr 58, 77f.: Amarsuena 7. - Vgl. British Museum. A Guide (1922) 85f. zu 75.; S.A. Rashīd, Gründungsfiguren, S. 35 zu Nr. 171.

Umschrift nach Text A)

1 ^{d}inanna	Inanna,
2 nin-an-si$_{4}$-an-na	der Herrin des Abends,
3 nin-a-ni-ir	seiner Herrin,
4 ^{d}amar-^{d}suen	hat Amarsuen,
5 nita-kal-ga	der starke Mann,
6 lugal-uri$_{5}^{ki}$-ma	der König von Ur,
7 lugal-an-ub-da-limmu$_{2}$-ba-ke$_{4}$	der König der vier Weltgegenden,
8 e$_{2}$-a-ni	ihren Tempel
9 mu-na-du$_{3}$	gebaut.

Amarsuen 8

Text:

Steintafel: A) AO 3143 (aus Steatit): F. Thureau-Dangin, RA 23 (1926) 32 (Kopie); vgl. V. Scheil, RT 22 (1900) 38f.; Herkunft: ?.

B) IM 54537 (aus schwarzem Stein): D.O. Edzard, Sumer 15 (1959) pl. 4 (nach S. 28) Nr. 9 (Kopie); Herkunft: ?.

Die folgenden Texte gelten nach V. Scheil, RA 24 (1927) 45f. und W.W. Hallo, HUCA 33 (1962) 36: Amar-Sin 8, Anm. 229 als Fälschungen; beachte aber die Bemerkung von D.O. Edzard, Sumer 15 (1959) 25 ("Im Schriftduktus ähnelt IM 54537 (= Text B), der als 'echt' gilt; Anm. d. Verf.) CT XXXVI 2 (= Text E), der als Fälschung gilt; Anm. d. Verf.) auf das Genaueste"). Auch läßt Text B) wie die Texte C) und E) in Rs 10 (Zählung nach Text A)) die verbale Basis **-ku$_4$** aus.

C) Museums-Nr. ? (aus "schiste psammitique brun"): V. Scheil, RA 24 (1927) 45f. (Kopie).

D) Museums-Nr. ?: unpubl., vgl. V. Scheil, RT 34 (1912) 111 (Umschrift Z. 1-11).

E) *BM 114684 = 1920-10-11,1 (Angabe von C.B.F. Walker): C.J. Gadd, CT 36, 2 (Kopie); dieser Text ist nach Überprüfung am Original wohl keine Fälschung; Herkunft: In Basra gekauft von Lt. Col. I.M.S. Anderson.

Literatur: F. Thureau-Dangin, SAK 200, i); G. Barton, RISA 288, 6.; E. Sollberger, J.-R. Kupper, IRSA 148f. IIIA3d (, wo Amarsuen 8 als Duplikat zu Amarsuen 11 verstanden wird; so auch A. Falkenstein, UVB 10, 18f.. IRSA 271 zu IIIA3d ist danach zu verbessern: "Ibid., 8/11"); I. Kärki, St Or 58, 78-81: Amarsuena 8. - Vgl. V. Scheil, RA 24 (1927) 45f.; W.W. Hallo, HUCA 33 (1962) 36: Amar-Sin 8, mit Anm. 229; D.O. Edzard, Sumer 15 (1959) 25; E. Sollberger, AfO 17 (1954-56) 28f.; s. auch Amarsuen 6 und 11.

Umschrift nach Text A)

Vs	1 ^{d}nanna- **(a)**	Nanna,
	2 kar-zi-da	vom Karzida,
	3 lugal-a-ni-ir	seinem Herrn, -
	4 ^{d}amar-^{d}suen	Amarsuen,
	5 nibru^{ki}-⌜a⌝ **(b)**	den in Nippur
	6 ^{d}en-lil$_2$-l[e]	Enlil
	7 mu-pa$_3$-d[a]	mit Namen benannt hat,
	8 sag-us$_2$-	der Versorger
	9 e$_2$-^{d}en-lil$_2$-ka	des Tempels des Enlil,
	10 dingir-zi-kalam-ma-na **(c)**	der recht(mäßig)e Gott seines Landes,
	11 lugal-uri$_5$^{ki}-ma **(d)**	der König von Ur,
	12 lugal-an-ub-da-limmu$_2$-ba-ke$_4$	der König der vier Weltgegenden:

	13 u$_4$-ul-li$_2$-a-ta **(e)**	Seit fernen Tagen **(1)**
	14 kar-zi-da-⸢a⸣ **(f)**	war am Karzida
	15 gi$_6$-par$_4$ nu-du$_3$-[am$_3$] **(g)**	ein Gipar nicht gebaut worden,
Rs	1 en nu-un-til$_3$-a[m$_3$] **(h)**	eine En(-Priesterin) lebte (dort) nicht; -
	2 ^{d}amar-^{d}suen **(i)** **(j)**	Amarsuen,
	3 dumu-ki-ag$_2$-^{d}nanna-ke$_4$	der geliebte Sohn des Nanna,
	4 ^{d}nanna- **(k)**	hat seinem geliebten
	5 ki-ag$_2$-ga$_2$-ni-ir	Nanna
	6 kar-zi-da-a	am Karzida
	7 gi$_6$-par$_4$ mu-na-du$_3$	das Gipar gebaut.
	8 en-aga-zi-an-na	Enagazi'anna, **(2)**
	9 en-ki-ag$_2$-ga$_2$-ni	seine (= des Nanna) geliebte En(-Priesterin),
	10 mu-un-na-ni-in-ku$_4$ **(l)**	hat er ihm dort eintreten lassen.
	11 ^{d}amar-^{d}suen-ke$_4$	Amarsuen
	12 nam-ti ib$_2$-su$_3$-DU **(m)** **(n)**	wird (sein) Leben (dadurch) lang machen. **(3)**

a) Vs 1-3: Text B) 1-3: **⸢^{d}⸣nanna$^{!}$- / kar-zi$^{!}$-da$^{!}$ / lugal$^{!}$-a-ni$^{!}$-ir$^{!}$**; Text D) 1-2: **^{d}nanna-kar-zi-da lugal - / a-ni-ir ^{d}amar-^{d}suen**.

b) Vs 5-11: Text D) 3-7: **nibru^{ki}-a ^{d}en-lil$_2$- / le mu-pa$_3$-da sag- / us$_2$-<e$_2$-> ^{d}en-lil$_2$-ka dingir - / zi-kalam-ma-na lugal-ŠEŠ. / AB^{ki}-ma**.

c) Vs 10: Text E) om. **-na**.

d) Vs 11-12: Text B): **lugal$^{!}$-uri$_5$^{ki}-ma lugal$^{!}$- / ⸢an⸣-ub-da-limmu$_2$-ba$^{!}$(=UD)-k[e$_4$]**.

e) Vs 13-Rs 1: Text B) Rs 1-3: **u$_4$-ul-li$_2$-a-ta kar- / zi-da gi$_6$-par$_3$ nu-du$_3$ / en nu-un-til$_3$-a**.

f) Vs 14: Text B); C); E) om. **-a**.

g) Vs 15: Text B); C); E) om. **-am$_3$**.

h) Rs 1: Text B); C): **-til$_3$-a**; Text E): **-til$_3$-⸢a⸣**.

i) Rs 2: Text E): **^{d}amar-suen**.

j) Rs 2-3: Text B) Rs 4-5: **^{d}amar-^{d}suen(= EN.ZU$^{!}$) dumu- / ki$^{!}$-ag$_2$-^{d}su-en$^{!}$(=EN.ZU$^{!}$)**.

k) Rs 4-12: Text B) Rs 6-12: **^{d}nanna-ki-ag$_2$-ga$_2$- / ni-ir kar-zi-da$^{!}$-a / gi$_6$-par$_3$ mu-na-du$_3$ en-aga$^{!}$- / zi-an-na en-ki-ag$_2$-ga$_2$-ni mu-un-na-⸢ni$^{!}$⸣ / ^{d}amar-^{d}suen- / ke$_4^{!}$ nam$^{!}$- / ti bi$^{!}$-su$_3^{!}$-da$^{!}$**.

l) Rs 10: Text B), C), E) om. **-in-ku$_4$**.

m) Rs 12: Text B): **bi$^{!}$-su$_3^{!}$-da$^{!}$**.

n) Rs 12: Text E) linker Rand add. **^{d}utu ^{d}aja(=A.A)**.

1) Vs 13-Rs 7: S. dazu Anm. 4 zu Amarsuen 6.

2) Rs 8-9: Zu Enagazi'anna, der En(-Priesterin) des Nanna, s. E. Sollberger, AfO 17 (1954-56) 28f..

3) Rs 11-12: Mit diesem Textschluß (ohne Weihformel) ist zu verbinden Amarsuen 12:31, wo die Aussage **u$_4$ im-da-ab-su$_3$-DU** "(Amarsuen) wird dadurch (seine) Tage lang machen." auch das Ende der eigentlichen Inschrift bildet; es folgen nur noch Segens- und Fluchformel des Textes. Anders Amarsuen 6 = 11: 25-28, wo auf diese Wendung die Bau- (= Amarsuen 6) bzw. Weihformel (= Amarsuen 11) folgen.

Amarsuen 9

Text: *CBS 8838 (Türangelstein aus Diorit): H.V. Hilprecht, BE I/1 20(Kopie); Herkunft: Nippur.

Literatur: F. Thureau-Dangin, SAK 198, f); G. Barton, RISA 290, 7.; W.W. Hallo, HUCA 33 (1962) 36: Amar-Sin 9; I. Kärki, StOr 58, 81f.: Amarsuena 9..

1	1 ^{d}en-lil$_{2}$	Enlil,
	2 lugal-kur-kur-ra	dem Herrn aller Länder,
	3 lugal-a-ni-ir	seinem Herrn,
	4 ^{d}amar-^{d}suen	hat Amarsuen,
	5 nibru^{ki}-a	den in Nippur
	6 ^{d}en-lil$_{2}$-le	Enlil
	7 mu-pa$_{3}$-da	mit Namen benannt hat,
	8 sag-us$_{2}$-	der Versorger
	9 e$_{2}$-^{d}en-lil$_{2}$-ka	des Tempels des Enlil,
	10 nita-kal-ga	der starke Mann,
	11 lugal-uri$_{5}^{ki}$-ma	der König von Ur,
2	1 lugal-an-ub-da-limmu$_{2}$-ba-ke$_{4}$	der König der vier Weltgegenden,
	2 uš-ku$_{3}$-	die reine Baugrube **(1)**
	3 ^{d}en-lil$_{2}$-la$_{2}$	des Enlil
	4 ki-ša$_{3}$-ḫul$_{2}$-la-	am Ort der Herzensfreude
	5 ^{d}amar-^{d}suen-ka-ka	des Amarsuen
	6 mu-na-an-DU	(mit diesem Türangelstein) angelegt.

1) Kol 2:2-6: **uš$_{3}$-ku$_{3}$--DU** "die reine Baugrube anlegen" s. Anm. 4 zu Urbaba 1.

Amarsuen 10

Text: Museums-Nr. ? (Türangelstein aus Diorit; wiederverwendet, da sich auf einer Ecke der Unterseite (s. dazu BE I/1 S. 49 zu Nr. 21) die Inschrift Lukin.v.Uruk 1 (= BE I/1 23-25; s. dazu H. Steible, FAOS 5/II 298f.) findet): H.V. Hilprecht, BE I/1 21 (Kopie); Herkunft: Nippur.

Literatur: F. Thureau-Dangin, SAK 198ff., g); G. Barton, RISA 290, 8.; W.W. Hallo, HUCA 33 (1962) 36: Amar-Sin 10; E. Sollberger, J.-R. Kupper, IRSA 149f. IIIA3f; I. Kärki, StOr 58, 82f.: Amarsuena 10..

1 ^{d}en-lil$_{2}$	Enlil,
2 lugal-kur-kur-ra	dem Herrn aller Länder,
3 lugal-ki-ag$_{2}$-ga$_{2}$-ni-ir	seinem geliebten Herrn,
4 ^{d}amar-^{d}suen	hat Amarsuen,
5 ^{d}en-lil$_{2}$-le	den Enlil
6 nibru^{ki}-a	in Nippur
7 mu-pa$_{3}$-da	mit Namen benannt hat,
8 sag-us$_{2}$-	der Versorger
9 e$_{2}$-^{d}en-lil$_{2}$-ka	des Tempels des Enlil,
10 lugal-kal-ga	der mächtige König,
11 lugal-uri$_{5}$^{ki}-ma	der König von Ur,
12 lugal-an-ub-da-limmu$_{2}$-ba-ke$_{4}$	der König der vier Weltgegenden,
13 e$_{2}$ lal$_{3}$ i$_{3}$-nun	den Tempel, in dem er Honig, Butter
14 u$_{3}$ geštin	und Wein
15 ki-siskur$_{2}$-ra-ka-na	an seinem Ort des Opfers
16 nu-šilig-ge	nicht enden läßt,
17 mu-na-an-du$_{3}$	gebaut.

Amarsuen 11

Text: A) W. 17715 (Türangelstein, wiederverwendet): A. Falkenstein, UVB 10, Taf. 23 a (Photo); Taf. 28 (Kopie); Herkunft: Uruk, Tempel in Qd/Qe XIV 5.

B) Museums-Nr. ? (Türangelstein, Pendant zu Text A)): unpubl., vgl. A. Falkenstein, UVB 12/13, 25; Herkunft: wie Text A).

C) BM 137386 = 1979-12-18,21 (gestempelter Backstein, der die Z. 15-28 umfaßt): C.B.F. Walker, CBI 33 zu 27. Herkunft: Uruk(?).

Literatur: A. Falkenstein, UVB 10, 18f.; W.W. Hallo, HUCA 33 (1962) 36: Amar-Sin 11; E. Sollberger, J.-R. Kupper, IRSA 148f. IIIA3d (, wo Amarsuen 8 als

Duplikat zu Amarsuen 11 verstanden wird; so auch A. Falkenstein, ibidem. IRSA 271 zu IIIA3d ist danach zu verbessern: "Ibid., 8/11"); C.B.F. Walker, CBI 33 zu 27. (, wo Amarsuen 6 als Duplikat zu Amarsuen 11 angesehen wird); I. Kärki, StOr 58, 83f.: Amarsuena 11. - Vgl. E. Sollberger, AfO 17 (1954-56) 28f..

1 ^{d}nanna-	Nanna,
2 kar-zi-da	vom Karzida,
3 lugal-ki-ag$_2$-ga$_2$-ni-ir	seinem geliebten Herrn, -
4 ^{d}amar-^{d}suen	Amarsuen,
5 ^{d}en-lil$_2$-le **(a)**	den Enlil
6 [ni]bru^{ki}-a	in [Ni]ppur
7 [m]u-pa$_3$-da	mit Namen benannt hat,
8 sag-us$_2$-	der Versorger
9 e$_2$-^{d}en-lil$_2$-ka	des Tempels des Enlil,
10 dingir-zi	der recht(mäßig)e Gott,
11 ^{d}utu-kalam$^{!}$-ma-na	der Sonnengott seines Landes,
12 lugal-kal-ga	der mächtige König,
13 lugal-uri$_5$^{ki}-ma	der König von Ur,
14 lugal-an-ub-da-limmu$_2$-ba-ke$_4$	der König der vier Weltgegenden:
15 kar-zi-da-a **(b)**	Am Karzida **(1)**,
16 u$_4$-ul-li$_2$-a-ta	wo seit fernen Tagen
17 gi$_6$-par$_4$-bi nu-du$_3$-am$_3$	ein entsprechendes Gipar nicht gebaut worden war, (und)
18 en nu-un-ti-la-am$_3$	wo keine En(-Priesterin) lebte,
19 ^{d}amar-^{d}suen	hat Amarsuen,
20 ki-ag$_2$-^{d}nanna-ke$_4$	der Liebling des Nanna,
21 gi$_6$-par$_4$-ku$_3$-ga-ni	ihm (= Nanna) sein Giparku
22 mu-na-du$_3$	gebaut.
23 en-ki-ag$_2$-ga$_2$-ni	Seine geliebte En(-Priesterin)
24 mu-na-ni-ku$_4$	hat er ihm dort eintreten lassen.
25 ^{d}amar-^{d}suen-ke$_4$	Amarsuen,
26 u$_4$ im-da-ab-su$_3$-DU	der dadurch (seine) Tage lang macht, **(2)**

27 nam-ti-la-ni-še$_3$	hat ihm (= Nanna) für sein Leben
28 a mu-na-ru	(diesen Gegenstand) geweiht.

a) Z. 5-6: Bei C.B.F. Walker, CBI 33 zu 27. sind diese Zeilen nach Amarsuen 6 umgestellt.

b) Z. 15: Bei C.B.F. Walker, ibidem om. **-a** (nach Amarsuen 6).

1) Z. 15-22: S. dazu Anm. 4 zu Amarsuen 6.

2) Z. 26: S. dazu Anm. 5 zu Amarsuen 6 und Anm. 3 zu Amarsuen 8.

Amarsuen 12

Text: U. 1165 (= *CBS 15885); U. 3224 (= IM ?); (zwei Türangelsteine): C.J. Gadd, L. Legrain, UET I 71 pl. K-L; Anonymus, MJ 16, 297; (Photos von U. 3224); Herkunft: Ur.

Literatur: C.J. Gadd, L. Legrain, UET I S. 16, Nr. 71; G. Barton, RISA 290f., 9.; W.W. Hallo, HUCA 33 (1962) 36: Amar-Sin 12; E. Sollberger, J.-R. Kupper, IRSA 147f. IIIA3c; I. Kärki, StOr 58, 84f.: Amarsuena 12.

Umschrift nach Text U. 3224)

1 ^{d}nanna	Nanna,
2 lugal-ki-ag$_2$-ga$_2$-ni-ir	seinem geliebten Herrn,
3 dub-la$_2$-maḫ	- ein Haus (des) Dublamaḫ, **(1)(2)**
4 u$_4$-ul-li$_2$-a-ta	- seit fernen Tagen war es
5 ki-šu-tag	ein ...-Ort, **(3)**
6 šuku-UD šub-ba	(an dem) darüberhinaus die täglichen(?)
7 i$_3$-me-a-na-an-na	Nahrungslose niedergelegt wurden, -
8 e$_2$-bi nu-du$_3$-am$_3$	war (noch) nicht gebaut worden -

9 ^{d}amar-^{d}suen	hat Amarsuen,
10 ki-ag$_2$-^{d}nanna	der Liebling des Nanna,
11 nibru^{ki}-a	den in Nippur
12 ^{d}en-lil$_2$-le	Enlil
13 mu-pa$_3$-da	mit Namen benannt hat,
14 sag-us$_2$-	der Versorger
15 e$_2$-^{d}en-lil$_2$-ka	des Tempels des Enlil,
16 nita-kal-ga	der starke Mann,
17 lugal-uri$_5$^{ki}-ma	der König von Ur,
18 lugal-an-ub-da-limmu$_2$-ba-ke$_4$	der König der vier Weltgegenden,
19 dub-la$_2$-maḫ	das Dublamaḫ,
20 e$_2$-u$_6$-di-kalam-ma	das Haus 'Staunen des Landes (Sumer)', **(4)**
21 ki-di-ku$_5$-da-ni	seine Gerichtsstätte, **(5)**
22 sa-bar-a-ni	sein Netz(?),
23 lu$_2$-NE.RU-	dem ein Übeltäter
24 ^{d}amar-^{d}suen-ka	gegen Amarsuen
25 nu-e$_3$	nicht entkommt,
26 e$_2$-bi mu-na-du$_3$	(nämlich) dieses Haus, gebaut,
27 pa mu-na-an-e$_3$	hat (es) ihm (in voller Pracht) erstrahlen lassen
28 ku$_3$-sig$_{17}$(= GI) ku$_3$-babbar ^{na4}za-gin$_3$-na	(und) hat (es) ihm mit Gold, Silber (und) Lapislazuli **(6)**
29 mi$_2$ mu-na-ni-du$_{11}$	geschmückt. **(7)**
30 ^{d}amar-^{d}suen-ke$_4$	Amarsuen **(8)**
31 u$_4$ im-da-ab-su$_3$-DU	wird (seine) Tage dadurch lang machen.
32 lu$_2$ e$_2$ a-ba-sumun	Der Mann, der, (wenn) das Haus alt geworden ist, **(9)**
33 u$_3$-un-du$_3$	(und) er (es) (neu) gebaut hat,
34 mu-sar-ra-bi	diese Inschrift (auf diesem Türangelstein)
35 u$_3$ ^{giš}šu-kar$_2$-bi	und die dazugehörigen Holzgerätschaften(?) **(10)**
36 ki-gub-ba-be$_2$	an ihrem Standort

37 nu-ub-da-ab-kur$_2$-re-a	nicht ändert,
38 igi-^{d}nanna-ka	möge vor Nanna
39 ḫe$_2$-en-ša$_6$	Gnade finden !
40 lu$_2$ mu-sar-ra-ba	Der Mann, der diese Inschrift
41 šu bi$_2$-ib$_2$-ur$_3$-re-a	abreibt
42 u$_3$ ^{giš}šu-kar$_2$-bi	und die dazugehörigen Holzgerätschaften(?) **(10)**
43 ki-gub-<ba->-bi-še$_3$	an ihren Standort
44 nu-ub-ši-ib$_2$-gi$_4$-gi$_4$-a	nicht zurückbringt, -
45 muš-^{d}nanna	die Schlange des Nanna
46 ḫe$_2$-en-gar	sei hingesetzt!
47 numun-na-ni	Seinen Samen
48 ^{d}nanna	möge Nanna
49 ḫe$_2$-eb-til-le	zu Ende gehen lassen !

1) Z. 3-8: In diesem Einschub wird **dub-la$_2$-maḫ ... i$_3$-me-a-na-an-na** als vorausgestelltes Rektum (<***...-ak**) zu dem Regens **e$_2$-bi** in Z. 8 verstanden. Vgl. dazu abweichend die Wiedergabe von C. Wilcke, ZA 62 (1972) 60, Z. 32' "das Dublamaḫ, einen verlassenen Ort, dessen Rationen(?) obendrein hinfällig geworden waren und dessen Haus nicht (wiederauf)gebaut worden war".

2) Z. 3: Zu **dub-la$_2$** (= *dublu* "foundation platform, foundation terrace") s. Å. Sjöberg, TCS 3, 57 zu Z. 31; vgl. A. Falkenstein, AnOr 30, 124 mit Anm. 3-6 und W. Heimpel, Stud. Pohl 2, 323ff.. Zu **dub-la$_2$-maḫ** s. H. Sauren, Topographie 59 und E. Sollberger, TCS 1, 110 zu 156 **dubla.maḫ**.

3) Z. 5-6: Das **dub-la$_2$-maḫ** (Z. 3) wird durch diese Zeilen als **ki-šu-tag**"...-Ort"bestimmt, "(an dem) darüberhinaus (= **-na-an-na** = *ela*, AHw 196; CAD E 73f.) die täglichen(?) Nahrungslose (= **šuku-UD**) niedergelegt wurden" (= **šub** = *nadû*, AHw 705ff. und CAD N/I 68ff.).
Die genaue Bedeutung von **ki-šu-tag** bleibt unklar, ist jedoch mit dem Ansatz "a platform (where goods are stacked)" bei D. Reisman, Two Hymns 203 zu Z. 144

(**ki-šu-tag-nam-lu$_2$-ulu$_3$-ka** (S. 158) "on the platforms of mankind" (S. 173)) und dem Vorschlag "a shrine or offering terrace, originally a depot for storage and distribution of goods, especially textiles" bei M. Green, JCS 30 (1978) 155 zu vergleichen, wo jeweils auf UET III (Indices) S. 209-210 (zu Nr. 280) verwiesen wird. In ähnlichem Kontext findet sich dieser Begriff auch in Rīmsîn 8:10-13 **en-an-e-du$_7$ / en-igi-du$_8$-a-^{d}nanna-^{d}nin-gal-bi / uri$_5$^{ki}-uru^{ki}-za$_3$-e$_3$-ki-en-gi-ra- / ki-šu-tag-za-na-ru** "(Ich,) Enanedu, die En(-Priesterin), angeschaut von Nanna und Ningal (in) Ur, der herausragenden Stadt Sumers, dem ...-Ort (des) Zanaru(-Instrumentes) (...)."; vgl. dazu I. Kärki, StOr 49, 150ff., wo **ki-šu-tag(-za-na-ru** mit "Spielort (des Zanaru(-Instrumentes))" wiedergegeben ist. Nach diesen Belegen ist wohl kaum von einer Bedeutung "verlassener Ort" für **ki-šu-tag** auszugehen, wie sie C. Wilcke, ibidem (s.o. Anm. 1) in Anlehnung an B. Landsberger, OLZ 1931 Sp. 333 vorgeschlagen hat; ähnlich auch E. Sollberger, IRSA 147 IIIA3c ("un lieu en ruines").

šuku-UD "tägliches(?) Nahrungslos" kenne ich nur noch aus aus aB Zeit aus UET VI 101:24 **šuku-UD-sikil-la šu-dab-be$_2$ e$_2$-dingir-re-e-ne** "er (= Ḫāja) hält die reinen täglichen(?) Nahrungslose für die Tempel der Götter in der Hand", s. dazu H. Steible, Ḫāja, S. 6; 12.

4) Z. 20: So mit Å. Sjöberg, MNS I 113 zu 12.

5) Z. 21-22: Zu **ki-di-ku$_5$-da-ni / sa-bar-a-ni** "seine Gerichtsstätte, sein Netz(?)" beachte die Abfolge in "Nungal in the Ekur" Z. 37-39 bei Å. Sjöberg, AfO 24 (1973) 30f.:

di-ku$_5$ ka-aš-bar-re-de$_3$ igi mi-ni-in-gal$_2$ lul zi-bi mu-zu
sa-par$_x$(KISAL)-ra-ni igi-te-en ḫe$_2$-a kalam-ma mu-un-na-an-la$_2$
ḫul-du giri$_3$-ni nu-mu-un-dab$_5$-be$_2$ a$_2$-ni la-ba-ra-e$_3$

"She (= Ninegalla) has set her eye upon the judge who makes the decision, she
knows the false and the righteous,
her net is (made of) fine meshes, she has stretched it over the land.
The wicked man does not grasp her foot, he cannot escape her arm."

Danach ist es naheliegend, in **sa-bar-a-ni** eine Schreibung für **sa-par$_3$-(r)a-ni**"sein Netz" zu sehen. - Zur Gleichsetzung von **sa-bar** = **sa-par$_3$(/par$_4$)** s. jetzt auch P. Steinkeller, ZA 75 (1985) 39ff. (mit weiterem Belegmaterial).

6) Z. 28: Zur Lesung **ku$_3$-sig$_{17}$(= GI)** s. Anm. 64 zu Gudea Statue B.

7) Z. 29: **mi$_2$--du$_{11}$** "schmücken" belegt in diesem Kontext einen deutlichen Wechsel im Lexikon gegenüber den Inschriften der aS Zeit aus Lagaš/Girsu, wo in ähnlichen Aussagen stets die verbale Basis **šu--tag** verwendet ist; zu **ku$_3$-sig$_{17}$ ku$_3$-babbar$_2$-ra šu--tag** "mit Gold (und) Silber schmücken" in aS Zeit s. H. Behrens, H. Steible, FAOS 6, 321f. s.v. **šu--tag** 1.

8) Z. 30-31: Diese Zeilen bilden wie in Amarsuen 8:Rs 11-12 den Schluß der eigentlichen Inschrift, s. dazu Anm. 3 zu Amarsuen 8.

9) Z. 32: Zu **a-ba-sumun** "(wenn das Haus) alt geworden ist" in prospektiver Bedeutung (< ***u$_3$-(i$_3$-)ba-...**) vgl. **igi-nu-du$_8$ / a-ba-dab$_5$** "Hatte er (= der ŠUB-lugal) den Iginudu (für die Arbeit) genommen, (...)." in Ukg. 6,2:2'-3'; s. dazu H. Steible, FAOS 5/II 159f. zu (10).

10) Z. 35 = 42: **^{giš}šu-kar$_2$** kann wegen des suffigierten **-bi** wohl nur "die Holzgerätschaften" bezeichnen, die mit diesem Türangelstein(, der die Inschrift trägt,) verbunden waren (etwa Türpfosten usw.), vgl. dazu schon H. Waetzoldt, Textilindustrie 137f. und W.Ph. Römer, AOAT 209/1, 63f. zu 43 (mit älterer Literatur). Die Übersetzung bei E. Sollberger, IRSA 147 IIIA3c "son dépôt de fondation" ist geraten.

Amarsuen 13

Text:

Türangelstein: A) U. 295 (= BM 116418); 901; 1727 (= IM 1149 (aus dunklem Kalkstein)); 3031 (= *BM 119009 = 1927-10-3,4; Fragment aus Diorit, Inschrift vollständig); 6334 (= CBS 16565; aus Diorit(?)); 6357 (= CBS 16568 (aus Diorit(?)); = *IM 1140 (aus Diorit); = *IM 1141 (aus dunklem Kalkstein); = *IM 1142 (aus hellem Kalkstein); = *IM 1143 (aus hellem Kalkstein); = *IM 1144 (aus dunklem Kalkstein); = *IM 1145 (aus Kalkstein); = *IM 1150 (aus Diorit(?))): C.J. Gadd, L. Legrain, UET I 67 (Kopie); pl. J, Nr. 67 (Photo); Anonymus, MJ 16 (1925) 295 (Photo von U. 3031); Herkunft: Ur, Enunmaḫ, an der Temenos-Mauer oder im Giparku.

B) U. 10613 (= *IM 92940)(aus Diorit): E. Sollberger, UET VIII 31 (Kopie); Herkunft: Ur, Hof der Ziqqurrat.

Literatur: G. Barton, RISA 366, 10.1.; C.J. Gadd, L. Legrain, UET I S. 14f., Nr. 67; W.W. Hallo, HUCA 33 (1962) 38: Amar-Sin 13; I. Kärki, StOr 58, 85f.: Amarsuena 13. - Vgl. E. Sollberger, UET VIII S. 6 zu 31..

Umschrift nach Text A)(UET I 67)

1 ^{d}nin-gal	Ningal,
2 nin-a-ni-ir	seiner Herrin,
3 ^{d}amar-^{d}suen **(a)**	hat Amarsuen,
4 nita-kal-ga **(b)**	der starke Mann,
5 lugal-uri$_{5}^{ki}$-ma	der König von Ur,
6 lugal-an-ub-da-limmu$_2$-ba-ke$_4$	der König der vier Weltgegenden,
7 gi$_6$-par$_4$-ku$_3$ e$_2$-ki-ag$_2$-ga$_2$-ni **(c)**	das Giparku, ihren geliebten Tempel,
8 mu-na-du$_3$	gebaut
9 nam-ti-la-ni-še$_3$	(und) hat ihr für sein Leben
10 a mu-na-ru **(d)**	(diesen Gegenstand) geweiht.

a) Z. 3: Text B) stellt **EN** in **^{d}suen(= EN.ZU)** auf den Kopf.

b) Z. 4: **-ga** ist in Text B) über Rasur geschrieben.

c) Z. 7: Text B) Z. 6'-7': **[gi$_6$-par$_4$-k]u$_3$-ga-ni / [e$_2$-ki-a]g$_2$-ni**.

d) Z. 10: Text B) hat nach Z. 10' eine weitere Zeile (möglicherweise radiert): **[....] ⌜x⌝**.

Amarsuen 14

Text:

Backstein: A) W. 433 (gestempelt): J. Jordan, WVDOG 51 (1928) pl. 107 b (Kopie); pl. 107 c (Photo); vgl. A. Schott, UVB 1, 50, 4.I.; Herkunft: Uruk, E'anna.

B)W. 877; 1253a.; 1253c.; 3210; 4268; 4557; (gestempelt): A. Schott, UVB 1, Taf. 24, d., 4. (Kopie); Herkunft: Uruk, E'anna.

Literatur: J. Jordan, WVDOG 51 (1928) 49; A. Schott, UVB 1, 50f., 4.; W.W. Hallo, HUCA 33 (1962) 36: Amar-Sin 14; E. Sollberger, J.-R. Kupper, IRSA 150 IIIA3g; I. Kärki, StOr 58, 86f.: Amarsuena 14.

Umschrift nach Text B)

1 ^{d}inanna	Inanna,
2 nin-me$_3$	der Herrin der Schlacht,
3 dam-ki-ag$_2$-ga$_2$-ni-ir	seiner geliebten Gemahlin,
4 ^{d}amar-^{d}suen	hat Amarsuen,
5 ^{d}en-lil$_2$-le	den Enlil
6 nibru^{ki}-a	in Nippur
7 mu-pa$_3$-da	mit Namen benannt hat,
8 sag-us$_2$-	der Versorger
9 e$_2$-^{d}en-lil$_2$-ka	des Tempels des Enlil,
10 lugal-kal-ga	der mächtige König,
11 lugal-uri$_5$^{ki}-ma	der König von Ur,
12 lugal-an-ub-da-limmu$_2$-ba-ke$_4$	der König der vier Weltgegenden,
13 ar-gi-bil-lu$^{!}$(=KU)-zabar-	ihr bronzenes ... **(1)**
14 e$_2$-gi$_6$-par$_3$-ra-ka-ni	des Egipar
15 mu-na-an-dim$_2$	angefertigt
16 nam-ti-la-ni-še$_3$	(und) hat (es) ihr für sein Leben
17 a mu-na-ru	geweiht.

1) Z. 13: Lesung und Übersetzung mit CAD A/II 254f. s.v. *argibillu* unter Hinweis auf Ur-III-zeitliches **$^{(giš)}$ar-gi$_4$-bil-lu** und aS **^{giš}ri-gi$_4$-bil-lu$_{(2)}$**; dazu auch M. Civil, JAOS 88

(1968) 13 und J. Bauer, AWL 255 zu III 1. Die genaue Bedeutung von **ar-gi-bil-lu** bleibt unklar, doch sprechen die in UET III S. 65 s.v. **ar-gi$_4$-bil(-lu)** genannten Belege dafür, daß mit diesem Begriff ein Teil einer Türe (= ^{giš}**ig**) beschrieben wird (so schon CAD A/II 254f.). Vgl. auch die Wiedergabe dieser Zeile bei E. Sollberger, IRSA 150 IIIA3g (mit Anm a.) "un *argibil* à assise de bronze", der er den Ansatz **KU** = **tuš** "assise" (= *šubtu*, AHw 1257f.) zugrunde gelegt hat (in Anm. a.); dieser Ansatz ist bislang nur in späteren Texten nachzuweisen und wird deshalb in dieser Zeile nicht übernommen.

Amarsuen 15

Text: EŞEM 7070 (= Ass. Nr. 21982) (Weihplatte aus Gipsstein): O.Schroeder, KAH II 2; W. Andrae, WVDOG 39 (1922) 106 Abb. 78; (Kopien); Taf. 64 c (Photo); vgl. J. Boese, Altmesop. Weihplatten 208 AR 2 (Beschreibung); Taf. XXXV,2 (Umzeichnung); Herkunft: Assur, wiederverwendet im Ištar-Tempel des Tukulti-Ninurta I..

Literatur: W. Andrae, MVDOG 54 (1917) 16f.; ders., WVDOG 39 (1922) 106 zu 155; E. Weidner, IAK S. 2f.; I.J. Gelb, MAD 2^2, 16 zu 1.a.; W.W. Hallo, HUCA 33 (1962) 36: Amar-Sin 15; E. Sollberger, J.-R. Kupper, IRSA 167 IIIF1a; I. Kärki, StOr 58, 87f.: Amarsuena 15; A.K. Grayson, RIMA 1, 9 und jetzt I.J. Gelb, B. Kienast, FAOS 7, 342: Ur 6.

1 E$_2$ ^{d}NIN.E$_2$.GAL^{lim}	Den Tempel der Bēlatekallim,
2 *be-la-ti-šu*	seiner Herrin,
3 *a-na ba-la-aṭ*	hat für das Leben
4 ^{d}AMAR-^{d}SUEN	des Amarsuen,
5 *da-nim*	des Starken,
6 LUGAL.⌜URI$_5$(?)⌝/^{KI}.MA **(1)**	des Königs von Ur,
7 *u$_3$* LUGAL	und des Königs
8 *ki-ib-ra-tim*	der vier
9 *ar-ba-im*	Weltgegenden,

10 *za-ri-qum*	Zarriqum,
11 GIRI$_3$.NITA$_2$	der Statthalter
12 ^{d}*a-šur*$_3$^{ki}	von Assur,
13 IR$_3$-śu$^{!}$	sein Diener,
14 *a-na ba-la-ṭi*$_3$*-šu*	(und auch) für sein (eigenes) Leben
15 *i-pu-uš*	gebaut.

1) Z. 6: Der Text ist in zwei Zeilen geschrieben.

Amarsuen 16

Text: Museums-Nr. ? (Steintafel): V. Scheil, MDP 28, S. 3, Nr. 1 (Kopie); Herkunft: Susa.

Literatur: V. Scheil, MDP 28, S. 3f.; W.W. Hallo, HUCA 33 (1962) 36: Amar-Sin 16; E. Sollberger, J.-R. Kupper, IRSA 150f. IIIA3i; I. Kärki, StOr 58, 88: Amarsuena 16.

Vs	1 ^{d}⸢nun⸣-gal	Nungal,
	2 nin-e$_2$-kur$^{!}$-ra	der Herrin des Ekur, **(1)**
	3 nin-lu$_2$-ti-ti	der Herrin, die die Menschen leben läßt, **(2)**
	4 nin-a-ni-⸢ir⸣	seiner Herrin,
	5 nam-⸢ti⸣-	hat [für(?)] das Leben
	6 ^{d}amar-^{d}⸢suen⸣	des Amarsuen,
	7 ⸢nibru⸣^{ki}-[a]	den [in] Nippur
	8 ⸢^{d}en-lil$_2$-le⸣	Enlil
	9 mu-pa$_3$-da	mit Namen benannt hat,
	10 sag-us$_2$-	des Versorgers

Rs	1 e_2-^{d}e[n-lil$_2$]-ka	des Tempels des E[nlil],
	2 ⌜nita⌝-kal-ga	des starken Mannes,
	3 lugal-uri$_5$$^{[k]i}$-[m]a	des Königs von Ur,
	4 lugal-an-ub-d[a]-limmu$_2$-ba-ka$^!$-[še$_3$(?)]	des Königs der vier Weltgegenden,
	5 *puzur$_4$-i$_3$-li$_2$*	Puzurilī,
	6 šabra-e$_2$-UG$^?$-ti-ke$_4$	der 'Präfekt' des E-UG$^?$-ti,
	7 ⌜a⌝ mu-⌜na⌝-ru	(diesen Gegenstand) geweiht.

1) Vs 2: Lesung mit Å. Sjöberg, AfO 24 (1973) 44 zu 83.; E. Sollberger, IRSA 150 IIIA3i liest noch mit V. Scheil, MDP 28, S. 3 **nin-e$_2$-sir$_2$-ra**.

2) Vs 3: Vgl. "Nungal in the Ekur" Z. 83 **nin lu$_2$-ti-ti-me-en** "I, the lady, who gives life to men" bei Å. Sjöberg, a.a.O. 34f..

Amarsuen 17

Text: YBC 2530 (Achatperle): V. Scheil, RA 13 (1916) 180; J.B. Nies, C.E. Keiser, BIN II 17; (Kopien); Herkunft: Girsu(?).

Literatur: V. Scheil, RA 13 (1916) 180; J.B. Nies, C.E. Keiser, BIN II S. 22, Nr. 17; W.W. Hallo, HUCA 33 (1962) 36: Amar-Sin 17; I. Kärki, StOr 58, 88f.: Amarsuena 17.

1 ^{d}lamma$^!$	Der Schutzgottheit, **(1)**
2 nin-a-ni-ir$^!$	ihrer Herrin,
3 nam-ti-	hat für das Leben

4 ^{d}amar-^{d}suen	des Amarsuen,
5 lugal-kal$^{!}$-ga	des mächtigen Königs,
6 lugal-uri$_{5}$^{ki}-ma-ka-še$_{3}$	des Königs von Ur,
7 ḫa-la-^{d}ba-ba$_{6}$	Ḫalababa,
8 dam-ur-^{d}lamma$^{!}$	die Gemahlin des Urlamma,
9 dub-sar-ke$_{4}$	des Schreibers
10 a mu-na-ru	(diesen Gegenstand) geweiht.

1) Z. 1-2: Hinter der hier als "Herrin" (= **nin**) bezeichneten "Schutzgottheit" (= **^{d}lamma**) dürfte wie in der Parallele Šulgi 29:1-2 (om. **-ir**) eine Erscheinungsform der Baba stehen; vgl. dazu auch Šulgi 28,1:1-3 (mit Anm. 1). Diese Annahme wird gestützt durch die beiden PN in diesem Text **ḫa-la-^{d}ba-ba$_{6}$** in Z. 7 (vgl. dazu den PN **ḫa-la-^{d}lamma** in Šulgi 28,2:3) und **ur-^{d}lamma**$^{!}$ in Z. 8 (vgl. dazu etwa die Bildung **ur-^{d}ba-ba$_{6}$**; dazu H. Behrens, FAOS 10 Index der Personennamen s.v. **ur-^{d}ba-ba$_{6}$**).

Amarsuen 18 i-ii

Siegel: s. dazu W.W. Hallo, HUCA 33 (1962) 37: Amar-Sin 18; I. Kärki, StOr 58, 89f.: Amarsuena 18.

Amarsuen 19

Text: *BM 116452 = 1923-11-10,38 (= U. 220) (Fragment einer Tafel aus Steatit): E. Sollberger, UET VIII 41 (Kopie); Herkunft: Ur, Enunmaḫ.

Literatur: E. Sollberger, UET VIII S. 9 zu 41.; I. Kärki, StOr 58, 156: Anonym 17.

Vs 1' [mu-pa$_3$-*d]a	([Nanna(?) (, dem ....)],) hat ([Amarsuen],) den ([.... (= GN) ....]) [mit Namen bena]nnt hat, **(1)**
2' [sag-u]s$_2$-	[der Versorg]er
3' [e$_2$-^{d}en-l]il$_2$-ka	des [Tempels] des [Enl]il,
4' [lugal-k]al-ga	der [mä]chtige [König],
5' [lugal-u]ri$_5$$^{[ki]}$-ma	[der König] von [U]r,
6' [lugal-a]n-ub-[da-l]immu$_2$-ba-ke$_4$	[der König] der vier W[eltgegenden],
Rs 1 [e$_2$-temen-*n]i$_2$ **(2)** -guru$_3$	das [Etemenn]iguru,
2 [e$_2$-ki]-ag$_2$-ga$_2$-ni	seinen [gel]iebten [Tempel],
3 [uri$_5$]$^{[*k]i}$-ma	in [Ur]
4 [mu-na]-du$_3$	gebaut.

1) Vs 1' ff.: Die Zuordnung des Textes zu Amarsuen erfolgt aufgrund der bisher nur für Amarsuen nachzuweisenden Epithetakette in Vs 1'-6', vgl. etwa Amarsuen 2:1-9 mit Var. a) oder Amarsuen 5,1:1-9.
Da diese Inschrift den Bau des Etemenniguru in Ur berichtet, darf man hier nach den Aussagen der Inschriften Urnammu 10:1-13 und 25:1-10 Nanna als göttlichen Adressaten erwarten.

2) Rs 1: Der Keil, der in der Kopie von E. Sollberger, UET VIII 41 am rechten Rand des Bruches dieser Zeile schräg nach unten verläuft, ist auf dem Original nicht vorhanden. Die Zeichenspuren sind ohne weiteres mit **IM** = **ni$_2$** zu verbinden.

Amarsuen 20

Text: *CBS 16209 (= U. 6967) (Fragment einer Schale aus Steatit (?); Randstück mit Einlagen): C.J. Gadd, L. Legrain, UET I 29 (Kopie); Herkunft: Ur, Eḫursag.

Literatur: C.J. Gadd, L. Legrain, UET I S. 6, Nr. 29; I. Kärki, StOr 58, 150f.: Anonym 2.

1' [sag-us$_2$]-	([Amarsuen(, ...)],) [der Versorger] **(1)**
2' ⌜e$_2$⌝-^{d}e[n-lil$_2$-ka]	[des] Tempels [des] E[nlil],
3' lugal-kal-g[a]	der mächtige König
4' lugal-ur[i$_5$]^{ki}-[ma]	der König [von] Ur,
5' ⌜lugal⌝-[an-ub-da-limmu$_2$-ba-ke$_4$]	der König [der vier Weltgegenden],
(abgebrochen)	(abgebrochen).

1) Z. 1'-5': Zuordnung des Textes zu Amarsuen aufgrund der bislang nur bei Amarsuen bezeugten Epithetakette in Z. 1'-5', s. dazu schon oben Anm. 1 zu Amarsuen 19.

Amarsuen 21

Text: *BM 116453 = 1923-11-10,39 (= U. 874) (Fragment einer Scheibe (Platte(?)) aus Diorit): E. Sollberger, UET VIII 8 (Kopie); Herkunft: Ur, im West-Areal des Enunmaḫ.

Literatur: Vgl. E. Sollberger, UET VIII S. 2 zu 8..

1' [gi$_6$-par$_4$-ku$_3$]-ga-ni	([Amarsuen, ...,]) hat sein (= des Nanna(?)) [Giparku] **(1)**
2' [mu-na]-du$_3$	[ihm] gebaut.
3' [en-ki-*a]g$_2$-ga$_2$-ni	Seine [gelie]bte [En(-Priesterin)]
4' [mu-na]-⌜*ni⌝-ku$_4$	hat er [ihm(?)] dort eintreten lassen.
(abgebrochen)	(abgebrochen).

1) Z. 1'-4': E. Sollberger, UET VIII S. 2 zu 8. hat diese Inschrift ohne nähere Angaben der präsargonischen Periode zugerechnet. Den erhaltenen Zeichen sind jedoch keine eindeutigen Hinweise für eine so frühe Datierung zu entnehmen. Die Form von **KU$_4$** (Z. 4') spricht im Gegenteil deutlich für eine spätere Datierung, vgl. etwa LAK 208 (s. dazu J. Krecher, ZA 63 (1973) 232 mit Anm. 15), REC 144 und KWU 636. Schließlich ist die Phrase ... (finites) **-du$_3$** ... (finites) **-ku$_4$** "(etwas (= ON) bauen, (jemanden/etwas hineinbringen, eintreten lassen" in der aS Zeit überhaupt nicht nachzuweisen, in den Lagaš-II und Ur-III-zeitlichen Bau- und Weihinschriften dagegen nur unter Amarsuen. Die Ergänzung und Zuordnung dieses Textes zu Amarsuen erfolgen deshalb nach Amarsuen 6 = 11:21-24; vgl. dazu Amarsuen 8:Rs 7-10.

Amarsuen 22

Text: *BM 116437 = 1923-11-10,22 (= U. 908) (Fragment eines Kalksteingefäßes): E. Sollberger, UET VIII 42 (Kopie); Herkunft: Ur, Enunmaḫ, Raum 11.

Literatur: E. Sollberger, UET VIII S. 9 zu 42.; I. Kärki, StOr 58, 156f.: Anonym 18.

1' [....] ⌜x⌝ **(1)**	[....]...
2' [^{d}amar]-^{d}su[en]	hat [Amar]suen, **(2)**
3' [*lu]gal-⌜uri$_5$⌝^{ki}-ma	[der Kö]nig von Ur,
4' [*lug]al-an-ub-[da]-limmu$_2$-ba-⌜*ke$_4$⌝	der [Kön]ig der vier Weltgegenden,
5' [....]- **(3)**	[....]
6' ⌜^{*d}⌝suen-na	des (/zu) Suen
7' [x x(?)] ⌜x *x⌝ [x(?)]	[...]...[...(?)]
8' *ta$_2$-di$_3$-in-*^{d}INANNA	Taddineštar, **(4)**
9' dumu-ki-ag$_2$-ga$_2$-ni-ir	seinem geliebten Kind,
10' in-na-ba	(diesen Gegenstand) gegeben. **(5)**

1) Z.1'ff: Die Inschrift ist im ihrem oberen Teil sehr stark abgerieben. In Z. 8'-10' ist der linke Zeilenrand relativ gut zu erkennen: Hier ist kein sicherer Hinweis dafür zu erkennen, daß noch eine weitere Kolumne links des erhaltenen Textes existiert hat, die E. Sollberger, UET VIII S. 9 zu 42. und pl. VII zu 42 angenommen hat. Es besteht der Eindruck, daß das Gefäß im Bereich der Inschrift zunächst mit einem spitzen Gegenstand bearbeitet und danach dieser zerstörte Bereich zusätzlich geglättet wurde. Die Spuren, die E. Sollberger für eine zusätzliche Kolumne angenommen hat, sind mit den Spuren dieser bewußten Zerstörung zu verbinden.

2) Z. 2'-4': Zuordnung dieser Inschrift zu Amarsuen wegen der Erwähnung von Taddin-Eštar, der Tochter des Amarsuen; zu Taddin-Eštar s.u. Anm. 4.

3) Z. 5'ff: Zeilenanordnung nach der Kopie von E. Sollberger, UET VIII 42, obwohl der Zeilentrenner zwischen Z.5' und Z.6' nicht eindeutig zu erkennen ist.

4) Z. 8': Zu *ta*$_2$-*di*$_3$-*in*-^{d}*eštar*(= ^{d}**INANNA)**, der Tochter des Amarsuen, s. zuletzt M. Sigrist, RA 80 (1986) 185; vgl. schon P. Michalowski, in: JCS 31 (1979) 172 und ASJ 4 (1982) 135.

5) Z. 10': Zu dem Formular mit der Verbalform **in-na-ba** "er/sie hat ihm/ihr gegeben" vgl. jetzt Å. Sjöberg, PSD B 3f. zu 1.1.3..

Šūsuen 1-2

Text:

Backstein: A) Museums-Nr. ?: V. Scheil, MDP 2, Pl. 13,1 (Photo; enthält Zeilenanfänge von Z. 1-5); Herkunft: Susa.

B) Museums-Nr. ?: V. Scheil, a.a.O. Pl. 13,6 (Photo; enthält Z. 1-2); s. dazu R. Borger, AfO 19 (1959-60) 163); Herkunft: Susa.

C) Museums-Nr. ?: V. Scheil, MDP 4, Pl. 1,5 (Photo; enthält Z. 1-3); Herkunft: Susa.

D) Museums-Nr. ?: V. Scheil, MDP 4, Pl. 18,1 (Photo; enthält Z. 2-7); Herkunft: Susa.

E) Museums-Nr. ?: V. Scheil, MDP 10, Pl. 6,1 (Photo; Inschrift vollständig); Herkunft: Susa.

Literatur: V. Scheil, MDP 2, 56 (zu Text A)); 82 (zu Text B)); ders., MDP 4, 8 (zu Text C) und D)); ders., MDP 10, 12 (zu Text E)); F. Thureau-Dangin, SAK 200, 4. a); E. Sollberger, J.-R. Kupper, IRSA 151 IIIA4a; I. Kärki, StOr 58, 91: Šusuen 2 und jetzt I.J. Gelb, B. Kienast, FAOS 7, 343: Ur 7. - Vgl. R. Borger, AfO 19 (1959-60) 163; ders. HKL I 444 zu MDP 4, p8 t1 5//18 1; W.W. Hallo, HUCA 33 (1962) 37, wo Text B) als Šu-Sin 1 und Text A), C), D) und E) als Šu-Sin 2 bezeichnet werden.

Umschrift nach Text E)

1 ^{d}*šu*-^{d}*suen*	Šūsuen, **(1)**
2 *na-ra-am* ^{d}en-lil$_{2}$	der Liebling des Enlil,
3 *šar-ru-um*	der mächtige
4 *dan-num*$_{2}$	König,
5 *šar* uri$_{5}^{ki}$	der König von Ur
6 *u*$_{3}$ *šar ki-ib-ra-tim*	und der König der vier
7 *ar-ba-im*	Weltgegenden.

1) Z. 1-7: Vgl. zu dieser Inschrift auch die (verkürzte) sumerische Variante in Šūsuen 24 (s.u.).

Šūsuen 3

Text: A 1134 (Backstein): D. Luckenbill, OIP 14, 43 (Kopie); Herkunft: Adab.

Literatur: W.W. Hallo, HUCA 33 (1962) 37: Šu-Sin 3; E. Sollberger, J.-R. Kupper, IRSA 164 IIIC1b; I. Kärki, StOr 58, 91: Šusuen 3. - Vgl. A. Falkenstein, AnOr 30, 4 Anm. 9.

1 ^{d}*šu-*^{d}*suen*	Šūsuen,
2 ki-ag$_2$-^{d}en-lil$_2$-la$_2$	dem Liebling des Enlil,
3 lugal ^{d}en-lil$_2$-le	dem König, (den) Enlil,
4 ki-ag$_2$ ša$_3$-ga-na	(der) (ihn) liebt, in seinem Herzen
5 in-pa$_3^!$	erwählt hat,
6 lugal-kal-ga	dem mächtigen König,
7 lugal-uri$_5^{ki}$-ma	dem König von Ur,
8 lugal-an-ub-da-limmu$_2$-ba	dem König der vier Weltgegenden,
9 dingir-ki-ag$_2$-ga$_2$-a-ni	sein(em) geliebten Gott,
10 ḫa-ba$^!$(=ZU)-lu$_5^!$-ke$_4^!$	hat Ḫabaluke, **(1)**
11 ensi$_2$-	der Stadtfürst
12 adab^{ki}	von Adab,
13 ir$_3$-da-ne$_2$	sein Diener,
14 e$_2$-ki-ag$_2$-ga$_2$-a-ni	sein geliebtes Haus
15 mu-na-du$_3$	gebaut.

1) Z. 10: Zur Lesung und Deutung des PN **ḫa-ba$^!$-lu$_5^!$-ke$_4^!$** und zur zeitlichen Einordnung dieses Herrschers s.o. Anm. 1 zu Šulgi 31.

Šūsuen 4

Text: NBC 2519 (Steintafel): J.B. Nies, C.E. Keiser, BIN II 11 (Kopie); Herkunft: ?.

Literatur: J.B. Nies, C.E. Keiser, BIN II S. 17, Nr. 11; G. Barton, RISA 294, 6.; W.W. Hallo, HUCA 33 (1962) 37: Šu-Sin 4; I. Kärki, StOr 58, 92: Šusuen 4.

Vs 1' *[^{d}šu-^{d}suen]*	([Dem Šara(?),....],) hat [Šūsuen] **(1)**
2' ki-ag$_2$-^{d}en-lil$_2$-la$_2$	der Liebling des Enlil,
3' lugal ^{d}en-lil$_2$-le	der König, (den) Enlil,
4' ki-ag$_2$ ša$_3$-ga-na	(der) (ihn) liebt, in seinem Herzen
5' in-pa$_3$	erwählt hat,
6' lugal-kal-ga	der mächtige König,
7' lugal-uri$_5$^{ki}-ma	der König von Ur,
Rs 1 lugal-an-ub-da-limmu$_2$-ba-ke$_4$	der König der vier Weltgegenden,
2 ša$_3$-ge-pa$_3$-da	das Šagepada,
3 e$_2$-ki-ag$_2$-ni	seinen geliebten Tempel,
4 nam-ti-la-ni-še$_3$	für sein Leben
5 mu-na-du$_3$	gebaut.

1) Vs 1'ff.: Das Formular dieses Textes ist zu vergleichen mit dem von Šūsuen 8, wobei die Zeilen Vs 6'-Rs 5 fast wörtlich parallel sind zu Šūsuen 8:7-13 (s.u.). Die Parallelität der Texte legt den Schluß nahe, daß dieser Text wie Šūsuen 8 an Šara gerichtet war. Diese Vermutung wird durch den Text Šūsuen 9 (s.u.) gestützt, der, gleichfalls an Šara gerichtet, im Bauvermerk am Ende des Textes (Z. 27-30) auch das **e$_2$-ša$_3$-ge-pa$_3$-da** (Z. 27) nennt.

Šūsuen 5

Text:

Türangelstein: A) BM 119007 (= U. 3337); IM 1147 (= U. 6722) (aus Kalkstein); IM 1148 (= U. 6722) (aus Kalkstein): C.J. Gadd, L. Legrain, UET I 72 (Kopie); Anonymous, MJ 16 (1927) 299 (!) (Photo in situ; ohne Museums-und Grabungsnummer); Herkunft: Ur, Giparku.

B) Coll. Mercer: S. Mercer, JSOR 12 (1928) 149 Nr. 35 (Kopie); Herkunft: Ur.

Literatur: C.J. Gadd, L. Legrain, UET I S. 17, Nr. 72; S. Mercer, JSOR 12 (1928) 147, Nr. 35; G. Barton, RISA 366, 11.1.; W.W. Hallo, HUCA 33 (1962) 37: Šu-Sin 5; I. Kärki, StOr 58, 92f.: Šusuen 5.

Umschrift nach Text A)

1 ^{d}*šu*-^{d}*suen*	Šūsuen,
2 ki-ag$_2$-^{d}en-lil$_2$-la$_2$	der Liebling des Enlil,
3 lugal ^{d}en-lil$_2$-le	der König, (den) Enlil,
4 ki-ag$_2$ ša$_3$-ga-na	(der) (ihn) liebt, in seinem Herzen
5 in-pa$_3$	erwählt hat,
6 lugal-kal-ga	der mächtige König,
7 lugal-uri$_5$^{ki}-ma	der König von Ur,
8 lugal-an-ub-da-limmu$_2$-ba-ke$_4$	der König der vier Weltgegenden,
9 e$_2$-ki-ag$_2$-ga$_2$-ni	hat sein geliebtes Haus **(1)**
10 mu-du$_3$	gebaut.

1) Z. 9: Gemeint ist hier mit diesem "Haus" entweder ein Tempel des vergöttlichten Šūsuen oder ein Palast des Königs Šūsuen; die Problematik dieser Aussage ist dargestellt in Anm. 1 zu Šulgi 5. Beachte hierzu auch die Inschriften Šūsuen 3, 10, 11 und 12, in denen jeweils ein hoher Untergebener des Šūsuen von dem Bau eines Hauses (= Tempels(?)) "für seinen (geliebten) Gott" Šūsuen berichtet; vgl. dazu ferner Šusuen 13.

Šūsuen 6

Text:

Türangelstein: A) *BM 90844: L.W. King, CT 21,28; F. Lenormant, Choix, Nr. 63; Th. Pinches, IVR^2 35,4; (Kopien); Herkunft: ?.

B) Museums-Nr. ?: C. Bezold, Festschrift Lehmann-Haupt, 115f. Nr. 5 (mir nicht zugänglich); Herkunft: ?.

C) *IM 1010 = U. 3039: unpubl., vgl. C.J. Gadd, L. Legrain, UET I S. XXIV; Herkunft: Ur.

Literatur: F. Thureau-Dangin, SAK 200, 4. b); G. Barton,RISA 292ff., 2.; W.W. Hallo, HUCA 33 (1962) 37: Šu-Sin 6; E. Sollberger, J.-R. Kupper, IRSA 151 IIIA4c; I Kärki, StOr 58, 93: Šusuen 6.

Umschrift nach Text A)

1 ⸢*an*⸣*-nu-ni-tum*	Annunitum,
2 dam-a-ni-ir	seiner Gemahlin,
3 ^{d}*šu*-^{d}⸢*suen*⸣(= ⸢EN⸣.ZU)	[hat] Šūsuen,
4 ki-ag$_2$-^{d}en-lil$_2$-la$_2$	der Liebling des Enlil,
5 lugal ^{d}en-lil$_2$-le	der König, (den) Enlil,
6 ki-ag$_2$ ša$_3$-ga-⸢na⸣	(der) (ihn) liebt, in seinem Herzen
7 in-pa$_3$	erwählt hat,
8 lugal-[ka]l-ga	der [mächt]ige König,
9 lugal-⸢uri$_5$⸣^{ki}-ma	der König von Ur,
10 lugal-an-ub-d[a]-lim[mu$_2$-ba]-*k[e$_4$]	der König der vi[er] Weltgegenden,
11 e$_2$-a-[ni]	ih[ren] Tempel
12 mu-n[a-du$_3$]	[gebaut].

Šūsuen 7

Text:

Türangelstein: A) University Museum, Philadelphia (aus Diorit): J.P. Peters, Nippur II Taf. nach S. 238 (Photo); Herkunft: ?.

B) BM 116416 (= U. 838) (aus Diorit(?)): C.J. Gadd, L. Legrain, UET I 80 (Kopie); pl. M (Photo); Herkunft: Ur.

Literatur: F. Thureau-Dangin, SAK 202, 4. d); G. Barton, RISA 368, 11.3.; C.J. Gadd, L. Legrain, UET I S. 18, Nr. 80; W.W. Hallo, HUCA 33 (1962) 37: Šu-Sin 7; E. Sollberger, J.-R. Kupper, IRSA 151 IIIA4b; I Kärki, StOr 58, 93f.: Šusuen 7.

Umschrift nach Text B)

1 ^{d}nanna	Nanna,
2 dumu-sag-	dem erst(geboren)en Sohn
3 ^{d}en-lil$_2$-la$_2$	des Enlil,
4 lugal-ki-ag$_2$-ga$_2$-ni-ir	seinem geliebten Herrn,
5 ^{d}*šu*-^{d}*suen*	hat Šūsuen,
6 ki-ag$_2$-^{d}nanna	der Liebling des Nanna,
7 lugal ^{d}en-lil$_2$-le	der König, (den) Enlil **(1)**
8 ša$_3$-ga-na	in seinem Herzen
9 in-pa$_3$	erwählt hat
10 sipa-kalam-ma	zum Hirten des Landes´ (Sumer)
11 u$_3$ an-ub-da-limmu$_2$-ba-še$_3$	und der vier Weltgegenden,
12 lugal-kal-ga	der mächtige König,
13 lugal-uri$_5$^{ki}-ma	der König von Ur,
14 lugal-an-ub-da-limmu$_2$-ba-ke$_4$	der König der vier Weltgegenden,
15 e$_2$-mu-ri-a-na-ba-AK	das Emuri'anaba-AK **(2)**
16 e$_2$-ki-ag$_2$-ga$_2$-ni	seinen geliebten Tempel,
17 mu-na-du$_3$	gebaut.

1) Z. 7-11: Diese Zeilen haben eine wörtliche Parallele in der Šūsuen-Inschrift in aB Abschrift bei D.O. Edzard, AfO 19 (1959-60) S. 8, 4':22-26 und finden sich verkürzt auch in Šūsuen 9:12-16 und Šūsuen 27:1'-5'; vgl. ferner Šūsuen 12:5-8. Beachte die ungewöhnliche Nachstellung des Terminativs (Z. 10-11), mit dem der zweite Akkusativ in einer 'doppelten Akkusativkonstruktion' vermieden wird.

2) Z. 15: Zu diesem Tempelnamen vgl. C.J. Gadd, UET I S. 18 zu Nr. 80; G. Castellino, ZA 53 (NF 19) (1959) 125 zu 8. und J.A. Brinkman, OrNS 38 (1969) 316 mit Anm. 4.

Šūsuen 8

Text:

Türangelstein:	A) BM 103353 = 1911-4-8,43: L.W. King, CT 32,6 (Kopie); Herkunft: ?.
	B) *CBS 14550 (Diorit): L. Legrain, PBS XV 43; ders., MJ 15 (1924) 78; (Kopien); 79 (Photo); Herkunft: Nippur.
	C) O. 279: L. Speleers, RIAA 11 (Kopie); Herkunft: Umma.
	D) YBC 2369: unpubl., vgl. F.J. Stephens, YOS IX S. 27, 117.; Herkunft: ?.
Steinfragment:	E) Musées de l'Etat, Luxembourg; Musée d'Histoire et d'Art, Cabinet des Médailles 1924-2 (Steinfragment): J.-P. Grégoire, MVN 10, Nr. 23 (Kopie); Herkunft: Umma(?).
Stele:	F) *BM 114396 = 1920-3-15,7 (Granit(?)): unpubl.; vgl. British Museum. A Guide (1922) 85 zu 74. (Beschreibung nicht zutreffend, wurde offensichtlich mit BM 103354 = Šūsuen 9 Text A) verwechselt, der wie BM 103353 = Šūsuen 8 Text A) bei L.W. King, CT 32,6 veröffentlicht wurde); Herkunft: ?.
Literatur:	G. Barton, RISA 294, 3.; L. Speleers, RIAA S. 47, 11; W.W. Hallo, HUCA 33 (1962) 38: Šu-Sin 8; J.-P. Grégoire, MVN 10, S. 24 zu 23.; I. Kärki, StOr 58, 94f.: Šusuen 8. - Vgl. W. Förtsch, MVAG 19/I (1914) 79f.; ders., OLZ 18 (1915) 202f.; I.M. Price, AJSL 29 (1912-13) 284ff..

Umschrift nach Text A)

1 ^{d}šara$_2$	Šara,
2 nir-gal$_2$-an-na	dem Angesehenen des An,
3 dumu-ki-ag$_2$-	dem geliebten Sohn

4 ^{d}inanna	der Inanna,
5 ad-da-ni-ir	seinem Vater,
6 ^{d}*šu*-^{d}*suen*	hat Šūsuen,
7 lugal-kal-ga	der mächtige König,
8 lugal-uri$_{5}$^{ki}-ma	der König von Ur,
9 lugal-an-ub-da-limmu$_{2}$-ba-ke$_{4}$	der König der vier Weltgegenden,
10 e$_{2}$-ša$_{3}$-ge$_{4}$-pa$_{3}$-da	das Ešagepada,
11 e$_{2}$-ki-ag$_{2}$-ga$_{2}$-ni	seinen geliebten Tempel,
12 nam-ti-la-ni-še$_{3}$	für sein Leben
13 mu-na-du$_{3}$	gebaut.

Šūsuen 9

Text: A) *BM 103354 = 1911-4-8,44 (Stele aus Kalkstein): L.W. King, CT 32,6 (Kopie); Herkunft ?.

B) YBC 2130 (Türangelstein): A.T. Clay, YOS I 20 (Kopie); Herkunft: ?.

C) YBC 2129 (Steintafel(?)): unpubl., vgl. A.T. Clay, YOS I S. 16 zu Nr. 20; Herkunft: ?.

D) New York City Library(?): unpubl., vgl. A.T. Clay, YOS I S. 16 zu Nr. 20; Herkunft: ?.

E) EŞEM 5856 (Ausschnitt aus einem größeren Steinblock): E. Unger, ZA 29 (1914-15) 180f. (Umschrift); Taf. I (Photo); Herkunft: Umma.

F) VA 3855 (Türangelstein): G. Meyer, FB 1 (1957) 38 (Photo); Herkunft: Kunsthandel.

G) HS 2011 (Steinplatte): s. die Beschreibung dieses Textes bei J. Oelsner, WZJ 18 (1969) 53, 21.; Herkunft: ?.

Literatur: E. Unger, ZA 29 (1914-15) 179ff.; A.T. Clay, YOS I S. 16f., Nr. 20; G. Barton, RISA 294ff., 5. und 7.; W.W. Hallo, HUCA 33 (1962) 38: Šu-Sin 9; E. Sollberger, J.-R. Kupper, IRSA 151f. IIIA4d; I. Kärki, StOr 58, 95f.: Šusu-en 9. - Vgl. W. Förtsch, MVAG 19/I (1914) 79f.; ders., OLZ 17 (1914) 57; OLZ 18 (1915) 201f.; I.M. Price, AJSL 29 (1912/13) 284ff..

Umschrift nach Text B)

1 ^{d}šara$_2$	Šara,
2 nir-gal$_2$-an-na	dem Angesehenen des An,
3 dumu-ki-ag$_2$-	dem geliebten Sohn
4 ^{d}inanna	der Inanna,
5 ad-da-ni-ir	seinem Vater,
6 ^{d}*šu*-^{d}*suen*	hat Šūsuen,
7 išib-an-na	der Išib(-Priester) des An,
8 gudu$_4$-šu-dadag-	der Gudu(-Priester) mit den reinen Händen **(1)**
9 ^{d}en-lil$_2$	des Enlil,
10 ^{d}nin-lil$_2$-ka$^{!}$	der Ninlil
11 u$_3$ dingir-gal-gal-e-ne	und der großen Götter,
12 lugal ^{d}en-lil$_2$-le	der König, (den) Enlil,
13 ki-ag$_2$	(der) (ihn) liebt,
14 ša$_3$-ga-na	in seinem Herzen
15 in-pa$_3$	erwählt hat
16 sipa-kalam-ma-še$_3$	zum Hirten des Landes (Sumer),
17 lugal-kal-ga	der mächtige König,
18 lugal-uri$_5$^{ki}-ma	der König von Ur,
19 lugal-an-ub-da-limmu$_2$-ba-ke$_4$	der König der vier Weltgegenden,
20 u$_4$ bad$_3$-mar-du$_2$-	als er die 'Mardu-Mauer' **(2)** **(3)**
21 *mu-ri-iq-*	(mit Namen) *Murîq-*
22 *ti-id-ni-im*	*Tidnim* ("die Tidnum fernhält")
23 mu-du$_3$$^{!}$(= NI) **(a)** -a	gebaut hatte,
24 u$_3$ ne$_3$-mar-du$_2$	und die Truppen der Mardu
25 ma-da-ni-e	in ihr Land
26 bi$_2$-in-gi$_4$-a	hatte zurückkehren lassen,
27 e$_2$-ša$_3$-ge-pa$_3$-da	das Ešagepada,
28 e$_2$-ki-ag$_2$-ga$_2$-ni	seinen geliebten Tempel
29 nam-ti-la-ni-še$_3$	für sein Leben
30 mu-na-du$_3$ **(b)**	gebaut.

a) Z. 23: Text A): **du$_3$**.

b) Z. 30: in Text G) vorgeritzt, aber nicht beschrieben.

1) Z. 8-11: Wie in Z. (9-)10 erwartet man auch in Z. 11 die Realisierung des doppelten Genitivs (**dingir-gal-gal-e-ne-ka** < * **...-ak-ak**).

2) Z. 20-22: S. dazu D.O. Edzard, G. Farber, RGTC 2, 30 s.v. *Didnum* (mit Belegen und älterer Literatur) und M. Astour, UF 5, 37. Zur Schilderung der Mardu in einer historisierenden Inschrift des Šūsuen in aB Abschrift s. bei M. Civil, JCS 21 (1967) 31f., Kol. 5:24ff. (beachte das Nebeneinander von **mar-du$_2$** und *ti-id-nu* S. 32, Kol. 6:18-19); S. 36f. zu v 24 (Kommentar mit Verweis auf G. Buccellati, The Amorites of the Ur III Period (Naples 1966) 236ff.).

3) Z. 20-26: S. dazu D.O. Edzard, AfO 19 (1959-60) 2 mit Anm. 24 (abweichend; u.a. für Z. 24-26 "und den 'Fuß' der Martu (= **giri$_3$-MAR.TU**) aus seinem Land zurückgedrängt hatte"); vgl. dazu schon aS **elam kur-ra-na bi-gi$_4$** "Elam hat sich in sein Land zurückgezogen." in Ean. 2,6:8 bei H. Steible, FAOS 5/I 150.

Šūsuen 10

Text: CBS 16566 (= U. 6738) (Türangelstein): C.J. Gadd, L. Legrain, UET I 81 (Kopie); Herkunft: Ur, Giparku.

Literatur: G. Barton, RISA 368, 11.4.; C.J. Gadd, L. Legrain, UET I S. 18, Nr. 81; W.W. Hallo, HUCA 33 (1962) 38: Šu-Sin 10; I. Kärki, StOr 58, 96: Šusuen 10.

1 ^{d}*šu*-^{d}*suen*	Šūsuen,
2 ki-ag$_2$-^{d}en-lil$_2$-la$_2$	dem Liebling des Enlil,
3 lugal ^{d}en-lil$_2$-le	dem König, (den) Enlil,
4 ki-ag$_2$ ša$_3$-ga-na	(der) (ihn) liebt, in seinem Herzen
5 in-pa$_3$	erwählt hat,

6 lugal-kal-ga	dem mächtigen König,
7 lugal-uri$_5$^{ki}-ma	dem König von Ur,
8 lugal-an-ub-da-limmu$_2$-ba	dem König der vier Weltgegenden,
9 dingir-ra-ni-ir	seinem Gott,
10 [....]-kal$^!$-la	hat [....]-kalla,
11 šagina	der Statthalter,
12 ir$_{11}$-da-ne$_2$	sein Diener,
13 e$_2$-a-ni	sein Haus
14 mu-na-du$_3$	gebaut.

Šūsuen 11

Text:

Türangelstein: A) VA 3302: L. Messerschmidt, VS I 27 (Kopie); Herkunft: Ur.

B) U. 2673 (= IM 915): Anonymus, MJ 16 (1925) 293 (Photo); Herkunft: Ur.

C) U. 1191 (= BM 116761); 6335 (= IM 1146) (aus Kalkstein): unpubl., vgl. C.J. Gadd, L. Legrain, UET I S. XXIV; Herkunft: Ur.

Literatur: V. Scheil, RT 26 (1904) 22; F. Thureau-Dangin, SAK 200ff., 4. c); G. Barton, RISA 294, 4.; W.W. Hallo, HUCA 33 (1962) 38: Šu-Sin 11; E. Sollberger, J.-R. Kupper, IRSA 155 IIIA4h; I. Kärki, StOr 58, 97: Šusuen 11. - Vgl. A. Falkenstein, AnOr 30, 4 Anm. 9.

Umschrift nach Text A)

1 ^{d}*šu*-^{d}*suen*	Šūsuen,
2 ki-ag$_2$-^{d}en-lil$_2$-⌜la$_2$⌝	dem Liebling des Enlil,
3 lugal ^{d}en-lil$_2$-le	dem König, (den) Enlil,
4 ki-ag$_2$ ša$_3$-ga-na	(der) (ihn) liebt, in seinem Herzen
5 in-pa$_3$	erwählt hat,

6 lugal-kal-ga	dem mächtigen König,
7 lugal-uri$_5^{ki}$-ma	dem König von Ur,
8 lugal-an-ub-da-limmu$_2$-⸢ba⸣	dem König der vier Weltgegenden,
9 dingir-ra-ni-ir	seinem Gott,
10 lugal-ma$_2$-gur$_8$-re	hat Lugalmagurre,
11 nu-banda$_3$-en-nu-ga$_2$	der Hauptmann der 'Wache',
12 ensi$_2$-	der Stadtfürst
13 uri$_5^{ki}$-ma	von Ur,
14 ⸢ir$_{11}$⸣ **(a)** -da-ne$_2$	sein Diener,
15 e$_2$-ki-ag$_2$-ga$_2$-ni	sein geliebtes Haus
16 mu-na-an-du$_3$	gebaut.

a) Z. 14: Nicht auszuschließen ist eine Lesung **ir$_3$**.

Šūsuen 12

Text: As. 31:246 (IM Nr ?) (Türangelstein); As. 31:792 (= A 8164) (Türangelstein): Th. Jacobsen, OIP 43, pl. XIII 1 (Kopie); Archaelogy 5 (1952) 169 (Photo); Herkunft: Ešnunna (O 30:18).

Literatur: Th. Jacobsen, OIP 43, S. 134f., Nr. 1; W.W. Hallo, HUCA 33 (1962) 38: Šu-Sin 12; E. Sollberger, J.-R. Kupper, IRSA 164f. IIID1a; I. Kärki, StOr 58, 97f.: Šusuen 12.

1 ^{d}*šu*-^{d}*suen*	Šūsuen,
2 mu-pa$_3$-da-	der mit Namen benannt (wurde)
3 an-na	von An,
4 ki-ag$_2$-^{d}en-lil$_2$-la$_2$	dem Liebling des Enlil,
5 lugal ^{d}en-lil$_2$-le	dem König, den Enlil

6 ša$_3$-ku$_3$-ge pa$_3$-da	im reinen Herzen erwählt hat
7 nam-sipa-kalam-ma	für das Hirtenamt des Landes (Sumer)
8 u$_3$ an-ub-da-limmu$_2$-ba-še$_3$	und der vier Weltgegenden,
9 lugal-kal-ga	dem mächtigen König,
10 lugal-uri$_5^{ki}$-ma	dem König von Ur,
11 lugal-an-ub-da-limmu$_2$-ba	dem König der vier Weltgegenden,
12 dingir-ra-ni-ir	seinem Gott,
13 *i-tu-ri-a*	hat Itūria,
14 ensi$_2$-	der Stadtfürst
15 aš$_2$-nun-na^{ki}-ka	von Ešnunna,
16 ir$_{11}$-da-ni-e	sein Diener,
17 e$_2$-a-ni	sein Haus
18 mu-na-an-du$_3$	gebaut.

Šūsuen 13

Text:

Türangelstein: A) Museums-Nr. ?: F. Thureau-Dangin, RA 5 (1902) 99 (Kopie); Herkunft: Girsu.

B) Museums-Nr. ?: F. Thureau-Dangin, in: G. Cros, NFT 56; F. Thureau-Dangin, RA 6 (1907) 67; (Kopien); Herkunft: Girsu.

Literatur: F. Thureau-Dangin, RA 5 (1902) 99ff.; SAK 148ff., 22.a); NFT 56ff; G. Barton, RISA 268, 16.; W.W. Hallo, HUCA 33 (1962) 38: Šu-Sin 13; E. Sollberger, J.-R. Kupper, IRSA 163 IIIB5a; I. Kärki, StOr 58, 98f.: Šusuen 13. - Vgl. A.L. Oppenheim, JAOS 74 (1954) 16 und A. Falkenstein, AnOr 30, 4 Anm. 9.

Umschrift nach Text B)

1 1 ^{d}*šu*-^{d}*suen*	Šūsuen,
2 ki-ag$_2$-^{d}en-lil$_2$-la$_2^{!}$(= ME)	dem Liebling des Enlil,
3 lugal ^{d}en-lil$_2$-le	dem König, (den) Enlil,

	4 ki-ag$_2$ ša$_3$-ga-na	(der) (ihn) liebt, in seinem Herzen
	5 in-pa$_3$	erwählt hat,
	6 lugal-kəl-ga	dem mächtigen König,
	7 lugal-uri$_5$^{ki}-ma	dem König von Ur,
	8 lugal-an-ub-da-limmu$_2$-ba	dem König der vier Weltgegenden,
	9 lugal-a-ni-ir	seinem Herrn, **(1)**
	10 ir$_{11}$-^{d}nanna	hat Irnanna,
	11 sukkal-maḫ	der ‘Großwesir’,
	12 ensi$_2$-	der Stadtfürst
	13 lagaš^{ki}-ke$_4$ **(a)**	von Lagaš,
	14 sanga-^{d}en-ki-ka **(b)**	der Tempelverwalter des Enki,
	15 šagina-u$_2$-ṣa-ar-gar-ša-na^{ki}	der Statthalter von Uṣargaršana, **(2)**
	16 šagina-ba-šim-e$^{!\ ki}$ **(c)**	der Statthalter von Bašime, **(3)**
2	1 ensi$_2$-sa-bu-um^{ki}	der Stadtfürst von Sabum **(4)**
	2 u$_3$ ma-da-gu-te-bu-um^{ki}-ma	und dem Land Gutebum, **(5)**
	3 šagina-*di*$_3$-*ma-at*-^{d}en-lil$_2$-la$_2$	der Statthalter von Dimatenlil, **(6)**
	4 ensi$_2$-*a-al*-$^{\mathbf{d}}$*šu*-$^{\mathbf{d}}$*suen*	der Stadtfürst von Ālšūsuen, **(7)**
	5 šagina-ur-bi$_2$-lum^{ki}	der Statthalter von Urbilum, **(8)**
	6 ensi$_2$-ḫa-am$_3$-zi$_2$^{ki} **(d)**	der Stadtfürst von Ḫam(a)zi **(9)**
	7 u$_3$ kara$_2$$^{!}$-ḫar^{ki}	und Karaḫar **(10)**
	8 ⸢šagina⸣-NI.ḪI^{ki}	der Statthalter von NI.ḪI, **(11)**
	9 šagina-lu$_2$-su^{ki} **(e)**	der Statthalter (des Landes der) Su-Leute
	10 u$_3$ ⸢ma$^{!}$⸣-da-kar-da^{ki} **(f)** -ka	und des Landes Karda, **(12)**
	11 ir$_{11}$-da-a **(g)** -ne$_2$	sein Diener,
	12 e$_2$-gir$_2$-su^{ki}-ka-ni	sein Haus von Girsu
	13 mu-na-du$_3$	gebaut.

a) Kol.1:13: Text A) om. **-ke$_4$**.

b) Kol. 1:14: Text A) om. **-ka**.

c) Kol. 1:16: Text A): **ba-šim-e^{ki}**.

d) Kol. 2:6: Text A): **ḫa-ma-zi$_2$**^{ki}.

e) Kol. 2:9: Text A) om. **KI**.

f) Kol. 2:10: Text A) om. **KI**.

g) Kol. 2:11: Text A) om. **-a-**.

1) Kol. 1:9: **lugal-a-ni-ir** "seinem Herrn" wird hier als Gottesepitheton verstanden, das sich auf Šusuen bezieht; an gleicher Stelle steht in Šūsuen 10:9; 11:9; 12:12 jeweils **dingir-ra-ni-ir** "seinem Gott" bzw. in Šūsuen 3:9 **dingir-ki-ag$_2$-ga$_2$-a-ni** "sein(em) geliebten Gott". - Vgl. vor dem Hintergrund dieses Wechsels die Feststellungen in Anm. 1 zu Šūsuen 5 bzw. zu Šulgi 5.

2) Kol. 1:15: E. Sollberger, AfO 18 (1957-58) 108 vermutet für Uṣargaršana eine Identität mit Garšana. Nach D.O. Edzard, G. Farber, RGTC 2, 236 lag der Machtbereich des Irnanna "jedoch weitgehend im Osten des Reiches".

3) Kol. 1:16: Zur Lage von Bašime s. D.O. Edzard, G. Farber, RGTC 2, 26f..

4) Kol. 2:1: Zur genauen Lage von Sabum s. D.O. Edzard, G. Farber, RGTC 2, 159ff..

5) Kol. 2:2: Nach D.O. Edzard, G. Farber, RGTC 2, 70f. ist Gutebum "wohl identisch mit Gutium"; s. auch dies., a.a.O. 71 s.v. Gutium.

6) Kol. 2:3: Zur genauen Lage von Dimatenlil s. D.O. Edzard, G. Farber, RGTC 2, 31.

7) Kol. 2:4: Zu Ālšūsuen s. auch D.O. Edzard, G. Farber, RGTC 2, 7.

8) Kol. 2:5: Urbilum ist das heutige Arbil, s. dazu D.O. Edzard, G. Farber, RGTC 2, 217.

9) Kol. 2:6: Ḫam(a)zi liegt im Osttigrisland zwischen Oberem Zab und Diyāla, s. dazu D.O. Edzard, G. Farber, RGTC 2, 72f..

10) Kol. 2:7: Karaḫar liegt in der Nähe von Mardin, s. dazu D.O. Edzard, G. Farber, RGTC 2, 91.

11) Kol. 2:8: Lesung **NI.ḪI**^{ki} mit A.L. Oppenheim, JAOS 74 (1954) 16. Zur Lage von **NI.ḪI**^{ki} vgl. D.O. Edzard, G. Farber, RGTC 2, 148.

12) Kol. 2:10: Karda ist "möglicherweise identisch mit Garta", s. dazu D.O. Edzard, G. Farber, RGTC 2, 91f..

Šūsuen 14

Text: IM 1049 (= U. 3159) (Fragment einer Statue): C.J. Gadd, L. Legrain, UET I 73 (Kopie); Herkunft: Ur, Hof des Dublamaḫ.

Literatur: C.J. Gadd, L. Legrain, UET I S. 17, Nr. 73; W.W. Hallo, HUCA 33 (1962) 38: Šu-Sin 14; I. Kärki, StOr 58, 99f.: Šusuen 14.

1	1' lugal-a-[ni-ir(?)]	([Dem ....(= GN) (, ...],) se[inem] Herrn,
	2' ^{d}*šu-*^{d}*s[uen]*	hat Šūs[uen],
	3' ki-ag$_2$-^{d}[en-lil$_2$-la$_2$]	der Liebling [des Enlil], **(1)**
	4' lugal-ka[l-ga]	der mäch[tige] König,
	5' lugal-[uri$_5$^{ki}-ma]	der König [von Ur],
	6' lugal-an-ub-da-limmu$_2$-ba-ke$_4$	der König der vier Weltgegenden, **(2)**
2	(abgebrochen)	(abgebrochen).

1) Kol. 1:3': Ergänzung etwa nach Šūsuen 3:2; 4:Vs 2'; 5:2 oder 6:4. Wenn jedoch in dieser Zeile das Šūsuen-Epitheton **ki-ag$_2$-^{d}nanna** "Liebling des Nanna" zu ergänzen ist, das bislang in diesen Inschriften nur in Z. 6 der an Nanna adressierten Inschrift Šūsuen 7 vorliegt, dürfte Šūsuen diese Statue für Nanna geschaffen haben. Der Anfang dieser Inschrift wäre dann wohl analog zu dem von Šūsuen 7 zu ergänzen.

2) Kol. 1:6': Die Inschrift ist unvollständig. Wegen der Realisierung des Agentivs in dieser Zeile erwartet man zumindest eine weitere Zeile (in einer neuen Kolumne) mit einem finiten Verbum.

Šūsuen 15

Text: YBC 2159 (Fragment eines Gefäßes aus geädertem, durchscheinendem Marmor): F.J. Stephens, YOS IX 24 (Kopie); Herkunft: ?.

Literatur: F.J. Stephens, YOS IX S. 9, Nr. 24; W.W. Hallo, HUCA 33 (1962) 38: Šu-Sin 15; I. Kärki, StOr 58, 100: Šusuen 15.

1 $^{⌈d⌉}$šara$_2$	Šara,
2 [lu]gal-a-ni-ir	seinem [He]rrn,
3 [n]am-ti-	([hat]) [für] das Leben
4 $^{⌈d⌉}$*šu-^{d}suen*	des Šūsuen,
5 [lug]al-kal-ga	des mächtigen [Kön]igs,
6 [luga]l-uri$_5$^{ki}-ma	des [Köni]gs von Ur,
7 [lugal-an-ub-d]a-limmu$_2$-ba-[ka- še$_3$(?)]	[des Königs] der vier [Weltgegen]den,
(abgebrochen)	(abgebrochen).

Šūsuen 16

Text: *O. 353 (Bronzehacke): L. Speleers, RIAA 13 (Kopie); Kollation: D. Homès-Fredericq; Herkunft: Kunsthandel (von Géjou, Paris, gekauft).

Literatur: L. Speleers, RIAA S. 47, 13; W.W. Hallo, HUCA 33 (1962) 38: Šu-Sin 16; I. Kärki, StOr 58, 100f.: Šusuen 16.

1	1 ^{d}šara$_{2}$	Šara,
	2 nir-gal$_{2}$-an-na	dem Angesehenen des An,
	3 dumu-ki-ag$_{2}$-	dem geliebten Sohn
	4 ^{d}inanna	der Inanna,
	5 lugal-a-ni-ir	seinem Herrn,
2	1 nam-[t]i-	hat [für] das Leben
	2 ^{d}*šu*-^{d}*suen*	des Šūsuen,
	3 lugal-kal-ga	des mächtigen Königs,
	4 lugal-uri$_{5}$^{ki}-ma	des Königs von Ur,
3	1 lug[al-an-ub]-d[a-limmu$_{2/5}$-ba-ka-še$_{3}$]	des Kön[igs der vier Weltgeg]en[den],
	2 ur-^{d}[....]	Ur-[....],
	3 aga$_{3}$-us$_{2}$-lu[g]a[l$^{?}$]	der Gefolgsmann (des) König(s), **(1)**
	4 dumu-ur-ab-ba ke$_{4}$	der Sohn des Urabba,
	5 mu-na-⌜dim$_{2}$⌝	(diesen Gegenstand) angefertigt.

1) Kol. 3:2-3: Die Lesung **lugal** in Kol. 3:3 ist unsicher; diese Zeile könnte auch mit **aga$_{3}$-us$_{2}$-ga[l]-ga[l]** umschrieben werden. Zu **aga$_{3}$-us$_{2}$** mit verschiedenen attributiven Erweiterungen in der Lagaš II- und Ur-III-Zeit s. etwa die Materialsammlung bei J.-P. Grégoire, AAS S. 81 (zu 50:4); S. 203 (zu 166:3). Der dort genannte **ur-^{d}nanše aga$_{3}$-us$_{2}$-lugal** (S. 203) könnte auch hier in Kol. 3:2-3 genannt sein, doch bleibt dieser Ergänzungsvorschlag angesichts der in der Urkunde fehlenden Filiation unsicher.

Šūsuen 17

Gewicht: vgl. W.W. Hallo, HUCA 33 (1962) 38: Šu-Sin 17; s. jetzt I. Kärki, StOr 58, 101: Šusuen 17.

Šūsuen 18 i-iii

Siegelabrollungen: vgl. W.W. Hallo, HUCA 33 (1962) 39: Šu-Sin 18; s. jetzt I. Kärki, StOr 58, 101-105: Šusuen 18.

Šūsuen 19 i-ii

Siegelabrollungen: vgl. W.W. Hallo, HUCA 33 (1962) 39: Šu-Sin 19; s. jetzt I. Kärki, StOr 58, 105f.: Šusuen 19.

Šūsuen 20

Altbabylonische (Sammel-)Tafeln mit (Abschriften von) Inschriften des Šūsuen:

Sammlung A): s. D.O. Edzard, AfO 19 (1959-60) 4-28; I. Kärki, StOr 58, 106-118: Šusuen 20a; R: Kutscher, Royal Inscriptions, 74-98; I.J. Gelb, B. Kienast, FAOS 7, 347ff.: Ur C 2. - Vgl. schon W.W.Hallo, HUCA 33 (1962) 39: Šu-Sin 20 i..

Sammlung B): s. M. Civil, JCS 21 (1967) 24-38; I. Kärki, StOr 58, 118-131: Šusuen 20b; jetzt auch C. Wilcke, N.A.B.U 1990/1, 25f. zu 33). - Vgl. schon W.W. Hallo, HUCA 33 (1962) 39: Šu-Sin 20 ii..

Sammlung C): s. Å. Sjöberg, JCS 24 (1971-72) 70-73; I. Kärki, StOr 58, 134-136: Šusuen 27.

Šūsuen 21

Text: UM 31-43-252 (= U. 16272) (Keulenkopf aus Marmor): E. Sollberger, UET VIII 35 (Kopie); Herkunft: Ur, Raum 3 des Šulgi-Mausoleums.

Literatur: E. Sollberger, UET VIII S. 7 zu 35.; I. Kärki, StOr 58, 132f.: Šusuen 24.

1' ⌜x⌝ [....]	...[....],
2' ^{d}⌜*šu*⌝-$^{⌜d⌝}$*[suen]*	([hat]) Šū[suen],
3' ki-ag$_2$-^{d}⌜en-lil$_2$-la$_2$⌝	der Liebling des Enlil,
4' lu[gal$^{!}$ ^{d}en-lil$_2$-le]	der Kö[nig, (den) Enlil],
5' ⌜ki⌝-[ag$_2$ ša$_3$-ga-na]	(der) (ihn) li[ebt, in seinem Herzen]
6' [in-pa$_3$]	[erwählt hat],
(abgebrochen)	(abgebrochen).

Šūsuen 22

Text: Kleine Achatperle aus dem Perlenschmuck W. 16172: A. Falkenstein, UVB 8, Taf. 39 unten; obere Perlenreihe, mittlere Perle; W. Orthmann, PKG 14, Abb. 123, b; (Photos); Herkunft: Uruk, Eanna.

Literatur: A. Falkenstein, a.a.O. 23; W.W. Hallo, HUCA 33 (1962) 43: Family 7; E. Sollberger, J.-R.Kupper, IRSA 156 IIIA4n; I. Kärki, StOr 58, 132: Šusuen 22.

1 A.AB.BA-*ba-aš$_2$-ti*	Ti'āmatbāštī, **(1)**
2 lukur-ki-ag$_2$-	die geliebte Lukur(-Priesterin) **(2)**
3 ^{d}*šu*-^{d}*suen*	des Šūsuen,
4 lugal-uri$_5$^{ki}-ma-ka	des Königs von Ur.

1) Z. 1: Lesung des PN mit W.W. Hallo, HUCA 33 (1962) 43: Family 7 und E. Sollberger, IRSA 156 IIIA4n. Zur Stellung der wahrscheinlich aus Ninive stammenden Ti'āmatbāštī am Hofe des Šūsuen von Ur s. C. Wilcke, in: DV 5 (1988) 21ff.; 225ff. und N.A.B.U. 1990/1, 28 zu 36).

2) Z. 2: Zu dem Begriff **lukur**, der wahrscheinlich um die Mitte der Regierungszeit des Šulgi den Terminus **dam** "Gemahlin" ersetzte, s.o. Anm. 2 zu Šulgi 42.

Šūsuen 23

Text: Kleine Achatperle, Mittelstück des Halsbandes aus dem Perlenschnmuck W. 16183: A. Falkenstein, UVB 8, Taf. 38 unten; Perle in der oberen Bildmitte; H.J. Lenzen, Die Sumerer, Abb. 39; (Photos); Herkunft: Uruk, Eanna.

Literatur: A. Falkenstein, a.a.O. S. 23; W.W. Hallo, HUCA 33 (1962) 43: Family 8; E. Sollberger, J.-R. Kupper, IRSA 156 IIIA4m; I. Kärki, StOr 58, 132: Šusuen 23.

1 *ku-ba-tum*	Kubātum, **(1)**
2 lukur-ki-ag_2-	die geliebte Lukur(-Priesterin) **(2)**
3 ^{d}*šu*-^{d}*suen*	(des) Šūsuen.

1) Z.1: Lesung des PN mit A. Falkenstein, UVB 8, 23; A. Goetze, JCS 17 (1963) 35 Anm. 20 und I.J. Gelb, MAD 2^2, 110 unten. P. Steinkeller, ASJ 3 (1981) 80; 91 hat gezeigt, daß Kubātum die Hauptfrau des Šūsuen und regierende Königin (= **nin**) und wohl auch die Mutter des Ibbīsuen war; dazu jetzt auch M. Sigrist, RA 80 (1986) 185 und C. Wilcke, DV 5 (1988) 23; 227.

2) Z. 2: Zu **lukur** s. Anm. 2 zu Šulgi 42 und Šūsuen 22.

Šūsuen 24

Text: IM 61279 (Backstein, gestempelt): T. Madhlūm, Sumer 16 (1960) 91 (arabischer Teil) (Umschrift); pl. 11 A (arabischer Teil) (Photo); J.N. Postgate, Sumer 32 (1976) 88 Nr. 21 (Umschrift); Herkunft: Tell al- Wilayah, “SE area ofmound,surface”.

1 ^{d}*šu*-^{d}*suen*	Šūsuen, **(1)**
2 lugal-kal-ga	der mächtige König,
3 lugal-uri$_{5}^{ki}$-ma	der König von Ur,
4 lugal-an-ub-da-limmu$_{2}$-ba	der König der vier Weltgegenden.

1) Z. 1-4: S. zu dieser Inschrift auch die akkadische Variante in Šūsuen 1-2 (s.o.).

Šūsuen 25

Text: BM 15976 = 96-6-12,196 (Randstück eines Gefäßes aus dunkelgrünem Steatit(?): vgl. British Museum. A Guide (1922) 86 zu 76.; s. Tafel XXIV dieser Arbeit (Kopie); Herkunft: ?.

1’ nam-[ti]-	([Hat für]) das Leb[en]
2’ ^{d}*šu*-$^{\ulcorner d \urcorner}$*[suen]*	des Šū[suen], **(1)**
3’ išib-an-[na]	des Išib(-Priesters) [des] An,
4’ gudu$_{4}$-šu-[dadag]-	des Gudu(-Priesters) mit den [reinen] Händen
5’ ^{d}en-[lil$_{2}$]	[des] En[lil],
6’ ^{d}nin-lil$_{2}$-[ka]	[der] Ninlil
7’ u$_{3}$ dingir-[gal-gal-e-ne]	und [der großen] Gött[er],
(abgebrochen)	(abgebrochen).

1) Z. 2’-7’: Ergänzung nach Šūsuen 9:6-11.

Šūsuen A 26

Text: CBS 12694 (Tontafel mit einer altbabylonischen Abschrift einer Weihinschrift des Šūsuen (Kol. 1:1'-15'; Zuordnung zu diesem Herrscher nicht eindeutig gesichert, s. dazu unten Anm. 1) und einer umfangreichen Weihinschrift des Urninurta von Isin (Kol. 1:16'ff. bis Ende, s. dazu zuletzt I. Kärki, StOr 49, 24-26: Urninurta 2): A. Poebel, PBS V 68 (Kopie); Herkunft: ?.

Literatur: A. Falkenstein, ZA 49 (NF 15) (1949) 81 Anm. 3 (mit Verweis auf A.Poebel, PBS IV S. 138); D.O. Edzard, AfO 19 (1959-60) 2f. Anm. 26; E. Sollberger, UET VIII S. 9 zu 37.; A. Falkenstein, BiOr 23 (1966) 166 zu 37.; E. Sollberger, J.-R. Kupper, IRSA 155 IIIA4g; I. Kärki, StOr 58, 131f.: Šusuen 21. - Vgl. auch G. Pettinato, Mesopotamia 7 (1972) 63 Anm. 93.

1	1' [....]	([Dem .... (= GN), ...],) hat ([Šūsuen(?), ...],) [....], **(1)**
	2' [lugal-kal]-ga	der [mächt]ige [König],
	3' [lugal-uri$_{2/5}$]$^{ki!}$-ma	der [König] von [Ur],
	4' [lug]al-an-ub-⌜da⌝-limmu$_2$-ba-ke$_4$	der [Kön]ig der vier Weltgegenden,
	5' u$_4$ ma-da-za-[a]b-ša-li$^{ki!}$	als er das Land Zabšali **(2)**
	6' u$_3$ ma-d[a-m]a-da-	und die Lä[nd]er
	7' lu$_2$-su^{ki}-ka	der Su-Leute
	8' mu-hul-a	zerstört hatte,
	9' maš$_2$-gal	von seinem großen Ziegenbock, **(3)**
	10' gu$_2$-un an-ša-an^{ki}-na	einem Tribut, der aus Anšan **(4)**
	11' mu-un-tum$_2$-<ma->na	(ihm) gebracht worden war,
	12' *tam$_2$-ši-lum*-bi	dieses Bildnis
	13' mu-na-an-dim$_2$	angefertigt
	14' nam-ti-la-ni-še$_3$	(und) für sein Leben
	15' a mu-na-ru	geweiht.

1) Z. 1:1'-15': Zuordnung dieser Inschrift zu Šūsuen mit A. Poebel, bei: A. Falkenstein, ZA 49 (NF 15) (1949) 81 Anm. 3 und D.O. Edzard, AfO 19 (1959-60) 2f. Anm. 26.

2) Kol. 1:5':13': Das syntaktische Verständnis dieser Zeilen folgt E. Sollberger, IRSA 155 IIIA4g. Danach wird Kol. 1:9'-11' nicht mehr mit dem Temporalsatz (in Kol. 1:5'-8') verbunden (so noch D.O. Edzard, ibidem), sondern als vorausgestellter Genitiv verstanden (**maš$_2$-gal ...-tum$_2$-<ma->na** <* **...-a.ni-a(k)**), der in **-bi** von *tam$_2$-ši-lum*-**bi** (Kol. 1:12') aufgenommen wird.

Die Emendation von **<ma->** in **maš$_2$-gal gu$_2$-un ... mu-un-tum$_2$-<ma->na** *tam$_2$-ši-lum$_2$*-**bi** orientiert sich an **⌈ur-DAR⌉-a ... ⌈gu$_2$⌉-un-še$_3$ mu-na-ab-tum$_2$-ma-ni** *⌈tam$_2$⌉-ši-lum*-**bi** in Ibbīsuen A 11:Vs 9-Rs 1 und ist m.E. zwingend. Damit entfallen die Schwierigkeiten, die für D.O. Edzard, ibidem bei seiner Lesung **maš$_2$-gal gu$_2$-un ... mu-un-g[e]n-na** bestanden.

3) Kol. 1:9': Die Übersetzung von **maš$_2$-gal** in diesem Text als "großer Ziegenbock" geht zurück auf E. Sollberger, UET VIII S. 9 zu 37.. Anders noch A. Falkenstein, ibidem und D.O. Edzard, ibidem ("großer Zins").

4) Kol. 1:10': Wegen der Parallele zu Ibbīsuen A 11:Vs 9-Rs 1 wurde **an-ša-an^{ki}-na** von **maš$_2$-gal** getrennt und als Lokativ/Ablativ verstanden. Möglich erscheint auch eine Übersetzung "Tribut, der in Anšan (ihm) gebracht worden war". Denkbar ist schließlich eine Deutung von **gu$_2$-un-an-ša-an^{ki}-na** als Regens-Rektum-Verbindung, so daß Kol. 1:10'-11' wohl mit "Tribut von Anšan, der (ihm) gebracht worden war" wiederzugeben wäre.

Šūsuen 27

Text: Collection U. Sissa (Mantua) (Fragment einer Vase aus Alabaster): W.F. Leemans, JCS 20 (1966) 35, 2 (Kopie); Herkunft: ?.

Literatur: W.F. Leemans, a.a.O. 36, 2; I. Kärki, StOr 58, 133f.: Šusuen 26 .

1' [lugal ^{d}en-lil$_2$-le]	([Šūsuen, ...],) [der König, (den) Enlil], **(1)**

2' ki-a[g$_2$]	(der) (ihn) lie[bt],
3' ša$_3$-ga-[na]	[in seinem] Herzen
4' in-p[a$_3$]	erwä[hlt] hat
5' sipa-kalam-[ma-še$_3$] **(2)**	[zum] Hirten [des] Landes (Sumer),
6' [lug]al-[kal-ga]	der [mächtige] [Kön]ig,
(abgebrochen)	(abgebrochen).

1) Z. 1'ff.: Ergänzung des Textes und daher auch Zuordnung zu Šūsuen nach der Parallele Šūsuen 9:12-17. So schon W.F. Leemans, a.a.O. S. 36, 2 und Å. Sjöberg, JCS 24 (1972) 73 zu Col. ii 23'.

2) Z. 5': Zur Nachstellung des Terminativs s. Anm. 1 zu Šūsuen 7.

Šūsuen 28

Text: HS 1964 (kleines Fragment einer Vase aus Alabaster): s. J. Oelsner, WZJ 18 (1969) 53, 23. (Umschrift); Herkunft: ?.

Literatur: J. Oelsner, ibidem; I. Kärki, StOr 58, 133: Šusuen 25.

1' [lugal ^{d}en-lil$_2$-le]	([Šūsuen, ...],) [der König, (den) Enlil], **(1)**
2' ki-ag$_2$ ša$_3$-ga-na	(der) (ihn) liebt, in seinem Herzen
3' in-pa$_3$	erwählt hat,
4' lugal-kal-ga	der mächtige König,
5' lugal-uri$_5^{ki}$-ma	der König von Ur,
(abgebrochen(?))	(abgebrochen(?)).

1) Z. 1'-5': Ergänzung und Zuordnung des Textes zu Šūsuen nach Šūsuen 3 = 5 = 10 = 11:3-7; 4:Vs 3'-7'; 6:5-9; 13,1:3-7.

Šūsuen 29

Text: 11 N 129 (Fragment einer Schale aus durchsichtigem weißem Stein): McGuire Gibson, OIC 22 (1975) 117; 136 zu No. 35 (Umschrift); Herkunft: Nippur, Oberflächenfund auf dem Hügel, nahe Ziqqurrat.

1 ^{d}*šu-*^{d}*s[uen]*	Šūs[uen]
2 [k]i-ag$_2$-^{d}en-[lil$_2$-la$_2$]	der Liebling [des] En[lil],
3 [lug]al ^{d}e[n-lil$_2$-le]	der König, ([den]) E[nlil] **(1)**
(abgebrochen)	(abgebrochen).

1) Z. 3ff: Zur möglichen Ergänzung der folgenden Zeilen vgl. Šūsuen 3, 4, 5, 10, 11 und 21.

Ibbīsuen 1-2

Text:

Tonnagel: A) *IM 92974 (= U. 2) (Fragment): C.J. Gadd, L. Legrain, UET I 135 (Kopie); Herkunft: Ur, Suchgraben A.

B) BM 119040 = 1927-10-3,35 (= U. 2576) (Fragment): C.J. Gadd, L. Legrain, UET I 86 (Kopie; enthält M) 1:1-5.13-14); Herkunft: Ur, Versuchsgraben außerhalb des Temenos.

C) *CBS 17225 (= U. 7711) (so zu korrigieren bei E. Sollberger, UET VIII S. 8 zu 36. C.): Kol. 1:1-5 = M) 1:1-5; Kol. 1:1'-2' = M) 1:13-14; Kol. 2:1-3 = M) 2:1-3; Kol. 2:1'-2': = M) 2:7-8; Herkunft: Ur, Bereich der Larsa-Häuser, SW-Seite des Temenos.

D) *IM 92973 (= U. 11659) (Fragment): Kol. 1: Spuren der Enden von Z. 1-5 und 13-14; Kol. 2:1-8 = M) 2:1-8; vgl. E. Sollberger, UET VIII S. 8, 36. D.; Herkunft: Ur, Bereich des Königsfriedhofs.

E) *IM 92964 (= U. 11672) (Fragment): nur Spuren der Zeilenenden von Kol. 1; Kol. 2:1'-5' = M) 2:2-6; vgl. E. Sollberger, UET VIII S. 8, 36. E.; Herkunft: s. Text D).

F) *IM 92970 (= U. 13661a) (Fragment): Kol. 1:1-5 = M) 1:1-5; Kol. 1:1'-2' = M) 1:13-14; Kol. 2 abgebrochen; vgl. E. Sollberger, UET VIII S. 8, 36. F.; Herkunft: s. Text D).

G) *IM 92972 (= U. 13661b) (Fragment): nur Zeilenenden von Kol. 2; 2:1-3 = M) 1:1-3; 2:1'-2' = M) 2:7-8; vgl. E. Sollberger, UET VIII S. 8, 36. G.; Herkunft: Ur, "NE city-wall, central section".

H) *IM 92959 (= U. 15026) (Fragment): Kol. 1:1-5 = M) 1:1-5; 1:13-14 = M) 1:13-14; Kol. 2:1-4 = M) 2:1-4; 2:1'-2' = M) 2:7-8; vgl. E. Sollberger, UET VIII S. 8, 36. H.; Herkunft: Ur, Bereich des Königsfriedhofs "inside 3rd dyn.foundation".

I) IM 92773 (= U. 16541) (fast vollständig): unpubl., vgl. E. Sollberger, UET VIII S. 8, 36. I.; Herkunft: Ur, "Isin-Larsa residential quarter".

J) IM 22888 (= U. 16542) (Fragment): D.O. Edzard, Sumer 13 (1957) pl. 1 (nach S. 188)(Kopie; enthält M) 1:7-2:1); Herkunft: s. Text I).

K) *IM 92951 (= U. 18742) (Fragment): Kol. 1:1-14 = M) 1:1-14; Kol. 2 abgebrochen; vgl. E. Sollberger, UET VIII S. 8, 36. K.; Herkunft: Ur, aus dem erweiterten Bereich des Königsfriedhofs, "loose in the upper soil below the Neo-Babylonian foundations".

L) *IM 92971 (= U. 18824) (Fragment): Kol. 1:1-6 = M) 1:1-6; Kol. 2:1-5 = M) 2:1-5; vgl. E. Sollberger, UET VIII S. 8, 36. L.; Herkunft: Ur, aus dem erweiterten Bereich des Königsfriedhofs, "loose in the soil between levels 1600 and 1500".

M) *IM 92965 (= U. 19482) (vollständiges Exemplar mit vollständiger Inschrift): E. Sollberger, UET VIII 36 (Kopie; beachte E. Sollberger, UET VIII S. 7); Herkunft: Ur, Diqdiqqah.

N) IM 21980 (Fragment): D.O. Edzard, Sumer 13 (1957) pl. 2 (nach S. 188) (Kopie): enthält M) 2:1-8; Herkunft: Ur.

O) IM 22889 (Fragment): D.O. Edzard, Sumer 13 (1957) pl. 1 (nach S. 188) (Kopie): enthält M) 2:1-5; Herkunft ?.

Steintafel: P) IM 1 (= U. 219) (Fragment aus dunkelgrünem Steatit): D.O.Edzard, Sumer 13 (1957) pl. 1 (nach S. 188) (Kopie); Herkunft: Ur, Versuchsgraben B (s. dazu ausführlich E. Sollberger, UET VIII S. 8, 36. P.).

Tontafel: Q)U. k (Fragment; möglicherweise altbabylonische Kopie): unpubl., vgl. E. Sollberger, UET VIII S. 8, 36. Q.; Herkunft: Ur.

Für die Textrekonstruktion und den in den unpublizierten Textzeugen erhaltenen Textbestand s. ausführlich E. Sollberger, UET VIII S. 7f., 36..

Literatur: D.O. Edzard, Sumer 13 (1957) 180f.; G. Pettinato, OrNS 36 (1967) 453f., E. Sollberger, J.-R. Kupper, IRSA 156f. IIIA5a; I. Kärki, StOr 58, 136f.: Ibbisuen 1-2. - Vgl. W.W. Hallo, HUCA 33 (1962) 39: Ibbi-Sin 1 und 2; ferner A. Falkenstein, BiOr 23 (1966) 166 und J. Krecher, ZA 60 (1970) 197f..

Umschrift nach Text M)

1	1 ^{d}*i-bi*$_{2}$-^{d}*suen*	Ibbīsuen,
	2 dingir-kalam-ma-na	der Gott seines Landes,
	3 lugal-kal-ga	der mächtige König,
	4 lugal-uri$_{5}^{ki}$-ma	der König von Ur,
	5 lugal-an-ub-da-limmu$_{2}$-ba-ke$_{4}$	der König der vier Weltgegenden,
	6 nam-gal-ki-ag$_{2}$-	hat aus großer Liebe
	7 ^{d}suen-na-da	zu Suen,
	8 uri$_{5}^{ki}$	um Ur
	9 dagal-e-de$_{3}$	zu vergrößern,
	10 sa im-ma-ši-gar	die Messleine(?) angelegt;
	11 ur$_{5}$-ta	deshalb hat er,
	12 kalam gi-ne$_{2}$	um das Land sicher
	13 sig-nim GAM-e-de$_{3}$	unten (und) oben gebeugt zu halten,
	14 bad$_{3}$-gal	eine große Mauer,
2	1 za-pa-ag$_{2}$-ba šu nu-ku$_{4}$-ku$_{4}$	deren Zinnen(?) nicht erreicht werden,

2 ḫur-sag-sig$_7$-ga-gim	wie ein grünes Gebirge
3 uru^{ki}-ne$_2$ im-mi-da$_5$	um seine Stadt gelegt.
4 uru$_{18}$ temen-bi	(Im) Fundament ließ er ihre (= der Mauer) Gründungsbeigaben **(1)**
5 ki in$^{sic!}$-ma-ni-pa$_3$	ihren Platz finden.
6 bad$_3$-ba	Von dieser Mauer ist
7 ^{d}*i-bi$_2$-^{d}suen* gu$_2$-gal-nam-nun-na	"Ibbīsuen (ist) der fürstliche Deichgraf."
8 mu-bi-im	der Name.

1) Kol. 2:4-5: Zum Verständnis dieser Zeilen s. jetzt S. Dunham, RA 80 (1986) 57 mit Anm. 115.

Ibbīsuen 3

Text: VA 8787 (Statuette aus Kalkstein): F. Thureau-Dangin, Monuments Piot 27 (1924) 108 fig. 2; 109 fig. 3; B. Meissner, AfO 5 (1928-29) Taf. VI 1-2; (Photos); A. Parrot, Tello 233, Abb. 46,a+a' (Umzeichnung); jetzt: J. Marzahn, AoF 14/1 (1987) 36 zu 17. (Kopie) und Taf. V Abb. 8, Nr. 17 (Photo); Herkunft: Kunsthandel (gekauft 1926 bei Gejou in Paris).

Literatur: F. Thureau-Dangin, Monuments Piot 27 (1924) 110f.; W.W. Hallo, HUCA 33 (1962) 39: Ibbi-Sin 3; E. Sollberger, J.-R. Kupper, IRSA 159f. IIIA5f; I. Kärki, StOr 58, 137: Ibbisuen 3; J. Marzahn, AoF 14/1 (1987) 36f. zu 17.. - Vgl. A. Parrot, Tello 231.

1 ^{d}nin-*DAR$^!$-*a **(1)**	Nin-DAR-a
2 lugal-uru$_{16}$	dem gewaltigen Herrn,
3 lugal-a-ni-⌜ir⌝	seinem Herrn,
4 nam-ti-	hat für das Leben
5 ^{d}*i-bi$_2$-^{d}suen*	des Ibbīsuen,
6 lugal-kal-ga	des mächtigen Königs,

7 lugal-uri$_5$^{ki}-ma	des Königs von Ur,
8 lugal-an-ub-da-limmu$_2$-ba-ka-še$_3$	des Königs der vier Weltgegenden,
9 ur-^{d}nin-gir$_2$-su	Urningirsu, **(2)**
10 EN.ME.ZI.AN.NA	der ...,
11 šennu$_x$(=ME.AD.KU$_3$)	der ...,
12 en-ki-ag$_2$-^{d}nanše-ke$_4$	der geliebte En(-Priester) der Nanše,
13 mu-na-dim$_2$	(diesen Gegenstand) angefertigt.

1) Z. 1: Lesung das GN nach Kollation und jetzt Kopie von J. Marzahn. Die Lesung **^{d}nin-da-ra** bei F. Thureau-Dangin, Monuments Piot 27 (1924) 110 beruht offensichtlich auf einem Druckfehler. Damit ist die Lesung von **DAR** in **^{d}nin-DAR-a** nach wie vor offen. Die bei H. Behrens/H. Steible, FAOS 6, 383 s.v. **^{d}nin-dar** genannten Belege der aS Bau- und Weihinschriften sind danach zu korrigieren.

2) Z. 9-12: Diese Zeilen haben eine (fast) wörtliche Parallele in ‘Lagaš’ 11:1-4 (s. dazu Anm. 1 zu ‘Lagaš’ 11). Als “geliebter En(-Priester) der Nanše” (= **en-ki-ag$_2$-^{d}nanše(-ke$_4$)** ist Urningirsu schon in Šulgi 29:9-10 bezeugt.

Ibbīsuen 4

Text: *BM 116434 = 1923-11-10,19 (Fragment eines Keulenkopfes aus Kalkstein mit rötlichen Einschlüssen): C.J. Gadd, L. Legrain, UET I pl. M 85; T. Solyman, Götterwaffen, Taf. XXVII, 210; (Photos); Herkunft: Ur, Oberflächenfund.

Literatur: C.J. Gadd, L. Legrain, UET I S. 19, Nr. 85; W.W. Hallo, HUCA 33 (1962) 40: Ibbi-Sin 4; I. Kärki, StOr 58, 138: Ibbisuen 4.

1 ^{d}⌈*mes⌉-*l[am-*t]a-e$_3$-a	Mesl[amt]a’e’a,
2 dingir-⌈*ra⌉-a-ni-ir	seinem (Schutz)gott,

3 ⌈*x*⌉-*ku-pu-um*	hat ...-kupum(= PN),
4 *[x]*-⌈*x*⌉-*[T]I*$^{?}$-a-ke$_4$	[...] ...,
5 [*na]m-ti-	([für]) [das Le]ben
6 $^{[d]}$⌈*i-bi*$_2$⌉-^{d}*suen*	(des) Ibbīsuen,
(abgebrochen)	(abgebrochen).

Ibbīsuen 5

Text: NBC 6106 (gravierte Perle aus durchscheinendem gelblichem Marmor): F.J. Stephens, YOS IX 69 (Kopie); pl. XLV Nr. 69 (Photo); Herkunft: Kunsthandel (Iran(?)).

Literatur: W.W. Hallo, HUCA 33 (1962) 40: Ibbi-Sin 5; I. Kärki, StOr 58, 138: Ibbisuen 5. - Vgl. F.J. Stephens, YOS IX S. 16 zu Nr. 69.

1 ^{d}ga$_2$-tum$_3$-du$_{10}$	Gatumdu,
2 nin-na$^{sic!}$-ni	seine(r) Herrin,
3 nam-ti-{NI} **(1)**	hat für das Leben
4 ^{d}*i-bi*$_2$-^{d}*suen*	(des) Ibbīsuen
5 e$_2$-ḫe$_2$-gal$_2$	Eḫegal,
6 dumu-AN.ZA	der Sohn des AN.ZA,
7 a mu-na-ru	(diesen Gegenstand) geweiht.

1) Z. 3-4: **-NI** in Z. 3 steht wohl fehlerhaft, da **nam-ti-NI-^{d}i-bi$_2$-^{d}suen** nur als Regens-Rektum-Verbindung erklärt werden kann. Dieser Fehler ist wahrscheinlich durch Wiederholung des letzten Zeichens **-NI** der vorausgehenden Z. 2 (bei der Übertragung der Inschrift von der Vorlage (Tontafel(!)) auf die Perle) entstanden. W.W. Hallo, HUCA 33 (1960) 18 Anm. 155 liest dagegen **-NI** in **nam-ti-NI** als **li$_2$** (!, kaum **-li** wie bei W.W. Hallo angegeben) und vergleicht **nam-ti-li$_2$** mit **nam-ti-il** in Šulgi 47 (Siegel).

Beachte in diesem Zusammenhang auch die ungewöhnliche Schreibung **nin-na-ni** in Z. 2 dieses Textes (für **nin-a-ni**).

Ibbīsuen 6

Text: *AO 4621 = *AO 27622 (Achatplättchen): L. Delaporte, CCL II 179 A. 816 (Kopie); pl. 93:5 (Photo); M.E. Ledrain, RA 7 (1910) 49 (Kopie); B. André, u.a., Naissance de l'écriture, S. 15, Nr.47 (Farbtafel); S. 88, Nr. 47 (Photo); Herkunft: Kunsthandel.

Literatur: M.E. Ledrain, ibidem; W.W. Hallo, HUCA 33 (1962) 40:Ibbi-Sin 6; E. Sollberger, J.-R. Kupper, IRSA 159 IIIA5e; I. Kärki, StOr 58, 138f.: Ibbisuen 6.

1 ^{d}nanna	Nanna,
2 lugal-a-ni-ir	seinem Herrn,
3 ^{d}*i-bi*$_{2}$-^{d}*suen*	hat Ibbīsuen,
4 dingir-kalam$^{!}$(= UN)-ma-na	der Gott seines Landes,
5 lugal-kal-ga	der mächtige König,
6 lugal-uri$_{5}^{ki}$-ma	der König von Ur,
7 lugal-an-ub-da-limmu$_{2}$-ba-ke$_{4}$	der König der vier Weltgegenden,
8 nam-ti-la-ni-še$_{3}$	für sein Leben
9 a mu-na-ru	(diesen Gegenstand) geweiht.

Ibbīsuen 7

Siegelabrollungen: vgl. W.W. Hallo, HUCA 33 (1962) 40: Ibbi-Sin 7, mit Anm. 235; s. jetzt I. Kärki, StOr 58, 139-143: Ibbisuen 7.

Ibbīsuen 8

Siegel, bzw. Siegelabrollungen: vgl. W.W. Hallo, HUCA 33 (1962) 40: Ibbi-Sin 8, mit Anm. 236; s. jetzt I. Kärki, StOr 58, 143-146: Ibbisuen 8.

Ibbīsuen A 9-10

Text: U. 7737 (= IM Nr ?) (Tontafel; altbabylonische Abschrift zweier Inschriften des Ibbīsuen (Z. 1-72) und einer Inschrift der Enḫedu'anna (Z. 73-83) (= UET I 23; s. dazu E. Sollberger, RA 63 (1969) 180, Nr. 16 und D.O. Edzard, RlA 6, 64 zu § 6. e. und i.): C.J. Gadd, L. Legrain, UET I 289 (Kopie); Herkunft: Ur.

Literatur: C.J. Gadd, L. Legrain, UET I S. 86f., Nr. 289; W.W. Hallo, HUCA 33 (1962) 40: Ibbi-Sin 9 und 10; E. Sollberger, J.-R. Kupper, IRSA 157f. IIIA5b und c; I. Kärki, StOr 58, 146f.: Ibbisuen 9 und 147f.: Ibbisuen 10.

1 ^{d}nanna	Nanna,
2 su$_{3}$-DU-ag$_{2}$	der das Licht **(1)**
3 un-<ga$_{2}$->na ba-ra-ge	über sein Volk ausbreitet, **(2)**
4 en AŠ-ni dingir-pa-e$_{3}$-a	dem Herrn, der allein ein strahlend er-scheinender Gott ist, **(3)**
5 lugal-a-ni-ir	seinem Herrn,
6 ^{d}*i-bi$_{2}$-*^{d}*suen*	hat Ibbīsuen,
7 dingir-kalam-ma-na	der Gott seines Landes,
8 lugal-kal-ga	der mächtige König,
9 lugal-uri$_{5}$^{ki}-ma	der König von Ur,
10 lugal-an-ub-da-limmu$_{2}$-ba-ke$_{4}$	der König der vier Weltgegenden,
11 u$_{4}$ šušin^{ki}	als er in Susa, **(4)(5)**
12 a-dam-dun^{ki}	Adamdun **(6)**
13 ma-da-a-wa-an^{ki}-ka	(und) im Land Awan **(7)**

14 ud-gim šid bi$_2$-in-gi$_4$	wie ein Sturm gebrüllt, **(8)**
15 u$_4$-AŠ-a mu-un-GAM	sie (= die Länder) an einem Tag unterworfen
16 u$_3$ en-bi LU$_2$xKAR$_2$$^!$-a mi-ni-in-dab$_5$-ba-a	und ihre Herrscher zu Gefangenen gemacht hatte, **(9)**
17 bur-šakan-ku$_3$-sig$_{17}$	eine goldene Šakan-Schale **(10) (11)**
18 kin-ga-lam-kad$_5$$^!$(=PAP)	- ein kunstvoll geformtes Werk, **(12)(13)**
19 gu$_4$-alim-muš-ba	das über(?) dem darauf (befindlichen) Wisentstier (und) Schlangen
20 šeg$_3$-gi$_6$-ni$_2$-IL$_2$	mit dunklen, furchterregenden Regenwolken **(14)**
21 še-er-ga-an-du$_{11}$-ga-bi	geschmückt ist,
22 u$_6$-di nu-til-le-dam	worüber das Staunen nicht endet -,
23 ezen-maḫ-za$_3$-mu-a-tu$_5$-a-	damit sie (= die Šakan-Schale) am hohen Fest, am Neujahrsfest, am (Fest) "Baden**(15)**
24 ^{d}nanna-ka	des Nanna" **(16)**
25 ki DUB.ŠEN-e sag-du$_8$-ḫu-ba	an ihrem (= der Šakan-Schale) Ort, wo beim ... das 'Haupt gesalbt' wird, **(17)**
26 [mu]š nu-tum$_2$-mu-de$_3$	kein Ende habe, **(18)**
27 mu-na-di[m]$_2$	angefertigt
28 nam-ti-[l]a-ni-še$_3$	(und) hat (sie) ihm für sein Leben
29 a mu-na-ru	geweiht.
(Leerzeile)	(Leerzeile)
30 ^{d}nanna	Nanna,
31 en pirig-gal-an-ki	dem Herrn, dem großen Löwen von Himmel (und) Erde,
32 lugal-a-ni-ir	seinem Herrn:
33 ^{d}*i-bi*$_2$-^{d}*suen*	Ibbīsuen,
34 dingir-kalam$^!$-ma-na	der Gott seines Landes,
35 nir-gal$_2$ me-nig$_2$-nam-ma	der Angesehene, der die 'göttlichen Kräfte' aller Art

36 si-sa$_2$-sa$_2$-e-da gal-zu-bi	ordnungsgemäß ausführt in kluger Weise, **(19)**
37 lugal-kal-ga	der mächtige König,
38 lugal-uri$_5$^{ki}-ma	der König von Ur,
39 lugal-an-ub-da-limmu$_2$-ba-ke$_4$	der König der vier Weltgegenden, -
40 u$_4$ šušin^{ki}	als er in Susa, **(4) (5)**
41 a-dam-dun^{ki}	Adamdun **(6)**
42 ma-da-a-wa-an^{ki}-ka	(und) im Land Awan **(7)**
43 ud-gim šid bi$_2$-in-gi$_4$	wie ein Sturm gebrüllt, **(8)**
44 u$_4$-AŠ-a mu-un-GAM	sie (= die Länder) an einem Tag unterworfen
45 u$_3$ en-bi LU$_2$xKAR$_2$-a mi-ni-in-dab$_5$-ba-a	und ihre Herrscher zu Gefangenen gemacht hatte, **(9)**
46 ^{d}nanna	weil Nanna
47 a$_2$-gal-la-na ba-an-ku$_4$-ra-ke$_4$-eš	(die Länder) unter seine große Macht hatte zurückkehren lassen,
48 ku$_3$-si$_2$ ku$_3$-gi$_6$-a dugud-bi DU-a-ni	hat aus Gold (und(?)) ..., das er in großer Menge (mit)gebracht hatte, **(20)**
49 ***^{d}i-bi$_2$-^{d}suen***	Ibbīsuen,
50 nun-a$_2$-maḫ ni$_2$-IL$_2$	der Fürst mit großer Macht, (der) Schrecken verbreitet,
51 geštu$_2$-dagal-la-ke$_4$	(der Mann) weiten Sinnes,
52 dug-ubur-imin-ku$_3$-si$_2$	ein Goldgefäß mit sieben 'Brüsten', **(21)**
53 ka-bi ⌜x⌝ lal$_3$ bar-re	dessen Öffnung (von) ... Honig überfließt, **(22)**
54 gi-KU$_3$.GI-bi	dessen goldenes(?) Rohr
55 PAP maḫ-bi KAS$_4$	... riesig ...,
56 ⌜ne⌝-sag-e$^?$ ḫe$_2$-⌜du$_7$$^?$⌝	für die Erstlingsgabe(n)(?) eine Zierde,
57 ⌜urudu⌝-kin gur$^?$-ra$^?$-bi	...
58 [x] GI SI.A nig$_2$-kal-ga	[...] ...
59 ḫur-sag-LI.SIKIL.SAR	...,
60 DU$_8$(.)NIG$_2$.ŠAR$_2$.ŠAR$_2$-re	damit es (= das Goldgefäß (Z. 52)) in(?) ... **(23)**

61 šul-^{d}suen-ka	für den Jüngling Suen
62 muš nu-tum$_2$-mu-de$_3$	kein Ende habe, **(24)**
63 nam-ti-la-ni-še$_3$	für sein Leben
64 a mu-na-ru	geweiht.
65 lu$_2$ a$_2$-nig$_2$-ḫul-dim$_2$-ma	Den Mann, der den Befehl zu einer Übeltat gegen es (= das Goldgefäß)
66 ib$_2$-ši-ag$_2$-e-a	erteilt,
67 du$_8$-maḫ unu$_2$-gal	(und) es an dem erhabenen Kultsockel, in dem Speisesaal **(25) (26)**
68 u$_3$ ki-ezem-ma-	und an dem 'Ort des Festes'
69 ^{d}nanna-ke$_4$	des Nanna
70 bi$_2$-ib$_2$-TAG$_4$.TAG$_4$-a	beseitigt, **(27)**
71 dingir-gal-gal-an-ki-ke$_4$-ne	mögen die großen Götter von Himmel (und) Erde
72 nam ḫa-ba-an-da-kuru$_5$-ne	verfluchen !

1) Z. 2: **su$_3$-DU-ag$_2$** mit Bezug auf das Mondlicht s. Å. Sjöberg, OrS XIX-XX (1970-71) 163f. (zu 3.).

2) Z. 3: Emendation von **un-<ga$_2$->na** nach Gudea Zyl. A 19:15 **sig$_4$ mu-il$_2$ un-ga$_2$-na mu-DU** "den Ziegel hob er (= Gudea) hoch (und) trat (damit) unter sein Volk." Beachte aber auch A. Falkenstein, ZA 52 (NF 18) (1957) 305 Anm. 3, wo **un-na** umschrieben und mit "unter den Menschen" übersetzt wird.
ba-ra(-g) ist syllabische Schreibung für **bara$_3$(-g)**, s. dazu A. Falkenstein, AnOr 28, 24 und jetzt Å. Sjöberg, PSD B 146ff. s.v. **bara$_3$** (zu dieser Zeile 146, 4.). Beachte auch die anderen syllabischen Schreibungen in diesem Text: **šid--gi$_4$** (Z. 14=43) (für **ši$_x$(=KAxŠID)--gi$_4$**), **ga-lam** (für **galam** in Z. 18), **muš--tum$_2$** (für **muš$_{2/3}$--tum$_2$** in Z. 26=62).

3) Z. 4: Diese Zeile hat eine wörtliche Parallele in Iddindagān 2 (= UET I 293+294): 6 (bei I. Kärki, StOr 49, 5f.), s. dazu schon Å. Sjöberg, MNS I 172.

Zu **dingir pa-e$_3$-a** s. Å. Sjöberg, a.a.O. 178 und ders., OrS XIX-XX (1970-71) 163f. (zu 3.).

4) Z. 11-16 = 40-45: Die Aussage des Temporalsatzes (***u$_4$ ...-a**(= Nominalisierung) + **a** (= temporaler Lokativ)) entspricht der des Datums Ibbīsuen 14 (RlA 2, 146:[102.] (***mu...-a-a**), s. dazu E. Sollberger, RA 64 (1970) 173f. (zu 2.).

5) Z. 11 = 40: Zu Šušin(a)^{ki} = **MUŠ$_2$.EREN^{ki}** s. D.O. Edzard, G. Farber, RGTC 2, 187-191.

6) Z. 12 = 41: Adamdun ist eine Wiedergabe des einheimischen Namens von Elam, dazu D.O. Edzard, G. Farber, RGTC 2, 3-5 s.v. Adamdun.

7) Z. 13 = 42: Zu Awan s. D.O. Edzard, G. Farber, RGTC 2, 20 s.v. Awan.

8) Z. 14 = 43: Zu **šid--gi$_4$** neben **ši$_x$(=KAxŠID)--gi$_4$** "schreien" s. C. Wilcke, LE 150.

9) Z. 16 = 45: Verständnis dieser Zeile nach E. Sollberger, RA 64 (1970) 174, der auch zuerst die Lesung **LU$_2$xKAR$_2$-a** (bisher **LU$_2$-a**, s. dazu E. Sollberger, ibidem) vorgeschlagen hat. Zu **LU$_2$xKAR$_2$** (mit den Lesungsvorschlägen **šaga$_x$**, **še$_x$**, **ḫeš$_x$**) s. C. Wilcke, AfO 24 (1973) 17 zu 5' (mit Verweis auf J. van Dijk, JCS 19 (1965) 16-17 (zu 151.)).

10) Z. 17-29: S. dazu die jüngste Bearbeitung von P. Steinkeller, OA XXIII (1984) 39-41. Die dort gebotenen Kollationsergebnisse von J.A. Black sind in der vorliegenden Umschrift berücksichtigt (ohne zusätzliche Kennzeichnung). Die Übersetzung weicht von der P. Steinkeller's ab.

11) Z. 17: Zu **bur-sakan** vgl. A. Salonen, HAM II 85; 136.
Zur Lesung **ku$_3$-sig$_{17}$(= GI)** "Gold" s. Anm. 64 zu Gudea Statue B.

12) Z. 18-22: Die Rektionsverhältnisse in diesem Nominalsatz (**kin ... u$_6$-di nu-til-le-dam <*...e-d-a-am$_3$)** sind nicht ganz klar: Der vorliegenden Übersetzung (("das/ein ... Werk, das über(?) ... Wisentstier (und) Schlangen mit ... Regenwolken geschmückt ist" (Z. 18-21)) liegt die Auffassung zugrunde, daß **šeg$_3$-gi$_6$-ni$_2$-IL$_2$** Akkusativobjekt zu **še-er-ga-an-du$_{11}$(-g)** "schmücken" ist. Nicht auszuschließen ist jedoch, daß **šeg$_3$-gi$_6$-**

ni$_2$-IL$_2$ mit dem Lokativ bei **gu$_4$-alim-muš-ba** (<* **...-bi-a**) gleichgeordnet ist. Beide Lokative wären dann von **še-er-ga-an-du$_{11}$(-g)** "schmücken" abhängig. Zur Rektion von **še-er-ga/ka-an-du$_{11}$(-g)** mit dem Lokativ der Sachklasse (bzw. dem Dativ der Personenklasse) s. A. Falkenstein, ZA 56 (NF 22) (1964) 93 zu 63; C. Wilcke, LE 138 (zu 17-18) und Å. Sjöberg, TCS 3, 92 zu 205..

13) Z. 18: **ga-lam** ist hier syllabische Schreibung für **galam** (= *naklu*)"kunstvoll",s. dazu A. Falkenstein, AnOr 28, 26 mit Anm. 5 (beachte auch die Reduplikationsform **ga-ga-la-am** bei D.O. Edzard, ZA 61 (1971) 228 mit Anm. 71). Zu den übrigen syllabischen Schreibungen in diesem Text s. o. Anm. 2.
Das Belegmaterial zur gut bezeugten Verbindung **galam-kad$_5$** (Lesung **kad$_5$** hier mit P. Steinkeller, OA XXIII (1984) 39) ist bei Å. Sjöberg, TCS 3, 122 zu 380. gesammelt.

14) Z. 20: Übersetzung mit E. Sollberger, IRSA 157 IIIA5b "de (représentations de) pluies nocturnes effrayantes", anders P. Steinkeller, ibidem "laden with dark rain-clouds (and)fright".

15) Z. 23-25: Die Zeilen 23-24 und Z. 25 umfassen jeweils einen Lokativ: den ersten mit temporaler Nuancierung ("am hohen Fest, ..."), den zweiten mit lokaler ("an ihrem (= der Šakan-Schale) Ort, an dem ... das Haupt gesalbt wird"). Deshalb dürften die Übersetzungen für Z. 25 von E. Sollberger, ibidem ("(qui ne cessera pas) de ... dans son ...") und von P. Steinkeller, ibidem ("(the vase) which, at the 'treasure-box', (does not cease) to anoint (the worshippers') heads (lit: its head-anointing)") wohl kaum zutreffen.

16) Z. 23-24: Zum Baden von Göttern und den damit verbundenen Festen vgl. schon B. Landsberger, LSS VI 1/2, 61; 70 Anm. 4; 94. Zu den sachlichen Hintergründen des Badens von Göttern (/Königen) vgl. J. van Dijk, ZA 55 (NF 21) (1963) 276; Å. Sjöberg, MNS I 80, Z. 20 (wo Suen von Ningal als **lu$_2$-[a]-tu$_5$-a-mu**"meinGebadeter" angesprochen wird); 85 zu 20. und W.Ph. Römer, SKIZ 191 zu 180ff..

17) Z. 25: Die genaue Bedeutung von **DUB.ŠEN** bleibt auch nach den Darlegungen von P. Steinkeller, a.a.O. 40f. unklar; zu **DUB.ŠEN** bei Gudea s.o. Anm. 5 zu Gudea Statue A.

Die Übersetzung "das Haupt salben" für **sag-du$_8$(-ḫ)** folgt P. Steinkeller, a.a.O. 40, der alternativ auch die Lesung **ka$^{!}$-duḫ-ḫu-ba** für die zweite Hälfte dieser Zeile erwägt und diese mit "the well-known (at least since Ur III times) ritual **ka-duḫ**, Akk. *pīt pî*,"the opening of the mouth", which was preformed on statues, both of deities and kings (see, most recently, M. Civil, JNES 26, p. 211)" verbindet.

18) Z. 26 = 62: Die Aussage dieser Zeile(n) ist wohl aufzufassen i.S. von "damit sie (= die Šakan-Schale) nicht leer werde". Zu **muš$_{1-3}$--tum$_2$** "aufhören", "ein Ende haben" (im Unterschied zu **ga$_3$-la dag** "sich entfernen") s. C. Wilcke, LE 130f..

19) Z. 35-36: **gal-zu-bi** wird hier, obwohl nachgestellt, als Adverb aufgefaßt, da **-bi** sonst nicht überzeugend erklärt werden kann. Das grammatikalische Verständnis der Übersetzung von E. Sollberger, a.a.O. 158 IIIA5c "le prince instruit (dans l'art d'exécuter correctement tous les rites)" für **nir-gal$_2$...gal-zu-bi** (Z. 35-36), bei dem offensichtlich **-bi** in **gal-zu-bi** mit **nir-gal$_2$** verbunden und **gal-zu-bi** als Verbalform aufgefaßt wird, ist m.E. noch problematischer als die Nachstellung des Adverbs.

20) Z. 48: Gegenüber der ersten Inschrift, die in Z. 17 "Gold" mit **ku$_3$-sig$_{17}$ (= GI)** wiedergibt (s. dazu oben Anm. 11), bietet die zweite Inschrift zumindest in Z. 48 und Z. 52 die orthographische Variante (= syllabische Schreibung) **ku$_3$-si$_2$ (= ZI)** (zu dieser Schreibung s. M. Civil, JCS 28 (1976) 183f. mit Verweis auf E. Bergmann, ZA 56 (NF 22) (1964) 21f.). Wegen dieser zweimaligen Schreibung wird die Lesung von **KU$_3$.GI(-bi)** in Z. 54 dieses Textes offengelassen.

21) Z. 52: Zu **dug-ubur-imin** "Gefäß mit sieben 'Brüsten'" (bzw. "Zitzen" (= *ṣurṣuppum*, AHW 1115) s. schon J.v. Dijk, SGL II 46 zu 24. mit Verweis auf B. Landsberger, MSL II 100f. und A. Salonen, HAM II 235-237.

22) Z. 53: Verständnis dieser Zeile mit Å. Sjöberg, PSD B 111 s.v. **bar** E 5.. Ob **lal$_3$** "Honig" hier als alkoholverstärkende Substanz angesprochen wird, ist nicht eindeutig zu entscheiden; zu dem "Honig" in dieser Funktion s. etwa A.J. Ferrara, Stud. Pohl, s.m. 2, 123f. zu "Enki's Fahrt nach Nippur" Z. 102 (Zählung nach A. Al-Fouadi, Enki's Journey to Nippur, 75).

23) Z. 60-61: Mit **DU$_8$** ist möglicherweise eine Substanz gemeint, die bei der Biererzeugung eine wichtige Rolle spielt und dann **duḫ** zu lesen wäre; zu **duḫ** in diesem Sinne s. A. Al-Fouadi, a.a.O. 150f. zu 101. ("bran" mit Verweis auf B. Landsberger, OLZ 25 (1922) Sp. 342 mit Anm. 1 ("Kleie")); A.J. Ferrara, ibidem.
Unsicher ist auch die Bedeutung von **NIG$_2$.ŠAR$_2$.ŠAR$_2$-re** in Z. 60. Ist **ŠAR$_2$** hier vielleicht mit **šar$_2$** in der Bedeutung "vermischen" zu verbinden ? Zu dieser Bedeutung vgl. etwa W.Ph. Römer, AOAT 209, 82ff. und M.-L. Thomsen, SL 104 (220-223); 211 (561). Alternativ sollte in Erwägung gezogen werden, ob der Lokativ in Z. 60-61 nicht eine Ortsangabe umfaßt, die wegen ihrer Stellung vor **muš nu-tum$_2$-mu-de$_3$** mit Z. 25-26 dieses Textes zu vergleichen ist. In diesem Falle ist dann wohl wie in Z. 67 dieses Textes die Gleichung **du$_8$** = *di'u(m)* "Kultsockel" (AHw 174 s.v.) in Betracht zu ziehen.

24) Z. 62: **muš nu-tum$_2$-mu-de$_3$** (s. dazu oben Anm. 18) findet sich auch in der ersten Inschrift in Z. 26 unmittelbar vor dem Vermerk über die Anfertigung und Weihung der "Šakan-Schale". Aufgrund dieser Parallele übersetzt E. Sollberger, ibidem "(le prince ...)façonna (et), pour sa vie, lui voua un vase d'or" und stellt unter Anm. b. zu "façonna" fest: "Accidentellement omis par les éditeurs du texte.", wobei er sicher an **mu-na-dim$_2$** - wie in Z. 27 dieses Textes - dachte, ohne jedoch ein genaues Kollationsergebnis vorzulegen.

25) Z. 67-70: Die Übersetzung von E. Sollberger, ibidem "(Celui qui...) violerait le podium, la chapelle et le réfectoire de Nanna" ist von der Sache her nicht möglich. Warum sollte Ibbīsuen auf diesem Goldgefäß (s. Z. 52) jemandem einen Fluch androhen, der **du$_8$-maḫ**, **unu$_2$-gal** und **ki-ezem-ma** beschädigt ? Vielmehr kann sich der Fluch doch nur gegen jeden richten, der dieses Goldgefäß seiner eigentlichen kultischen Bestimmung entzieht.

26) Z. 67: **unu$_2$-gal** ist in der ausführlichen Materialsammlung von A. Falkenstein, OrNS 35 (1965) 239f. wohl unter den Belegen "mit Hinweis auf eine Mahlzeit" (241ff. c.2) nachzutragen. Da **unu$_2$-gal** hier einerseits in Verbindung mit dem geweihten "Goldgefäß mit sieben 'Brüsten'" (= **dug-ubur-imin-ku$_3$-si$_2$**) in Z. 52 zu sehen ist, andererseits im Kontext mit **ki-ezem-ma** "'Ort des Festes'" steht, dürfte für **unu$_2$-gal** am ehesten die Bedeutung "Speisesaal" anzunehmen sein.

27) Z. 67: **TAG$_4$.TAG$_4$** (= *marû*-Form) begegnet i.S. von "beseitigen" wohl schon in Gudea Statue B 8:25, s. dazu oben Anm. 104 dieser Statue (mit Verweis auf M. Powell, ZA 68 (1978) 184ff.).

Ibbīsuen A 11

Text: U. I. (Tontafel; altbabylonische Abschrift): E. Sollberger, UET VIII 37 (Kopie); Herkunft: Ur.

Literatur: E. Sollberger, J.-R. Kupper, IRSA 159 IIIA5d; G. Pettinato, Mesopotamia 7 (1972) 64 Anm. 98; I. Kärki, StOr 58, 149f.: Ibbisuen 12. - Vgl. auch E. Sollberger, UET VIII S. 8f. zu 37.; A. Falkenstein BiOr 23 (1966) 166 zu 37.; P. Steinkeller, ZA 72 (1982) 253f. mit Anm. 60-61.

Vs	1 ^{d}nanna amar-ban$_3$-da-an-na	Nanna, dem ungestümen Jungstier des An,
	2 en dumu-sag-^{d}en-lil$_2$-la$_2$	dem Herrn, dem erst(geboren)en Sohn des Enlil,
	3 lugal-a-ni-ir	seinem Herrn,
	4 ^{d}i-bi$_2$-^{d}suen	hat Ibbīsuen,
	5 dingir-kalam-ma-na	der Gott seines Landes,
	6 lugal-kal-ga	der mächtige König,
	7 lugal-uri$_5$$^{⌜ki⌝}$-ma	der König von Ur,
	8 lugal-an-ub-d[a]-limmu$_2$-ba-ke$_4$	der König der vier Weltgegenden,
	9 ⌜ur-DAR⌝-a-me-luḫ-ḫa^{ki}	(von) seinem '... Hund' aus Meluḫḫa, **(1)(2)**
	10 m[ar-ḫ]a$^{!}$-ši$^{ki!(=DI)}$-[ta]	der ihm [aus] M[arḫ]aši **(3)**
	11 ⌜gu$_2$⌝-un-še$_3$ mu-na-ab-tum$_2$-ma-ni	als Tribut gebracht worden war, **(4)**
Rs	1 ⌜*tam$_2$*⌝-*ši-lum*-bi	dieses Bildnis
	2 ⌜mu⌝-dim$_2$	angefertigt
	3 nam-ti-l[a-n]i-še$_3$	(und) für [se]in Leben

4 a mu-na-[r]u	geweiht.
5 ur-DAR-⸢a⸣-ba	Von diesem '... Hund' ist **(2)**
6 ḫe$_2$-[d]ab$_5$	"Er sei gepackt!"**(5)**
7 mu-b[i-i]m	der Name.

1) Vs 9-Rs 2: Zur Lesung und Übersetzung dieser Zeilen s. zuletzt P. Steinkeller, ZA 72 (1982) 253 Anm. 60 (leicht abweichend; mit Diskussion älterer Literatur). Diese Zeilen haben eine enge Parallele in Šūsuen A 26,1:9'-13', wo von dem Bildnis eines "großenZiegenbockes"(=**maš$_2$-gal**) die Rede ist (vgl. dazu schon E. Sollberger, UET VIII S. 9 zu 37.).

2) Vs 9 und Rs 5: Hatte E. Sollberger, UET VIII S. 8 zu 37. diese Zeilen noch mit **ur-sa$_{11}$-a (...)** "red dog" wiedergegeben, so lautet der Deutungsvorschlag von P. Steinkeller, a.a.O. mit Anm. 60 und 61 nunmehr **ur-gun$_3$-a** "speckled 'dog'", den er durch Ur-III-Belege für "speckled' animals" abzusichern versuchte. Das Zeichen nach **ur** ist jedoch zumindest in Rs 5 (deshalb auch in Vs 9!) eindeutig **DAR** (= REC 34; = RSP 411) und nicht **GUN$_3$** (= REC 48; = RSP 293); so korrekt schon G. Pettinato, Mesopotamia 7 (1972) 64 Anm. 98. Die Verbindung **ur-DAR-a** ist - soweit ich sehe - singulär und bleibt nach wie vor unklar.

3) Vs 10: Ergänzung und Verständnis dieser Zeile mit E. Sollberger, IRSA 159 III5Ad ("de Marḫasi") und P. Steinkeller, a.a.O. Anm. 60 ("[from Marḫ]aši"). Der Umfang des Bruches am Zeilenende reicht nach der Kopie von E. Sollberger allenfalls zu einer Ergänzung **[ta]**, nicht für **ke$_4$** (so der Vorschlag von G. Pettinato, ibidem).

4) Vs 11: Zu den verschiedenen Bedeutungen von **gu$_2$-un** (bzw. **gun$_2$^{un}**), hier mit "Tribut" übersetzt (so auch G. Pettinato, ibidem und E. Sollberger, IRSA 159), s. P. Steinkeller, a.a.O. Anm. 60, der hier die Bedeutung "diplomatic gift" vorzieht, da "**gun$_2$** describes an exotic animal".

5) Rs 6: Vgl. zu dem Namen dieses Bildnisses schon A. Falkenstein, BiOr 23 (1966) 166 ("er hat gepackt"); anders E. Sollberger, IRSA 159 "Qui'il attrappe!", eine Übersetzung, nach der man die Form **ḫe$_2$-dab$_5$-be$_2$** erwarten würde (s. etwa D.O. Edzard, ZA 61 (1971) 213 zu 1.3.).

Ibbīsuen 12

Text: Coll. A. Mazda, Tehran (Platte ("plaque") aus Achat ("agate" (E. Sollberger)), "eyestone" (W.G. Lambert)): W.G. Lambert, Iraq 41 (1979) 44 (Kopie); Herkunft: ?.

Literatur: E. Sollberger, RA 61 (1967) 69-70; W.G. Lambert, Iraq 41 (1979) 44; I. Kärki, StOr 58, 150: Ibbisuen 13.

1 ^{d}ba-ba$_6$	Baba,
2 nin-a-ni-ir	ihrer Herrin,
3 nam-ti-	hat für das Leben
4 ^{d}i-bi$_2$-^{d}suen-ka$^!$-še$_3$$^!$	des Ibbīsuen
5 *'a$_3$*(= E$_2$)*-ma-an-i$_3$-li$_2$*	Amanili,
6 dam-ir$_{11}$-^{d}nanna	die Gemahlin des Irnanna,
7 ensi$_2$-	des Stadtfürsten
8 lagaš^{ki}-ka$^!$-ke$_4$$^!$	von Lagaš,
9 a mu-na-ru	(diesen Gegenstand) geweiht.

Ibbīsuen 13

Text: 12 N 621 (Fragment eines Gefäßes aus geädertem weißem und gelbbraunem Stein): McG. Gibson, OIC 23 (1978) Abb. 9:2 (Photo); S. 26; 121 (Umschrift); Herkunft: Nippur.

1 ^{d}nin-šubur	Ninšubur,
2 dingir-a-ni-ir	seiner (/ihrer) (Schutz)gottheit,
3 nam-ti-	([hat für]) das Leben
4 ^{d}i-bi$_{2}$-^{d}⸢suen⸣	[des] Ibbīsuen,
5 dingir-kal[am-ma-na-ka]	[des] Gottes [seines] Land[es],
(abgebrochen)	(abgebrochen).

Ur 1

Text: *CBS 15611 (= U. 1585) (Fragment einer Steintafel): C.J. Gadd,L. Legrain, UET I 82 (Kopie); Herkunft: Ur, Diqdiqqah.

Literatur: C.J. Gadd, L. Legrain, UET I S. 19, Nr. 82; W.W. Hallo, HUCA 33 (1962) 41: Anonymous 1; I. Kärki, StOr 58, 150: Anonym 1.

1' ⌈lugal⌉-[uri$_{2/5}$]^{ki}-m[a]	([....(= PN)],) der König [von Ur],
2' lugal-ki-en-gi-ki-uri-k[e$_4$]	der König von Sumer (und) Akkad,
3' e$_2$-gal-ki-ag$_2$-*g[a$_2$]-*n[i]	hat ihm/ihr (= GN)) seinen/ihren geliebten Palast
4' mu-na-[du$_3$]	geb[aut].

Ur 2

Text: *CBS 16211 (= U. 6156) (Fragment eines Gefäßes aus Kalkstein): C.J. Gadd, L. Legrain, UET I 66 (Kopie); Herkunft: Ur, "loose in Eḫursag".

Literatur: Vgl. C.J. Gadd, L. Legrain, UET I S. XII; 14, Nr. 66.

1' [bur(?)]-⌈ba e$_2$⌉-a ⌈ma-an-[.... mu-bi (- im(?))] **(1)**	Von diesem [(Stein)-gefäß] [(ist:)(?)] "Im Tempel hat er/sie (= GN) mir (= dem Stifter) [....]." [der Name].

1) Z. 1': Vor dem hier teilweise erhaltenen Namen des Steingefäßes erwartet man die abschließende Weihformel **[a mu-na-ru]** "[er/sie (= der/die Stifter(in)) hat ihm/ihr (= GN) (diesen Gegenstand) geweiht]". – Da zwischen **ba** in **[bur(?)]-⌈ba⌉** und **⌈e$_2$⌉-a** nicht der übliche Zeilentrenner zu erkennen ist, besteht die Vermutung, daß diese Inschrift ohne eine markierte Zeilenaufteilung geschrieben ist.

Ur 3

Text: U. 6956 (Gefäßfragment aus Porphyr): C.J. Gadd, L. Legrain, UET I 19 (Kopie); Herkunft: Ur.

Literatur: C.J. Gadd,L. Legrain, UET I S. 5, Nr. 19; W.W. Hallo, HUCA 33 (1962) 41: Anonymous 5; I. Kärki, StOr 58, 152: Anonym 5.

1' [lugal-ki-en-g]i-[ki]-uri-ke$_4$	([....(= PN), ...],) [der König von Sum]er (und) [Ak]kad,
2' [nam]-ti-la-ni-še$_3$	hat für sein [Leb]en
3' [a] mu-na-ru	ihm/ihr (= GN) (diesen Gegenstand) [ge]weiht.
4' lu$_2$ mu-sar-ra-ba	Den Mann, der diese Inschrift
5' ⌜šu bi$_2$⌝-ib$_2$-⌜uru$_{12}$-a⌝	abreibt,
(abgebrochen)	(abgebrochen).

Ur 4

Text: *BM 118556 = 1927-5-27,29 (= U. 6380) (Fragment einer Schale aus Diorit): C.J. Gadd, L. Legrain, UET I 68 (Kopie); Herkunft: Ur, Giparku.

Literatur: C.J. Gadd, L. Legrain, UET I S. 15, Nr. 68; vgl. W.W. Hallo, HUCA 33 (1962) 41: Anonymous 6; I. Kärki, StOr 58, 152f.: Anonym 6.

1' lugal-kal-ga **(a)**	([Für ....(= PN)],) den mächtigen König, **(1)**
2' lugal-uri$_5$ki-ma$^!$	den König von Ur,
3' lugal-inim-gi-na	hat Lugalinimgina,
4' dumu-ur **(b)** -^{d}*utu$^!$	der Sohn des Urutu,
5' ir$_{11}$-da-ne$_2$	sein Diener,
6' a mu-na-ru	(diesen Gegenstand) geweiht.

a) Z. 1'-3': Das Zeichen LUGAL ist in diesen Zeilen auf dem Kopf stehend geschrieben.

b) Z. 4: Das Zeichen UR ist wie LUGAL in Z. 1'-3' auf dem Kopf stehend gechrieben.

1) Z. 1'ff.: Das hier vorliegende, unvollständig geschriebene Formular der Inschrift hat eine enge Parallele in Šūsuen 3. Darüberhinaus ist auch das Formular der Inschriften Šūsuen 10-13 heranzuziehen; danach erwartet man am Ende von Z. 2' die Realisierung des Dativs, auf den in dem Infix **-na-** in **a mu-na-ru** in Z. 6' Bezug genommen ist.

Ur 5

Text: *BM 116429 = 1923-11-10,14 (= U. 247 + 250) (großer Keulenkopf aus Alabaster; Höhe: 16,4 cm; Umfang des Bauches an der dicksten Stelle: 58 cm): C.J. Gadd, L. Legrain, UET I 83 (Kopie); Herkunft: Ur.

Literatur: C.J. Gadd, L.Legrain, UET I S. 19, Nr. 83; W.W. Hallo, HUCA 33 (1962) 41: Anonymous 10; I. Kärki. StOr 58, 154f.: Anonym 10.

1 ^{d}nanna	Nanna,
2 dumu-sag-	dem erst(geboren)en Sohn
3 $^{[d]}$[e]n-lil$_{2}$-la$_{2}$	des Enlil,
4 [....]⌈x⌉	[....]...
(abgebrochen)	(abgebrochen)
1' [lugal]-uri$_{5}^{ki}$-ma-ke$_{4}$	hat ([....(= PN), ...],) [der König] von Ur,
2' e$_{2}$-kiš-nu-gal$_{2}$-še$_{3}$	für das Ekišnugal
3' a mu-na-ru	(diesen Gegenstand) geweiht.

Ur 6

Text: *BM 118555 = 1927-5-27,28 (= U. 6726) (Schale aus schwarzem Stein): C.J. Gadd, L. Legrain, UET I 64 (Kopie); Herkunft: Ur.

Literatur: C.J. Gadd, L. Legrain, UET I S. 14, Nr. 64; W.W. Hallo, HUCA 33 (1962) 42: Family 4; I. Kärki, StOr 58, 65: Šulgi 63.

1 en-maḫ-gal-an-na	Enmaḫgalanna, **(1)**
2 en-^{d}nanna	die En(-Priesterin) des Nanna.

Darunter, außerhalb der Zeilenumrandung: (Mondsichel) **EN**.

1) Z. 1-2: Zu Enmaḫgalanna, der Tochter des Šulgi und Schwester des Amarsuen s. ausführlich E. Sollberger, AfO 17 (1954) 24.

Ur 7

Text: U. 2756 (Fragment eines Kalksteingefäßes): C.J. Gadd, L. Legrain, UET I 18 (Kopie); Herkunft: Ur.

Literatur: C.J. Gadd, L. Legrain, UET I S. 5, Nr. 18; vgl. E.Sollberger, Iraq 22 (1960) 89.

1' [....]-⌈x⌉-a	[(Diesen Gegenstand,)] den ....
2' [ens]i$_{2}$-AŠ	(bisher) ein [Stadtfü]rst
3' [nu-na]-AK-a	[ihm/ihr (= GN) nicht] gemacht hatte,
4' [nam-ti-l]a-ni-še$_{3}$	hat er ihm/ihr (= GN) für sein (= des Herrschers(?)) [Lebe]n
5' [a mu-n]a-ru	[gewe]iht.

Ur 8

Text: U. 6735 (Steingegenstand): C.J. Gadd, L. Legrain, UET I 43 (Kopie); Herkunft: Ur.

Literatur: C.J. Gadd, L. Legrain, UET I S. 9, Nr. 43.

1 ^{d}ni[n-...]	([Der/dem]) Ni[n-....](= GN),
2 ⸢x x⸣ [....]	...[....],
(abgebrochen)	(abgebrochen)
1' u_3 a-ab-ba	hat ([....(= PN), der ....]) und des Meeres,
2' ir_{11}-da-a-ne_2	sein (= des Königs) Diener,
3' a mu-na-r[u]	(diesen Gegenstand) geweiht.

Ur 9

Text: *BM 116438 = 1923-11-10,23 (= U. 255) (Fragment eines Kalksteingefäßes): E. Sollberger, UET VIII 39 (Kopie); Herkunft: Ur, Raum 16-17 des Enunmaḫ.

Literatur: E. Sollberger, UET VIII S. 9 zu 39.; I. Kärki, StOr 58, 155: Anonym 15.

1' [lugal-ur]i_5^{ki} ma	Für ([das Leben des ....(= PN)(, ...)],) [des Königs von U]r,
2' [lu]gal-ki-en-[gi]-ki-uri-ka-$še_3$	des [Kö]nigs von Sumer (und) Akkad,
3' [^{d}nan]na-ku_3-zu	hat [Nan]nakuzu,
4' [nu-$banda_3$-e]n-nu-ke_4	der [Hauptmann] der Wache, **(1)**
5' [a mu]-na-ru	(diesen Gegenstand) [gew]eiht.

1) Z. 3'-4': Ergänzung mit E. Sollberger, ibidem, wo auf UET III 1658 (Siegel) verwiesen ist.

Ur 10

Text: IM 92935 (= U. 10640) (Fragment einer Steatittafel; Vs: flach; Rs: gewölbt): E. Sollberger, UET VIII 40 (Kopie); Herkunft: Ur, Hof der Ziqqurrat.

Literatur: E. Sollberger, UET VIII S. 9 zu 40.; I. Kärki, StOr 58, 155f.: Anonym 16.

Vs	1' [....]	[....],
	2' lugal-ki-en-gi-ki-uri-ke$_4$	der König von Sumer (und) Akkad,
Rs	1 e$_2$-a-ni	hat ihm/ihr (= GN) seinen/ihren Tempel
	2 ⸢mu-na-du$_3$⸣	gebaut.
	(abgebrochen)	(abgebrochen).

Ur 11

Text: *IM 3567 (=U. 7709) (Fragment eines Keulenkopfes aus Chalzedon-Stein): C.J. Gadd, L. Legrain, UET I 280; Herkunft: Ur.

Literatur: Vgl. C.J. Gadd, L. Legrain, UET I S. 84, Nr. 280.

1' [mu-ni] bi$_2$-[i]b$_2$-sar-a	([Den Mann], der ....],) der [seinen (eigenen) Namen] darauf schreibt **(1)**
2' [x]-ba	[...]..., **(2)**
3' [^{d}mes]-lam-ta-⸢e$_3$⸣(=[UD].DU)<-a>	([möge]) Meslamta'e<a>,
4' [x]-mu	mein [...], **(3)**

5' [....]-⌈x⌉ **(4)** [....]...!

(Ende der Kol.) (Ende der Inschrift(?)).

1) Z. 1'ff.: Ein dieser Inschrift vergleichbarer Aufbau liegt auch vor in den Fluchformeln von Šulgi 65:7-14 und Ur 19:1'ff..

2) Z. 2': Wie schon für Ur 19:3' kann auch in dieser Zeile eine Ergänzung vermutet werden, in der die Bezeichnung dieses Inschriftträgers nachgestellt ist (s. dazu Anm. 2 zu Ur 19). Da sich diese Inschrift auf einem Keulenkopf befindet, wäre als Ergänzung am ehesten **šita$_2$**(= REC 318) denkbar, das als Bezeichnung eines Keulenkopfes etwa in Gudea 44,3:3 und Nammaḫni 4:11 begegnet.

3) Z. 3'-4': Nach Šulgi 37:1-2 und Ibbīsuen 4:1-2 darf in Z. 4' **[dingir]-mu** "mein [(Schutz)gott]" als Bezeichnung des Meslamta'e'a erwartet werden, nach Gudea 28 = Šulgi 38:1-2 dagegen **[lugal]-mu** "mein [Herr]"; s. dazu schon Anm. 1 zu Gudea Statue X.

4) Z. 5': Das letzte Zeichen dieser Zeile, dessen Anfang weggebrochen ist, kenne ich nicht. Dieses Zeichen, das offensichtlich eine Einschreibung (etwa **GA$_2$ x X** ?) enthält, ist ungewöhnlich, da es über die gesamte Höhe dieser Doppelzeile geschrieben ist. Eine derartige Schreibweise ist bislang in diesen Texten nicht nachzuweisen.

Ur 12

Text: *IM 92934 (= U. 11630) (Fragment einer Tafel aus dunklem Steatit): E. Sollberger, UET VIII 43 (Kopie); Herkunft: Ur, Gebiet des Königsfriedhofs.

Literatur: E. Sollberger, UET VIII S. 9 zu 43.; I. Kärki, StOr 58, 157: Anonym 19.

1' [lugal-uri$_{2/5}$^{ki}-m]a	([....(= PN), ...],) [der König] von [Ur], **(1)**
2' [lugal-a]n-ub-[da-l]immu$_2$-ba	[der König] der vier [We]ltgegen[den],
3' [x(?) e$_2$]-^{d}ul-[ma-ši-tu]m-⸢ma⸣	[....(?) den Tempel] der Ul[mašitu]m **(2)**
(abgebrochen)	(abgebrochen).

1) Z. 1'ff.: Aufgrund des Inschriftträgers (= Steintafel) ist davon auszugehen, daß hier eine Bauinschrift vorliegt.

2) Z. 3'.: Die Ergänzung wird mit Vorbehalt geäußert. Da Ulmašitum in den Opferurkunden der Ur-III-Zeit häufig im Kontext mit Annunitum begegnet (s. etwa N. Schneider, AnOr 19, 86 zu 625.), ist diese Inschrift am ehesten mit Šūsuen 6 zu vergleichen.

Ur 13

Text: BM 118557 = 1927-5-27,30 (= U. n) (Fragment eines Gefäßes aus Kalkstein; Inschrift seitenverkehrt): E. Sollberger, UET VIII 46 (Kopie); Herkunft: Ur.

Literatur: Vgl. E. Sollberger, UET VIII S. 10 zu 46..

1' [....](?) ⸢x⸣ [....] na [....]	Hat ([....(= PN)],) [....]...[....]...[....]
2' a mu-na-r[u]	(diesen Gegenstand) ihm/ihr (= GN) geweiht.

Ur 14

Text: IM 92937 (= U. 10614) (Dioritfragment): E. Sollberger, UET VIII 47 (Kopie); Herkunft: Ur, Hof der Ziqqurrat.

Literatur: Vgl. E. Sollberger, UET VIII S. 10 zu 47..

1 ^{d}[....]	[....(= GN)],
2 lu[gal-....]	[....](?) Herrn [....],
(abgebrochen)	(abgebrochen).

Ur 15

Text: IM 92932 (= U. 289) (Fragment eines Steatitgefäßes): E. Sollberger, UET VIII 48 (Kopie); Herkunft: Ur, Enunmaḫ.

Literatur: Vgl. E. Sollberger, UET VIII S. 10 zu 48..

1' [....] ⸢x⸣	[Hat ....]...
2' [a mu-na]-ru	[(diesen Gegenstand) ihm/ihr (= GN) gew]eiht.

Ur 16

Text: *BM 116440 = 1923-11-10,25 (= U. 881) (Fragment eines Kalksteingefäßes): E. Sollberger, UET VIII 50 (Kopie); Herkunft: Ur. Bereich des Enunmaḫ.

Literatur: E. Sollberger, UET VIII S. 10 zu 50.; I. Kärki, StOr 58, 157: Anonym 20.

1' [....] ⸢x⸣ [x]	[....]...[....]
2' [lugal(?)-u]ri$_5^{ki}$-ma	[König(?)] von Ur.
(Ende der Kol.)	(Ende der Inschrift(?)).

Ur 17

Text: *IM 92933 (= U. 988) (Steinfragment): E. Sollberger, UET VIII 51 (Kopie); ; Herkunft: Ur.

Literatur: Vgl. E. Sollberger, UET VIII S. 10 zu 51..

1' [....]^{d}⸢*ašnan$^{?}$⸣-[x(?)]

2' [....] [*ni]r$^{?}$-ni-⸢x⸣

3' [....] ⸢x⸣ AB ⸢x⸣ [x(?)]

(abgebrochen).

Ur 18

Text: BM 116444 = 1923-11-10,29 (= U. 274) (Fragment eines Magnesitgefäßes): E. Sollberger, UET VIII 52 (Kopie); Herkunft: Ur, Enunmaḫ.

Literatur: Vgl. E. Sollberger, UET VIII S. 10 zu 52..

1' [....](?) ⸢DUMU$^{?}$⸣ [....]	([Hat]) [....]...[....](= PN),
2' ens[i$_2$]-	der Stadtfür[st]
3' adab$^{⸢ki⸣}$	(von) Adab, **(1)**
4' a mu-na-ru	(diesen Gegenstand) ihm/ihr (= GN) geweiht.

1) Z. 3': Beachte die fehlende Realisierung des Agentivs am Ende dieser Zeile.

Ur 19

Text: IM 16700 (= U. 18224) (Fragment eines schwarz-weißen Marmorgefäßes): E. Sollberger, UET VIII 106 (Kopie); Herkunft: Ur, Terrasse der Ziqqurrat.

Literatur: Vgl. E. Sollberger, UET VIII S. 23 zu 106..

1' [mu-ni]	([Den Mann], der ....,) der [seinen (eigenen) Namen] **(1)**
2' [bi$_2$-i]b$_2$-sar-a	(darauf) (= auf diesen Gegenstand) schreibt,
3' [x]-ba	[...]... **(2)**
4' $^{[d]}$nanna	Nanna,
5' [luga]l$^?$-mu	mein [Her]r,
6' [x]-mu	(und) meine [...], **(3)**
7' $^{⌜d⌝}$nin-gal-e	Ningal,
(abgebrochen)	(abgebrochen).

1) Z.1'ff: Zu einer Fluchformel mit einem vergleichbaren formalen Aufbau vgl. etwa Šulgi 65:7-14.

2) Z. 3': Wegen der Umstellung in Z. 6'-7' (gegenüber Z. 4'-5') sollte durchaus in Erwägung gezogen werden, ob nicht im Bruch am Anfang von Z. 3' die Bezeichnung des vorliegenden Gegenstandes (etwa **[bur]-ba** "auf dieses [Steingefäß]") zu ergänzen ist, auch wenn eine derartige Nachstellung in diesen Texten bislang nicht zu belegen ist. Die Übersetzung von Z. 1'-3' würden dann lauten "([den Mann], der ....,) [seinen (eigenen) Namen] schreibt auf dieses [Steingefäß]".

3) Z. 6'-7': Zu dieser Umstellung und einer denkbaren Ergänzung von Z. 6' vgl. **nin-mu / ^{d}nin-lil$_2$-ke$_4$** am Ende der Fluchformel von Šulgi 46(:14-15).

Ur 20

Text: VA 15450 (= W. 16956) (Fragment einer Tafel aus Steatit): J. Marzahn, AoF 14/1 (1987) 40 zu 19. (Kopie); Herkunft: Uruk.

Literatur: J. Marzahn, a.a.O. 39f. zu 19..

Vs	1' ⌜nita⌝-k[al-ga]	([....(= GN), ...,]) [hat] ([....(= PN]), der st[arke] Mann, **(1)**
	2' lugal-u[ri$_{2/5}$]^{ki}-m[a]	der König [von] Ur,
Rs	1 lugal-k[i-en]-gi-ki-u[ri-ke$_4$]	der König [von] S[um]er (und) Akk[ad],
	2 e$_2$-a-[ni]	[seinen/ihren (= GN)] Tempel
	3 [mu-na-du$_3$]	[gebaut].
	(abgebrochen)	(abgebrochen).

1) Vs 1'-Rs 1. Die hier belegte Abfolge von Epitheton und Titeln ist bislang nur für Urnammu und Šulgi nachzuweisen (s. H. Behrens, FAOS 10, s.v. **lugal** C)4.e)9'); deshalb wird dieser Text auch unter "Ur" eingeordnet, obwohl er eine Uruk-Warka-Nummer trägt. Eine weitere Eingrenzung, die etwa auch den Träger der Inschrift (= Steatit-Tafel) berücksichtigt, ist nicht möglich.

Ur 21

Text: *BM 90903 (= BM 12031) = 82-7-14,1016 (drei Fragmente einer Vase aus Kalkstein): L.W. King, CT 7,3: 12031 (Kopie); Herkunft: Sippar.

Literatur: I. Kärki, StOr 58, 63f.: Šulgi 59. - Vgl. R. Borger, HKL I 224; C.B.F. Walker, bei L. de Meyer, Tell ed-Der 3: Sounding at Abu Habbah, Leuven 1980, 98 zu 26.

1' [lugal-ur]i$_{2/5}$$^{?}$ $^{⌈ki⌉}$-[ma] **(1)**	([Dem] Utu(?), ...],) hat ([.... (= PN), ...],) [der König von] Ur, **(1) (2)**
2' [lugal-an]-ub-d[a-limmu$_2$-b]a$^{!}$-ke$_4$	der [König] der [vier] [Welt]gegenden,
3' [nam-ti]-la-ni-še$_3$	für sein [Leb]en
4' [a mu-n]a-ru	[(diesen Gegenstand) ge]weiht.
5' [lu$_2$ mu-sa]r-ra-na	[Der Mann,] der seine (= des Königs) [Inschr]ift **(3)**
6' [šu bi$_2$-i]n-uru$_{12}$	[ab]reibt
7' [mu-ni b]i$_2$-ib$_2$-[sa]r-e-a	(und) [seinen (eigenen) Namen da]rauf [schrei]bt, -
8' $^{⌈d⌉}$utu	Utu, **(4)**
9' [lugal(?)]-⌈zimbir⌉$^{⌈ki⌉}$-ra-ke$_4$	[der Herr(?)] von Sippar,
10' [numun]-a-ni	möge seinen [Samen]
11' [ḫe$_2$]-eb$_2$-til-e	zu Ende gehen lassen !

1) Z. 1': Die Ergänzung dieser Zeile und die Lesung von **uri$_{2/5}$** bleibt nach den geringen Zeichenspuren unsicher.

2) Z. 1'-4': Ergänzung dieser Zeilen nach Šulgi 43,1:5-2:3. Da in der Fluchformel (Z. 5'ff.) Utu als einzige Gottheit genannt ist, ist davon auszugehen, daß diese Inschrift auch an diesen Gott adressiert war; zu einem vergleichbaren Sachverhalt s. etwa Amarsuen 12.

3) Z. 5'-11': Die hier vorliegende Fluchformel hat im ersten Teil eine fast wörtliche Parallele in Šulgi 65:7-9 **lu$_2$ mu-sar-ra-ba / šu bi$_2$-ib$_2$-uru$_{12}$-a / mu-ni bi$_2$-ib$_2$-sar-a**,

auf der anderen Seite ist sie jedoch auch eng mit Amarsuen 12:40-41 (**lu_2 mu-sar-ra-ba / šu bi_2-ib_2-ur_3-re-a**) und Amarsuen 12:47-49 (**numun-na-ni / [d]nanna / ḫe_2-eb-til-le** ("seinen Samen möge Nanna zu Ende gehen lassen!") zu verbinden.
Da einerseits über den Titel **lugal-an-ub-da-$limmu_{2/5}$-ba** "König der vier Weltgegenden" in diesen Texten eine Eingrenzung auf einen Ur-III-Herrscher möglich ist, und andererseits die Aussage **numun-na-ni ... ḫe_2-eb-til-le** "seinen Samen möge (Nanna) zu Ende gehen lassen!" in den Bau- und Weihinschriften der Ur-III-Zeit nur bei Amarsuen begegnet (s. H. Behrens, FAOS 10, s.v. **numun**), erscheint eine Zuordnung dieser Inschrift zu Amarsuen zwar wahrscheinlich, aber angesichts der Orthographie von **ḫe_2-eb_2-til-e** (gegenüber **ḫe_2-eb-til-le** in Amarsuen 12:49; beachte auch **[b]i_2-ib_2-[sa]r-e-a**) und wegen des in diesen Texten sonst nur noch in Utuḫegal 7:5 nachweisbaren **mu-sar-ra-na** (gegenüber geläufigem **mu-sar-ra-ba**, s. dazu H. Behrens, FAOS 10, s.v. **mu-sar-ra**) nicht sicher.

4) Z. 8'-9': Die Ergänzung des Utu-Epithetons **lugal-zimbir[ki]-ra-ke_4** folgt der aB Hymne auf das Ebabbar von Sippar bei Å. Sjöberg, TCS 3, 46 zu Z. 491 (Text Q Rs 2:10 **[d]⌈utu⌉ lugal-UD.KIB.NUN[ki]-[x]**) und zu Z. 492 (Text A bietet für Z. 491 **[[d]ut]u lugal-UD.KIB.NUN.NA-babbar-ra-ke_4**) und S. 141 zu 492..

Ur 22

Text: *BM 118554 = 1927-5-27,27 (= U. 6294) (Fragment einer grauen Steinschale): E. Sollberger, UET VIII 45 (Kopie); Herkunft: Ur, Giparku.

Literatur: Vgl. E. Sollberger, UET VIII S. 9f. zu 45..

1 [.... D]IM_2 **(1)**

2 [....] ⌈*x⌉ **(2)**

3 [....]-*an-na

1) Z. 1-3: Diese 3-zeilige Inschrift, die sich oberhalb des Wulstes der Standfläche befindet, enthält sehr wahrscheinlich einen Vermerk über den Stifter dieser Steinschale nach dem Formular PN, BN, Filiation; möglich erscheint auch ein Formular, das die Gottheit nennt (Z. 1), an die diese Schale gerichtet war, und den Stifter mit Berufsbezeichnung erwähnt (Z. 2-3). Eine Weihinschrift im strengen Sinne liegt hier offensichtlich nicht vor.

2) Z. 2-3: Der senkrechte Keil im Zeichen am linken Rand von Z. 2 ist heute auf dem Original genausowenig zu erkennen wie der senkrechte durchbrochene Keil am Bruchrand von Z. 3. Nach der Kopie bei E. Sollberger ist Z. 3 mit **[....]-⌜x⌝-an-na** wiederzugeben.

Ur 23

Text: *CBS 14945 (= U. 288) (Fragment eines Gefäßes aus Alabaster): unpubl., vgl. L. Woolley, UE VI S. 51; Herkunft: Ur, Enunmaḫ, Raum 11.

1 [d]nanna	Nanna,
2 [luga]l-a-ni	sein(em)/ihr(em) [Herr]n,
3 [nam]-t[i]-	([hat für]) [das Leb]e[n]
4 [....]	[des/der .... (=PN)],
(abgebrochen)	(abgebrochen).

Ur 24

Text: *CBS 14946 (= U. 287) (Fragment eines Gefäßes aus Alabaster): unpubl., vgl. L. Woolley, UE VI S. 51; Herkunft: Ur, Enunmaḫ, Raum 11.

1 ^{d}nin-ku$_3$-nun-na	Ninkununna, **(1)**
2 nin-a-ni-ir	seiner/ihrer Herrin,
3 na[m-ti]-	([hat für]) das Le[ben]
4 [....]	[des/der ... (= PN],
(abgebrochen)	(abgebrochen).

1) Z. 1ff: **^{d}nin-ku$_3$-nun-na** begegnet in diesen Texten als GN nur noch in Urbaba 8,3:1(-3), ist aber auch in Urbaba 1,4:8(-10) als Inanna-Epitheton (ohne Gottesterminativ) belegt. Nach der Aussage dieser Texte hat Urbaba ihr "ihren Tempel von URUx-KAR$_2$ gebaut". Da die beiden genannten Texte aus Girsu stammen, dieser Text jedoch aus Ur kommt, wird von einer Zuordnung dieses Textes zu Urbaba abgesehen.

Ur 25

Text: NBC 2521 (Fragment eines Steingefäßes): J.B. Nies, C.E. Keiser, BIN II 6 (Kopie); Herkunft: ?.

Literatur: I. Kärki, StOr 58, 151f.: Anonym 4.

1'	1' [....]	Für ([das Leben]) [des ....(= PN)], **(1)**
	2' [x-kal]-ga	des [mächti]gen ...],
	3' [lugal-u]ri$_5$^{ki}-[m]a-ka-še$_3$	des [Königs] von Ur, **(2)**
	4' [x-ag]a$_3$$^{?}$-zi	([hat]) [...-ag]azi,
2'	1 [....-SA]R$^{?}$	[der .... (= BN(?)],
	(abgebrochen)	(abgebrochen).

1) Kol. 1':1'-3': Für Amarsuen ist die Abfolge **lugal-kal-ga lugal-uri$_5$^{ki}-ma** "der mächtige König, der König von Ur" nachzuweisen, für Urnammu und Šulgi dagegen die

Folge **nita-kal-ga lugal-uri$_5$^{ki}-ma** "der starke Mann, der König von Ur"; s. dazu die Belegsammlung bei H. Behrens, FAOS 10 s.v. **lugal** II C 4.e)4'. Eine weitere Eingrenzung ist für diesen Text wegen seines fragmentarischen Zustandes nicht möglich. Deshalb wird dieser Text unter "Ur" eingeordnet, obwohl seine Herkunft unsicher ist.

2) Kol. 1':3'ff.: Wegen der Schreibung des Terminativs (**-še$_3$**) in Kol. 1':3' ist dieser Text nicht zu den satzlosen Inschriften zu rechnen. Aus diesem Grunde kann auch Kol. 1':4' mit dem Namen des Spenders dieses Gefäßes nicht das Ende der Inschrift bilden. Die Inschrift dürfte daher in Kol. 2':1 ihre Fortsetzung gefunden haben (vielleicht mit einem BN). Kol. 2':1 kann daher nicht, wie man auch hätte vermuten können, den Anfang der Inschrift markieren.

Ur 26

Text: Coll. Golénišev Nr. 5150 (Tafel aus schwarzem Basalt): V.K. Šilejko, ZVO 25 (1921) 143 (Umschrift); Herkunft: ?.

Literatur: I. Kärki, StOr 58, 64: Šulgi 60.

1' [lugal-uri$_{2/5}$]$^{[k]i}$-ma	([Dem/der ...(= GN) (, ...,)]) hat für ([das Leben des .... (= PN) (, ...,)]) [des Königs] von [Ur], **(1)**
2' lugal-ki-en-gi-ki-uri-ka-še$_3$	des Königs von Sumer (und) Akkad,
3' ur-mes	Urmes,
4' dumu-i-lam-{lam-mu-}ma	der Sohn des Ilamma, **(2)**
5' a mu-na-ru	geweiht.

1) Z. 1'ff: Diese Inschrift wird, obwohl die genaue Herkunft nicht bekannt ist, wegen der Titulatur (Z.1'-2') unter "Ur" eingeordnet. Die Abfolge der Titel legt eine Zuschreibung dieser Tafel zu Urnammu oder Šulgi nahe (s. Zusammenstellung bei H. Behrens, FAOS 10 s.v. **lugal** II C) 4.9'); eine weitere Eingrenzung - etwa über das Textformular, das auch bei diesen beiden Herrschern nachzuweisen ist - ist nicht möglich. Die Eingrenzung auf Šulgi, die V.K. Šilejko, ibidem aufgrund der Titulatur versucht hat, ist auf der Basis des heutigen Textmaterials nicht zu halten.

2) Z. 4': Zum gut bezeugten PN **i-lam-ma** s. etwa H. Limet, Anthroponymie, 434.

Ur 27

Text: BM 116432 (= U. 232) (Gefäß aus Kalkstein): C.J.Gadd, L. Legrain, UET I 7 (Kopie); Herkunft: Ur.

Literatur: C.J. Gadd, L. Legrain, UET I S. 3, Nr. 7; vgl. E. Sollberger, Iraq 22 (1960) 89 ("Ur III, if not later").

1' [....(?)] ba-ba	[....] ...,
2' nam-ti-	hat für das Leben
3' da-da-⸢še$_3$⸣	von Dada
4' nin-an-na-sag-⸢e$^?$⸣	Ninannasag
5' a mu-na-ru	(diesen Gegenstand) ihm/ihr (= GN) geweiht.

Ur 28

Text: U. 6702 (= IM Nr. ?) (Fragment einer Schale aus Obsidian): C.J. Gadd, L. Legrain, UET I 15 (Kopie); Herkunft: Giparku, "near the sanctuary".

Literatur: C.J. Gadd, L. Legrain, UET I S. 4, Nr. 15; E. Sollberger, Iraq 22 (1960) 89 zu (f); M. Civil, bei: J.S. Cooper, W. Heimpel, JAOS 103 (1983) 79 zu 6..

1' numun-na-[ni]	Se[inen] (= des Übeltäters gegenüber dieser Schale) Samen **(1)**
2' ḫe$_2$-eb$_2$-[til]-l[e]	möge [er/sie (= GN)] [zu Ende gehen lass]en !
3' tukum-b[i]	Wenn er sie (= die Schale) **(2)**
4' gu$_2$-ne-sa[g-ga$_2$]	- hat er sie des ...
5' u$_4$-ub-ta-[e$_3$]	[beraubt] -
6' e$_2$-nig$_2$-ga[-ra]	[ins] Schatzhaus
7' ⌜ib$_2$⌝-k[u$_4$-...] **(3)**	bri[ngt] (wörtlich: gebr[acht] hat),
(abgebrochen)	(abgebrochen).

1) Z. 1'-2': Vgl. dazu Amarsuen 12:47-49 **numun-na-ni / ^{d}nanna / ḫe$_2$-eb-til-le** "Seinen Samen möge Nanna zu Ende gehen lassen !". Die Orthographie **numun-na-ni** begegnet auch in Amarsuen 3,2:10 und Gudea Statue S 3':6 (gegenüber **numun-a-ni** in den Gudea-Statuen C 4:16; K 3':20). Die Frage, ob dieser orthographischen Übereinstimmung ein Hinweis auf Amarsuen oder Gudea als Spender dieses Gefäßes zu entnehmen ist, wird hier offengelassen.

2) Z.3'ff: M. Civil hat Z. 3'ff. in seinem Beitrag zu **^{giš}gu$_2$-ne-sag-ga$_2$** bei: J.S. Cooper, W. Heimpel, JAOS 103 (1983) 79 zu 6. wie folgt wiedergegeben:
tukum-b[i] gu$_2$-ne-sag-[ga$_2$-ta] ib$_2^{!}$-ta-[an-zi-zi] e$_2$-nig$_2$-ga-[ra-(ni) i$_3$-ib$_2$-ku$_4$...] "if he takes (this cup on which the text is inscribed) out of the g. and takes it into (his) storehouse".
Wenn man davon ausgeht, daß die Spuren am rechten Ende der unteren Hälfte von Z. 2' den Anfang des letzten Zeichens dieser Zeile (= **l[e]**) markieren, dürften die Ergänzungen von M. Civil nach den knappen Raumverhältnissen zumindest in Z. 4'-6' nicht möglich sein. Darüberhinaus ist **zi(-g) / zi-zi** mit dem Ablativ-Infix (**-ta-**) in diesen Texten bislang nicht zu belegen. Die hier in Z. 5' vorgenommene Ergänzung **[e$_3$]** i.S. von "etwas (aus etwas) entfernen/berauben" ist dagegen sowohl nach den Raumverhältnissen als auch phraseologisch möglich; vgl. dazu etwa die Belege bei H. Behrens FAOS 10 s.v. **e$_3$** 1..
u$_4$-ub-ta-... in Z. 5' wird hier nicht mit M. Civil, ibidem zu **ib$_2^{!}$-ta-...** emendiert, sondern

als (graphische) Variante für **u_3-ub-ta-...** aufgefaßt. Die Zeilen 4'-5' sind deshalb zwar als eingeschobener Satz Bestandteil des Konditionalsatzes (Z. 3'ff.), die Verbalform **u_4-ub-ta-[e_3]** in Z. 5' bringt aber die Vorzeitigkeit der im eingeschobenen Satz geschilderten Handlung zum Ausdruck ("hat er (die Schale) des g. beraubt" bzw. "das g. entzogen") gegenüber der des Konditionalsatzes ("wenn er (die Schale) - ... - [ins] Schatzhaus gebracht hat").

Unklar bleibt, was **gu_2-ne-sag-ga_2** genau meint (Regens-Rektum-Verbindung; **ne-sag** "Erstlingsgabe/opfer"(?)), doch dürften wohl jene trinkbaren Substanzen, die M. Civil, ibidem mit diesem Begriff verbunden hat, auch für den Kontext von Z. 4'-5' anzunehmen sein.

Wenn diese Annahme zutrifft, bedeutet dies für die inhaltliche Interpretation der Z. 3'-7', daß hier eine weitere Nuancierung eines Vergehens gegen diese Schale zum Ausdruck gebracht wird: Gemeint ist, daß jeder, der die vorliegende Schale im Schatzhaus deponiert, nachdem er ihr zuvor die trinkbaren Substanzen (= Trankopfer ?) entzogen hat, und sie auf diese Weise der Benutzbarkeit im Kult entzieht, unter die Strafe einer bestimmten Gottheit (/Gottheiten) gestellt wird.

3) Z. 7': Lesung der Zeichenspuren am Zeilenanfang nach dem zweiten Zeichen von Z. 2'; für **i_3-ib_2-** (so die Lesung von M. Civil (s.o.)) reicht der Platz wohl kaum.

Ur 29

Text: U. 3231 (Diorit-Fragment): C.J. Gadd, L. Legrain, UET I 65 (Kopie); Herkunft: Ur.

1' [....] SAR

2' [....] ⌈x⌉.SI

3' [....] ⌈x⌉

(abgebrochen).

Ur 30

Text: U. 6339 (Fragment aus schwarzem Stein, spiegelbildlich geschrieben): C.J. Gadd, L. Legrain, UET I 70 (Kopie); Herkunft: Ur, in der Nähe des Giparku.

Literatur: Vgl. E. Sollberger, UET VIII S. 15, Nr. 70.

1' [....]-maḫ-^{d}nin-gal

(abgebrochen).

1) Für ein anderes Beispiel von Spiegelschrift s. D.O. Edzard, Sumer 15 (1959) pl. 4 (nach S. 28) Nr. 10; S. 26, Nr. 10.

Ur 31

Text: U. 7800 (Fragment einer Vase aus weißem Alabaster): C.J. Gadd, L. Legrain, UET I 279 (Kopie); Herkunft: Ur, Enunmaḫ.

Literatur: C.J. Gadd, L. Legrain, UET I S. 84, Nr. 279.

1' [nam-t]i-⌜la⌝-ni-[še$_3$]	[Für] sein/ihr (= PN) [Leb]en
2' [a mu]-na-[ru]	[hat] er/sie ihm/ihr (= GN) (diesen Gegenstand) [geweiht].

Inschriften der IV. und "V." Dynastie von Uruk

IV. Dynastie von Uruk

Urnigin 1 (1)

Text: U. 16003 (= *UM 31-43-247) (Tonnagel): E. Sollberger, UET VIII 15 (Kopie); Herkunft: Ur, aus dem Schutt von Häusern im Bereich der Mausoleen von Šulgi und Amarsuen.

Literatur: G. Pettinato, OrNS 36 (1967) 452; E. Sollberger, J.-R. Kupper, IRSA 129f. IIK1a.- Vgl. A. Falkenstein, BiOr 23 (1966) 165.

1	1 ur-^{giš}gigir$_2$	Urgigir,
	2 šagina-	der Statthalter
	3 ^{d}dumu-zi-da	des Dumuzi,
	4 dumu-ur-nigin$_3$	der Sohn des Urnigin,
	5 nita-kal-ga	des starken Mannes,
	6 lugal-	des Königs
	7 unu^{ki}-ga-ka-ke$_4$	von Uruk,
	8 u$_3$ ama-SAL.ME.ḪUB$_2$	- und (auch) Ama-SAL.ME.ḪUB$_2$,
	9 ama-ne$_2$	seine Mutter, -
	10 ^{d}nin-šeš-e-gar-ra	hat Ninšešegarra,
	11 nin-a-ni	seine(r) Herrin,
2	1 ⸢e$_2$⸣-šeš-⸢e⸣-gar-[ra]	das Ešešegar[ra],
	2 ⸢e$_2$⸣-ki-a[g$_2$]-ga$_2$-ni	ihren geliebten Tempel,
	3 ⸢*pa$_5$⸣-*ti-b[i$_2$]-⸢ra⸣$^{⸢ki⸣}$-*ka	in Badtibira
	4 mu-na-du$_3$	gebaut.

1) Die Reihenfolge der hier folgenden Uruk-Herrscher Urnigin, Urgigir, Kuda und Utuḫegal entspricht der chronologischen Abfolge dieser Herrscher innerhalb der IV. und "V." Dynastie von Uruk nach der sumerischen Königsliste; s. dazu Th. Jacobsen,

AS 11, 114 zu Kol. 7:15-19 und 120 zu Kol. 8:3(-4); ferner P. Michalowski, JAOS 103 (1983) 246 und jetzt C. Wilcke, Isin - Išān-Bāḫrīyāt III 92 zu Rs 6:31-35 und Rs 7:10"-12" (mit Var. **^{d}utu-en-gal$_2$** für **^{d}utu-ḫe$_2$-gal$_2$**).

Urgigir 1

Text: AO 8663 (Keulenkopf aus Onyx): F. Thureau-Dangin, RA 20 (1923) 6; T. Solyman, Götterwaffen, Taf. XXXII, 225; (Photos); Herkunft: Uruk.

Literatur: F. Thureau-Dangin, RA 20 (1923) 5f.; E. Sollberger, J.-R. Kupper, IRSA 130 IIK2a.

1' nam-ti-	([Dem/r .... (= GN), ...],) hat für das Leben
2' ur-^{giš}-gigir$_2$	des Urgigir,
3' nita-kal-ga	des starken Mannes,
4' lugal-unu^{ki}-ga-še$_3$ **(1)**	des Königs von Uruk,
5' lugal-an-na-tum$_2$	Lugalannatum,
6' išib-an-na-ke$_4$	der Reinigungspriester des An,
7' a mu-na-r[u]	(diesen Gegenstand) gewei[ht].

1) Z. 4': Man erwartet die Realisierung des doppelten Genitivs: **lugal-unu^{ki}-ga-ka-še$_3$**.

Kuda 1

Text: NBC 6107 (Fragment eines Gefäßes aus dunkelgrünem Steatit): F.J. Stephens, YOS IX 10 (Kopie); Herkunft: ?.

Literatur: F.J. Stephens, YOS IX S. 5f., No. 10; E. Sollberger, UET VIII S. 3 zu 15..

1 ^{d}nin-gal	Ningal,
2 ^{d}nin-uri$_{5}$^{ki}-ma-ra	der (göttlichen) Herrin von Ur,
3 ku$_{5}$-da	hat Kuda, **(1)**
4 sanga-^{d}inanna	der Tempelverwalter der Inanna,
5 ⌜x⌝-^{d}utu-k[e$_{4}$]	der ... des Utu,
6 [....] KI [....]	[....]...[....]
(abgebrochen)	(abgebrochen).

1) Z. 3: E. Sollberger, UET VIII S. 3 zu 15. vermutete bereits in Kuda jenen König der IV. Dynastie von Uruk, der auf Urgigir folgte; s. dazu oben Anm. 1 zu Urnigin 1.

"V." Dynastie von Uruk

Utuḫegal 1

Text:

Tonnagel: A) NBC 6109: F. J. Stephens, YOS IX 20 (Kopie); Herkunft: ?.

B) *BM 117836 = 1925-10-17,6 (vollständiges Exemplar mit vollständiger Inschrift): C.J. Gadd, JRAS 1926, 687 (Kopie); Herkunft: Raubgrabung, Girsu(?).

C) IM 20857; 20859; 20860: unpubl.,vgl. D.O. Edzard, Sumer 13 (1957) 175; Herkunft: ?.

D) IM 23093/1-2 (zwei Exemplare): unpubl., vgl. D.O. Edzard, Sumer 13 (1957) 175, der diese Tonnägel entweder dieser Inschrift oder Utuḫegal 3 zuweist; Herkunft: ?.

E) Coll. Kurth: H. Neumann, Wiss. Zeitschr. der Univ. Halle 25 (1976) G, Heft 3, 86 Abb. 3 (Kopie); Herkunft: ?.

F) YBC 2325: unpubl., vgl. F.J. Stephens, YOS IX S. 26 zu Nr. 112-113; Herkunft: ?.

G) LB 971 (mit vollständiger Inschrift): Umschrift freundlicherweise mitgeteilt von Th.J.H. Krispijn; vgl. A.A. Kampman, in: Symbolae ... F.M.Th. de Liagre Böhl dedicatae, S. 219 zu 10.; Herkunft: ?.

Literatur: C.J. Gadd, JRAS 1926, 686; H. Neumann, a.a.O. 85-88; vgl. J.-P. Grégoire, Prov. mér. 36.

Umschrift nach Text A)

1 ^{d}nanše	Nanše,
2 nin-uru$_{16}$	der gewaltigen Herrin,
3 nin-⸢in-dub$^{!}$-ba⸣-ra$^{!}$ **(a)**	der Herrin des 'abgegrenzten Gebietes',
4 ^{d}⸢utu-ḫe$_{2}$⸣-gal$_{2}$	hat Utuḫegal,
5 lugal-an-⸢ub-da⸣-limmu$_{5}$-ba-ke$_{4}$	der König der vier Weltgegenden,
6 ki-sur-ra **(b)** -lagaš^{ki}-ka **(c)**	- auf das Territorium von Lagaš
7 lu$_{2}$-uri$_{5}^{ki}$-ke$_{4}$ **(d)**	hatte der Mann von Ur

8 inim bi$_2$-⌈gar⌉	Anspruch erhoben, - **(1)**
9 šu-na mu-⌈ni⌉-gi$_4$	(dieses Territorium) in ihre Hand zurückgegeben.

a) Z. 3: Texte B) und G) om. **-ra.**

b) Z. 6: Text G) om. **-ra-**.

c) Z. 6: Text C) (IM 20857) und F) om. **-ka**; Text B): **⌈x⌉**.

d) Z. 7(-8): Text B) om. Z. 7; Text F) schreibt Z. 7 und 8 als eine Zeile; Text F): **uri$_5^!$(= ŠEŠ)^{ki}**; Text C) (IM 20857): **lu$_2$-uri$_5$^{ki}**; Text G): **lu$_2$-uri$_5$-ma**.

1) Z. 8: Zu **inim--gar** mit Lokativ ("etwas einklagen") s. A. Falkenstein, NG III 124, H. Neumann, a.a.O. 88 und H. Waetzoldt, AfO 28 (1981-82) 133 Anm. 5 und jetzt P. Steinkeller, FAOS 17, 49-50; 60.

Utuḫegal 2

Text: YBC 2294 (Tonnagel): F.J. Stephens, YOS IX 19 (Kopie); Herkunft: Girsu(?).

Literatur: Vgl. J.-P. Grégoire, Prov. mér. 36.

1 ki-sur-ra-	Das Territorium
2 ^{d}nin-gir$_2$-su	des Ningirsu, **(1)**
3 ur-sag-kal-ga-	des mächtigen Helden
4 ^{d}en-lil$_2$-la$_2$-ka	des Enlil,
5 ^{d}utu-ḫe$_2$-gal$_2$	hat Utuḫegal,
6 lugal-an-ub-da-limmu$_5$-ba-ke$_4^!$	der König der vier Weltgegenden
7 šu-na mu-ni-gi$_4$	in seine (= Ningirsu's) Hand zurückgegeben.

1) Z. 2-4: Die Abfolge dieser Zeilen ist bislang nur in Texten der Stadtfürsten der II. Dynastie von Lagaš oder bei anderen Herrschern nur in Texten zu belegen, die aus Girsu/Lagaš stammen, s. dazu die Belegzusammenstellung bei H. Behrens, FAOS 10 s.v. **ur-sag** II. Als Herkunftsort wird deshalb für diesen Text Girsu vermutet.

Utuḫegal 3

Text:

Tonnagel: A) NBC 6108: F.J. Stephens, YOS IX 18 (Kopie); Herkunft: ?.

B) YBC 2328: unpubl., vgl. F.J. Stephens, YOS IX S. 26 zu Nr. 112-113; Herkunft: ?.

C) IM 20861: unpubl., vgl. D.O. Edzard, Sumer 13 (1957) 175; Herkunft: ?.

D) IM 23093/1-2: vgl. dazu Utuḫegal 1 Text D).

E) *BM 117837 = 1925-10-17,3 (vollständiges Exemplar mit vollständiger Inschrift): C.J. Gadd, JRAS 1926, 687 (Kopie); Herkunft: ?.

F) Coll. Hoza: H. Waetzoldt, AfO 28 (1981-82) 132 Abb. 1 (Kopie); Herkunft: ?.

G) FLP 2634.1-7; 2635.1-9: E.B. Smick, Cuneiform Documents of the Third Millenium in the Public Library of Philadelphia, Diss. Dropsie College 1951, pl. XCIV Nr. 74 (Kopie); Herkunft: ?.

Literatur: C.J. Gadd, JRAS 1926, 687; J.-P. Grégoire, Prov. mér. 36; E. Sollberger, J.-R. Kupper, IRSA 132f. IIK3b; H. Waetzoldt, a.a.O. 132f..

Umschrift nach Text F)

1 ^{d}nin-gir$_{2}$-su	Ningirsu,
2 ur-sag-kal$^{!}$-ga$^{!}$	dem mächtigen Helden
3 ^{d}en-lil$_{2}$-la$_{2}$-ra	des Enlil,
4 ^{d}utu-⌜ḫe$_{2}$⌝-gal$_{2}$	hat Utuḫegal,
5 lugal-an-ub-da-limmu$_{5}$-ba-ke$_{4}$	der König der vier Weltgegenden,
6 ki-sur-ra-lagaš^{ki}-ka **(a)**	- auf das Territorium von Lagaš

7 lu_2-uri_5^{ki}-ke_4	hatte der Mann von Ur
8 inim bi_2-gar	Anspruch erhoben, -
9 šu-na mu-ni-gi_4	(dieses Territorium) in seine Hand zurückgegeben.

a) Z. 6: Text B), E) und G) om. **-ka**.

Utuḫegal 4

Zu diesem von S. Mercer, JSOR 10 (1926) 286 in Umschrift und unter Nr. 9 in Kopie veröffentlichen Text (s. dazu zuletzt H. Neumann, Wiss. Zeitschr. der Univ. Halle 25 (1976) G, Heft 3, 86f. zu Z. 5) notiert D.O. Edzard u.a., RGTC 1, 13 s.v. *Amnānum: "Nach Auskunft von K. Grayson ist dieser Text nicht existent. Mercer dürfte aus dem Gedächtnis kopiert und einen falschen Königsnamen eingesetzt haben.".

Utuḫegal 5

Text: *BM 119064 (= U. 3173) (Fragment einer Stele aus Kalkstein): C.J. Gadd, L. Legrain, UET I 31 (Kopie); R.H. Dyson, Expedition 20/1 (1977) 17 Abb. 21 (Photo); Herkunft: Ur.

Literatur: G. Barton, RISA 360, 7. 2.; C.J. Gadd, L. Legrain, UET I S. 7, Nr. 31. - Vgl. W.W. Hallo, JCS 20 (1966) 137.

1	1' ⸢d⸣[....]	[....(= GN)], **(1) (2)**
	2' [l]ugal-a-[....]	dem Herrn ...[....],
	3' lugal-⸢*a⸣-[ni]	se[in(em)] Herrn,
	4' nam-[ti]-	([hat]) [für] das Le[ben]]

5' ⸢d⸣utu-ḫe$_2$-[gal$_2$]	des Utuḫe[gal],
6' ⸢nita⸣-kal-[ga]	des star[ken] Mannes,
7' lugal-un[u^{ki}-ga]	des Königs [von] Ur[uk],
8' lugal-an-[ub]-da-limmu$_5$-ba-[ka- še$_3$]	[des] Königs der vier Welt[gege]nden,
(abgebrochen)	(abgebrochen).

1) Kol. 1:1': Ob diese Zeile mit dem Gottesnamen den Anfang des Textes bildet, ist angesichts des Fehlens der oberen Zeilenbegrenzung (s. auch das Photo bei R.H. Dyson, Expedition 20/1 (1977) 17 Abb. 21) zwar nicht sicher, vom Formular des Textes aber wahrscheinlich.

2) Kol. 1:1'ff: Da der rechte Rand der Inschrift abgebrochen ist, besteht nicht nur eine Schwierigkeit in der Ergänzung von Kol. 1:1'-3', vielmehr ergibt sich daraus auch eine Unsicherheit, welches Textformular hier vorliegt. Üblicherweise erwartet man: "GN, ..., seinem Herrn (Kol. 1:1'-3'), hat für das Leben des Utuḫegal, ..., des Königs der vier Weltgegenden (Kol. 1:4'-8'), ... (= PN) (Kol. 1:9' bzw. Kol. 2:1), ..., "; s. für dieses Formular H. Behrens, FAOS 10 s.v. **nam-ti** 2.2'.; auch die Inschrift Utuḫegal 6 folgt diesem Formular. So schon die Textauffassung bei C.J. Gadd, L. Legrain, UET I S. 7, Nr. 31 (und G. Barton, RISA 360f., 7.2.); die dort vorgenommene Ergänzung für Kol. 1:1'-2' **^{d}[nannar(?)] / lugal-a-[nun(?)....]** "For [Nannar(?)], king of the [Anunnaki]" ist jedoch bislang nicht anderweitig zu stützen.
Ein anderes Formular, das bereits in Kol. 1:3' den Namen des Stifters noch vor dem Herrschernamen (Kol. 1:5') nennt, ist zwar nicht auszuschließen, aber in diesen Texten nicht nachzuweisen: Kol. 1:1'-2' müßten dann zu **^{d}[....] / [l]ugal-a-[ni]**"[....(= GN)], sei[n(em)] Herrn" ergänzt werden.
Nach beiden Formularen erwartet man demnach eine Fortsetzung von Kol. 1, die vielleicht durch eine bildliche Darstellung vom erhaltenen Text getrennt war, oder eine weitere, zweite Kolumne. Auffällig bleibt in jedem Falle das Fehlen der unteren Zeilenbegrenzung in Kol. 1:8'.

Utuḫegal 6

Text: IM 1048 (= U. 3158) (Fragment einer Stele aus Diorit): C.J. Gadd, L. Legrain, UET I 30 (Kopie); Herkunft: Ur, Ningal-Tempel, im Raum 6, nahe der Hoftür.

Literatur: G. Barton, RISA 360, 7.1.; J.-P. Grégoire, Prov. mér. 39 mit Anm. 182; E. Sollberger, J.-R. Kupper, IRSA 133 IIK3c; C. Wilcke, CRRA 19 (1974) 193. -Vgl. L. Legrain, RA 30 (1933) 114; Th. Jacobsen, AS 11, 202; W.W. Hallo, JCS 20 (1966) 137; J. Börker-Klähn, Bildstelen, Text, S. 155, 93..

1	1	[^{d}nin-g]al	[Ning]al,
	2	[dam-ki-a]g$_{2}$-	[der geliebt]en [Gemahlin]
	3	$^{[d]}$⌈suen⌉-na	des Suen,
	4	[nin]-a-ni	seine(r) [Herrin],
	5	⌈nam⌉-ti-	hat für das Leben
	6	^{d}utu-ḫe$_{2}$-gal$_{2}$	des Utuḫegal,
	7	nita-kal-ga	des starken Mannes,
	8	lugal-unu^{ki}-g[a]	des Königs [von] Uruk,
	9	lugal-a[n-ub]-da-li[mmu$_{2/5}$-ba-ka- še$_{3}$(?)]	des Königs der vier We[ltgegen]den,
	10	ur-[^{d}nammu]	Ur[nammu],
2	1	šagi[na]-	der Statt[halter]
	2	uri$_{5}$$^{⌈ki⌉}$[-ma]	[von] Ur,
	3	ama-[(a-)tu]-	der Die[ner] **(1)**
	4	e$_{2}$-k[iš-nu]-g[al$_{2}$-la]	[des] Ek[išnu]g[al],
	5	š[eš-a-ne$_{2}$]	[sein] Br[uder],
		(abgebrochen)	(abgebrochen).

1) Kol. 2:3-5: Die Ergänzung folgt C. Wilcke, CRRA 19 (1974) 180; 192f. Anm. 67 (mit Diskussion älterer Literatur), der für diesen Text das gleiche Formular annimmt wie in Urnammu 35 (= UET I 48 + Dupl.), Nammaḫni 7 (= DC I Pl. LVIII b) und Nammaḫni 1 (= DC I Pl. LVIII c) und auf diese Weise sowohl die Ergänzung **ama-[(a-)tu]** "Diener" in Kol. 2:3 als auch **š[eš-a-ne$_{2}$]** in Kol. 2:5 plausibel macht.

Die Übersetzung von **ama-(a-)-tu** "Diener(in)" ist konventionell; s. dazu Anm. 1 zu Nammaḫni 1.

Utuḫegal 7

Text: *Coll. Erlenmeyer (Bronzegefäß): M.-L. Erlenmeyer, APA 2 (1971) 255 fig. 1 (Photos); 256 fig. 2 (Kopie); Herkunft: Iran(?).

Literatur: Vgl. M.-L. Erlenmeyer, a.a.O. 255 mit Paraphrase der Inschrift.

1 ^{d}utu-ḫe$_{2}$-gal$_{2}$	Wer auf des Utuḫegal, **(1)**
2 nita-kal-ga	des starken Mannes,
3 lugal-unu^{ki}-ga	des Königs von Uruk,
4 lugal-an-ub-da-limmu$_{5}$-ba-ka	des Königs der vier Weltgegenden,
5 lu$_{2}$ mu-sar-ra-na	Inschrift,
6 šu i$_{3}$-bi$_{2}$-*in-⸢*uru$_{12}$⸣	wenn er sie (= die Inschrift) abgerieben hat,
7 mu-ni bi$_{2}$-i[b$_{2}$]-sar-a	seinen (eigenen) Namen schreibt,
8 [aš$_{2}$]-ba-la$_{2}$-a-⸢ke$_{4}$-eš$_{2}$⸣	(oder) wer wegen des Fluches, **(2)**
9 lu$_{2}$-kur$_{2}$-ra ⸢x⸣(?) [š]u i$_{3}$-in-dab$_{5}$	wenn er einen anderen ...(?) hat die Hand ausstrecken lassen, **(3)**
10 ib$_{2}$-zi-ra-a	sie (= die Statue(?)) ausreißt, **(4)**
11 bal-a-ni	dessen Regierungszeit
12 ⸢ḫe$_{2}$-ku$_{5}$⸣	soll abgeschnitten sein !
13 n[umun]-⸢*a⸣-ni *ḫ[e$_{2}$]-*til	Sein S[ame] soll zu Ende sein!
14 an lugal-⸢dingir⸣-[re-n]e	An, der Herr der Götter, **(5)**
15 ^{d}inanna ⸢*nin⸣-[u]nu^{ki}-g[a]	(und) Inanna, die Herrin von Uruk,
16 ⸢in-dub⸣-ba-na	mögen sich auf seiner (= des Frevlers) 'Aufschüttung'
17 ⸢šu⸣ ḫ[e$_{2}$]-P[EŠ$^{?}$]-ne	'breit machen'(?) !

1) Z. 1-13: Das Stilmittel des vorausgestellten Rektums begegnet in diesen Zeilen gleich zweimal: Auf den vorausgestellten Genitiv in Z. 1-4 wird in ***-a.ni** von **mu-sar-ra-na** (Z. 5) **(<*...-a-ni-a** (= Lokativ, abhängig von **šu--uru$_{12}$** "abreiben" in Z. 6)) verwiesen.
Desgleichen sind die beiden von **lu$_2$** (Z. 5) abhängigen asyndetischen Relativsätze (Z. 5-7 und Z. 8-10) als vorausgestellte Genitive konstruiert, die jeweils durch **-a-ni** im Absolutiv der beiden folgenden Hauptsätze (Z. 11-12 und Z.13) aufgenommen sind: **lu$_2$ ... bi$_2$-i[b$_2$]-sar-a** (= Nominalisierung) **... ib$_2$-zi-ra-a (<*...-a** (= Nominalisierung) **-ak** (= Genitiv)) **... bal-a-ni ... n[umun]-⸢a⸣-ni.**
Die nicht nominalisierten Verbalformen **i$_3$-bi$_2$-in-⸢uru$_{12}$⸣** (Z. 6) und **i$_3$-in-dab$_5$** (Z. 9) können nicht zu den Relativsätzen gehören, sondern beschließen jeweils einen eingeschobenen asyntaktischen Satz und werden prospektiv verstanden. - Zur Präfixkette **i$_3$-in-** vgl. M. Yoshikawa, JCS 29 (1978) 223ff. und jetzt C. Wilcke, ZA 78 (1988) 1ff. (bes. 24 zu c2)).

2) Z. 8-9: Bemerkenswert ist die syllabische Schreibung **ba-la$_2$(-a)** in **[aš$_2$]-ba-la$_2$-a-ke$_4$-eš$_2$** gegenüber der späteren in den aB Fluchformeln gut bezeugten Wendung **aš$_2$-bal(-a / la$_2$)-ba-ke$_4$-eš$_2$ lu$_2$-kur$_2$ šu ba-an-zi-zi(-i)-a** "wer wegen dieses Fluches einen anderen die Hand dagegen erheben läßt"; Belegsammlung dazu bei I. Kärki, StOr 35, 272.

3) Z. 9: Die Kollation hat keine Sicherheit gebracht, ob in dieser Zeile zwischen **-ra** und **šu** noch ein Zeichen gestanden hat.

4) Z. 10: Die bei H. Behrens, FAOS 10 s.v. **zi(-r)** zusammengestellten Belege zeigen deutlich, daß **zi(-r)** in diesen Texten ausschließlich in den Fluchformeln von (Gudea-) Statuen in der Bedeutung von "(eine Statue) ausreißen" begegnet; vgl. etwa Gudea Statue B 8:10; Gudea Statue C 4:5-7 **lu$_2$ (...) ib$_2$-zi-re-ra** "der Mann, der (...) (diese Statue) ausreißt" mit einer Verbalform, die man anstelle von **ib$_2$-zi-ra-a** auch hier erwartet. Da **zi(-r)** "ausreißen" kaum auf den hier vorliegenden Inschriftenträger (=Bronzegefäß) bezogen werden kann, ist das Verständnis aus den Gudea Statuen wohl auch hier anzunehmen und diese Zeile deshalb mit "wer sie (= die Statue) ausreißt" zu übersetzen. Damit wird die Vermutung von M.-L. Erlenmeyer, APA 2, 255 gestützt, daß die Fluchformel "als das Ende einer größeren Inschrift zu betrachten ist", und dieses Bronzegefäß ursprünglich zu einer Statue gehört hat.

5) Z. 14-17: Das Zeichen im Bruch nach **ḫe$_2$-** in Z. 17 ist nicht eindeutig zu verifizieren: Die Lesung **šu ḫ[e$_2$]-P[EŠ]-ne** ist deshalb nicht sicher. Das Plural-Personenzeichen **-(e)ne** ist ein Hinweis dafür, daß ein transitives Verbum in dieser Zeile vorliegt. Deshalb erwartet man in Z. 15 die Realisierung der Ergativpostposition **/e/**: Für eine Ergänzung **⸢nin⸣-[u]nu^{ki}-g[a-ke$_4$]** "(Inanna,) die Herrin [von] Uruk" ist nach den Raumverhältnissen dieser Zeile jedoch - nach Kollation - kein Platz.

Zu **šu--peš** "(sich) ausbreiten" s. J. Cooper, OrNS 43 (1974) 86 ("to enlarge") mit Verweis auf A. Falkenstein, AnOr 28, 124 mit Anm. 3 und Å. Sjöberg, TCS 3, 79.

Varia

Herrscher von Lagaš

Lugirizal 1

Text: *AO 16650 (= TG 1459) (Kalksteintafel; Vs: flach; Rs: gewölbt): J. Nougayrol, RA 41 (1947) 23; A. Parrot, Tello, Pl. XXII, b+c; (Photos); Herkunft: ?.

Literatur: J. Nougayrol, RA 41 (1947) 24f.; E. Sollberger, J.-R. Kupper, IRSA 162 IIIB4b. - Vgl. E. Sollberger, RA 62 (1968) 139f..

Vs	1 ^{d}inanna	(Die Statue der) Inanna **(1)**
	2 ^{d}nin an-še$_{3}$ la$_{2}$-a	der Herrin, die über den Himmel ausgebreitet ist, **(2)**
	3 nin-⸢un⸣-gal-	der erhöhten Herrin **(3)**
	4 dingir-re-ne	unter den Göttern,
	5 nin-a-ni	seine(r) Herrin,
	6 nam-⸢maḫ⸣-ni-du$_{10}$	hat Nammaḫnidu,
	7 ⸢dumu$^{?}$⸣-lu$_{2}$-giri$_{17}$-zal	der Sohn(?) des Lugirizal, **(4)**
	8 [e]nsi$_{2}$-	des Stadtfürsten
	9 ⸢lagaš⸣^{ki}-ka-ke$_{4}$	von Lagaš,
Rs	1 mu-tu	geschaffen.
	2 e$_{2}$-a-ni	Ihren (= Inanna's) Tempel
	3 mu-na-du$_{3}$	hat er ihr gebaut.

1) Vs 1-Rs 1: Das Formular dieser Inschrift ... (= GN) ... **mu-tu** ... **mu-na-du$_{3}$** "(Die Statue von) ... (= GN) ... hat er geschaffen, hat ihr/ihm (= GN) ... gebaut" ist in diesen Texten bislang nicht weiter zu belegen, greift jedoch zurück auf ein Formular, das in umgekehrter Abfolge besonders zu Beginn der I. Dynastie von Lagaš bezeugt ist, s. etwa Urnanše 24, 25, 26 (interessanterweise ausschließlich auf Steintafeln überliefert) bei H. Steible, FAOS 5/I 88ff.; weitere Belege bei H. Behrens, H. Steible, FAOS 6, 333f. zu **tu** 2..

2) Vs 2: Zum Beinamen **^{d}nin an-še$_3$ la$_2$-a** s. G. Pettinato, ZA 60 (NF 26) (1970) 212 (**^{d}nin-an-še$_3$$^{!}$-la$_2$**) zu W.Ph. Römer, SKIZ 133, Z. 163 (und 165) **nin an-še$_3$ la$_2$-a** (S. 141: "Die Herrin, die bis zum Himmel reicht"). Zur Schreibung eines Beinamens der Inanna mit und ohne Gottesdeterminativ vgl. auch **$^{(d)}$nin-ku$_3$-nun-na** in Urbaba 1,4:8 (ohne Determinativ) und Urbaba 8,3:1 (mit Determinativ).

3) Vs. 3: **nin-un-gal** ist hier mit W. Hallo, J. van Dijk, YNER 3, S. 93 s.v. **un-gal** als "erhöhteHerrin" (**un-gal** = *šurbû*, AHw 1283 s.v.) verstanden. Vgl. auch E. Sollberger, IRSA 162 IIIB4b, der **nin-un-gal** mit "la dame, la reine des dieux" (**un-gal** = *šarratum*, AHw 1188 s.v. *šarratu(m)* B 3.) wiedergibt.

4) Vs 6-9: Lugirizal und sein "Sohn(?)" Nammaḫnidu sind Zeitgenossen Šulgi's, da "Lugirizal, der Stadtfürst von Lagaš" identisch ist mit dem gleichnamigen Stadtfürsten von Lagaš in den Inschriften Šulgi 28(, 2:4-6) und Šulgi 32(:9-11). Die Argumentation von A. Falkenstein, AnOr 30, 4 Anm. 9, daß Lugirizal nicht mit dem Šulgi-zeitlichen Stadtfürsten von Lagaš identisch sein könne, "da dann in der Inschrift seines Sohnes der Name des Königs von Ur genannt sein müsste", ist m.E. nicht zwingend.

Puzurmama 1

Text:

Tongefäß: A) *AO 4597: H. de Genouillac, RHR 101 (1930) 221 fig. 1 (Kopie); Herkunft: Girsu.

B) *AO 14537 (= TG 4409) (oberes Randstück): unpubl. (Hinweis von E. Braun-Holzinger); Herkunft: Girsu.

Literatur: H. de Genouillac, RHR 101 (1930) 220 zu II..

1'	1' [....] ⌜x⌝ [....] ⌜x⌝	[....]...[....]...
	2' [šu]šin(=[MUŠ$_3$].EREN)^{ki}	[(von) Su]sa,
	3' [x] ⌜x⌝(= ŠE$_3^?$)-ga-AN	[...]...
	4' [x] ⌜x⌝ NE.[N]E$^?$.KI	[(von ...]...(= ON),
	5' [x(?)] ⌜x⌝-da	[....]...
	6' [....]$^{⌜ki⌝}$	[(von) ....](= ON),
	(abgebrochen)	(abgebrochen)
2'	1' [....]-ke$_4$	[....]...,
	2' ⌜a$_2$⌝-sum-ma-	dem Kraft verliehen (wurde)
	3' $^{⌜d⌝}$nirı-gir$_2$-su-ka-⌜ke$_4$⌝	von Ningirsu,
	4' geštu$_2$-sum-ma-	dem Weisheit verliehen (wurde)
	5' ^{d}en-ki-ka-ke$_4$	von Enki,
	6' ga-zi-ku$_2$-a-	der mit guter Milch genährt (wurde)
	7' ^{d}nin-ḫur-sag-ka-ke$_4$	von Ninḫursag,
	8' mu-du$_{10}$-sa$_4$-a-	dem ein guter Name genannt (wurde)
	9' ^{d}inanna-ka-ke$_4$	von Inanna,
	10' [dumu]-tu-da-	das leibliche [Kind]
	11' [^{d}ga$_2$]-tum$_3$-[d]u$_{10}$-[ka-k]e$_4$	[der Ga]tum[d]u,
	12' [....] ⌜x⌝	[....]...
	(abgebrochen)	(abgebrochen)
3'	1' ⌜x⌝ [....]	...[....]
	2' ama-[tu(?)]-d[a-ni]	[seine leiblich]e(?) Mutter
	3' ^{d}nin-šubur-kam	ist Ninšubur,
	4' dingir-ra-ni	sein (Schutz)gott
	5' ^{dx}šul-utul$_{12}$-am$_3$	ist Šulutul.
	6' pu$_3$-zur$_8$-ma-ma	Puzurmama
	7' lugal-	[ist(?)] König
	8' laga[š^{ki}-kam(?)]	von Lagaš.
	(abgebrochen(?))	(abgebrochen(?)).

Urnin-MAR.KI 1

Text: !M 7053 (= 29-10-1) (Stein(?)nagel): S. Smith, JRAS 1932, 307 (Kopie); Herkunft: ?.

Literatur: S. Smith, a.a.O. 308; E. Sollberger, J.-R. Kupper, IRSA 161f. IIIB3a.

1 $^{⸢d⸣}$[ba]-ba$_6$	[Ba]ba,
2 ⸢nin-a⸣-ni	seine(r) Herrin,
3 nam-ti-	hat für das Leben
4 ur-^{d}nin-MAR.KI	des Urnin-MAR.KI,
5 ensi$_2$-	des Stadtfürsten
6 [l]agaš^{ki}-ka-še$_3$	von Lagaš,
7 [g]eme$_2$-gir$_2$-nun	Gemegirnun,
8 [d]am-amar-si$_4$	die Gemahlin des Amarsi,
9 [d]umu-al-ke$_4$	die Tochter des Al,
10 ⸢u$_3$⸣ nam-ti-la-ni-še$_3$	- und (auch) für ihr (eigenes) Leben -
11 [a] mu-na-ru	(diesen Gegenstand) [ge]weiht.

Urnin-MAR.KI 2

Text: The Oriental Museum, University of Durham, N 2264 (Teil eines großen Keulenkopfes): Dieser Text wird zur Zeit zur Publikation vorbereitet von W.G. Lambert, der freundlicherweise auch die folgende Umschrift zur Verfügung stellte; Herkunft: ?.

1 ^{d}šul-ša$_3$-ga	Šulšaga,
2 dumu-ki-ag$_2$-	dem geliebten Sohn
3 ^{d}nin-gir$_2$-su-ka	des Ningirsu,
4 lugal-a-ni	sein(em) Herrn,
5 ur-^{d}nin-MAR.KI	hat Urnin-MAR.KI,

6 ensi$_2$-	der Stadtfürst
7 lagaš^{ki}-ke$_4$	von Lagaš,
8 nam-ti-la-ni-še$_3$	für sein Leben
9 a mu-na-ru	(diesen Gegenstand) geweiht.

Urninsun 1

Text: AO Nr. ? (Steingefäß): L. Heuzey, RA 2 (1892) 79 (unvollständige Kopie); E. de Sarzec, DC I Pl. LVIII (Kopie); E. de Sarzec, L. Heuzey, RA 4 (1897) 121; M. Witzel, Gudea, fol. 7, S. 4: Urninsun; (Kopien); Herkunft: Girsu.

Literatur: F. Thureau-Dangin, SAK 64f., 15.; E. Sollberger, J.-R. Kupper, IRSA 161 IIIB2a.

1 ^{d}nin-gir$_2$-su	Ningirsu,
2 ur-sag-kal-ga-	dem mächtigen Helden
3 ^{d}en-lil$_2$-la$_2$	des Enlil,
4 lugal-a-ni	sein(em) Herrn,
5 ur-^{d}nin-⌈sun$_2$⌉	hat Urninsun,
6 ensi$_2$-	der Stadtfürst
7 lagaš^{ki}-ke$_4$	von Lagaš,
8 nam-ti-la-ni-še$_3$	für sein Leben
9 a mu-na-ru	(diesen Gegenstand) geweiht.
10 bur-ba	Von diesem Steingefäß (ist:)
11 lugal-mu	"Mein Herr (= Ningirsu)
12 nam-ti-mu ḫe$_2$-su$_3$-re	möge mein Leben lang machen!"
13 mu-bi	der Name.

Herrscher von Nippur

Lugalnigzu 1

Text:

Backstein: A) CBS 16201 (gestempelt): L. Legrain, PBS XV 82 (Kopie); Herkunft: Nippur.

B) 2 N-T 488 (gestempelt): Bulletin University Musem 16/2 (1951) Pl. VI unten, gegenüber S. 21 (Ausgrabungsphoto); Herkunft: Nippur.

Literatur: L. Legrain, PBS XV S. 48, No. 82; P. Michalowski, RA 75 (1981) 175 Anm. 14.

1 lugal-nig$_2$-zu	Lugalnigzu, **(1)**
2 ensi$_2$-nibru^{ki}	Stadtfürst von Nippur,
3 sanga-^{d}en-lil$_2$	Tempelverwalter des Enlil.

1) Z. 1ff.: Lesung **zu** in dem PN **lugal-nig$_2$-zu** mit P. Michalowski, ibidem, obwohl kein Hinweis auf ein Kollationsergebnis zu finden ist, und die Kopie von Text A) in PBS XV 82 deutlich **lugal-nig$_2$-ba** bietet (so auch die Umschrift von L. Legrain, PBS XV S. 48, No. 82, wo allerdings auf eine frühere Lesung **zu** hingewiesen ist).

Der archäologische Fundzusammenhang von Text B) verweist auf einen aAK Kontext (Šarkališarri) (s. P. Michalowski, ibidem), doch ist zu fragen, ob am Ende der aAK-Zeit ein Stadtfürst von Nippur eine Bauinschrift verfassen konnte, ohne seinen Oberherrn zu erwähnen.

Nammaḫabzu 1

Text: *AO 4637 (Fragment einer kleinen Schale aus Alabaster): F. Thureau-Dangin, RT 32 (1910) 44 zu III. (Kopie); Herkunft: Kunsthandel.

Literatur: V. Scheil, RT 31 (1909) 134f. zu V.; F. Thureau-Dangin, RT 32 (1910) 44 zu III.; G. Barton, RISA 10, 8.; H. Steible, FAOS 5/II 225.

Inschrift auf dem äußeren Rand der Schale:

1 ^{d}nin-e$_{2}$-gal	(Der) Ninegal
2 nam-ti-	[hat] für das Leben
3 nam-maḫ-abzu	des Nammaḫabzu,
4 ensi$_{2}$-nibru^{ki}-<ka->še$_{3}$	des Stadtfürsten <von> Nippur,
5 igi-^{d}en-lil$_{2}$-še$_{3}$	Igi'enlilše,
6 ir$_{11}$-da-ne$_{2}$	sein Diener,
7 a m[u-na-*r]u	diesen Gegenstand) ge[wei]ht.
(abgebrochen)	(Ende der Inschrift ?).

Herrscher von Šuruppak

Ḫala'adda 1

Text: Museums-Nr. ? (Tonnagel): E. Heinrich, Fara, 4 (Photos und Kopie); Herkunft: Šuruppak.

Literatur: F. Thureau-Dangin, SAK 150, III.; E. Sollberger, J.-R. Kupper, IRSA 122f. IIE1a.

1 da-da	Dada's,
2 ensi$_2$-	(des) Stadtfürsten
3 šuruppak^{ki}	(von) Šuruppak,
4 ḫa-la-ad-da	Sohn,
5 ens[i$_2$]-	Ḫala'adda,
6 šuruppak^{ki}	der Stadtfürst
7 dumu-ne$_2$	von Šuruppak,
8 ad-uš KA$_2$.GAL- **(1)**	hat ... an das Haupttor **(2)**
9 ^{d}sud$_3$-da-ke$_4$	der Sud
10 bi$_2$-in-us$_2$	angrenzen lassen.

1) Z. 8: Zur Lesung **KA$_2$.GAL** = **abul** s. Anm. 59 zu Gudea Statue B.

2) Z. 8-10: E. Sollberger, ibidem übersetzt diese Zeilen mit "(Ḫala-adda, ...,) a érigé les murs du portail de Sud", wobei er S. 123 Anm. b. in **ad-uš** eine sumerische bzw. sumerisierte Form des akkadischen *aduššu* (s. CAD A/I 137 s.v.) vermutet; obwohl der Kontext für diese Annahme spricht, wird hier aus grundsätzlichen methodischen Erwägungen von einer Übersetzung von **ad-uš** abgesehen, da *aduššu* erst sehr viel später nachzuweisen ist.

Herrscher von Umma

Lu'utu 1

Text: YBC 2148 (Tonnagel): A.T. Clay, YOS I 14 (Kopie); Herkunft: ?.

Literatur: A.T. Clay, YOS I S. 12f., No. 14.

1 ^{d}ereš-ki-gal	Ereškigal,
2 nin-ki-utu-šu$_4$-ra	der Herrin des Ortes, an dem die Sonne untergeht, **(1)**
3 lu$_2$-^{d}utu	hat Lu'utu,
4 ensi$_2$-	der Stadtfürst
5 umma^{ki}-ke$_4$	von Umma,
6 nam-ti-la-ni-še$_3$	für sein Leben
7 ⌜ki⌝-^{d}utu-e$_3$	in Ki'utu'e, **(2)**
8 ki-nam-tar-re-da	dem Ort, an dem das Schicksal entschieden wird,
9 e$_2$ mu-na-du$_3$	einen Tempel gebaut,
10 gaba-ba	hat an seiner (= des Tempels) Front **(3)**
11 a bi$_2$-in-gi-in	einen Wasser(ab)lauf befestigt
12 mu-bi	(und) seinen (= des Tempels) Namen
13 pa bi$_2$-in-e$_3$	strahlend erscheinen lassen.

1) Z. 2 = Lu'utu 2:2: **utu-šu$_4$** wird hier als Schreibvariante zu **utu-šu$_2$** aufgefaßt. Zu **utu-šu$_2$** s. Å. Sjöberg, TCS 3, 136 zu 464. und E. Sollberger, IRSA 121f. IID2b Anm. a..

2) Z. 7 = Lu'utu 2:7: Zu **ki-^{d}utu-e$_3$** ("Ort, an dem (der Sonnengott) Utu aufgeht" vgl. Å. Sjöberg, TCS 3, 89f. zu 192..

3) Z. 10-11: S. dazu Lu'utu 2:10 mit Anm. 2.

Lu'utu 2

Text: *BM 109930 = 1914-4-6,833; *BM 109931 = 1914-4-6,834 (unpubl.); (2 vollständige Tonnägel): C.J. Gadd, CT 36,3: 109930 (Kopie); Herkunft: Kunsthandel.

Literatur: G. Barton, RISA 94, 3.2.; E. Sollberger, J.-R. Kupper, IRSA 121 IID2b.

1 ^{d}ereš-ki-gal	Ereškigal, **(1)**
2 nin-ki-utu-šu$_{4}$-ra	der Herrin des Ortes, an dem die Sonne untergeht,
3 lu$_{2}$-^{d}utu	hat Lu'utu,
4 ensi$_{2}$-umma^{ki}	der Stadtfürst von Umma,
5 dumu-^{d}nin-in-sin$_{2}$-ka-ke$_{4}$	der Sohn der Nininsin,
6 nam-ti-la-ni-še$_{3}$	für sein Leben
7 ki-^{d}utu-e$_{3}$	in Ki'utu'e,
8 ki-nam-*tar-re-da	dem Ort, an dem das Schicksal entschieden wird,
9 e$_{2}$ mu-na-du$_{3}$	einen Tempel gebaut,
10 gaba-ba a bi$_{2}$-in-gi	hat an seiner (= des Tempels) Front einen Wasser(ab)lauf befestigt **(2)**
11 mu-bi pa bi$_{2}$-in-e$_{3}$	(und) seinen (= des Tempels) Namen strahlend erscheinen lassen.

1) Z. 1ff.: Dieser Text ist bis auf Z. 5 (mit der Filiationsangabe) fast wörtlich parallel zu Lu'utu 1.

2) Z. 10: Beachte die Übersetzung von E. Sollberger, IRSA 121 IID2b "il en a décoré la façade".

Lu'utu 3

Text:

Tonnagel: A) *BM 15783 = 96-6-12,3 (vollständiges Exemplar mit vollständiger 1-kol. Inschrift): L.W. King, CT 1,50: 96-6-12,3; Herkunft: Umma.

B) *BM 15782 = 96-6-12,2 (fast vollständiges Exemplar mit vollständiger 1-kol. Inschrift); L.W. King, HSA, pl. XXIII nach S. 258 (Photo oben links); ders., CT 1,50: 96-6-12,2 (teilweise Kopie; Varianten zu BM 15783); Herkunft: Umma.

Literatur: F. Thureau-Dangin, SAK 150, II. 3.; E. Sollberger, J.-R. Kupper, IRSA 121 IID2a; S. Dunham, RA 80 (1986) 41.

1 ^{d}nin-ḫur-sag	Ninḫursag, **(1)**
2 ama-dingir-re-ne-ra	der Mutter der Götter,
3 lu_2-^{d}utu	hat Lu'utu,
4 $ensi_2$-	der Stadtfürst
5 umma^{ki}-ke_4	von Umma,
6 nam-ti-la-ni-$še_3$	für sein Leben
7 $tilla_3$-ki-ag_2-na	auf ihrem geliebten 'Platz'
8 e_2 mu-na-du_3	einen Tempel gebaut,
9 uš-bi mu-du_{10}	die Baugrube dafür gut ausgeführt, **(2)**
10 temen-bi mu-si	seine (= des Tempels) Gründungsbeigaben niedergelegt
11 me-bi $ša_3$-bi-a	(und) seine (= des Tempels) 'göttlichen Kräfte' darin (= im Tempel)
12 si im-ma-ni-sa_2	in Ordnung gebracht.

1) Z. 1-8 = Lu'utu 4:1-8.

2) Z. 9: Vgl. zu diesem Kontext Anm. 4 zu Urbaba 1.

Lu'utu 4

Text:

Tonnagel: *BM 15781 (= 96-6-12,1) (vollständige 1-kol. Inschrift): vgl. L.W. King, CT 1,50: 96-6-12,1 (teilweise Kopie, Varianten zu Lu'utu v. Umma 3 (= BM 15783 = 96-6-12,3)); V. Scheil, RT 21 (1899) 125 (neuass. Umzeichnung); Herkunft: Umma.

Literatur: V. Scheil, RT 21 (1899) 125.

1 ^{d}nin-ḫur-sag	Ninḫursag, **(1)**
2 ama-dingir-re-ne-ra	der Mutter der Götter,
3 lu_2-^{d}utu	hat Lu'utu,
4 $ensi_2$-	der Stadtfürst
5 umma^{ki}-ke_4	von Umma,
6 nam-ti-la-ni-$še_3$	für sein Leben
7 $tilla_3$-ki-ag_2-na	auf ihrem geliebten 'Platz'
8 e_2 mu-na-du_3	einen Tempel gebaut.

1) Z. 1-8: Diese Inschrift ist wörtlich parallel zu Lu'utu 3:1-8.

Herrscher von Ur

Lušaga 1

Text: YBC 2153 (Gefäß aus grauem Kalkstein): A.T. Clay, YOS I 9 (Kopie); Herkunft: ?.

Literatur: E. Sollberger, J.-R.Kupper, IRSA 114 IIB1b.

1 ^{d}ba-ba$_{6}$	Baba,
2 nin-a-ni	seine(r) Herrin,
3 lu$_{2}$-ša$_{6}$-ga	hat Lušaga
4 nam-ti-la-ni-še$_{3}$	für sein Leben
5 u$_{3}$ nam-ti-	und für das Leben
6 dam-dumu-na-še$_{3}$	seiner Gemahlin (und) seiner Kinder
7 a mu-na-ru	(diesen Gegenstand) geweiht.

Lušaga 2

Text:
Tonnagel: A) *IM 92758 = U. 8839 (Fragment): C.J. Gadd, L. Legrain, UET I 309 (Kopie); E. Sollberger, UET VIII S. 35 zu 40. zu UET I 309 (Kollation; weitere Duplikate U. 10109 (= *IM 92757) (Fragment); U. 11674 (= IM ?)); Herkunft: Ur, Gebiet des Königsfriedhofs.
Ferner: *BM 138344 = 1935-1-13,747 (Fragment); *BM 138345 = 1935-1-13,748 (Fragment): unpubl.; Herkunft: Ur.

B) *IM 9227 (= U. 17822): D.O. Edzard, Sumer 13 (1957) pl. 2 (nach S. 188) (Kopie); Herkunft: ?.

Literatur: E. Sollberger, UET VIII S. 35 zu 40.; D.O. Edzard, a.a.O. 181f.; E. Sollberger, J.-R. Kupper, IRSA 114 IIB1a. - Vgl. auch A. Falkenstein, AnOr 30, 12 Anm. 6; 14..

Umschrift nach Text B)

1 ^{d}nanna	Nanna,
2 lugal$^{!}$(= LU$_2$)-a-ni **(a)**	sein(em) Herrn,
2 lu$_2$-ša$_6$-ga **(a)**	hat Lušaga,
4 ensi$_2$-	der Stadtfürst
5 uri$_5$^{ki}-ma-ke$_4$	von Ur,
6 ki-sur-ra-ni	sein Territorium
7 KA-ta mu-na-ta-e$_3$ **(b)**	zugesprochen(?) **(1)**
8 bara$_2$ mu-si	(und) ein Postament errichtet.

a) Z. 2-3: Text A) BM 138344, BM 138345 und IM 92758 bieten am Zeilenanfang jeweils **LUGAL**.

b) Z. 7: Text A) BM 138344 und BM 138345 haben die gleiche Zeilenanordnung wie Text B), wo diese Zeile zusätzlich durch eine gestrichelte Linie zwischen **KA-ta mu-na-** und **-ta-e$_3$** in zwei Hälften geteilt ist (s. E. Sollberger, UET VIII S. 35 zu 40.); der durchgezogene Zeilentrenner in der Kopie von D.O. Edzard, Sumer 13 (1957) pl. 2 (nach S. 188) ist danach zu korrigieren.

1) Z. 7: **KA-ta--e$_3$**, hier i.S. von "(jedm. ein Territorium) zusprechen" verstanden, ist in diesen Texten sonst nicht weiter zu belegen. D.O. Edzard, ibidem hat die Aussage dieser Zeile bereits mit der Wendung **inim in-na-gi-in** "er hat ihm (= GN) die Abmachung (hinsichtlich dieses Gebietes) bestätigt" in den Abschnittsunterschriften im 'Katastertext' des Urnammu (bei F.R. Kraus, ZA 51 (NF 17) (1955) 46 Vs 1:16) verbunden; vgl. dazu auch oben in Urnammu 28,1:18 **inim bi$_2$-gi-in** "er (Urnammu) hat die (bestehende) Abmachung bestätigt".

Inschriften aus Adab

Adab 1

Text: A 236 (bootförmiges Gefäß aus Gips): D. Luckenbill, OIP 14, 35 (Kopie); E. Banks, Bismya 139 (Umzeichnung); Herkunft: Adab.

Literatur: St. Langdon, RA 17 (1920) 51.

1' [....]	[....(= GN(?))],
2' nin-AN-⸢x⸣-[x]	der Herrin von ...[...],
3' ur-^{d}en-[x]	hat Uren-[...],
4' dumu-ur-^{d}luga[l]-eden-na	der Sohn des Urlugaledenna,
5' nam-ti-la-ni-še$_3$	für sein Leben
6' a mu-na-⸢ru⸣	(diesen Gegenstand) geweiht.

Adab 2

Text: A 202 (Fragment eines Gefäßes): D. Luckenbill, OIP 14, 36; E. Banks, Bismya 257; (Kopien); Herkunft: Adab.

Literatur: I. Kärki, StOr 58, 151: Anonym 3.

1' lu[gal-....]	([Für das Leben des .... (= PN)],) des Kö[nigs ....],
2' lugal-ki-en-g[i]-ki-[uri-ka-še$_3$]	[des] Königs [von] Sumer (und) Ak[kad],
3' ur-$^{d.aš}$aš$_7$(=ŠIR)-g[i]	([hat]) Urašgi **(1)**,
(Ende der Kolumne)	(Rest des Textes abgebrochen).

1) Z. 3': Lesung $^{d.aš}$**aš$_7$(= ŠIR)-gi** in Anlehnung an J. Bauer, Altorientalistische Notizen 5-8 (Würzburg (im Selbstverlag des Verfassers) 1978) S. 9 zu 6. A s.v. $^{d.aš}$**aš$_7$-gi$_4$**. Diese Lesung geht jedoch zurück auf R.D. Biggs, in: JCS 24 (1971-72) 1-2; JNES 32 (1973) 33 zu 5'-6' und OIP 99, 54 zu Z. 72-74. Nach Ausweis der Zami-Hymnen bei R.D. Biggs, OIP 99, 48, Z. 72-74 gehört diese Gottheit nach **Adab(=UD.NUN)**, dagegen trägt sie bei R.D. Biggs, JNES 32 (1973) 31, xi 6' das Epitheton **lugal-ki-es$_3$** "Herr (von) Ki'es".

Mit Urašgi ist vielleicht der Stadtfürst von Adab während der Regierungszeit des Šulgi gemeint, der Vorgänger des Ḫabaluke war (s. dazu P. Steinkeller, FAOS 17 253). Wenn diese Vermutung zutrifft, sind im Bruch am Textanfang der Name und die Titulatur des Šulgi zu ergänzen.

Inschrift aus Isin

Isin 1

Text: IB 1194 (Alabaster-Fragment): C. Wilcke in Verbindung mit D.O. Edzard und C.B.F. Walker, TIM 11 (in Druckvorbereitung), Taf. 1, 3 (Kopie von C.B.F. Walker); Herkunft: Isin, 107S 254E, Oberflächenfund.

Literatur: C. Wilcke, a.a.O., unter: Katalog zu Taf. 1, Nr. 3.

1 [^{d}šar]a$_2$	[Šar]a, **(1)**
2 [nir-gal$_2$-an-n]a	[dem Angesehenen] des [A]n,
(Rest abgebrochen)	(abgebrochen).

1) Z. 1ff.: Die Zuordnung dieser Inschrift zu Šūsuen darf mit C. Wilcke, ibidem als sehr wahrscheinlich gelten (vgl. oben die Inschriften Šūsuen 8, 9 und 13), ist jedoch nicht sicher, da auch Šulgi 34 zu beachten ist.

Inschriften aus Nippur

Nippur 1

Text: *CBS 9327 (Fragment eines Gefäßes aus Alabaster): A. Poebel, PBS V 30 (Kopie); Herkunft: Nippur.

Literatur: Vgl. P. Geradi, A Bibliography of the Tablet Collection of the University Museum (Philadelphia 1984) 117.

1' dumu-⌈x⌉-[x(?)]-da-⌈x⌉-[x]	Hat ([...(= PN_1)],) das Kind des ... [...(?)]...[...](= PN_2),
2' ensi$_2$-	des Stadtfürsten
3' nibru^{ki}-ka-ke$_4$	von Nippur,
4' nam-ti-la-ni-še$_3$	für sein Leben
5' a mu-na-ru	(diesen Gegenstand) ihm/ihr (= GN) geweiht.

Nippur 2

Text: CBS 9592 (Fragment einer Vase aus Alabaster): L. Legrain, PBS XV 24 (Kopie); Herkunft: Nippur.

Literatur: L. Legrain, PBS XV S. 10 zu No. 24.

1' [nam]-⌈ra⌉-aš	Hat er [ihm/ihr(= GN)] ([(dieses) ... (-Gefäß)],) das er als [Be]ute
2' [m]u-na-AK-a	für ihn/sie (= GN) gemacht hatte, **(1)**

3' [na]m-ti-la-ni-še$_3$	für sein [Le]ben
4' [a mu-na]-⌈ru⌉	[ge]weiht.
(abgebrochen)	(Ende der Inschrift(?)).

1) Z. 1'-2': Die Belege für die Phrase **nam-ra-aš AK** "als/zur Beute machen" sind bei D.O. Edzard, AfO 19 (1959-60) 18 zu Kol. III', 27 zusammengestellt, wo Z. 1'-2' dieses Textes auch zitiert sind (der erste Beleg ist nicht PBS 15, Nr. 42, 1'-2', sondern PBS 15, Nr. 24, 1'-2'.).

Nippur 3

Text: A 32776 (= 9 N 232) (Fragment eines schwarzen Steines): R.D. Biggs, AS 17, 39, No. 47 (Kopie); Herkunft: Nippur, Oberflächenfund.

Literatur: Vgl. R.D. Biggs, AS 17, 14, No. 47.

1' [lugal-ki-e]n-[gi-ki]-uri-[....]	[König von Su]m[er] (und) [Ak]kad,
2' [....] ⌈x⌉ [....]	[....]...[....],
(abgebrochen)	(abgebrochen).

Nippur 4

Text: 4 N-T 15 (Fragment eines Gefäßes aus Alabaster): D.E. McCown u.a., OIP 97, 92, No. 49 (Kopie); Herkunft: Nippur.

Literatur: D.E. McCown u.a., OIP 97, 76 zu No. 49.

1' [lugal-$uri_{2/5}$]$^{⌜ki⌝}$-⌜ma⌝	[der König] von [Ur],
2' lugal-an-ub-da-$limmu_2$-ba-⌜ke_4⌝	der König der vier Weltgegenden,
(abgebrochen)	(abgebrochen).

Inschriften unbekannter Herkunft

Text 1

Text: *AO 3761 (Keulenkopf aus hellem Marmor (vollständig)): P. Toscanne, RT 31 (1909) 121 (Umzeichnung); Herkunft: Kunsthandel.

Literatur: P. Toscanne, ibidem.

1 ^{d}bil$_3$-ga-meš$_3$	Bilgameš,
2 lugal-a-ni	sein(em) Herrn,
3 ur-dun	hat Urdun,
4 dumu-ur-ME-ga-ka-ke$_4$	der Sohn des Ur-ME-ga,
5 nam-ti-la-ni-še$_3$	für sein Leben
6 ⌜a⌝ mu-na-ru	(diesen Gegenstand) geweiht.

Text 2

Text: NBC 2516 (Fragment einer Vase aus Kalkstein): J.B. Nies, C.E. Keiser, BIN II 5 (Kopie); Herkunft: ?.

Literatur: J.B. Nies, C.E. Keiser, BIN II S. 15f., No. 5.

1' a ⌜mu⌝-[na(?)-ru]	[Hat er(/sie) ihm (= GN)] (diesen Gegenstand) ge[weiht]. **(1)**
2' bur-[ba]	[Von diesem] (Stein-)Gefäß [ist(?):]
3' lugal-[mu(?)]	"[Mein(?)]Herr

4' igi-du$_{10}$ ḫa-mu-d[u$_8$]	hat mich fürwahr freundlich ange[schaut]!"
5' mu-b[i-im(?)] **(2)**	der Name.
(abgebrochen)	(wohl Ende der Inschrift).

1) Z. 1'ff: Mit **lugal [-mu(?)]** "[mein(?)] Herr" im Namen dieser Vase (Z. 3') ist sicher der beweihte Gott angesprochen; deshalb ist davon auszugehen, daß die Inschrift an eine männliche Gottheit gerichtet war.

2) Z. 5': Die Ergänzung **-im** in **mu-b[i-im]** erscheint aufgrund der Anordnung von **-bi** nicht zwingend. In Texten mit gesichertem Herkunftsort ist die Namensformel **bur-ba ... mu-bi** "von diesem (Stein-)Gefäß (ist:) '...' der Name" bislang nur in Girsu nachzuweisen; s. die Belege bei H. Behrens, FAOS 10, s.v. **bur**; dies ist ein Indiz für eine mögliche Herkunft dieses Textes aus Girsu. Auf der anderen Seite zeigt die Zusammenstellung bei H. Behrens, FAOS 10, s.v. **mu** I A) 1. eine differenzierte Verwendung der Namensformeln: **... mu-bi** bei Herrschern der II. Dynastie von Lagaš und **... mu-bi-im** bei den Königen der III. Dynastie von Ur. Wegen des Bruches am Textende ist eine definitive Zuordnung deshalb nicht möglich.

Text 3

Text: NBC 2522 (zwei Fragmente einer Alabaster-Vase): J.B. Nies, C.E. Keiser, BIN II 9 (Kopie); (Zuordnung zur Ur-III-Zeit nicht eindeutig; altbabylonisch(?)); Herkunft: ?.

Literatur: J.B. Nies, C.E. Keiser, BIN II S. 16f., No. 9.

1 ^{d}nin-šubur-AD$^{?}$.KID-ra	Ninšubur-... **(1)**
2 nimgir-eš$_3$-DU$^{?!}$	[hat] Nimgireš-DU, **(2)**
3 sanga-^{d}inanna	der Tempelverwalter der Inanna, **(3)**

4 ⸢x⸣-⸢^{d}⸣utu$^{!}$(= DU$_{10}$)-k[e$_4$]	der ... des Utu,
(abgebrochen)	(abgebrochen)
1' ⸢nam-ti⸣-[la]-n[i-še$_3$(?)]	[für] se[in] Leben
2' a mu-n[a-ru]	(diesen Gegenstand) gew[eiht].

1) Z. 1: Die Identifikation des Zeichens **AD** bleibt unklar; zu **ad-KID** s. zuletzt G.J. Selz, FAOS 15/1, 84 (zu 11:13) und P. Steinkeller, FAOS 17, 171.

2) Z. 2: Zu diesem PN vgl. schon in der aS Weihinschrift YOS I 3:2 **nimgir-eš$_3$-⸢a⸣-DU**.

3) Z. 3-4: Zu den Berufsbezeichnungen dieser Zeilen vgl. die Inschrift des Kuda (von Uruk) 1:4-5.

Text 4

Text: YBC 2201 ("Votive fragment"): A.T. Clay, YOS I 19 (Kopie); Herkunft: ?.

1' lugal-⸢a⸣-[ni]	([.... (= GN), ...],) s[einem] Herrn,
2' ur-am$_3$-ma	([hat]) Uramma, **(1)**
3' dumu-za$_3$-ge-⸢ke$_4$⸣	der Sohn des Zage,
4' 1 ^{dug}bur	1 Bur-Gefäß
5' nam-ti-⸢la⸣-n[i-še$_3$]	für sein Leben
(abgebrochen)	(abgebrochen).

1) Z. 2: Obwohl die Herkunft dieses Fragmentes unbekannt ist, könnte die Feststellung von P. Steinkeller, FAOS 17, 279 zu 90., daß der PN **ur-am$_3$-ma** bislang nur in Texten aus Umma nachzuweisen ist, für eine Herkunft dieses Textes aus Umma sprechen.

Text 5

Text: VA 4856 (weibliche(?) Sitz-Statuette aus Gipsstein): J. Marzahn, AoF 14/1 (1987) 37 zu 18. (Kopie) und Taf. VI Abb. 9. und 10.,Nr. 18 (Photos); Herkunft: ?.

Literatur: J. Marzahn, a.a.O. 37-39 zu 18..

Inschrift auf dem Rock der Statuette, zeilenverkehrt geschrieben

1 $^{\ulcorner d \urcorner}$ba-ba	Baba, **(1)**
2 nin-a-ni	seine(r) Herrin,
3 a-gu$_2$-gi	haben Agugi,
4 dam-⌈lu$_2$⌉-du$_{10}$-ga	die Gemahlin des Luduga,
5 ku$_3$-$^{\ulcorner d \urcorner}$en-⌈lil$_2$⌉	(und) Ku'enlil
6 nam-ti-l[a-....(?)-še$_3$(?)]	[für(?) (ihr(?))] Leben
7 a mu-na-ru	(diesen Gegenstand) geweiht.

1) Z. 1-7: Das Formular dieser Inschrift ist bislang in den Weihinschriften genauso singulär wie die Anordnung der Zeilen; eine vergleichbare Anordnung findet sich bisher nur noch in Gudea 41 (s.o.). Während aufgrund der Abfolge **PN$_1$ / dam-PN$_2$ / PN$_3$**"PN$_1$, die Gemahlin des PN$_2$, (und) PN$_3$" hinter PN$_1$ sicher eine weibliche Person steht, darf dies für PN$_3$ als sehr wahrscheinlich gelten; andernfalls muß PN$_3$ in irgendeiner Weise zur Familie von PN$_1$ oder PN$_2$ gehören.

Auffällig bleibt die fehlende Schreibung des Agentivs, die zumindest am Ende der Agentiv-Kette in Z. 5 erwartet wird (zu fordern ist **ku$_3$-^{d}en-lil$_2$-(la$_2$-)ke$_4$**).

Das Fehlen des Agentiv-Morphems in Z. 5 legt die Frage nahe, ob in Z. 6 überhaupt mit der Wiedergabe des Morphems der 3. Pers. Plural des Possessiv-Suffixes (**-ne-ne**) und (/oder) des Terminativs (**-še$_3$**) zu rechnen ist. Die Verbalform **a mu-na-ru**, die wohl kollektiv verstanden werden muß, widerrät zumindest einer Schreibung des pluralischen Possessiv-Suffixes.

Text 6

Text: O. 709 (Fragment eines Keulenkopfes aus Alabaster): L. Speleers, Bulletin des Musées Royaux d'Art et d'Histoire, 8. Jahrgang (1936) S. 91 Fig. 12 (Photo); H. de Genouillac, RA 10 (1913) 101, 2.; L. Speleers, RIAA 15; (Kopien); Herkunft: ?.

Literatur: H. de Genouillac, a.ạ.O. 102, II; L. Speleers, a.a.O. 48, 15.

1 ^{d}bil$_{3}$-ga-meš$_{3}$	Bilgameš,
2 lugal-KAL.EŠ$_{2}$.NE.URUDU	de(m) Herr(n) ...,
3 [x(?)] ⸢x⸣ [....]	[...(?)]...[....],
(abgebrochen)	(abgebrochen).

Tafeln

AO 26650 6,8 x 7,2 x 0,9

Urbaba 9

AO 271 B 4,7 x 5,5

Urbaba 13

TAFEL II

AO 58

11,8 x 9,4 x 4,0

Gudea 1

AO 12775, H

3,1 x 5,7 x 2,0

Gudea 84

AO 26638

10,0 x 6,5 x 2,0

Gudea 27

AO 26663

13 x 9 x 8

Gudea 34 B

TAFEL IV

AO 305

9,1 x 4,6 x 2,8

Gudea 89

AO 26639 a

7,5 x 4,6 x 2,6

AO 26639 b

9,3 x 3,3 x 0,9

Gudea 60

AO 26661 4,7 x 6,1 x 1,6

Vs.

Rs.

Gudea 82

TAFEL VI

AO 21995 A

12,5 x 11,5 x 4,0

Gudea 83

AO 6966

7,0 x 5,5 x 2,0

Gudea 96

AO 167

7,7 x 7,2 x 1,8

Gudea 77 I

TG 460

Gudea 15a

AO 26651

5,1 x 10,1 x 2,1

Urningirsu II 5

TAFEL VIII

AO 209

6,7 x 2,0

Urningirsu II 9

AO 2886, n

5,5 x 4,5 x 1,5

Nammaḫni 12

AO 310 6,0 x 4,7 x 2,6

Nammaḫni 17

AO 168 5,0 x 3,0 x 0,5

'Lagaš' 4

AO 12775 C 3,4 x 4,4 x 0,6

'Lagaš' 22

AO 2886, b 5,1 x 5,3 x 2,1

'Lagaš' 25

AO 2886, c 5,1 x 4,2 x 1,4

'Lagaš' 26

AO 2886, d 2,7 x 3,5 x 1,3

'Lagaš' 27

AO 2886, f 4,8 x 4,0 x 1,5

'Lagaš' 29

AO 2886, i

4,2 x 6,2 x 2,0

'Lagaš' 31

AO 2886, l

3,7 x 4,9 x 0,7

'Lagaš' 34

AO 26662 10,0 x 4,7 x 3,3

'Lagaš' 41

AO 271 D 4,3 x 4,7 x 2,3

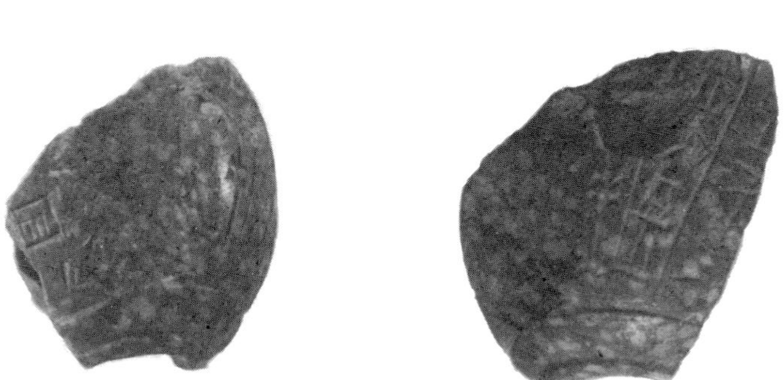

'Lagaš' 60

AO 4441 8,0 x 6,5 x 1,0

'Lagaš' 62

AO 4392 1,9 x 2,5 x 0,4

Šulgi 71

BM 104744

14,9 x 11,4 x 2,4

Urnammu 47 - Vs

TAFEL XIV

BM 104744

14,9 x 11,4 x 2,4

Urnammu 47 - Rs

MNB 1970 7,0 x 4,7 x 1,4

Šulgi 67 - Vs

MNB 1970 7,0 x 4,7 x 1,4

Šulgi 67 - Rs

AO 36

7,9 x 5,5 x 3,8

Šulgi 69

AO 36

7,9 x 5,5 x 3,8

Šulgi 69

BM 117146

BM 116446

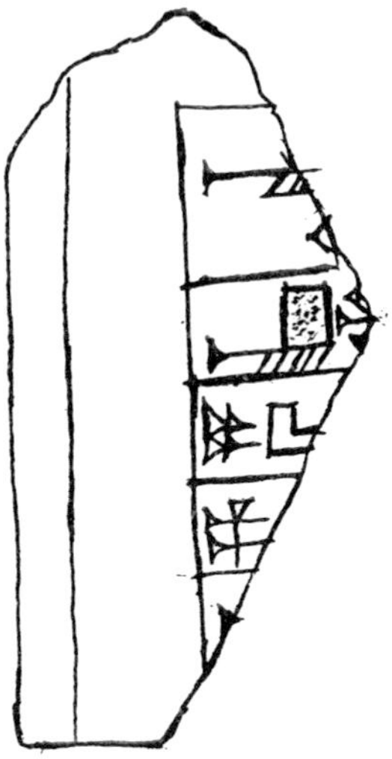

Urbaba 11 A

Urbaba 11 B

BM 118558

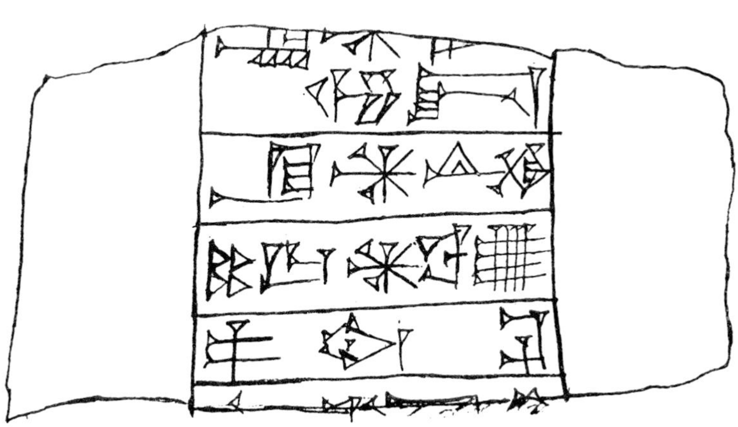

Urbaba 11 C

TAFEL XX

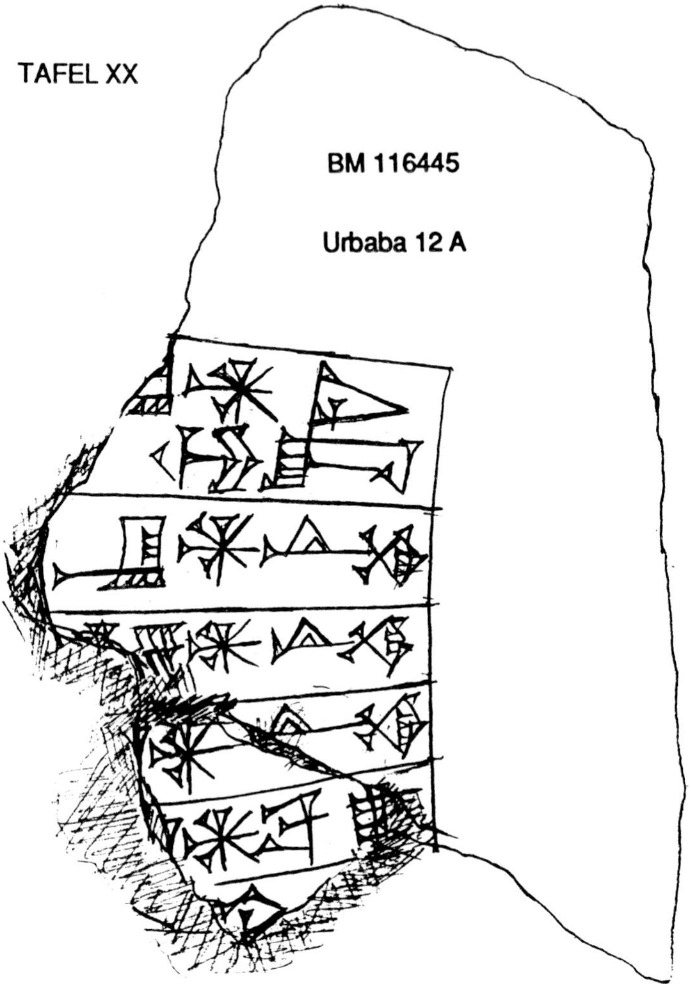

BM 116445

Urbaba 12 A

BM 116457

Urbaba 12 B

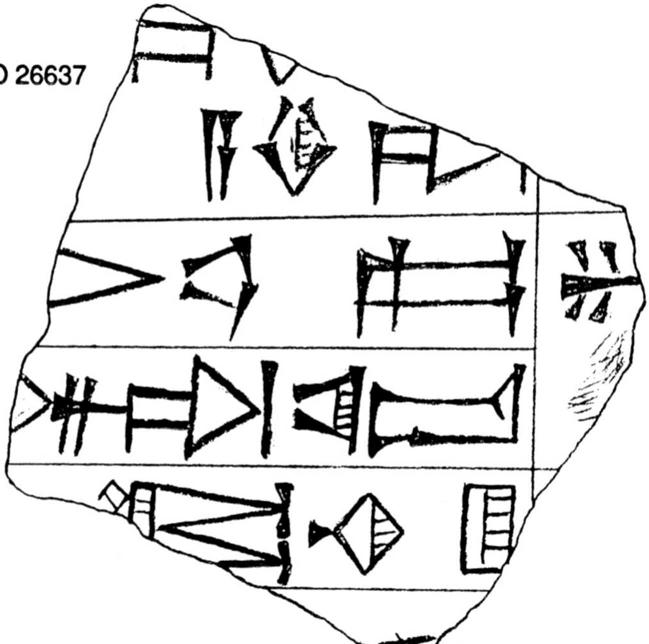

AO 26637

Gudea Statue Z

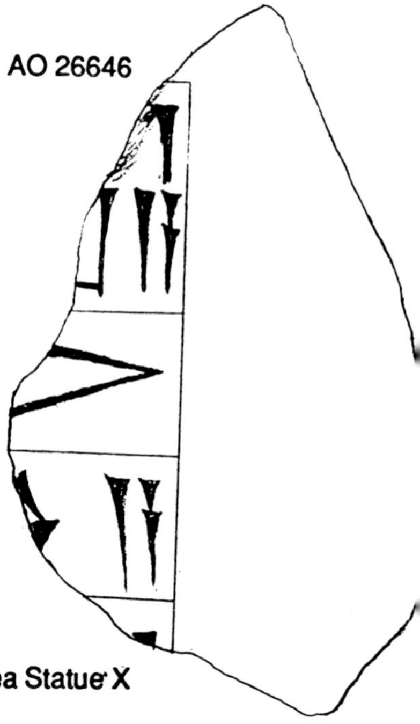

AO 26646

Gudea Statue X

TAFEL XXI

AO 26634

26 x 19 x 6

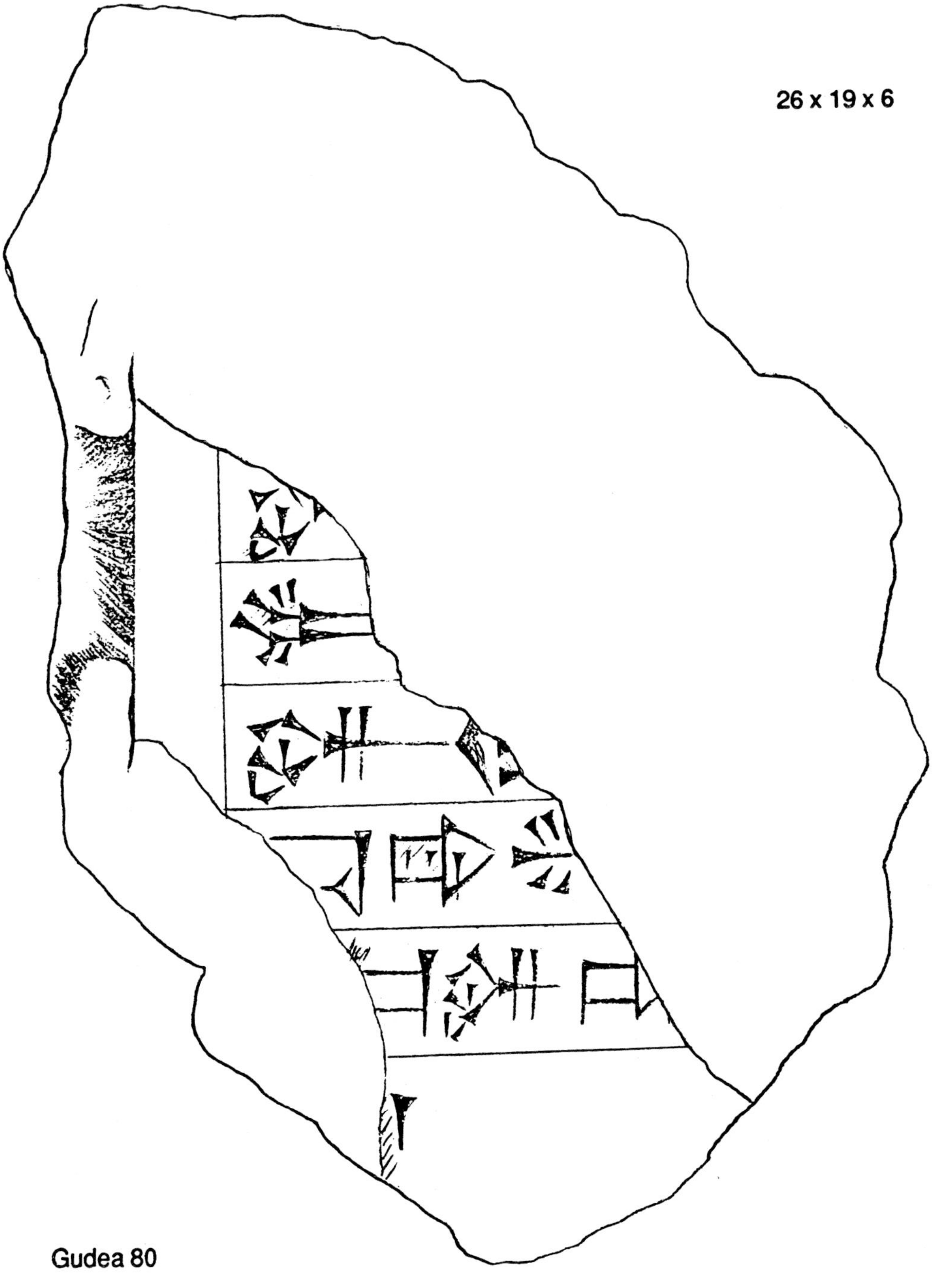

Gudea 80

AO 216

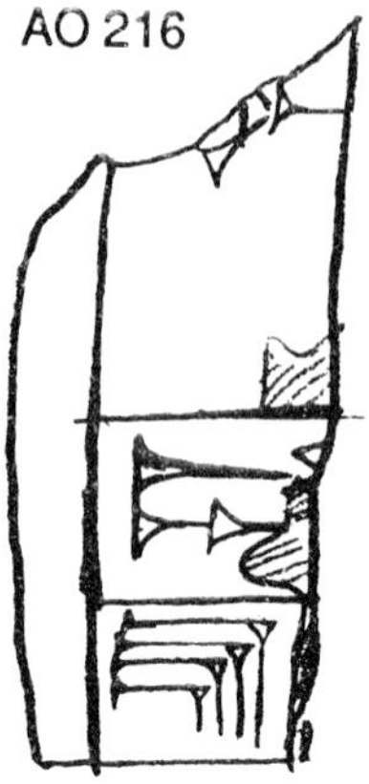

'Lagaš' 14

AO 26643

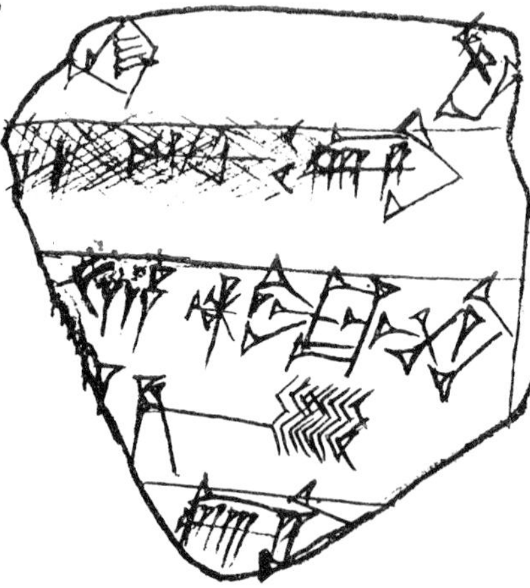

'Lagaš' 21

AO 2886, p

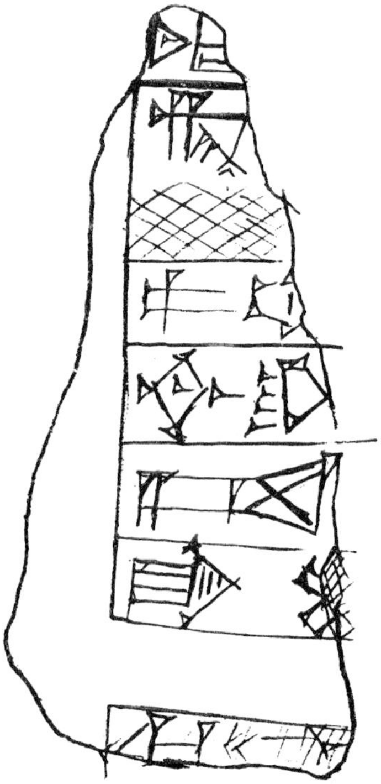

'Lagaš' 37

AO 26648

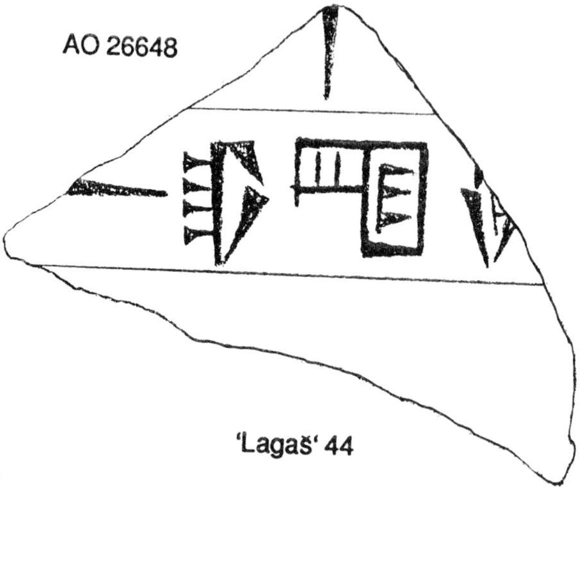

'Lagaš' 44

AO 26647

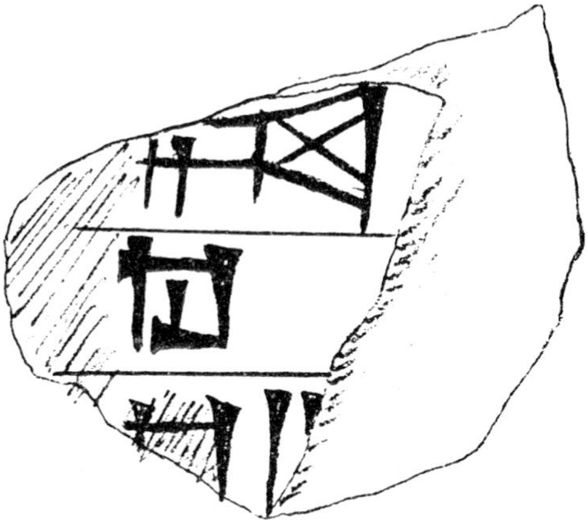

'Lagaš' 45

AO 26649

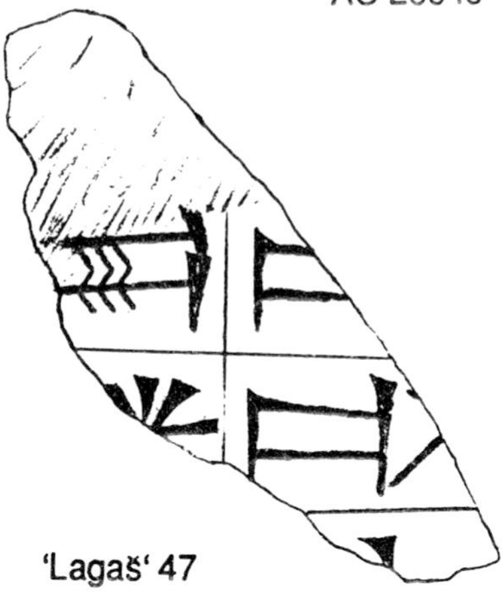

'Lagaš' 47

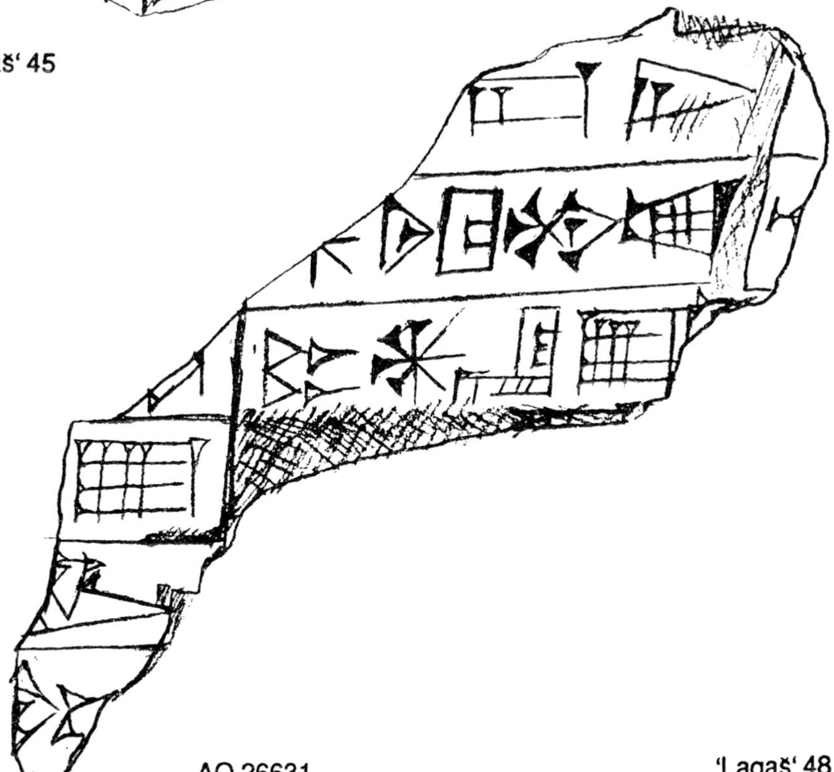

AO 26631

'Lagaš' 48

TAFEL XXIV

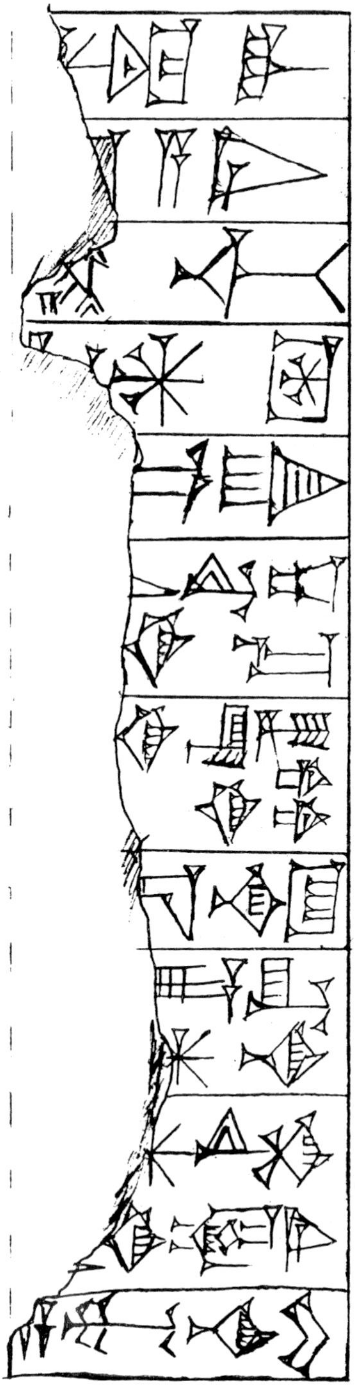

CBS 14938

Urnammu 35 A

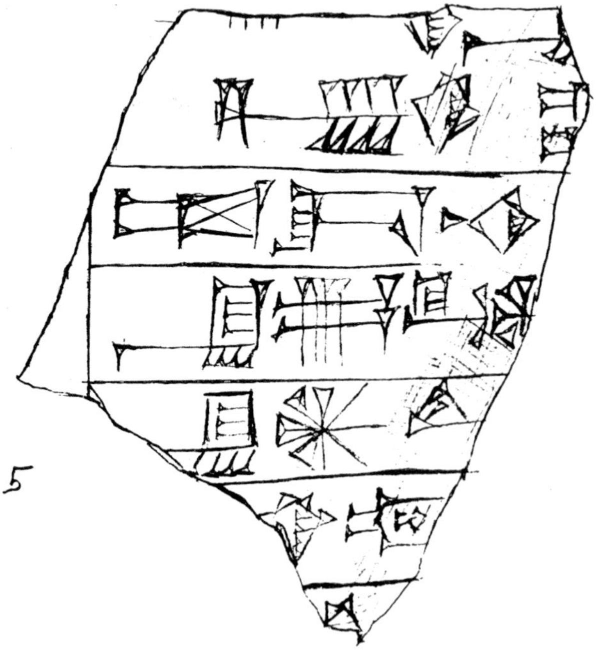

CBS 14940

Urnammu 35 B

BM 15976

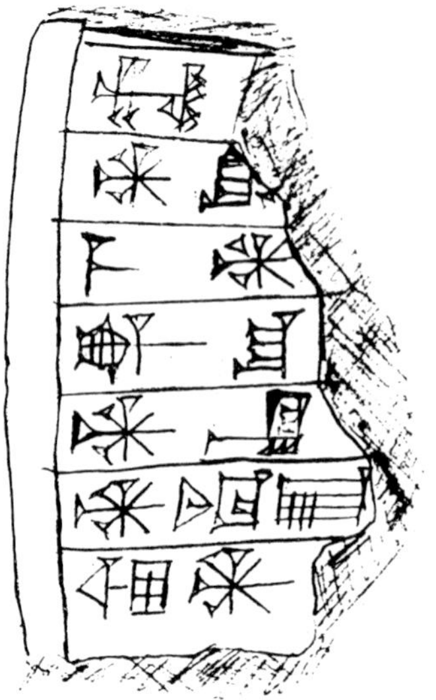

Šusuen 25